LES AGENTS ÉCONOMIQUES

Une approche de résolution de problèmes

Elijah M. James
Collège John Abbott et
Université Concordia

Adaptation de
François Pap

Traduction de GDC et associé

Éditions Beauchemin ltée
3281, avenue Jean-Béraud
Chomedey, Laval (Québec) H7T 2L2
Tél.: (514) 334-5912
Téléc.: (514) 688-6269

LES AGENTS ÉCONOMIQUES
Une approche de résolution de problèmes

Version française de :
Microeconomics, 2nd edition
A Problem-Solving Approach

Original English language edition published by Prentice-Hall Inc., Scarborough, Ontario.

© 1991 **Éditions Beauchemin ltée**
3281, avenue Jean-Béraud
Chomedey, Laval (Québec) H7T 2L2
Tél.: (514) 334-5912
Téléc.: (514) 688-6269

ISBN : 2-7616-0448-2

Dépôt légal, 4e trimestre, 1991
Bibliothèque nationale du Québec
Bibliothèque nationale du Canada
Imprimé au Canada

1 2 3 4 5   IG   95 94 93 92 91

Supervision éditoriale : Isabelle Quentin
Supervision de la production : Lucie Plante-Audy
Maquette de la couverture : Zapp
Réalisation graphique : GDC et associés
Impression : Imprimerie Gagné ltée

Table des matières

PARTIE II LES AGENTS ÉCONOMIQUES

PARTIE III LA RÉPARTITION DU REVENU

CHAPITRE 13   LE MARCHÉ DU TRAVAIL   326

PARTIE IV PROBLÈMES ÉCONOMIQUES ACTUELS

CHAPITRE 17   LE SECTEUR AGRICOLE   413

CHAPITRE 18   LES FINANCES PUBLIQUES   432

AVANT-PROPOS

Le présent ouvrage vise à permettre aux étudiantes et aux étudiants qui s'initient à la science économique de comprendre le rôle des divers agents économiques (les ménages, les entreprises, l'État, les institutions financières, etc.) dans notre société. Ceux-ci seront ainsi en mesure d'expliquer les relations qui existent entre ces agents dans les différents marchés.

Après avoir lu l'ouvrage, les étudiants auront examiné l'importance du modèle de l'offre et de la demande, et en auront vu les applications concrètes. Ils auront analysé le comportement des consommateurs et des entreprises en situation de concurrence parfaite ou imparfaite, précisé les facteurs qui influent sur la détermination des salaires dans le marché du travail et discuté du rôle de l'État et des facteurs qui définissent la répartition du revenu dans une société.

Tout au long de l'ouvrage, l'accent a porté sur la résolution de problèmes concrets, lesquels ont été choisis afin d'illustrer certains aspects de la théorie et pour aider l'étudiant à mieux saisir les notions présentées sous forme écrite ou graphique. En outre, des questions parsèment le texte pour encourager l'étudiant à participer activement au cours.

Le livre se divise en quatre parties. La première présente les notions fondamentales de l'économique (méthode, objet, système économique, etc.), en plus du modèle d'offre et de demande cher à tout économiste, auxquels s'ajoute un aperçu des économies canadienne et québécoise. La deuxième partie porte plus précisément sur le rôle des ménages et des entreprises. On y présente le processus décisionnel sous plusieurs angles et on passe en revue les différentes structures organisationnelles des entreprises. La troisième section traite de l'affection des ressources dans le marché du travail ainsi que dans celui des facteurs de production. C'est dans ce cadre que les déterminants de la répartition du revenu sont abordés. Enfin, la quatrième partie se penche sur quelques enjeux économiques actuels : l'environnement, l'agriculture, le rôle de l'État et l'importance du commerce international pour le Canada.

Les chapitres suivent un ordre logique. Cependant, puisque chacun aborde un thème particulier, l'enseignant peut les intervertir selon ses besoins.

Bonne lecture.

PARTIE I
INTRODUCTION

L'objet premier de l'économie politique de toute nation est d'accroître la richesse et le pouvoir de cette dernière.

Adam Smith, *La richesse des nations*

... et les deux grandes forces qui ont façonné l'histoire sont la religion et l'économique.

Alfred Marshall, *Principes d'économie politique*

1

LA NATURE DE L'ÉCONOMIQUE

> Toute action nécessitant temps et moyens limités pour atteindre une fin implique l'abandon du recours à ces derniers pour l'accomplissement d'une autre. Le phénomène revêt un aspect économique.
>
> Lionel Robbins, *The Nature and Significance of Economic Science*

INTRODUCTION

L'accord du libre-échange améliorera-t-il notre sort? Quel effet aura-t-il sur l'économie? Ce sont des enjeux clés pour les Canadiennes et les Canadiens au cours des années 1990. Peu importe le point de vue que l'on privilégie, la compréhension des facteurs économiques aide à la compréhension plus globale des enjeux.

Bien qu'un grand nombre d'étudiantes et d'étudiants considèrent que la protection de l'environnement relève de l'écologie, des facteurs économiques sont également en jeu. Par exemple, les pluies acides menacent l'industrie acéricole au Québec et, combinées avec d'autres formes de pollution, mettent en péril l'agriculture et les pêches dans d'autres régions du Canada. L'assainissement de l'environnement nécessitera des investissements de plusieurs milliards de dollars. Les questions économiques sont de plus en plus importantes, et l'intérêt voué aux enjeux économiques croît rapidement. Le chômage, le taux de change du dollar, les taux d'imposition élevés, les dépenses gouvernementales et le déficit, l'inflation et les pénuries d'énergie sont des difficultés économiques qui nous concernent tous. Il y va donc de notre intérêt de comprendre l'économique.

L'OBJET DE L'ÉCONOMIQUE

L'économique est une science sociale parce qu'elle traite de comportement humain (à tout le moins de certains aspects) à l'intérieur d'un cadre social. On peut étudier le comportement humain sous différents angles. Les politicologues, par exemple, se penchent sur l'organisation et le fonctionnement de l'État ainsi que sur le comportement électoral et les relations internationales, alors que les sociologues s'intéressent au comportement des êtres humains qui interagissent à l'intérieur de groupes. Quant aux économistes, ils analysent le comportement d'êtres humains engagés dans une activité qui implique l'utilisation de ressources limitées afin de pourvoir à des besoins illimités. À titre de science

L'économique est la science qui étudie les problèmes reliés à la rareté.

qui étudie le comportement humain, l'économique appartient à la même catégorie que la psychosociologie, l'anthropologie, la sociologie et les sciences politiques. Il existe de nombreuses définitions de l'économique, et trois sont particulièrement célèbres. Alfred Marshall, dont les idées ont aidé à la conception de la pensée moderne en la matière, a défini l'économique comme étant :

> L'étude de l'humanité dans le cours des activités quotidiennes; elle examine l'aspect de l'activité individuelle et sociale le plus étroitement lié à l'obtention et à l'utilisation de biens associés au bien-être. Il s'agit donc de l'étude de la richesse d'une part, mais surtout de celle de l'être humain.

Lionel Robbins, un autre économiste de renom, présente la définition suivante :

> L'économique est la science qui étudie le comportement humain en tant que relation entre les différentes fins et les différents moyens limités qui prêtent à d'autres usages.

Selon Frank H. Knight, l'économique est l'étude de «l'organisation sociale de l'activité économique», cette dernière se composant des processus reliés à la production, à la distribution et à la consommation. Aux fins du présent ouvrage, nous définirons l'économique comme suit : *la science sociale qui étudie la façon dont les individus utilisent des ressources limitées pour satisfaire des besoins illimités.* Les *ressources* dont il est ici question sont les matières requises pour produire des biens et des services, notamment les minerais, les terrains, la main-d'oeuvre, la machinerie, les routes et les usines. Les économistes appellent souvent ces ressources les *facteurs de production.*

La rareté et le choix

Les économistes s'intéressent au fait que les moyens ou les ressources destinés à la satisfaction des besoins humains sont limités. La plupart d'entre nous désirons avoir plus que ce que nous possédons. Collectivement, nous voulons plus que ce que nous sommes en mesure de produire au moyen de nos ressources limitées. L'économiste étudie l'utilisation de ces ressources limitées de manière à ce que ces dernières puissent satisfaire la plupart des besoins importants. Si les ressources étaient illimitées, il serait inutile d'en rationaliser l'usage, et il y aurait peu de raisons d'étudier l'économique. Cependant, les difficultés économiques résultent du fait que les ressources sont limitées, ou rares, et que les besoins sont illimités. On peut par conséquent définir l'économique comme *l'étude de la façon dont les individus font face à la rareté omniprésente.*

Parce que les ressources sont à la fois convoitées et rares, il faut s'entendre sur leur répartition. Il faudra toujours choisir entre deux choses, lorsque nous n'avons pas les moyens d'avoir les deux. Si vous gagniez 20 millions de dollars à la loterie et que vous désiriez acheter une voiture ainsi que faire un voyage en Europe, vous pourriez faire les deux sans avoir à choisir. De la même manière, si une collectivité pouvait produire l'ensemble des biens et services dont chaque membre a besoin, le problème du choix ne se poserait pas. Par conséquent, le choix est directement lié à la rareté, et l'économique est l'étude des choix.

L'économique est l'étude des choix.

LE COÛT D'OPPORTUNITÉ ET LES POSSIBILITÉS DE PRODUCTION

Tout choix nécessite un sacrifice. Si je décide d'assister à un spectacle de Tina Turner samedi soir, je sacrifie nécessairement autre chose, comme la partie de base-ball entre les Expos de Montréal et les Mets de New York. En optant pour le concert, j'ai laissé la partie de côté. Les économistes utilisent l'expression *coût d'opportunité* ou *coût d'option* pour désigner la possibilité sacrifiée. Si une ville décide d'ériger une école au lieu d'ajouter une aile à un hôpital, le coût d'opportunité de l'école représente les installations hospitalières additionnelles dont la ville aurait pu se doter.

Problème : La veille de votre examen final en économique, les Canadiens de Montréal doivent affronter les Kings de Los Angeles pour décider du vainqueur de la coupe Stanley. Vous pouvez étudier ou regarder la rencontre, mais ne pouvez faire les deux. Utilisez la notion de coût d'opportunité pour arrêter votre choix.

Solution : Le coût d'opportunité de la partie de hockey sera vraisemblablement un meilleur rendement à l'examen, alors que celui de l'étude en vue de l'examen d'économique sera le plaisir de voir s'affronter Gretzky et les siens, et les Canadiens. Vous devez évaluer subjectivement le coût d'opportunité associé à chaque situation. Si le coût d'opportunité de la partie est supérieur à celui de l'étude, vous devriez étudier; si, par ailleurs, le coût d'opportunité de l'étude est supérieur, regardez la partie de hockey.

Problème : Quel serait le coût d'opportunité, si le Canada décidait de fabriquer du matériel antipollution afin de combattre les pluies acides?

Solution : La fabrication de matériel antipollution entraînerait le détournement de ressources affectées à d'autres fins. Le coût d'opportunité serait celui des biens et services que l'économie ne pourrait produire, étant donné l'application de certaines ressources à la fabrication de matériel antipollution.

On peut illustrer le problème relié à l'affectation de ressources dans une situation de rareté par l'examen de la courbe de possibilités de production d'une économie. Supposons qu'une économie applique l'ensemble de ses ressources à la fabrication de deux biens seulement : des habitations et des voitures. Le tableau 1.1 illustre un certain nombre de répartitions possibles.

TABLEAU 1.1
Possibilités de production
(coût constant)

Barème de possibilités de production : un tableau qui présente les différentes combinaisons de biens qu'une économie peut produire en utilisant l'ensemble de ses ressources.

Possibilités	Nombre d'habitations	Nombre d'automobiles
1	0	8 000 000
2	100 000	7 000 000
3	200 000	6 000 000
4	300 000	5 000 000
5	400 000	4 000 000
6	500 000	3 000 000
7	600 000	2 000 000
8	700 000	1 000 000
9	800 000	0

Si cette économie hypothétique applique l'ensemble de ses ressources à la fabrication de voitures, elle peut en fabriquer un maximum de 8 000 000, mais aucune habitation (possibilité 1). Par contre, en appliquant toutes ses ressources à la construction d'habitations, elle peut en ériger 800 000, mais aucune voiture (possibilité 9). Entre ces deux extrémités, le tableau présente d'autres possibilités. Par exemple, l'économie peut fabriquer 100 000 habitations et 7 000 000 de voitures (possibilité 2), ou 500 000 habitations et 3 000 000 de voitures (possibilité 6). Remarquez que pour chaque tranche de 100 000 habitations, l'économie sacrifie 1 000 000 d'automobiles. Ainsi, le coût d'opportunité de 100 000 habitations est 1 000 000 d'automobiles. Dans cet exemple, le coût d'opportunité demeure constant, et on appelle ce genre de phénomène un *barème de possibilités de production.*

Les relations du tableau 1.1 peuvent également être exprimées sur un graphique appelé *courbe de possibilités de production.* La courbe (illustration 1.1) présente le nombre maximum d'habitations et de voitures que peut produire cette économie, étant donné l'état de la technologie à une époque donnée. Rappelez-vous qu'en établissant la courbe de possibilités de production, nous supposons que l'économie dispose d'un certain nombre de ressources et que la technologie ne varie pas. La courbe de l'illustration 1.1 est linéaire (une ligne droite) parce que nous supposons ici que le coût d'opportunité est constant. En d'autres mots, on pourrait échanger des voitures pour des habitations moyennant un taux fixe.

> La courbe de possibilités de production linéaire illustre un coût d'opportunité constant.

ILLUSTRATION 1.1
Courbe de possibilités de production illustrant un coût d'opportunité constant.

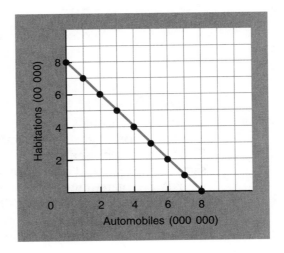

Mais dans la vie, les situations où le coût d'opportunité est constant sont assez rares. Les ressources ne sont pas également efficaces dans toutes les lignes de production. Certaines fabriqueront des habitations plus efficacement que des voitures, et vice versa. En passant de la fabrication de voitures à celle d'habitations, les coûts augmenteront vraisemblablement, parce que les ressources seront moins efficaces dans l'industrie de la construction. Par exemple, le transfert de la main-d'oeuvre s'effectuera sans trop de difficulté, au début. Mais en cours de route, il sera de plus en plus difficile de trouver des travailleurs de l'industrie automobile qui soient également d'excellents travailleurs de l'industrie de la construction.

Le tableau 1.2 est un barème de possibilités de production qui illustre des coûts d'opportunité croissants. Les premières 100 000

> Le coût d'opportunité s'accroît parce que les ressources ne sont pas toutes également efficaces, lorsqu'elles sont appliquées à tous les usages.

habitations peuvent être construites en sacrifiant 1 000 000 d'automobiles. (Le nombre d'automobiles passe de 10 000 000 à 9 000 000.) La seconde tranche de 100 000 habitations coûteront 2 000 000 de voitures, la troisième, 3 000 000, et la quatrième, 4 000 000 de voitures. Ainsi, chaque augmentation du nombre d'habitations requiert le sacrifice d'un nombre croissant de voitures. C'est ce que l'on entend par coût d'opportunité croissant.

TABLEAU 1.2
Possibilités de production (coût croissant)

Possibilités	Nombre d'habitations	Nombre d'automobiles	Nombre d'automobiles sacrifiées par 100 000 habitations
1	0	10 000 000	
			1 000 000
2	100 000	9 000 000	
			2 000 000
3	200 000	7 000 000	
			3 000 000
4	300 000	4 000 000	
			4 000 000
5	400 000	0	

Une courbe de possibilités de production concave indique un coût d'opportunité croissant.

L'illustration 1.2 sert à expliquer cette notion. Notez que les segments verticaux CG, BR et AP sont égaux et représentent des augmentations égales d'habitations. Les segments horizontaux DG, CR et BP représentent le nombre d'automobiles qui doivent être sacrifiées au profit d'habitations additionnelles. Ainsi, pour obtenir la première augmentation du nombre d'habitations (CG), il faut renoncer à un nombre DG de voitures; pour la deuxième hausse (BR), à CR; et pour la troisième (AP), à BP. Remarquez que BP > RC > DG. Ainsi, le coût d'opportunité de chaque hausse

ILLUSTRATION 1.2
Courbe de possibilités de production montrant un coût d'opportunité croissant.

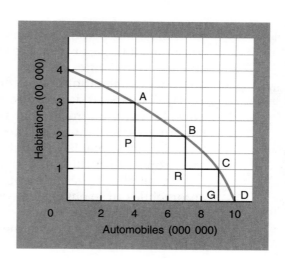

additionnelle d'habitations augmente. La courbe de possibilités de production illustrant la hausse du coût d'opportunité sera à l'origine concave (illustration 1.2).

Penchons-nous maintenant sur le diagramme de possibilités de production de l'illustration 1.3. Les points de la courbe comme A, B et C représentent le nombre combiné d'habitations et d'auto-mobiles que l'on peut construire en employant toutes les ressources disponibles. Le point U, qui se trouve sous la courbe de possibilités de production, représente la sous-utilisation des ressources. Si l'économie fonctionne au point U, elle peut parvenir à un point de la courbe comme le point A et produire un plus grand nombre d'habitations et d'automobiles sans sacrifier quoi que ce soit. Étant donné que la production accrue associée au passage du point U au point A s'effectue sans sacrifice, on peut conclure que le coût d'opportunité des ressources non employées est nul.

Une fois qu'on a fait appel à l'ensemble des ressources cependant, la production d'habitations ne peut augmenter que si celle des automobiles diminue. Un mouvement le long de la courbe de possibilités de production du point B au point A, par exemple, signifie que la production d'habitations augmente de OF à OG, et que celle d'automobiles diminue de OE à OD. Par conséquent, le coût d'opportunité des habitations FG est DE automobiles.

Le coût d'opportunité de ressources non employées est nul.

ILLUSTRATION 1.3
Diagramme de possibilités de production.

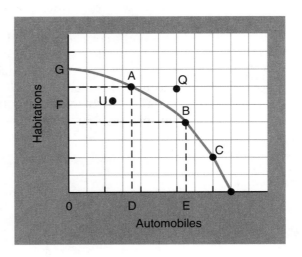

Problème : Construction Châteauvert emploie 40 me-nuisiers précédemment en chômage moyennant 80 $ par jour. Quel est le coût d'opportunité, si on les emploie pendant une semaine (5 jours)?

Solution :   Étant donné que les menuisiers étaient sans emploi, aucun secteur de l'économie n'enregistrerait de diminution. Peu importe la rémunération versée par Construction Châteauvert, la collectivité n'effectue aucun sacrifice sur quelque plan que ce soit. Par conséquent, le coût d'opportunité est nul dans le cas présent.

Remarque :   Si les menuisiers travaillaient pour le compte de l'industrie des pâtes et papiers au moment de leur embauche par Construction Châteauvert, le coût d'opportunité serait la diminution de production du secteur des pâtes et papiers, qui résulterait du transfert de main-d'oeuvre.

Reportez-vous à l'illustration 1.3. Le point Q représente la combinaison d'habitations et d'automobiles que la collectivité ne peut atteindre. Si, par contre, la technologie progresse ou les ressources augmentent, l'économie pourra construire un plus grand nombre d'habitations *et* d'automobiles. La nouvelle courbe de possibilités de production se retrouvera à droite de l'ancienne (illustration 1.4). Ce déplacement représente l'accroissement de la capacité de production de l'économie, que les économistes appellent parfois *croissance économique*.

La nouvelle courbe de possibilités de production de l'illustration 1.4 est parallèle à la courbe originale. Cela signifie que les progrès techniques ou l'augmentation des ressources a touché les deux industries également. Si la croissance se produit dans l'industrie de la construction, la courbe se déplacera vers la droite, mais ne sera pas parallèle (illustration 1.5A). Par ailleurs, si la

Des progrès techniques ou une augmentation des ressources se traduisent par un déplacement vers la droite de la courbe de possibilités de production.

ILLUSTRATION 1.4
Déplacement vers la droite de la courbe de possibilités de production.

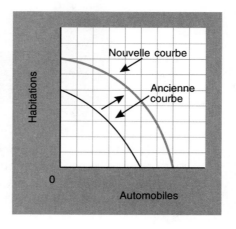

ILLUSTRATION 1.5
Le diagramme A présente une croissance uniquement dans le secteur de la construction. Le diagramme B montre une croissance uniquement dans l'industrie automobile.

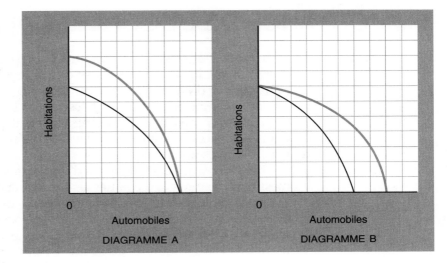

DIAGRAMME A

DIAGRAMME B

Un déplacement parallèle de la courbe de possibilités de production indique que les deux secteurs sont affectés également.

Un déplacement non parallèle de la courbe de possibilités de production indique que les deux secteurs ne sont pas affectés également.

croissance se produit dans l'industrie automobile, la nouvelle courbe ressemblera à celle de l'illustration 1.5B.

Chaque économie doit décider de son niveau d'activité économique, ce qui détermine un point sur ou sous la courbe de possibilités de production. Ensuite, elle doit arrêter la combinaison idéale de production, ce qui détermine le point précis relativement à la courbe. Enfin, elle doit fixer son taux de croissance économique, ce qui détermine le déplacement vers la droite de la courbe.

Problème : L'embauche d'un groupe de programmeurs précédemment en chômage entraînera-t-elle un déplacement de la courbe de possibilités de production?

Solution : Un déplacement de la courbe signifie un changement de la capacité de production de l'économie, et cette modification peut résulter d'un changement sur le plan des ressources ou de la technologie. Étant donné que les programmeurs existent déjà, leur embauche n'affectera pas la capacité de production de l'économie, et la courbe ne se déplacera pas.

Remarque : La présence de programmeurs en chômage représente la sous-utilisation de ressources, qui sera illustrée par un point sous la courbe. L'embauche de programmeurs rapprocherait l'économie de la courbe, mais cette dernière ne se déplacerait pas.

L'IMPORTANCE DE L'ÉCONOMIQUE

Il importe d'étudier l'économique afin de comprendre certains des problèmes mondiaux les plus pressants.

Il importe d'étudier l'économique pour plusieurs raisons. La compréhension des mécanismes de notre système économique nous permet d'en améliorer le rendement, en plus de nous aider à faire face aux difficultés avec lesquelles le pays est aux prises. On a dit que nos grands-parents auraient pu éviter la grande dépression économique des années 1930, s'ils avaient mieux compris les forces économiques en jeu.

Les citoyennes et les citoyens d'une démocratie doivent être en mesure d'imaginer et d'évaluer les conséquences reliées à diverses lignes de conduite afin de déterminer celles qui sont les plus aptes à améliorer le bien-être économique et social de la collectivité. L'analyse économique est un exercice logique qui permet d'aiguiser notre bon sens. En outre, parce que l'étude de l'économique peut s'avérer stimulante sur le plan intellectuel, elle peut mener à un niveau de satisfaction élevé. Dans les années quarante, les économistes ont exercé leur métier principalement dans les universités. De nos jours, les économistes professionnels occupent des postes un peu partout au sein des entreprises et du gouvernement.

Problème : Étant donné que l'économique n'enseigne pas comment gagner sa vie, elle a peu de valeur pratique. Êtes-vous d'accord avec cette affirmation?

Solution : Bien que l'économique ne constitue pas vraiment une discipline professionnelle, elle nous aide à résoudre un grand nombre de problèmes qui nous touchent personnellement. En outre, elle nous apprend à penser de manière logique, ce qui s'avère utile dans la vie de tous les jours. Nombreux sont ceux qui s'interrogent sur leur avenir après la collation des grades. Pourront-ils trouver un emploi? Rembourser leur prêt étudiant? Financer leur voiture, si les taux d'intérêt augmentent? Quel est le coût d'opportunité associé aux études collégiales ou universitaires? Force est de constater la grande valeur pratique de l'économique.

LA MÉTHODE SCIENTIFIQUE

Nous utilisons le mot *science* dans notre définition de l'économique. Cette dernière est-elle vraiment une science? Pour répondre, nous devons nous demander ce qu'est la science.

L'économique n'est pas une science au même titre que la physique ou la chimie. Les physiciens et les chimistes peuvent réaliser des expériences dirigées en laboratoire, ce que ne peuvent faire les économistes et autres spécialistes des sciences sociales. La science désigne un mode d'enquête particulier. *La méthode scientifique* est l'étude systématique de phénomènes ainsi que la formulation de lois générales ou de tendances par suite de la vérification d'hypothèses. On peut diviser les principaux éléments de la méthode scientifique en trois rubriques : l'observation et la mesure, la formulation d'hypothèses et la vérification.

L'observation et la mesure

L'enquête scientifique comprend l'observation et la mesure, la formulation d'hypothèses ainsi que la vérification.

Une des tâches fondamentales du scientifique est d'observer, de mesurer et d'enregistrer des données relatives à un sujet d'étude. Il s'agit du volet descriptif ou *empirique* de la science. Afin de faciliter cet aspect de son travail, le scientifique a recours à un certain nombre de termes techniques dont le sens est très précis. La mise au point d'une terminologie particulière constitue une étape importante de toute étude scientifique. Le scientifique doit également faire preuve de discernement lors de la cueillette d'information ou de données qui s'appliquent au phénomène qu'il ou elle tente d'expliquer.

Les hypothèses

Par la suite, le scientifique doit préciser un certain nombre de relations entre les variables qui ont été isolées aux fins de l'étude. Ces dernières s'appellent *hypothèses*. Une hypothèse n'est pas un énoncé par suite d'une observation, mais un énoncé au sujet d'un phénomène observable. «Soixante étudiantes et étudiants ont réussi à l'examen d'économique» n'est pas une hypothèse, mais un énoncé par suite de l'observation d'un phénomène. «Si l'on offre deux cours de révision, au moins soixante étudiants et étudiantes réussiront à l'examen d'économique» constitue toutefois une hypothèse. On peut observer le rendement d'étudiants qui ont suivi un cours de révision avant un examen. On peut vérifier le second énoncé (l'hypothèse) en offrant (ou en omettant d'offrir) deux classes de révision, puis en observant les résultats. L'énoncé «il faut offrir des classes de révision avant l'examen final» n'est pas exprimé d'une façon vérifiable, puisqu'il ne présente aucune relation précise. Une hypothèse doit être formulée de manière à ce qu'elle puisse être vérifiée, afin de la confirmer ou de l'infirmer.

La vérification

Après que le scientifique a formulé ses hypothèses, il procède à leur vérification pour voir jusqu'où la preuve empirique les appuie. L'association des questions à la preuve distingue l'étude scientifique de tout autre type d'étude.

LA MÉTHODOLOGIE DE L'ÉCONOMIQUE

Le modèle est une version simplifiée de la réalité. Il aide à la compréhension de relations économiques complexes

Les définitions, hypothèses et vérifications sont des composantes importantes du modèle.

Nous avons examiné les composantes fondamentales de la méthode scientifique. Il s'agit maintenant de voir comment l'économiste suit cette méthode dans sa tentative d'expliquer les phénomènes économiques. Les facteurs en jeu dans la réalité sont souvent très complexes, et l'économiste scientifique parvient à les expliquer au moyen de modèles. Un *modèle* ou une théorie est une abstraction du monde réel et comprend les facteurs qui semblent les plus pertinents à la lumière du sujet à l'étude. On peut l'exprimer verbalement, mathématiquement ou graphiquement. Peu importe sa forme, il doit compter les éléments suivants : des définitions, une ou plusieurs hypothèses et une ou plusieurs prédictions ou généralisations.

Les définitions Les principaux mots et expressions qu'utilisent les économistes doivent être clairement définis. Ces derniers ont créé un nombre impressionnant de mots et de notions qui font partie du langage ou du jargon de la discipline. Au fil de la lecture du présent ouvrage, vous vous familiariserez avec le vocabulaire de l'économique. Les définitions servent principalement à préciser les variables du modèle afin de faciliter le calcul. Par exemple, il serait ardu de mesurer les dépenses des consommateurs d'une économie sans avoir défini cette variable préalablement.

Les hypothèses Les hypothèses sont des énoncés au sujet des conditions dans lesquelles fonctionne le modèle. On procède essentiellement à deux types d'hypothèses en théorie de l'économique. Le premier se rapporte aux motivations qui sous-tendent un comportement économique — par exemple, les objectifs des producteurs et des consommateurs. On tient pour acquis que les consommateurs visent à maximiser la satisfaction, et les entreprises, à maximiser leurs bénéfices. Un autre type d'hypothèse sert à simplifier le travail des économistes. Par exemple, si les relations commerciales extérieures n'intéressent pas l'économiste à un moment donné, ce dernier peut simplifier son analyse en supposant que le pays ne se livre pas au commerce avec le reste du monde. De telles abstractions s'imposent en raison de la complexité de l'économie réelle. Une hypothèse particulièrement importante en théorie de l'économique est la notion *ceteris paribus*, qui signifie *toutes autres choses étant égales*. En supposant cela, les économistes peuvent attribuer des valeurs constantes aux autres facteurs en étudiant une relation donnée. Nous reparlerons de cette notion.

Les prédictions   Nous formulons des théories, que nous utilisons pour effectuer des prédictions. En économique, les prédictions sont généralement comme suit : «En faisant ceci, on obtiendra cela.» Il ne faut pas confondre prédiction et prévision. La prévision assigne des valeurs futures à certaines variables économiques en s'appuyant sur des rapports connus. Une *prédiction économique* est un énoncé au sujet de la direction générale des événements par suite de la réalisation de certaines conditions, alors que la *prévision économique* présente la valeur précise prévue d'une variable donnée. Les exemples suivants aident à établir la distinction entre les deux.

La prédiction : si les taux d'intérêt augmentent, le niveau des
investissements fléchira, toutes autres choses étant égales.

La prévision : d'ici à la fin de l'année, le taux de chômage atteindra 15 %.

Dans leur tentative d'expliquer certains phénomènes économiques, les économistes suivent la méthode scientifique présentée précédemment. Ils recueillent l'information, l'analysent et en extraient les éléments qui leur semblent les plus pertinents. Ils formulent et vérifient leurs hypothèses puis présentent des énoncés généraux ou des lois au sujet des phénomènes économiques. Par conséquent, l'économique peut être considérée à juste titre comme une science.

LES AFFIRMATIONS ET LES ÉNONCÉS NORMATIFS

Les affirmations sont des énoncés de fait exprimés d'une manière vérifiable.

Avant de poursuivre, il faut établir clairement la distinction entre les affirmations et les énoncés normatifs. Les économistes mènent des analyses qui se fondent sur des affirmations et sur des énoncés normatifs également. Les *affirmations* expriment *l'état des choses*. En économique, une affirmation nous renseigne sur le mode de fonctionnement d'un système économique (ou de l'un de ses aspects). Étant donné que l'affirmation est reliée à un fait, elle peut être vérifiée (ou rejetée) en examinant les faits. En économique, l'affirmation explique ce qui se produira en présence de certaines conditions, mais ne dit rien sur la manière dont la situation devrait se présenter.

Par contre, les *énoncés normatifs* sont des jugements de valeur ou des opinions émises sur *la manière dont les choses devraient se présenter*. On ne peut donc pas les vérifier en examinant les faits. «Une augmentation de la masse monétaire entraînera un taux d'inflation plus élevé» est une affirmation, alors que «il faut réduire la masse monétaire» est un énoncé normatif. Composez des exemples vous permettant d'illustrer la différence entre les deux types d'énoncés.

Il est évident que les énoncés normatifs ne sont pas scientifiques, étant donné qu'on ne peut les soumettre à l'épreuve empirique. Cela ne veut pas dire que l'économiste scientifique ne se penche jamais sur les enjeux normatifs. En fait, cet aspect constitue un point de désaccord entre les économistes. La plupart d'entre eux s'entendent sur les effets de la taxe sur les livres, *mais pas sur la pertinence de son imposition*. Bien que peu scientifiques, les jugements de valeur revêtent une certaine importance. Les économistes doivent cependant indiquer s'ils présentent des affirmations ou des énoncés normatifs.

Les énoncés normatifs sont des jugements de valeur ou des opinions sur la manière dont les choses devraient se présenter.

Problème : Si l'économique est à ce point scientifique, comment expliquer les désaccords entre économistes?

Solution : Les désaccords sont certainement fréquents parmi les économistes, mais ces derniers s'entendent également sur un grand nombre de points. En fait, ils s'entendent plus qu'ils sont en désaccord sur les aspects positifs de l'économique. Mais ce sont des êtres humains qui entretiennent des valeurs et des opinions sur un grand nombre d'enjeux. Il est donc tout à fait normal qu'ils ne s'entendent pas sur les questions normatives.

Remarque : Le désaccord au sein d'un champ d'étude n'en mesure pas la «valeur scientifique». Après tout, même les physiciens et les chimistes ne s'entendent pas toujours et récemment, il y a eu désaccord entre eux sur l'avenir de la fusion nucléaire.

LES VARIABLES

Nous avons vu que les économistes établissent des modèles afin de faciliter leur compréhension des phénomènes économiques. Un modèle économique est un système de relations entre des variables économiques. Grosso modo, une *variable* est tout élément qui peut prendre des valeurs différentes selon les circonstances. Tout élément stable s'appelle une *constante*. On parle de variable ou de constante selon l'objet de l'étude. Nous parlerons des variables économiques suivantes tout au long du présent ouvrage : prix, revenus, dépenses des consommateurs, taux d'intérêt, demande monétaire, dépenses d'investissement, exportations, importations, taxes et dépenses gouvernementales.

Variable endogène : valeur déterminée à l'intérieur d'un modèle.

Lorsque les économistes construisent des modèles pour expliquer des phénomènes réels, certaines variables sont expliquées au sein des modèles, d'autres sont déterminées par des facteurs extérieurs. Les premières sont les variables *endogènes*, et les secondes, les variables *exogènes*. Il est faux de supposer que les variables exogènes dont les valeurs sont prédéterminées ne sont pas importantes. De fait, elle sont très importantes et elles affectent les variables endogènes.

Variable exogène : valeur prédéterminée.

Les économistes ne disposent pas d'un ensemble de variables endogènes et d'un autre ensemble de variables exogènes. Qu'une variable donnée soit endogène ou exogène dépend du sujet à l'étude. Il faut également préciser qu'on ne peut déterminer qu'une variable est exogène ou endogène sans le recours au modèle.

Problème : Vous construisez un modèle pour expliquer la consommation de biens et de services au Canada. Vous précisez que la consommation dépend des revenus et des taux d'intérêt, mais croyez que des changements dans la distribution de la richesse et des revenus auront un effet sur la consommation.
a) Précisez les variables endogènes.
b) Précisez les variables exogènes.

Solution : a) Dans ce modèle, les variables endogènes sont la consommation, le revenu et les taux d'intérêt, et elles seront déterminées *à l'intérieur* du modèle. b) Les variables exogènes, c'est-à-dire les «données» du modèle, sont la distribution de la richesse et du revenu, et leur valeur est prédéterminée.

Les variables des stocks et les variables des flux

Les variables de flux sont assorties d'une dimension temporelle, ce qui n'est pas le cas des variables de stocks.

Avant de poursuivre, il faut distinguer les variables des stocks (stocks) des variables des flux (flux). Un *stock* est une quantité qui existe *à un moment donné* et un *flux*, une mesure du changement de la variable *par unité de temps*. Les ouvrages dont disposait la bibliothèque d'un collège ou d'une université au 10 mai 1991 (c'est-à-dire à un moment donné) constituent des stocks. Le nombre de livres que prête une bibliothèque chaque jour constitue le flux. Étant donné qu'un flux est un taux, il y a une dimension temporelle qui entre en jeu (par jour, par mois, par année, etc.), dimension qui est absente en ce qui concerne les stocks. En économique, le revenu, la consommation et l'intérêt que rapporte un compte d'épargne sont des exemples de variables de flux, tandis que le matériel que possède une entreprise, le nombre de dollars en circulation au Canada à 11 heures hier ou les sommes de votre compte de banque sont des variables de stocks.

L'HYPOTHÈSE *CETERIS PARIBUS*

L'hypothèse *ceteris partibus* nous permet d'isoler les effets des changements des variables.

Les économistes étudient les effets des changements des variables économiques. Comment un changement de revenu affecte-t-il la consommation? Celui du prix d'un produit, les quantités achetées? Les changements de la masse monétaire influent-ils sur les taux d'intérêt? Et les changements des taux d'intérêt ont-ils une incidence sur les autres variables? Peut-on établir des politiques aptes à contenir certaines variables économiques?

Supposons que nous désirons connaître l'effet d'une baisse du prix des pommes sur la quantité de pommes que nous allons acheter. De toute évidence, des facteurs autres que le seul prix vont influencer notre décision, notamment notre préférence pour ce fruit par rapport à d'autres fruits, notre revenu ainsi que le prix d'autres fruits. Nous pouvons supposer que si le prix des pommes diminue, nous en achèterons une plus grande quantité. Si la diminution est accompagnée d'une augmentation de la quantité achetée, peut-on conclure que l'accroissement de la quantité achetée résulte de la diminution du prix? Ne se pourrait-il pas que l'augmentation de la quantité achetée résulte d'une augmentation du revenu ou d'un autre facteur exogène?

Afin de déterminer l'effet d'une variable sur d'autres, l'économiste doit trouver le moyen d'isoler les effets de ces dernières. Dans l'exemple précédent, il faut isoler le revenu, la préférence (le goût) et les autres facteurs (à l'exception du prix des pommes) qui peuvent affecter la quantité achetée. Cette tâche presque magique s'effectue en utilisant la supposition *ceteris paribus*. Tirée du latin, l'expression signifie *toutes autres choses étant égales*, et elle nous permet de maintenir tous les autres facteurs constants pendant l'étude des effets de la variable qui nous intéresse. Ainsi, on peut étudier les effets d'un changement de prix sur la quantité achetée en supposant que le revenu, la préférence et les autres facteurs à l'exception du prix des pommes demeurent inchangés tout au long de l'étude, et arriver à l'énoncé suivant : «Si le prix d'un produit diminue, *toutes autres choses étant égales*, la quantité achetée augmentera.»

Problème : Pourquoi les économistes insistent-ils tellement sur l'hypothèse *ceteris paribus*, lorsque l'on sait très bien que les autres choses ne sont pas constantes?

Solution : Les économistes savent pertinemment que les autres choses ne sont pas constantes, mais que sans cette hypothèse, il serait extrêmement difficile d'isoler les effets d'une variable sur une autre. L'hypothèse facilite grandement le processus intellectuel.

LES POLITIQUES ÉCONOMIQUES

Une politique économique est toute action prise afin d'atteindre un but de nature économique.

Un grand nombre de ressources matérielles et humaines ont été et sont appliquées à la mise au point de théories économiques. Ces dernières aident à la compréhension du mode de fonctionnement d'une économie et nous permettent de résoudre des problèmes économiques réels. On peut définir une *politique économique* à titre de ligne de conduite en vue d'atteindre des objectifs économiques précis. Chaque collectivité s'entend généralement sur un certain nombre d'objectifs qu'elle désire atteindre. Les objectifs suivants comptent parmi ceux que la plupart d'entre nous aimerions que les concepteurs de politiques poursuivent : la stabilité des prix, le plein emploi, la croissance économique, la distribution équitable du revenu, la liberté économique (où consommateurs, travailleurs et entreprises poursuivent leurs propres intérêts économiques), la sécurité économique et un équilibre de la balance des paiements.

Il faut admettre que la poursuite de ces objectifs entraînera des conflits. Par exemple, une politique conçue pour réduire le taux de l'inflation (afin de stabiliser les prix) peut se traduire par un taux de chômage accru. Ainsi, la stabilité des prix entrera en conflit avec le plein emploi. De même, la distribution équitable du revenu peut s'opposer à une croissance économique accrue. En présence de conflits, il faut arrêter des choix.

Tous ces aspects ne revêtent pas la même importance à un moment donné. En outre, il est vraisemblable que l'importance de chaque objectif par rapport aux autres change de temps à autre. Lorsque le chômage est élevé, il peut s'avérer nécessaire de sacrifier la stabilité des prix. Il faut établir des priorités, mais leur classement va changer selon les circonstances. Par exemple, l'environnement nous préoccupe davantage de nos jours qu'il y a dix ans, alors que le contraire s'applique quant à l'inflation.

LA MICROÉCONOMIE ET LA MACROÉCONOMIE

La microéconomie étudie le comportement d'unités économiques individuelles.

L'économique se divise en deux grands volets : la microéconomie et la macroéconomie. *La microéconomie étudie le comportement d'unités économiques individuelles.* Elle s'intéresse aux facteurs qui déterminent la composition du rendement global et se penche sur des sujets comme le comportement des consommateurs et des entreprises, la fixation des prix ainsi que la répartition du rendement économique auprès de différents groupes. On désigne souvent la microéconomie de *théorie des prix.*

La macroéconomie étudie le comportement d'ensembles économiques.

La macroéconomie étudie l'économie dans son ensemble plutôt que des unités individuelles, c'est-à-dire le troupeau entier plutôt que chaque tête qui le compose. Elle s'intéresse au comportement combiné ou global des consommateurs et des producteurs et se penche sur des sujets comme l'inflation, le chômage et la croissance économique. On désigne souvent la macroéconomie de *théorie du revenu et de l'emploi.* Pour bien comprendre tout système économique, il faut connaître la microéconomie et la macroéconomie.

RÉSUMÉ DU CHAPITRE

1. L'économique est une science sociale parce qu'elle étudie certains aspects du comportement humain de manière scientifique.
2. On peut définir l'économique comme étant l'étude de la manière dont les personnes utilisent des ressources limitées afin de répondre à des besoins illimités.
3. Le besoin et la rareté imposent des choix. L'économique s'intéresse particulièrement à la rareté et au choix.

4. Le coût d'opportunité désigne l'objet que l'on doit sacrifier ou auquel on doit renoncer.

5. La courbe de possibilités de production présente la production maximale de deux biens (ou classes de biens) qu'une économie peut produire en utilisant l'ensemble de ses ressources. En traçant la courbe, on suppose que la technologie est constante.

6. Une courbe de possibilités de production en ligne droite indique un coût d'opportunité constant, tandis qu'une courbe concave désigne un coût d'opportunité croissant.

7. La connaissance de l'économique nous permet d'améliorer le rendement d'une économie et, par conséquent, d'augmenter notre bien-être et d'aiguiser notre bon sens.

8. Les éléments principaux de la méthode scientifique sont : l'observation et la mesure, la formulation d'hypothèses et de généralisations et la vérification.

9. Les économistes ont recours à la méthode scientifique pour décrire et prédire les phénomènes économiques. Par conséquent, il est tout a fait légitime de la considérer comme une science.

10. Les affirmations servent à expliquer le mode de fonctionnement d'une économie, tandis que les énoncés normatifs, à émettre des opinions ou des jugements de valeur sur le mode de fonctionnement désiré d'une économie.

11. Une variable est tout élément auquel on peut attribuer plusieurs valeurs différentes. Une variable endogène s'explique à l'intérieur d'un modèle ou d'une théorie, tandis qu'une valeur exogène est déterminée par des facteurs externes.

12. Le facteur temps est l'élément qui distingue le stock du flux.

13. L'hypothèse *ceteris paribus* (toutes autres choses étant égales) permet au chercheur d'étudier l'influence des changements d'une variable sur une autre.

14. Les politiques économiques sont les lignes de conduite conçues pour atteindre un objectif économique déterminé.

15. Les objectifs économiques peuvent entrer en conflit. Le cas échéant, il faut arrêter des choix. Étant donné que les objectifs économiques d'une collectivité ne revêtent pas la même importance aux yeux de tous, on établit des priorités, que l'on modifie de temps à autre.

16. La microéconomie et la macroéconomie sont les deux volets principaux de l'économique. La première s'intéresse aux unités économiques individuelles, la seconde, aux grands ensembles économiques.

Termes et notions à retenir

science sociale

rareté et choix

coût d'opportunité

courbe de possibilités
  de production

méthode scientifique

affirmation et énoncé normatif

variable et constante

variable endogène et
  variable exogène

stock et flux

ceteris paribus

politique économique

microéconomie

macroéconomie

Questions de révision et de discussion

1. L'économique est une science sociale. En quoi est-elle sociale et est-elle une science? Qu'est-ce qui distingue les économistes des physiciens?
2. L'économique est l'étude de la rareté et des choix. Cette définition de l'économique est-elle adéquate? Expliquez votre réponse.
3. Qu'est-ce qui constitue le principal problème de l'économique?
4. Qu'entend-on par coût d'opportunité? Donnez des exemples.
5. Qu'est-ce qu'un modèle économique? Pourquoi les économistes ont-il besoin de construire des modèles?
6. Quelle est la différence entre une affirmation et un énoncé normatif? Êtes-vous d'accord avec l'énoncé selon lequel les propositions normatives n'ont pas leur place en science économique? Expliquez votre réponse.
7. Quelle est la différence entre les théories économiques et les politiques économiques? Donnez un exemple de politique économique et expliquez pourquoi on devrait la mettre en vigueur.
8. Quels sont les problèmes économiques auxquels le Canada fait face à l'heure actuelle? Ces problèmes sont-ils propres au Canada?
9. Distinguez les notions suivantes :
    (a) stocks et flux
    (b) variables endogènes et exogènes
10. Différenciez la microéconomie de la macroéconomie. Pourquoi étudier la microéconomie *et* la macroéconomie?

Problèmes et exercices

1. Makeba Électronique ltée fabrique des radios et des téléviseurs. L'entreprise peut, n'importe quel jour, fabriquer toute combinaison des deux types d'appareils selon le tableau 1.3.

TABLEAU 1.3
Production de Makeba
Électronique

Radios	Téléviseurs
20	0
16	1
12	2
8	3
4	4
0	5

(a) Au moyen de ces données, tracez la courbe de possibilités de production.

(b) Pourquoi la courbe est-elle en ligne droite?

(c) Quel est le coût d'opportunité d'un téléviseur par rapport aux radios?

2. Lorsque le chômage est élevé et qu'il est difficile de trouver un emploi, les collèges et les universités connaissent généralement des hausses d'inscription. Utilisez la notion de coût d'opportunité pour expliquer le phénomène.

3. Montrez l'effet de chaque événement suivant sur la courbe de possibilités de production d'un pays. Placez la production pétrolière (en barils) sur l'axe des X et les autres biens sur l'axe des Y.

(a) la découverte de nouveaux champs de pétrole;

(b) une hausse du taux d'extraction de pétrole des puits existants;

(c) des progrès techniques en matière d'extraction;

(d) une baisse du taux de chômage en raison de l'embauche d'un plus grand nombre de travailleurs par toutes les entreprises;

(e) une hausse du nombre de réfugiés admis au Canada et qui ne peuvent se trouver d'emploi;

(f) une hausse du nombre de réfugiés admis au Canada et qui trouvent un emploi.

4. La Nouvelle compagnie de fournitures de bureau inc. se rend compte qu'en appliquant son budget de production fixe entre les machines à écrire et les ordinateurs, elle peut, n'importe quel jour, fabriquer toute combinaison des deux types d'appareils selon le tableau 1.4.

TABLEAU 1.4
Production de la Nouvelle
compagnie de fournitures
inc.

Machines à écrire	Ordinateurs
0	15
1	14
2	12
3	9
4	5
5	0

courbe de possibilités de production de l'entreprise.

(b) Quel est le coût d'opportunité :
- i) de la première machine à écrire;
- ii) de la deuxième;
- iii) de la troisième?

(c) Que constatez-vous au sujet du coût d'opportunité des machines à écrire au fur et à mesure de l'accroissement de la production de ces dernières?

(d) Quelle forme adopte la courbe de possibilités de production telle que tracée en a)?

5. En se rapportant à la question 4, supposons que l'entreprise augmente son budget de production de manière à lui permettre de fabriquer un plus grand nombre de machines à écrire *et* d'ordinateurs.

(a) Tracez sur un graphique la nouvelle courbe de possibilités de production.

(b) Si l'entreprise met à pied un certain nombre d'employés, comment cela affectera-t-il la courbe de possibilités de production?

(c) Qu'arrivera-t-il à la courbe, si les employés sont mutés de la section des ordinateurs à celle des machines à écrire?

6. Déterminez si les déclarations suivantes constituent des affirmations ou des énoncés normatifs :

(a) L'augmentation des prix entraînera une diminution des quantités achetées.

(b) On devrait freiner la hausse rapide du prix de l'essence.

(c) L'économique est à ce point importante qu'elle devrait être un cours obligatoire au collège et à l'université.

(d) Une taxe sur le tabac réduira l'offre de cigarettes.

(e) Les taux d'intérêt élevés tendent à réduire le niveau des investissements. Par conséquent, on devrait les maintenir à des niveaux le plus bas possible.

7. Déterminez si les variables suivantes constituent des stocks ou des flux.

(a) Le nombre de paires de jeans d'un grand magasin.

(b) Le nombre de jeans vendus par un grand magasin au cours d'un mois.

(c) Le nombre de voitures fabriquées par un constructeur d'automobiles au cours d'un an.

(d) La surface des locaux pour bureaux disponible le 6 juillet 1991.

(e) Le matériel appartenant à la Compagnie Techni-Spec.

(f) La somme d'argent déposée dans votre compte bancaire chaque mois.

(g) Le solde impayé d'un prêt au 15 janvier 1991.

(h) L'intérêt annuel payable sur un emprunt bancaire.

8. Indiquez si les éléments suivants relèvent de la microéconomie ou de la macroéconomie.

(a) L'explication des causes de l'augmentation du prix du blé.

(b) L'explication des facteurs qui affectent l'ensemble des dépenses des consommateurs.

(c) L'explication de l'influence du niveau des investissements sur l'emploi.

(d) L'explication du mode de fixation du prix du présent ouvrage.

(e) Un modèle qui tente de prédire les changements du niveau moyen de revenu et de chômage d'une économie.

(f) Un modèle qui tente de prédire le taux de croissance de la production de produits et services d'une économie.

(g) Un modèle qui explique comment une entreprise peut maximiser ses bénéfices.

(h) Une théorie qui explique pourquoi le prix des ordinateurs personnels a chuté au cours des dernières années.

ANNEXE
QUELQUES
OUTILS UTILES

INTRODUCTION

Les économistes utilisent un certain nombre d'outils afin de comprendre les relations économiques. La présente annexe vise à présenter, de façon sommaire mais utile, certains des outils fondamentaux utilisés par les économistes qui cherchent à comprendre et à expliquer les phénomènes économiques. Ces outils leur permettent d'exprimer des idées avec clarté et précision. Vous désirerez peut-être parcourir le matériel afin de déterminer s'il vous est déjà familier.

L'annexe renferme une brève introduction sur l'utilisation des symboles et de la notation fonctionnelle, puis un mode d'utilisation des graphiques aux fins d'illustration de certains rapports. Elle présente également la notion de pente, et vous apprendrez à mesurer les pentes de courbes linéaires ou non linéaires à différents points.

L'UTILISATION DE SYMBOLES ET DE LA NOTATION FONCTIONNELLE

Les économistes et les étudiants en économique étudient constamment les relations entre les variables économiques. En exprimant ces relations, on peut utiliser un outil mathématique des plus pratiques appelé la *notation fonctionnelle*. Une *fonction* exprime une relation entre deux ou plusieurs variables. En réalité, on peut facilement exprimer des rapports entre variables en tant que fonctions. «La quantité de pommes que les consommateurs achètent dépend du prix» est un énoncé que l'on peut exprimer autrement, en disant : «La quantité de pommes que les gens achètent est une fonction du prix des pommes.» Les deux énoncés veulent dire exactement la même chose : si le prix des pommes change, la quantité achetée changera également (toutes autres choses étant égales, bien entendu). En utilisant la notation fonctionnelle, on peut exprimer cette notion de manière concise.

Pour y arriver, on commence par utiliser des symboles. Nous utiliserons Q pour dénoter la quantité de pommes achetée, et P, pour le prix des pommes. Remarquez que l'utilisation de ces symboles a déjà simplifié l'expression des rapports entre les variables qui nous intéressent. Il suffit de remplacer la quantité par Q, et le prix par P. On peut donc exprimer la notion que la quantité achetée dépend du prix par :

$$Q = f(P).$$

Une fonction exprime une relation entre des variables.

L'équation signifie : «La quantité dépend du prix» ou «La quantité est une fonction du prix.»

Dans cet exemple, la quantité achetée dépend du prix. Par conséquent, dans la fonction, Q est la variable *dépendante*, et la variable dont elle dépend s'appelle variable *indépendante* ou *explicative*. La variable dépendante est donc la variable que nous tentons de cerner, et la variable indépendante, celle qui nous fournit l'explication. En économique, il est d'usage de modifier la forme de la notation. On remplace f par la variable dépendante, et la fonction ci-haut devient

La variable dépendante est celle que l'on doit expliquer.

La variable indépendante est celle qui fournit l'explication.

$$Q = Q(P).$$

Il est parfois préférable d'exprimer la notion qu'une variable dépend de deux ou de plusieurs variables. Par exemple, supposons que nous voulons exprimer la notion que la quantité achetée dépend non seulement du prix, mais également du revenu. En utilisant P pour le prix et Q pour la quantité, comme ci-dessus, mais en utilisant Y pour représenter le revenu, nous exprimons la notion ainsi :

$$Q = Q(P,Y).$$

Remarquez qu'une virgule sépare les variables indépendantes P et Y.

Problème : Utilisez la notation fonctionnelle pour exprimer chacune des notions suivantes :

(a) La note (n) que vous obtenez à un examen dépend du nombre d'heures (h) que vous avez consacré à sa préparation.

(b) Plus la proportion de personnes âgées de 65 ans (a) est élevée, plus les sommes appliquées aux services de santé (S) sont importantes.

(c) Des changements sur le plan du revenu des Canadiens (Y) vont entraîner des modifications au niveau des importations (M) en provenance des États-Unis.

(d) Des taux d'intérêt (i) ainsi qu'un revenu plus élevés (Y) vous motiveront à placer davantage d'argent à la banque (B).

Solution :
(a) $n = n(h)$
(b) $S = S(a)$
(c) $M = M(Y)$
(d) $B = B(i,Y)$

L'UTILISATION DES GRAPHIQUES

Un graphique est un outil efficace pour présenter les relations entre les variables.

Les axes se rencontrent à l'origine, soit le point à partir duquel s'effectue le calcul de toutes les distances.

Les graphiques servent à illustrer efficacement les relations entre les variables. S'ils ne parlent pas d'eux-mêmes, ils clarifient cependant les points de vue que l'on tente d'exprimer et vont jusqu'à *montrer* les changements qui ont lieu.

La présente section constitue une introduction à l'utilisation des graphiques. Examinez le diagramme de l'illustration 1A.1. Les deux lignes (appelées axes) se rencontrent à un angle de 90°. Le point d'intersection s'appelle l'*origine*. Nous lui accordons la valeur 0 et mesurons toutes les distances à partir de lui. Notez que les deux lignes d'intersection divisent le plan en quatre portions appelées quadrants.

Illustration 1A.1
**Axes, origine, quadrants
et point sur un graphique.**

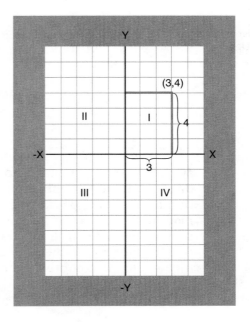

La délimitation de points

Supposons que nous voulons déterminer le point des valeurs
x = 3 et y = 4 — que l'on exprime généralement sous la forme (3,4).
En premier lieu, il faut repérer la valeur 3 sur l'axe des x, puis
monter jusqu'à la valeur 4 sur l'axe des y. Nous arrivons au point
(3,4) désiré. Maintenant, examinez le tableau 1A.1 qui présente
les valeurs de x et de y. On peut tracer ces valeurs sur le graphique
comme à l'illustration 1A.2. Notez que les points apparaîtront
dans les quadrants II, III et IV seulement en présence de valeurs
négatives.

Tableau 1A.1
Valeurs X et Y

Valeurs X	Valeurs Y
1	−3
2	4
−3	2
4	1

En général, les variables économiques ont des valeurs égales ou
supérieures à zéro. Par conséquent, la plupart de nos graphiques
n'utilisent que le premier quadrant et apparaissent sans les parties négatives des axes.

Supposons que nous disposons de l'information telle que
présentée au tableau 1A.2 au sujet des ventes hebdomadaires de
crème glacée du bar laitier Crème de la crème ainsi que du nombre
de journées ensoleillées au cours d'une période de six semaines.

Semaine	Jours ensoleillés	Ventes de crème glacée
1	2	400 $
2	5	900 $
3	1	200 $
4	3	500 $
5	4	700 $
6	5	800 $

À partir du tableau, on peut constater que le volume de ventes augmente en fonction du nombre de jours ensoleillés. Cependant, bien que le tableau renferme cette information, cette dernière ne saute pas aux yeux. Il serait utile de montrer l'information du tableau 1A.2 de manière à faire ressortir le rapport au premier coup d'oeil. L'illustration 1A.3 y parvient. Le graphique illustre clairement que le volume de crème glacée vendu augmente selon le nombre de journées ensoleillées.

Illustration 1A.2
Points placés sur un
graphique.

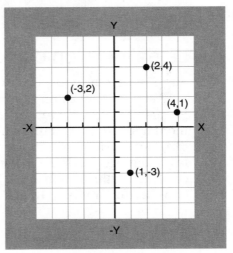

Illustration 1A.3
Représentation graphique
du rapport entre les
ventes de crème glacée
et le nombre de jours
ensoleillés.

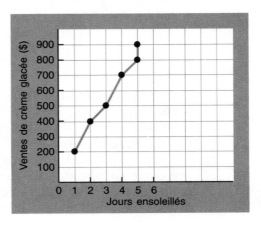

«La chute des taux d'intérêt entraîne une augmentation des investissements.» Dans cet énoncé, les investissements désignent les dépenses en immobilisations (usines, matériel, bâtiments, etc.). L'énoncé traite de la relation entre deux variables : les taux d'intérêt et le niveau des investissements. On peut brosser un tableau très net de la situation au moyen d'un graphique. Notez que les deux variables se déplacent dans des directions opposées. En d'autres mots, il existe une relation *inverse* entre les taux d'intérêt et le niveau des investissements, lequel est illustré graphiquement par la courbe descendante de l'illustration 1A.4. Le tableau montre clairement que la baisse des taux d'intérêt de 12 % à 9 % s'est traduite par une hausse des investissements de 20 à 30 millions de dollars.

Illustration 1A.4
Relation inverse entre deux variables.

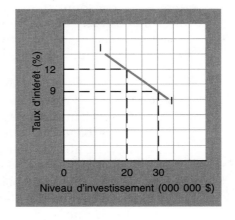

Une courbe descendante désigne la relation inverse entre deux variables.

Maintenant, examinons le cas où deux variables se déplacent dans la même direction et, plus précisément, l'énoncé suivant : «Un revenu accru se traduit par une hausse des dépenses des consommateurs». Encore une fois, la relation entre ces deux variables est clairement illustrée à l'aide d'un graphique. Dans le cas présent, il existe une relation *positive* entre le revenu et les dépenses des consommateurs, et la courbe ascendante du graphique de l'illustration 1A.5 présente cette relation. L'augmentation des revenus de 5 à 8 millions de dollars entraîne une hausse des dépenses des consommateurs de 4 à 6 millions de dollars.

Il apparaît évident que l'économiste peut utiliser les graphiques à profit aux fins de présentation de certains rapports économiques. Malgré leurs avantages certains toutefois, l'utilisation de graphiques est limitée aux cas qui comptent peu de variables. Plus le nombre de ces dernières est élevé, plus il s'avère difficile d'en représenter les rapports à la faveur de graphiques. Comment illustreriez-vous graphiquement la notion que la consommation varie selon le revenu actuel, les taux d'intérêt et les

Illustration 1A.5
Relation positive entre
deux variables.

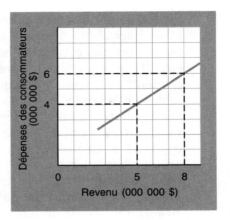

Une courbe ascendante
désigne la relation
positive entre deux
variables.

attentes des consommateurs? Il s'agit d'une tâche monumentale, voire impossible. Les modèles renfermant des relations entre plusieurs variables se présentent généralement verbalement ou *algébriquement*, plutôt que géométriquement ou graphiquement.

Problème : Lorsque les taux d'intérêt sont peu élevés, les gens tendent davantage à emprunter de l'argent des institutions bancaires que lorsque les taux sont élevés. Illustrez cette affirmation au moyen d'un graphique.

Solution : On peut placer les taux d'intérêt sur l'axe vertical et le nombre d'emprunts sur l'axe horizontal. Étant donné que les deux variables se déplacent dans des directions opposées, la courbe sera descendante, telle que présentée à l'illustration 1A.6.

Illustration 1A.6
Relation entre les taux
d'intérêt et l'emprunt
d'argent.

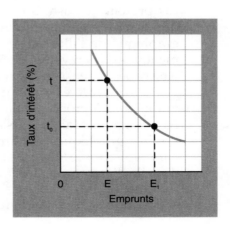

LA PENTE : NOTION ET MESURE

Les pentes nous indiquent la rapidité avec laquelle les courbes montent ou descendent.

Dans le cadre de votre étude de l'économique, vous vous rendrez compte de la grande importance de la notion de la pente et de la mesure de cette dernière. Les économistes désirent connaître le taux d'ascension ou de chute des courbes, et la réponse se trouve dans la mesure de la pente des courbes. Si nous croyons que l'accroissement du revenu entraîne une augmentation des achats des consommateurs, nous pouvons représenter cette relation au moyen d'un graphique tel que présenté à l'illustration 1A.7.

Illustration 1A.7
Relation entre le revenu et la consommation.

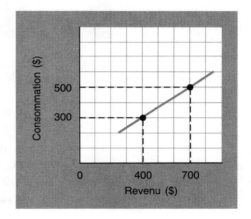

La consommation se mesure sur l'axe vertical, le revenu, sur l'axe horizontal. La courbe du diagramme montre une augmentation simultanée du revenu et de la consommation. Toutefois, l'économiste désirera également connaître dans quelle mesure le consommateur réagit aux changements de revenu. On peut dire, par exemple, qu'une augmentation de revenu de 300 $ se traduit par une hausse de 200 $ des biens et services consommés. La pente nous fournit cette information en présentant le redressement ou l'aplatissement de la courbe et est définie comme étant le ratio de la distance verticale (hauteur) à la distance horizontale (longueur). Reportez-vous à l'illustration 1A.8. Étant donné que la courbe est linéaire (une ligne droite), la pente est la même à chaque point et s'exprime ainsi :

Une courbe linéaire a une pente constante.

$$\text{pente} = \frac{\text{distance verticale}}{\text{distance horizontale}} = \frac{AC}{BC}$$

La pente est donc le changement de la valeur Y sur le changement de la valeur X, lorsque Y se trouve sur l'axe vertical et X, sur l'axe horizontal. Le changement de la valeur Y peut s'exprimer sous

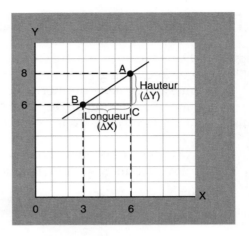

la forme ΔY, celui de la valeur X, ΔX. Le symbole Δ est la lettre grecque delta, utilisée pour désigner «un changement de», d'où :

$$\text{pente} = \frac{\Delta Y}{\Delta X}$$

Calculons maintenant la pente de chacune des courbes de l'illustration 1A.9. Commençons par le diagramme A. En allant de A à B, Y passe de 9 à 7, d'où ΔY = -2. En même temps, X passe de 2 à 5, d'où ΔX = 3. Par conséquent :

$$\text{Pente} = \frac{\Delta X}{\Delta Y} = \frac{-2}{3} = -\frac{2}{3}$$

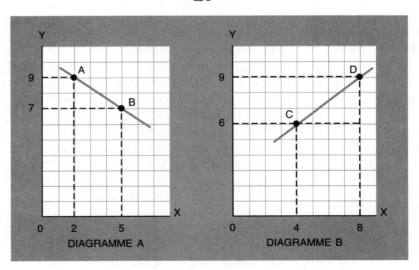

En allant de B à A, Y passe de 7 à 9, d'où ΔY = 2. Par contre, X baisse de 5 à 2, d'où ΔX = −3. Par conséquent :

$$\text{Pente} = \frac{\Delta Y}{\Delta X} = \frac{2}{-3} = -\frac{2}{3}$$

Une courbe descendante possède une pente négative.

Reportons-nous au diagramme B. En allant de C à D, Y passe de 6 à 9, d'où $\Delta Y = 3$. En même temps, X passe de 4 à 8, d'où $\Delta X = 4$. Par conséquent :

$$\text{Pente} = \frac{\Delta Y}{\Delta X} = \frac{3}{4}$$

En allant de D à C, Y passe de 9 à 6 ($\Delta Y = -3$), alors que X passè de 8 à 4 ($\Delta X = -4$). Par conséquent,

$$\text{Pente} = \frac{\Delta Y}{\Delta X} = \frac{-3}{-4} = \frac{3}{4}$$

Une courbe ascendante possède une pente positive.

Les lignes droites qui traversent l'origine

L'illustration 1A.10 présente trois lignes droites qui traversent l'origine. Examinons d'abord la ligne OB, qui traverse l'origine à 45°. La pente OB est

$$\frac{\Delta Y}{\Delta X} = \frac{3}{3} = 1$$

Illustration 1A.10
Pentes d'une ligne droite qui traverse l'origine.

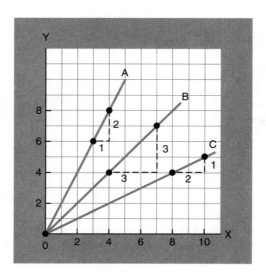

Toute ligne traversant l'origine à 45° a une pente égale à 1.

Examinons maintenant la ligne OA. Sa pente est :

$$\frac{\Delta Y}{\Delta X} = \frac{2}{1} = 2$$

Toute ligne traversant l'origine au-dessus de la ligne de 45° a une pente supérieure à 1 ($\Delta Y > \Delta X$).

Finalement, examinons la ligne OC. Sa pente est :

$$\frac{\Delta Y}{\Delta X} = \frac{1}{2}$$

Toute ligne qui traverse l'origine sous la ligne de 45° a une pente inférieure à 1 ($\Delta Y < \Delta X$).

Les pentes et les courbes non linéaires

Jusqu'à présent, nous avons examiné des lignes droites. Mais qu'en est-il des courbes non linéaires? La pente de ces dernières est différente à chaque point de la courbe. *La pente d'une courbe non linéaire à un point donné est la pente de la ligne droite qui est tangente à la courbe tracée depuis ce même point.* L'illustration 1A.11 présente une courbe non linéaire. Les tangentes sont tracées depuis les points A et B de la courbe. La pente de la courbe au point A est la pente de la tangente de ce point, soit :

$$\frac{\Delta Y}{\Delta X} = -\frac{2}{2} = -1$$

Illustration 1A.11
Pente d'une courbe non linéaire à un point donné

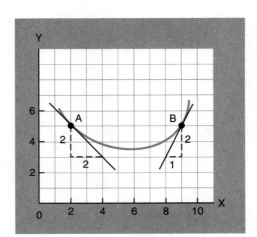

La pente de la courbe au point B est la pente de la tangente de ce point, soit :

$$\frac{\Delta Y}{\Delta X} = \frac{2}{1} = 2$$

SOMMAIRE DE L'ANNEXE

1. Si les variations en A entraînent des variations en B, on dit alors que B est une fonction de A, que l'on exprime de la manière suivante : B = B(A).
2. Au moyen de graphiques, on peut représenter les relations entre les variables économiques de manière claire et éloquente, afin de constater ces relations au premier coup d'oeil. Une courbe ascendante indique une relation positive, une courbe descendante, une relation inverse.
3. On peut mesurer la pente d'une courbe linéaire à un point donné en déterminant le ratio de la distance verticale (hauteur) à la distance horizontale (longueur). La pente d'une courbe linéaire est constante sur sa longueur entière.
4. Une courbe ascendante a une pente positive; une courbe descendante, une pente négative.
5. Une ligne traversant l'origine à 45° a une pente de 1.
6. On peut mesurer la pente d'une courbe non linéaire à un point donné en déterminant la pente de la tangente à ce point. La pente varie à mesure que l'on se déplace d'un point à l'autre.

Termes et notions à retenir

relations fonctionnelles	relation inverse
graphiques	pente d'une courbe linéaire
relation directe	pente d'une courbe non linéaire

Questions de révision et de discussion

1. Établissez la différence entre
   (a) des variables dépendantes et indépendantes;
   (b) des relations positives et inverses.
2. Déterminez les variables dépendantes et indépendantes des relations suivantes :
   (a) Si le prix (P) d'un produit change, la quantité (Q) achetée changera également.
   (b) Les changements au niveau des quantités achetées (Q) dépendent des changements de prix (P) et de revenu (Y).

(c) Un accroissement du revenu moyen (Y) des Canadiens entraînera une hausse de l'importation de produits (M).

(d) Des changements de revenu (Y) et de taux d'intérêt (i) entraîneront des modifications sur le plan des investissements (I).

3. Pourquoi les graphiques sont-ils si importants en économique?

4. Utilisez la notation fonctionnelle pour exprimer les relations suivantes :

    (a) Les taux d'intérêt (i) dépendent de la masse monétaire (MM).

    (b) Si la quantité produite (Q) change, le coût total de la production (CT) changera également.

    (c) Les dépenses des consommateurs (C) dépendent des taux d'intérêt (i) et du niveau du revenu (Y).

5. Expliquez comment on mesure :

    (a) la pente d'une courbe linéaire;

    (b) la pente d'une courbe non linéaire.

Problèmes et exercices

1. Concevez des tableaux au moyen de chiffres hypothétiques afin de montrer les rapports auxquels vous devriez vous attendre entre :

    (a) la population et le nombre d'écoles;

    (b) le nombre de bougies vendues et le nombre de pannes d'électricité à Shawinigan au cours d'une période donnée;

    (c) le nombre de chaises et de bureaux qu'un menuisier peut fabriquer au cours d'une semaine donnée.

2. Dessinez des graphiques pour illustrer les relations de la question 1 ci-dessus.

3. Au moyen de graphiques, illustrez les relations des tableaux 1A.3 et 1A.4. Sur le premier, placez le revenu sur l'axe horizontal et les dépenses des consommateurs, sur l'axe vertical. Sur le second, placez les prix sur l'axe vertical et les quantités sur l'axe horizontal.

Tableau 1A.3
Relation entre le revenu et les dépenses.

Revenu	Dépenses (achat de biens de consommation)
40	50
60	60
80	70
100	80
120	90
140	100

Tableau 1A.4
Relation entre le prix et
les achats.

Prix du café	Quantité de café achetée
7,00 $	15
6,50 $	16
6,00 $	17
5,50 $	19
5,00 $	21
4,50 $	23
4,00 $	26

4. E = E(Y), où E = l'épargne et Y le revenu :
   (a) Que signifie l'expression?
   (b) Quelle est la variable dépendante?
   (c) Quelle est la variable indépendante?

5. I = I(i,A), où I = les investissements, i = le taux d'intérêt et A = les attentes :
   (a) Que vous apprend l'expression?
   (b) Déterminez les variables dépendantes et indépendantes.

6. En plaçant le prix sur l'axe vertical et la quantité sur l'axe horizontal :

Tableau 1A.5
Relation entre le prix et la
quantité.

P	Q
10	15
20	20
30	25
40	30
50	35

   (a) Tracez la courbe à partir du tableau 1A.5.
   (b) Calculez-en la pente.
   (c) Comparez la pente de la courbe avec celle de la ligne à 45° qui traverse l'origine.

7. En vous rapportant à l'illustration 1A.12, calculez la pente de la courbe aux points A et B.

Illustration 1A.12
Exercice de calcul d'une
pente.

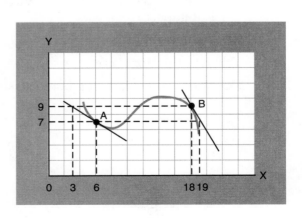

LES SYSTÈMES ÉCONOMIQUES

> La véritable question n'est pas de savoir si l'État doit intervenir ou non, mais au nom de quels principes, dans quelle mesure et sur quels secteurs de la vie économique il doit le faire.
>
> A. C. Pigou, *Economics in Practice*

INTRODUCTION

Le monde abonde en systèmes économiques, et on ne s'entend nullement sur lequel est «le meilleur», c'est-à-dire celui qui offre la qualité de vie la plus élevée à la collectivité. Nous ne tenterons pas de répondre ici à cette question sempiternelle, mais plutôt d'étudier les principales caractéristiques des grands systèmes économiques, notamment les forces et les faiblesses de chacun. Nous parlerons également des fonctions d'un système économique et du rôle de l'État, des consommateurs et des producteurs au sein d'une économie de marché. Le chapitre se termine par une discussion sur les ressources d'une économie et sur un modèle simplifié de la circulation de ces ressources, en plus des biens et services que ces dernières produisent.

LES SYSTÈMES ÉCONOMIQUES

Le système économique : système à l'intérieur duquel s'effectuent les fonctions de production et d'échange.

Un *système économique* est un ensemble de mécanismes — lois, institutions et coutumes — à la faveur desquels une société est en mesure de produire des biens et services destinés à répondre à ses besoins. Il compte un certain nombre d'unités économiques qui prennent des décisions au sujet de l'utilisation des ressources. On peut classifier ces *unités de prise de décisions* par groupes — consommateurs ou ménages, producteurs ou entreprises et les autorités gouvernementales. Les choix relatifs à l'utilisation des ressources et l'importance de chaque groupe de décideurs dépendent du système économique.

Bien qu'il soit possible de classifier les systèmes économiques de différentes manières, nous avons adopté une classification bipolaire : la *libre entreprise* (le capitalisme) et le *système socialiste*. Il faut noter qu'il existe de nombreuses différences entre les économies classées en vertu de l'un et l'autre pôle. Cependant, dans tous les systèmes économiques fondés sur la libre entreprise, la majorité des ressources ou des facteurs de production sont entre les mains d'intérêts privés. À l'opposé, dans les systèmes socialistes, la plupart des facteurs de production appartiennent à l'État ou sont sous son emprise. Les économies du Canada et des États-Unis relèvent essentiellement de la libre entreprise, tandis que celles de l'Union soviétique, de la Hongrie, de la Tchécoslovaquie et de la Yougoslavie sont des économies socialistes.

La libre entreprise

La libre entreprise s'appuie sur le droit de particuliers ou de groupes privés de posséder des biens. Il s'agit de l'*institution de la propriété privée*. Dans ce type d'économie, les personnes ont la liberté de posséder des ressources et d'en disposer à leur guise, laquelle est sujette à certaines restrictions juridiques et sociales conçues afin de protéger la société. En vertu d'un tel système, les particuliers jouissent de la liberté de choix. Les consommateurs sont libres d'appliquer leurs revenus à l'achat de biens et de services aptes à maximiser leur satisfaction. Ils peuvent également utiliser les ressources dont ils disposent afin de maximiser leurs revenus. Les producteurs ont aussi la liberté de choix. Ils sont libres d'utiliser leurs ressources de manière à maximiser leurs bénéfices.

On dit parfois que la liberté de choix qui caractérise la libre entreprise engendre un ordre insuffisant et un manque d'organisation. Cette conclusion est toutefois erronée. En effet, les consommateurs et les producteurs ont tendance à veiller à leur propre intérêt. D'une part, les consommateurs se procurent les biens et services qui leur assurent la satisfaction la plus grande; d'autre part, ces biens et services sont ceux qui sont les plus rentables pour les producteurs. Ainsi, la liberté de choix et la poursuite de son propre intérêt entraînent un certain ordre plutôt que le chaos. Le système voit à produire les biens et les services que les consommateurs exigent.

Les avantages de la libre entreprise

La liberté de choix des personnes constitue l'avantage majeur de la libre entreprise. Étant donné que les personnes et les groupes sont libres d'utiliser leurs ressources afin de maximiser leurs revenus, le système offre des mesures incitatives aux personnes afin qu'elles poursuivent leurs objectifs et qu'elles améliorent leur bien-être économique.

Un autre avantage de taille est que les biens et services que convoitent les consommateurs sont produits sans recourir à un processus de prise de décisions concerté. Le système fonctionne automatiquement et est relativement efficace. Vous avez demandé à une boulangerie de vous fournir du pain pour le lendemain?

La libre entreprise : propriété individuelle, contrôle des ressources et liberté de choix.

Dans un système de libre entreprise, les personnes jouissent de la liberté de choix.

La libre entreprise est un système relativement efficace.

Il y a fort à parier que non; et pourtant vous savez que vous pourrez mettre du pain sur votre table demain matin au petit déjeuner. Vous n'êtes même pas obligé de savoir qui fabrique le pain; le seul renseignement qu'il vous faut est l'endroit où vous pouvez vous le procurer. Par conséquent, la production de biens et services destinés à satisfaire les besoins des consommateurs requiert une information plutôt restreinte.

Les faiblesses de la libre entreprise

Malgré ses avantages, la libre entreprise ne fonctionne pas parfaitement, et on entend souvent des critiques virulentes à son endroit. En effet, certains y imputent la plupart des difficultés économiques et sociales.

La libre entreprise peut occasionner l'instabilité économique.

Une des principales faiblesses du système est que ce dernier ne garantit pas le plein emploi. Un grand nombre de personnes qui désirent réellement travailler ne peuvent trouver d'emploi. Après avoir achevé vos études, il y a de fortes chances que vous dénichiez un emploi qui vous permette de mettre à profit les connaissances et les aptitudes que vous aurez acquises durant vos études. Mais le système ne le garantit pas. Le problème du chômage est relié à l'instabilité économique. La libre entreprise est exposée à d'importantes fluctuations sur le plan des activités économiques, et les conséquences en sont souvent sérieuses.

La libre entreprise ne favorise pas la production de biens publics.

Une autre déficience est que certains biens et services peuvent ne pas être offerts, ou l'être en quantités très limitées. Un système fondé sur la libre entreprise produit des biens et services en fonction des personnes qui ont les moyens de se les procurer. Il se peut que certains, comme les services sanitaires et la défense qui bénéficient à l'ensemble de la population, ne soient pas offerts par l'entreprise privée, étant donné que cette dernière éprouverait de la difficulté à en exiger le paiement auprès des membres de la collectivité. Il est préférable que la prestation de ces services publics auprès de l'ensemble de la population relève de l'État.

La libre entreprise n'assure pas toujours la protection de l'environnement.

Il se peut également que la libre entreprise fondée sur la propriété privée ne puisse assurer la protection de l'environnement. Les ressources comme les cours d'eau et l'air appartiennent au public, c'est-à-dire à tout le monde et à personne. Il arrive souvent que l'utilisation de ces ressources communes ne soit assortie d'aucune charge, et l'environnement devient alors le dépotoir d'une foule de substances polluantes. Il s'agit d'une faiblesse importante du système.

La libre entreprise n'assure pas toujours une répartition équitable des revenus.

La promotion de l'intérêt personnel peut être à l'origine d'une répartition inéquitable des revenus, laquelle est inacceptable sur le plan social. Les critiques de la libre entreprise affirment souvent que les riches ne cessent de s'enrichir et les pauvres, de s'appauvrir. Lorsque cela se produit, il se peut que l'intervention de l'État s'impose.

En dernier lieu, la libre entreprise ne garantit pas la concurrence nécessaire à la répartition efficace des ressources de l'économie de marché. La production de certains biens peut être dominée par un seul vendeur, lequel peut profiter de la situation aux dépens des autres membres de la société.

Le socialisme

Le socialisme : propriété de l'État et contrôle des ressources économiques.

Les systèmes économiques socialistes ne constituent pas un groupe homogène d'économies. En fait, les systèmes socialistes se présentent sous un grand nombre d'aspects. Certains, comme ceux qui prévalent en Union soviétique et en Tchécoslovaquie, s'appuient plus que d'autres sur la planification centrale pour prendre des décisions relativement à l'utilisation des ressources. En Yougoslavie, par ailleurs, on a recours aux mécanismes du marché dans l'organisation de la production. Ce qui suit présente essentiellement le modèle soviétique.

La propriété du gouvernement ou de l'État est à la base du socialisme. Le système de marchés et de prix qui dirige l'activité économique et l'utilisation des ressources d'un système fondé sur la libre entreprise font place à la planification de l'État dans le système socialiste. L'État décide de la production des biens et services et établit des industries qui lui appartiennent à cette fin. Les directeurs et effectifs ouvriers doivent atteindre des seuils de production et bénéficient de primes s'ils les excèdent.

Alors que l'intérêt personnel est roi et maître dans la libre entreprise, les systèmes socialistes placent les intérêts de l'ensemble de la société au-dessus de ceux des personnes. Par conséquent, le gouvernement socialiste appliquera les ressources économiques à l'atteinte des objectifs globaux tels que fixés par l'État, souvent aux dépens de la liberté individuelle.

Dans un système socialiste, il se peut que les personnes ne jouissent pas de la liberté quant au choix de leur carrière. Le gouvernement peut décider qu'une jeune personne doit étudier l'ingénierie plutôt que la médecine, selon le nombre de médecins et d'ingénieurs qu'il désire produire. La liberté de mouvement est également limitée, et on peut interdire à des travailleuses et travailleurs spécialisés de quitter une région où leur spécialité est en demande.

Les avantages du socialisme

Le socialisme est en mesure d'assurer le plein emploi.

Le grand avantage du socialisme est qu'il peut maintenir le plein emploi. Rappelez-vous que l'incapacité de la libre entreprise de garantir le plein emploi constitue une de ses faiblesses. Un autre avantage du socialisme est sa capacité d'appliquer ses ressources d'un usage à l'autre avec une certaine facilité. Par exemple, l'économie socialiste peut détourner les ressources vouées à la production de biens de consommation sur son programme spatial sans trop de peine.

Les faiblesses du socialisme

Le socialisme restreint grandement les libertés individuelles.

Une des faiblesses du socialisme réside dans la restriction des libertés individuelles. Les personnes ne peuvent pas fonder d'entreprises vouées à la production des biens et des services qu'exigent les consommateurs, ni décider des occupations qu'elles veulent exercer. Les récompenses économiques dépendent du bon vouloir des autorités politiques. Par conséquent, le système n'offre que peu de primes d'encouragement automatiques.

Les énormes coûts associés à la planification constituent une autre faiblesse du socialisme. Étant donné que la plupart des décisions proviennent de la planification centralisée plutôt que du marché, il faut appliquer des ressources considérables au processus de planification.

La socialisme peut mener à la production de biens de qualité inférieure.

Le système économique socialiste tend à produire une variété de produits plus restreinte que ne le fait la libre entreprise. En outre, la concurrence que se livrent les producteurs privés de la libre entreprise incite ces derniers à produire des biens d'une qualité supérieure. Cela ne s'applique pas nécessairement au système socialiste, où les producteurs tentent d'atteindre leurs objectifs de production en sacrifiant la qualité.

Une touche de réalisme

La libre entreprise est essentiellement une *économie de marché*, étant donné que la répartition des ressources et la composition de la production dépendent d'un système de prix et de marchés. Par contraste, une économie socialiste comme celle de l'Union soviétique est avant tout une *économie dirigée*, étant donné que c'est l'État qui dicte l'utilisation des ressources. En réalité, ni la libre entreprise ni la planification centrale absolues n'ont jamais existé. Les économies du monde sont plutôt des *économies mixtes*, qui renferment des éléments de la libre entreprise *et* de l'intervention de l'État.

En pratique, toutes les économies sont mixtes, l'intervention de l'État est plus ou moins importante.

Le modèle économique américain constitue le meilleur exemple de libre entreprise, et pourtant, le système s'appuie sur une certaine forme de processus décisionnel de la part du gouvernement. En Union soviétique, par ailleurs, les professionnels comme les avocats, les médecins et certains ouvriers spécialisés peuvent être des travailleurs indépendants et avoir une pratique privée. Certains producteurs peuvent vendre leurs produits sur le marché et certaines activités économiques dégageant un bénéfice personnel peuvent être pratiquées. En général cependant, dans la mesure où les économies du monde sont mixtes, la classification des systèmes économiques fondée sur la manière dont se prennent les décisions demeure valide.

Au Canada, la plupart des décisions économiques se prennent par les ménages et les entreprises qui évoluent au sein d'un réseau complexe de marchés et de prix que l'on appelle le *mécanisme de marché*. Mais l'État possède certaines ressources et est engagé dans un nombre important d'activités économiques. Au Canada, par conséquent, l'économie est mixte. On désigne souvent d'*économie d'entreprise privée mixte* tout système de libre entreprise où entre en jeu l'intervention de l'État.

Problème :   Parmi les systèmes économiques dont nous avons parlé, lequel vous attendriez-vous à ce que les entreprises canadiennes privilégient?

Solution :   En acceptant la notion que l'objectif premier des sociétés commerciales est de maximiser les bénéfices, les entreprises canadiennes préféreront le capitalisme ou la libre entreprise aux autres systèmes économiques. Elles estimeront également que l'État doit les laisser poursuivre leur intérêt et privilégieront le système où l'intervention de ce dernier est à son minimum. Ce système est la libre entreprise.

LES FONCTIONS PRINCIPALES D'UN SYSTÈME ÉCONOMIQUE

Dans une économie de marché, le système des prix résout les questions relatives à la nature et à la quantité de biens produits (quoi et combien), au mode de production (comment) et à leur destination (pour qui).

Peu importe le mode d'organisation, tout système économique doit faire face au problème économique fondamental de trouver un moyen de répartir des ressources limitées à divers usages. Il doit déterminer les biens et services qui seront produits, en quelle quantité, ainsi que les modes de production et de distribution parmi les membres de la collectivité. Ce problème fondamental est généralement exprimé par les questions *Que produire et en quelle quantité? Comment?* et *Pour qui?* Les différents systèmes y répondent de diverses façons. Nous nous pencherons sur les décisions économiques fondamentales prises dans une économie de marché comme celle du Canada. Dans une telle économie, on répond aux questions relatives à ce que l'on doit produire, aux modes de production et aux personnes à qui les produits sont destinés en recourant au mécanisme du *système de prix*.

Que produire et en quelle quantité?

Dans la libre entreprise, les entreprises se livrent à des activités de production parce qu'elles espèrent dégager un bénéfice en vendant le produit à un prix supérieur au coût de production. Il s'ensuit qu'elles fabriquent ce que les consommateurs désirent acheter. Ces derniers expriment leurs besoins par leur comportement sur le marché, et les entreprises y répondent en fabriquant les produits qui méritent le nombre de votes-dollars le plus élevé. Supposons que la Société Kinski décide de fabriquer un produit X, puis se rend compte que les consommateurs refusent de l'acheter. L'entreprise verra que le produit X n'est pas rentable et appliquera ses ressources à d'autres fins. En refusant de se procurer le produit X, les consommateurs ont signalé au fabricant qu'ils sont indifférents à la fabrication du produit en question. Le pouvoir qu'exercent les consommateurs s'appelle la *souveraineté du consommateur*.

La souveraineté du consommateur : la notion que les consommateurs ont la décision finale sur la production des biens et des services.

Cette notion a prêté le flanc à la critique de plusieurs milieux, notamment à celle de l'économiste Kenneth Galbraith, qui soutient que l'on doit abandonner la notion de souveraineté du consommateur au profit de celle de la souveraineté du producteur. En effet, il affirme que les entreprises fabriquent les produits qui les aideront à atteindre leurs objectifs, à savoir la sécurité, la croissance, la convenance, le prestige et les bénéfices de l'entreprise. Elles ont ensuite recours à de puissantes techniques de publicité et de vente destinées à convaincre les consommateurs de se procurer leurs produits. Ainsi, le fabricant crée et manipule les goûts et préférences des consommateurs. Nous reparlerons des effets de la publicité persuasive et de la notion de souveraineté du consommateur.

Comment produire?

Le système économique doit disposer d'un mode d'organisation des ressources productives afin d'offrir des quantités suffisantes de biens et de services à la collectivité. Il faut mettre en place un mécanisme destiné à l'affectation des ressources à d'autres usages afin de satisfaire les consommateurs.

Dans la libre entreprise, chaque fabricant décide des modes de production. Mais les décisions dépendent du système de prix et de marchés. Si l'objectif du fabricant est de dégager un bénéfice maximum, il recourra à un mode de production au moindre coût et au rendement supérieur. Si, par ailleurs, il opte pour un mode de production inefficace au plus haut coût, la concurrence que lui livreront les fabricants plus efficaces le forcera d'interrompre ses activités.

Produire pour qui?

Le système économique doit également être en mesure de distribuer les biens et services produits auprès de la collectivité. La libre entreprise y parvient principalement à la faveur du système de marché. La part de la production totale qui revient à chacun dépend de la capacité de chacun de se procurer les biens et services. Cette capacité dépend des revenus, qui à leur tour dépendent de la quantité et de la qualité des ressources humaines et matérielles sur lesquelles cette personne exerce une autorité. Si le marché accorde une valeur élevée à des ressources données, les propriétaires de ces ressources recevront des paiements considérables pour leur utilisation et seront en mesure d'obtenir une partie importante de la production totale de biens et de services. Les personnes qui disposent de ressources limitées et dont l'emploi n'est pas rémunérateur bénéficieront de revenus limités et, partant, n'auront droit qu'à une petite part de la production totale. Par conséquent, la distribution de la production de biens et de services de la libre entreprise dépend grandement de la distribution des revenus, laquelle à son tour dépend de la distribution des ressources parmi les membres de la collectivité.

Problème :   À l'heure actuelle au Canada, aucune loi n'oblige les auteurs à écrire des livres. Pourtant, lorsque vous vous inscrivez à un cours, vous savez bien que les librairies disposeront d'ouvrages pertinents à votre cours. Pourquoi?

Solution :   Nous nous fions au mécanisme de marché. Les auteurs savent que les étudiants sont disposés à acheter des livres; par conséquent, ils en écrivent et espèrent trouver des éditeurs qui les publieront et leur verseront des royautés. Par ailleurs, les éditeurs publient des ouvrages en espérant réaliser un bénéfice. Bien que ni les auteurs ni les éditeurs ne soient liés par des commandes directes, ils répondent aux signaux du marché qui leur indiquent que la rédaction et la publication de livres peut s'avérer une entreprise profitable.

LES FONCTIONS ADDITIONNELLES D'UN SYSTÈME ÉCONOMIQUE

On s'attend à ce qu'un système économique assure la stabilité, la sécurité et la croissance économiques.

En plus des fonctions fondamentales que sont la répartition et la distribution (que produire et en quelle quantité, comment et pour qui), on s'attend que le système économique assure une certaine stabilité économique, que nous définirons comme étant le plein emploi et l'absence d'inflation. En général, nous considérons qu'il est peu souhaitable que des ressources (humaines ou matérielles) soient inemployées. En outre, l'inflation constitue une menace au bon fonctionnement de l'économie et au bien-être des personnes. Plus tard, nous parlerons des mesures qui visent à atteindre le plein emploi sans inflation — un enjeu macroéconomique important.

On s'attend également à ce que les systèmes économiques modernes assurent une certaine sécurité économique, et cette tâche est accomplie à la faveur de programmes comme l'assurance-chômage, les pensions de vieillesse, le salaire minimum, le revenu garanti et l'assurance-santé. Enfin, on s'attend à ce que le système assure une augmentation de la capacité de production de l'économie (un déplacement vers la droite de la courbe de possibilités de production). La plupart des États accordent une grande importance à la croissance économique parce que cette dernière détermine le niveau de vie de la société.

LE RÔLE DE L'ÉTAT DANS UNE ÉCONOMIE DE MARCHÉ

L'intervention de l'État peut s'avérer nécessaire afin de protéger les libertés individuelles et les droits de propriété, de faire respecter les contrats et de réglementer l'activité économique.

Ce serait une erreur de croire que le mécanisme de prix automatique fonctionne parfaitement. Bien que la plupart des décisions économiques relèvent de particuliers qui répondent aux forces du marché relativement à l'offre et à la demande, le système de marché ne s'acquitte pas de certaines tâches adéquatement. Par conséquent, l'État intervient dans le marché afin d'assurer la bonne marche du système et de produire des résultats qui soient conformes aux objectifs de la société. Les remarques sur les faiblesses de la libre entreprise énumérées précédemment nous offrent certaines indications, lorsqu'il s'agit d'évaluer comment l'intervention de l'État peut améliorer le fonctionnement du système.

Le mécanisme de marché s'appuie sur la propriété privée de biens. Les propriétaires de ressources ont besoin de savoir que leurs biens sont en sécurité, et il revient à l'État d'assurer la protection de la propriété privée. En outre, les personnes doivent sentir que les accords conclus avec d'autres, individuellement ou en groupe, seront respectés. L'État doit par conséquent faire partie du système afin de faire respecter les ententes.

Une économie de marché prête à la formation de monopoles. Un monopole désigne une situation où un vendeur unique régit l'offre d'un produit, et cela risque de nuire au bon fonctionnement de l'économie. Par conséquent, l'État doit prendre des mesures qui favorisent la concurrence. Dans certains cas cependant, la production de certaines marchandises peut s'avérer plus rentable si elle est assurée par un monopole. L'État doit intervenir pour modifier ou réglementer de telles situations afin de prévenir les abus.

L'économie de marché est sujette à des périodes d'inflation et de chômage. Si le taux des dépenses en biens et services excède celui de la production, les prix auront tendance à augmenter. Par contre, un niveau de consommation inférieur à la production totale des biens et des services de l'économie se traduira vraisemblablement par du chômage. L'instabilité économique peut occasionner de rudes épreuves aux personnes, et l'État doit intervenir afin de prévenir une telle situation. La masse monétaire, le taux d'intérêt, le niveau des dépenses de l'État et la taxation sont devenus des moyens importants auxquels le gouvernement a recours pour stabiliser l'économie.

L'absence d'intervention de l'État peut entraîner une répartition inéquitable des revenus et causer des problèmes sociaux graves.

Laissé à lui-même, le système de marché peut distribuer la production totale de biens et de services parmi les membres de la société d'une manière inacceptable. Par exemple, les personnes disposant de quantités considérables de ressources qu'elles emploient là où ces dernières profiteront grandement à la production économique recevront un revenu considérable, alors que celles dont la situation est moins avantageuse pourront à peine se procurer les choses essentielles à la vie. L'État doit alors intervenir afin d'assurer une répartition équitable des revenus parmi les membres de la société.

Enfin, l'économie de marché ne tient compte que des coûts et des avantages privés, écartant ainsi les coûts et les avantages sociaux. Par exemple, une entreprise qui déverse impunément des déchets dans l'environnement n'inclut pas les dommages environnementaux dans ses coûts de production. C'est la société dans son ensemble qui doit faire les frais de la destruction de la faune, du poisson, de la végétation et de la dégradation esthétique. Par contre, si je décide d'allumer mes projecteurs la nuit, je dois penser que l'avantage que j'en tire compense pour le coût accru de l'électricité — et le marché mesurera ces avantages en augmentant ma facture d'électricité. Bien que d'autres profitent de mes projecteurs, ils ne m'aident pas à régler ma facture, et le marché ne tiendra pas compte de cet avantage social. Dans certains cas, même si le bien ou le service occasionne d'énormes avantages

L'intervention de l'État peut s'avérer nécessaire pour aplanir les différences entre les avantages et les coûts publics et privés.

sociaux, les personnes agissant de leur propre chef peuvent décider de ne pas le produire, étant donné que les avantages immédiats ne justifient pas la dépense. Lorsqu'il existe de telles divergences entre les avantages privés et sociaux, l'État doit tenter de réconcilier les parties en cause.

> **Problème :** Pouvez-vous défendre le fait que l'État offre l'éducation élémentaire et secondaire gratuitement?
>
> **Solution :** L'éducation procure des avantages non seulement au bénéficiaire mais également à la société. Une population plus instruite entraîne une main-d'oeuvre mieux éduquée et une économie plus productive. Par conséquent, la société dans son ensemble en bénéficie et doit contribuer aux coûts. Les sommes perçues en impôt défraient les coûts de l'éducation.

LES PRINCIPAUX SECTEURS DE L'ÉCONOMIE

Les secteurs fondamentaux de l'économie sont la consommation, la production et l'État.

Aux fins de notre étude, on peut diviser l'économie en trois secteurs fondamentaux : la consommation (les ménages), la production (les fabricants ou entreprises) et l'État. Les consommateurs empruntent deux voies principales pour participer au marché : ils donnent en location ou vendent leurs ressources et utilisent le montant perçu pour acheter des biens et des services qui répondent à leurs besoins. Les entreprises achètent des ressources auprès des consommateurs et d'autres firmes et utilisent ces ressources pour produire des biens et des services destinés à la vente à d'autres entreprises et à d'autres consommateurs. L'État est engagé dans la production et la consommation en fournissant des biens et des services à la faveur des activités des administrations fédérale, provinciales et municipales, des organismes gouvernementaux et des sociétés de la couronne. En outre, il réglemente l'activité économique en adoptant des lois qui gouvernent certains aspects de la production et de la consommation, et en appliquant des politiques économiques. L'État est également un consommateur lorsqu'il achète des articles comme des avions militaires, des navires, des machines à écrire, du papier et des uniformes.

LES RESSOURCES DE L'ÉCONOMIE

Une économie dispose d'un grand nombre de ressources (ou *facteurs de production*) : lacs, rivières, forêts, minéraux, terres fertiles, routes, usines et matériel, entrepôts et main-d'oeuvre. On peut classer ces ressources en quatre grandes catégories : la terre, le travail, le capital et l'entrepreneuriat.

La *terre* désigne les ressources qui se trouvent dans la nature et qui peuvent être utilisées pour produire des biens et des services destinés à répondre aux besoins des personnes. La notion dépasse le simple cadre du terrain, et les économistes désignent toute ressource de la nature sous le vocable *terre*. Ainsi, les minéraux enfouis dans la terre, le poisson que renferment les océans, l'oxygène que contient l'air, les mers, rivières et lacs — voire l'espace à l'intérieur duquel se déroule une activité économique — sont tous classés comme un terrain. L'expression *ressource naturelle* est un synonyme fréquemment employé pour désigner la terre.

> La terre désigne l'ensemble des ressources naturelles.

Le *travail* désigne les activités physiques et intellectuelles des personnes qui sont engagées dans les processus de production. Il est facile d'imaginer le travail de l'artisan, de l'agriculteur ou de la personne engagée dans la production d'un produit manufacturé. Mais les services rendus par les représentants commerciaux, les avocats, enseignants, médecins, musiciens et acteurs constituent également du travail. La prochaine fois que vous entendrez un de vos airs préférés à la radio, rappelez-vous que l'animateur effectue un travail.

> Le travail désigne l'effort humain.

Le *capital* désigne tout bien manufacturé qui peut servir à la production d'autres biens et services. Les édifices, les routes, les usines, le matériel et l'outillage sont des exemples de biens de production que l'on appelle également *capital réel* ou *vrai capital*. Il importe de noter que notre définition du capital diffère de la notion usuelle, selon laquelle il s'agit d'argent. Aux yeux de l'économiste, le capital désigne les outils de production que les personnes utilisent, de concert avec le travail, pour produire des biens et des services. La distinction entre le capital réel et le capital monétaire est importante. La notion de capital humain en tant qu'entité distincte du capital matériel ou non humain s'est immiscée dans le vocabulaire de l'économique. Le *capital humain* désigne l'éducation, la santé et les aptitudes individuelles.

La production de biens et de services exige non seulement la présence de ressources naturelles, de travail et de capital, mais également que ces facteurs soient réunis et organisés aux fins de la production. La capacité d'organisation des ressources naturelles, du travail et du capital aux fins de production et celle d'innovation s'appellent l'*entrepreneuriat*. La personne qui s'engage dans des activités organisationnelles et novatrices s'appelle un entrepreneur. L'innovation et l'organisation des ressources naturelles, du travail et du capital aux fins de production comportent un

> L'entrepreneuriat désigne les aptitudes à l'organisation et à l'innovation.

élément de risque. Par conséquent, l'entrepreneur est un preneur de risques, mais les récompenses accordées à l'esprit d'innovation et aux talents créateurs peuvent être considérables.

Problème : Une voiture constitue-t-elle un bien de production?

Solution : Cela dépend des fins de l'utilisation du véhicule. Si la voiture est utilisée à des fins personnelles, elle ne constitue pas un bien de production, mais un bien de consommation. Par contre, si on l'utilise comme taxi ou comme véhicule de livraison pour le compte d'une entreprise, elle devient un bien de production.

LA RÉMUNÉRATION DES FACTEURS

Il faut récompenser les services rendus par les facteurs de production. Les économistes ont élaboré une terminologie spéciale pour désigner le paiement reçu contre l'utilisation des facteurs de production. Le tableau 2.1 énumère des groupes de facteurs de production et la rémunération associée à chacun. La rémunération peut être monétaire, s'effectuer sous forme de biens et de services, ou comprendre les deux modes. Dans notre système économique, la rémunération est presque toujours exclusivement monétaire.

TABLEAU 2.1
Rémunération des
facteurs

Facteurs	Rémunération
Ressources naturelles	Loyer
Travail	Traitement et salaire
Capital	Intérêts et dividendes
Entrepreneuriat	Bénéfices

Les loyers, les salaires et le traitement, les intérêts et les dividendes ainsi que les bénéfices constituent des récompenses contre l'usage de la terre, un travail, l'accès au capital et l'entrepreneuriat respectivement.

Les propriétaires fonciers reçoivent une rémunération contre l'utilisation de leur terrain, que l'on appelle un *loyer*. Le travail est rémunéré au moyen d'un *traitement* ou d'un *salaire*. Les propriétaires de capital monétaire reçoivent des *intérêts*, et les propriétaires de capital réel (les actionnaires), des *dividendes*. Enfin, l'entrepreneuriat est récompensé au moyen de *bénéfices*. Il faut se rappeler que dans les entreprises modernes, un des aspects de la fonction de l'entrepreneur (l'organisation et la direction) s'effectue par l'entremise de gestionnaires, de conseils d'administration et d'autre personnel cadre embauchés à cette fin et qui touchent une rémunération contre leurs services. L'autre aspect (la gestion du risque) relève des propriétaires de l'entreprise qui reçoivent une partie des bénéfices à titre de récompense pour les risques encourus.

LA CIRCULATION DES BIENS ET DES SERVICES AU SEIN DE L'ÉCONOMIE

Il est bon au présent stade d'examiner la circulation des biens et des services à l'intérieur d'une économie. Les entreprises se procurent des facteurs de production des propriétaires de ressources, qu'ils appliquent ensuite à la production de biens et de services. Les paiements reçus contre des facteurs de production constituent les revenus des propriétaires de ressources, que ces derniers utilisent pour se procurer des biens et des services auprès d'entreprises qui, à leur tour, utilisent les sommes reçues de la vente de leurs biens et services pour acheter des ressources auprès des consommateurs. Par conséquent, les biens et services circulent constamment au sein de l'économie.

Les consommateurs échangent des facteurs de production contre un revenu, et les entreprises échangent des biens et des services contre un revenu.

Cette circulation est présentée à l'illustration 2.1. On peut simplifier l'analyse en supposant que l'économie se compose de deux secteurs seulement : le secteur des ménages et le secteur des entreprises. Supposons encore que l'ensemble des ressources de l'économie appartient aux ménages. Cela signifie implicitement que ces derniers sont propriétaires des entreprises.

ILLUSTRATION 2.1
Flux circulaire des revenus

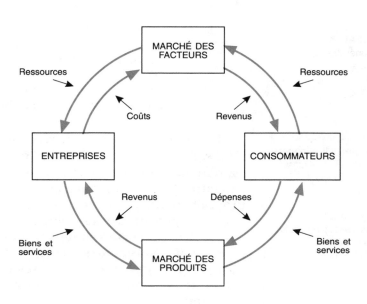

Le flux circulaire illustre la circulation des ressources, des revenus et de la production de l'économie.

Examinons maintenant la section supérieure de l'illustration. Vous remarquerez qu'un encadré porte le titre «marché des facteurs». Le *marché des facteurs* est celui où sont vendus les facteurs de production ou les ressources. Deux flux sont indiqués à droite, au moyen de flèches. La flèche extérieure représente le flux des facteurs de production (terre, travail, capital et entrepreneuriat) depuis les consommateurs jusqu'au marché de facteurs. La flèche intérieure représente la direction du flux des revenus sous forme de loyers, de traitement et de salaires, d'intérêts et de dividendes ainsi que de bénéfices versés par les entreprises aux consommateurs à titre de rémunération de facteurs de production. En haut, à gauche, la flèche extérieure désigne le flux des ressources depuis le marché de facteurs jusqu'aux entreprises, et la flèche intérieure, les coûts associés aux ressources.

Le marché des facteurs est celui où s'effectue l'échange des ressources.

Le marché des produits est celui où les entreprises vendent leurs marchandises.

Examinons maintenant la partie inférieure de l'illustration. Vous remarquerez la présence d'un encadré intitulé «marché des produits». Le *marché des produits* est celui où les entreprises vendent leur production de biens et de services. Comme dans la section supérieure, la flèche indique la direction du flux. La flèche extérieure représente le flux de biens et de services depuis les entreprises jusqu'au marché des produits, et la flèche intérieure, le paiement des biens et des services perçu par les entreprises à titre de revenu. À droite, la flèche extérieure représente le flux de biens et de services depuis le marché des produits jusqu'aux consommateurs, et la flèche intérieure, le flux des dépenses depuis les consommateurs.

Les flux nominaux représentent les valeurs monétaires des flux réels (matériels).

Nous allons maintenant faire la distinction entre l'argent, ou les flux nominaux ou monétaires et les flux réels. En regardant l'illustration, vous remarquerez que tous les flux extérieurs constituent des flux matériels de biens, de services et de ressources. Ces circulations s'appellent des flux *réels*. Par ailleurs, les flèches intérieures représentent les flux des revenus ou des dépenses sous forme d'argent. De tels flux s'appellent des flux *monétaires* ou *nominaux*. La distinction entre les valeurs réelles et nominales est importante, lorsqu'on étudie l'économique.

RÉSUMÉ DU CHAPITRE

1. Le système économique est constitué d'un ensemble de lois, d'institutions et de coutumes à la faveur desquelles une collectivité produit et distribue des biens et des services destinés à répondre à ses besoins.
2. On peut classer les systèmes économiques en deux grandes catégories : la libre entreprise et le socialisme.

3. La libre entreprise se fonde sur la propriété privée. Cela signifie que les personnes peuvent détenir des biens.
4. Les avantages de la libre entreprise comprennent la liberté de choix individuelle, un coût d'exploitation peu élevé et la capacité du système de produire les biens que les consommateurs exigent.
5. Les faiblesses de la libre entreprise incluent son impuissance à assurer le plein emploi, le manque de mesures incitatives destinées à encourager la production de biens publics, la protection inadéquate de l'environnement et la distribution inéquitable des revenus.
6. La propriété ou le contrôle des ressources économiques par l'État ou le gouvernement est à la base du système socialiste. L'activité économique et l'utilisation des ressources sont régies par la planification centrale.
7. Les avantages du socialisme incluent la capacité du système de maintenir le plein emploi et d'appliquer les ressources d'un usage à l'autre.
8. Les désavantages du socialisme comprennent la restriction des libertés individuelles, les coûts élevés associés à la planification de l'activité économique, la production d'une variété limitée de biens et une tendance à la production de biens de qualité inférieure.
9. En pratique, les économies sont mixtes et comprennent un niveau d'intervention plus ou moins élevé de l'État dans l'orientation et le contrôle de l'activité économique.
10. Tout système économique doit décider de la nature et de la quantité des biens à produire, des modes de production et de la clientèle à laquelle les biens sont destinés. En outre, on s'attend à ce que le système assure la stabilité, la sécurité et la croissance économiques.
11. Le rôle de l'État dans une économie de marché consiste à assurer le bon fonctionnement du système de manière satisfaisante et à présenter des résultats conformes aux objectifs de la collectivité.
12. On divise l'économie en trois grands secteurs : la consommation, la production et l'État.
13. Les ressources d'une économie comprennent la terre, le travail, le capital et l'entrepreneuriat. Le paiement de ces ressources s'effectue sous forme de loyers, de salaires, d'intérêts et de bénéfices.
14. Le flux circulaire désigne la circulation de biens, de services et de revenus entre les différents secteurs de l'économie.
15. Le marché des facteurs est celui où s'effectue la vente des facteurs de production. Le marché des produits est celui où

les entreprises vendent leur production de biens et de services.

16. Les flux nominaux désignent les flux monétaires, alors que les flux réels désignent les flux matériels.

Termes et notions à retenir

système économique	souveraineté du producteur
libre entreprise	secteurs fondamentaux
socialisme	de l'économie
propriété privée	terre, travail, capital et
économie de marché	entrepreneuriat
économie dirigée	capital réel et capital humain
économie mixte	loyer, salaire, intérêt et bénéfice
mécanisme de marché	flux circulaire
entreprise privée mixte	marché des facteurs
système des prix	marché des produits
souveraineté du	flux réels et flux nominaux
consommateur	

Questions de révision et de discussion

1. Quelles sont les principales caractéristiques de la libre entreprise?
2. Quels sont les avantages de la libre entreprise?
3. Quelles sont les faiblesses de la libre entreprise?
4. Quelles sont les principales caractéristiques du socialisme?
5. Quels sont les avantages et les désavantages du socialisme?
6. «Toutes les économies sont des économies mixtes.» Commentez.
7. «Les prix jouent un rôle primordial dans la libre entreprise.» Commentez.
8. Parlez du rôle de l'État dans une économie de marché. Croyez-vous que l'État doive jouer un rôle plus actif au sein de notre économie? Expliquez le pour et le contre.
9. Donnez des exemples des catégories principales de ressources.
10. Expliquez comment la libre entreprise décide de la nature des biens à produire, des modes de production et de la clientèle à laquelle les biens sont destinés.
11. Divisez l'économie en deux secteurs — les consommateurs et les producteurs — et expliquez brièvement comment s'effectue la circulation des biens et des services entre eux.
12. Établissez la distinction entre les flux réels et les flux nominaux. Donnez des exemples de chacun.

Problèmes et exercices

1. Dans un système de libre entreprise, les personnes jouissent de la liberté de choix. Cela signifie-t-il que les professeurs d'économique peuvent décider de ne pas se présenter en classe, si le coeur leur en dit?

2. Trouvez des arguments en faveur de :
   (a) la souveraineté du consommateur
   (b) la souveraineté du producteur

3. Indiquez si les éléments qui suivent appartiennent à la terre (Te), au travail (Tr), au capital (C) ou à l'entrepreneuriat (E) :
   (a) un terminal informatique dans les bureaux de la Compagnie Kafka;
   (b) des dépôts pétrolifères au large de Twillingate (Terre-Neuve);
   (c) un terrain de camping dans la parc de la Gatineau;
   (d) de la farine achetée par la boulangerie Bonne pâte auprès de la minoterie Fine fleur;
   (e) les services dispensés par le propriétaire du dépanneur Aux quatre coins;
   (f) le travail effectué par les caissières et les caissiers du supermarché Aux bonnes aubaines;
   (g) Snipe Lake (Alberta);
   (h) le travail effectué par un ouvrier de la construction;
   (i) le matériel antipollution acheté par Les produits pharmaceutiques Lambertus de North Bay (Ontario);
   (j) le travail effectué dans le cadre de l'établissement d'un Holiday Inn.

4. Classez les types de revenu suivants selon qu'il s'agit d'un loyer (L), d'un traitement ou d'un salaire (R), d'intérêts ou de dividendes (D) ou d'un bénéfice (B) :
   (a) les sommes versées à votre professeur d'économique contre ses services;
   (b) l'argent que vous recevez de votre emploi à temps partiel;
   (c) les versements annuels payés par Bell Canada à ses actionnaires;
   (d) l'argent payé au propriétaire d'un terrain utilisé comme parc de stationnement;
   (e) le montant net reçu par le propriétaire de la quincaillerie Tournemain;
   (f) le montant net versé au maire de votre municipalité contre ses services;
   (g) l'argent reçu par le propriétaire du Petit étang contre des droits de pêche.

5. Dessinez un modèle de flux circulaire qui illustre la circulation des revenus et des dépenses entre les consommateurs et les entreprises. Votre diagramme doit indiquer :
    (a) le marché des produits;
    (b) le marché des facteurs;
    (c) les flux nominaux (monétaires) des revenus;
    (d) les flux réels des revenus;
    (e) les flux nominaux des dépenses;
    (f) les flux réels des dépenses.
6. Au moyen d'un flux circulaire, illustrez :
    (a) l'offre de ressources;
    (b) la demande de ressources;
    (c) l'offre de biens et de services;
    (d) la demande de biens et de services.

VUE D'ENSEMBLE DES ÉCONOMIES CANADIENNE ET QUÉBÉCOISE

> Les ressources non humaines ne sont que des éléments grâce auxquels l'homme peut réaliser ses ambitions, et ne servent qu'à permettre à celui-ci d'utiliser son temps à meilleur escient.
>
> Kenneth E. Boulding, *Economic Analysis*

INTRODUCTION

Au chapitre précédent, nous avons étudié les systèmes économiques dans leur ensemble, et examiné plus en détail la libre entreprise et le régime socialiste. Le présent chapitre se penche sur certains aspects de l'économie canadienne. En premier lieu, nous examinerons le secteur des ménages : sa taille, ses dépenses et son revenu. Nous étudierons ensuite le secteur de la fabrication afin de connaître la capacité de production de celui-ci, les diverses industries qu'il comprend et le nombre de personnes qu'il emploie. Nous présenterons également le secteur public afin d'avoir une idée du niveau de l'intervention de l'État dans notre économie. En dernier lieu, nous tenterons de brosser un tableau de la structure de l'économie canadienne.

L'économie canadienne est une économie de marché mixte, où l'État intervient dans une certaine mesure. Bien que les décisions économiques se prennent au Canada de la même manière que dans l'ensemble des économies de marché, le pays présente certaines particularités sur lesquelles nous nous attarderons. Par exemple, il se divise en dix provinces et deux territoires. Chaque province dispose de son propre gouvernement, et les décisions prises par chaque administration influent sur l'utilisation des ressources. En outre, les politiques économiques du gouvernement fédéral doivent tenir compte des besoins des provinces. Le tableau 3.1 présente les provinces et territoires ainsi que leur population. Nous étudierons des aspects précis de l'économie canadienne en examinant les trois secteurs fondamentaux de l'économie du pays.

LE SECTEUR DES MÉNAGES (LA CONSOMMATION)

Qui entre dans la catégorie des consommateurs? Tout homme, toute femme et tout enfant est un consommateur au Canada, étant donné que chacun utilise une partie des biens et des services que

TABLEAU 3.1
Population canadienne
(1990)

Provinces et territoires	Population (M)	%
Terre-Neuve	573,4	2,17
Île-du-Prince-Édouard	130,3	0,5
Nouvelle-Écosse	894,2	3,4
Nouveau-Brunswick	723,2	2,7
Québec	6 769,0	25,4
Ontario	9 743,3	36,5
Manitoba	1 091,6	4,1
Saskatchewan	999,5	3,8
Alberta	2 471,6	9,3
Colombie-Britannique	3 126,6	11,8
Yukon	26,1	0,1
Territoires du Nord-Ouest	53,8	0,2
CANADA	26 602,6	100,00

Source : Statistique Canada, *L'observateur économique canadien*

Plus de 60 % de la
population canadienne
vivent en Ontario et au
Québec

produit l'économie. Comme l'indique le tableau 3.1, le Canada comptait quelque 26,6 millions de consommateurs en 1990, dont 16,5 millions, ou 62 %, vivaient en Ontario et au Québec. Plus de 75 % de la population canadienne vivent dans des agglomérations urbaines.

En 1990, les dépenses personnelles de consommation au Canada ont totalisé 398,7 milliards de dollars, et le revenu personnel total a atteint 596,1 milliards de dollars. En 1989, le revenu moyen des hommes s'est chiffré à 28 238 $ au Canada et à 26 659 $ au Québec, tandis que celui des femmes, à 16 321 $ au Canada et à 14 788 $ au Québec, soit un peu plus de la moitié de celui des hommes. Le tableau 3.2 présente la répartition du revenu des particuliers selon la catégorie de revenu et le sexe. Chez les hommes, la catégorie la plus importante est celle de 25 000 $ à 34 999 $ (18,2 % au Canada et au Québec), et chez les femmes, celle de 7 500 $ à 9 999 $ (10,4 % au Canada et 12,9 % au Québec).

Au Canada, plus de 9 % des femmes appartiennent à la catégorie du groupe dont le revenu est inférieur à 2 500 $; chez les hommes, le pourcentage n'est que de 4,4 %. À l'autre extrémité, 11 % des hommes gagnent un revenu supérieur à 50 000 $, tandis que seulement 2,4 % des femmes touchent le même salaire.

En 1989, le Canada
comptait 10 288 000
ménages, dont le revenu
moyen s'établissait à
41 083 $.

L'économiste s'intéresse davantage à l'unité de consommation (le ménage) qu'au consommateur individuel. Tel que défini par Statistique Canada, le ménage compte une personne ou un groupe de personnes qui vivent sous un même toit. En 1989, le Canada comptait 10 288 000 ménages, dont le revenu s'établissait à 41 083 $. Cela signifie que si l'on divisait le revenu total du Canada également entre les ménages, chacun recevrait 41 083 $. Mais le revenu n'est évidemment pas réparti également.

TABLEAU 3.2
Répartition en
pourcentage des
particuliers selon la taille
du revenu et le sexe
(1989)

Tranche de revenu	Canada		Québec	
	Hommes	Femmes	Hommes	Femmes
Inférieur à 2 500 $	4,4	9,4	3,4	9,2
2 500 - 4 999 $	3,6	8,1	3,0	7,9
5 000 - 7 499	5,5	10,2	7,2	12,2
7 500 - 9 999	5,5	10,4	6,2	12,9
10 000 - 12 499	6,2	10,4	6,6	10,4
12 500 - 14 999	5,6	7,8	5,9	8,5
15 000 - 17 499	5,8	6,5	6,3	6,6
17 500 - 19 999	4,7	6,0	5,1	6,1
20 000 - 22 499	5,5	6,0	6,1	6,0
22 500 - 24 999	4,5	4,5	4,8	4,0
25 000 - 29 999	9,1	4,4	8,8	3,4
30 000 - 34 999	9,1	4,4	8,8	3,4
35 000 - 39 999	7,6	3,0	7,3	3,0
40 000 - 44 999	6,3	2,1	6,1	1,1
45 000 - 49 999	5,0	1,1	4,7	0,4
Supérieur à 50 000 $	11,5	8,4	9,2	1,5

Source : Statistique Canada, *Répartition du revenu par au Canada selon la taille*

Le tableau 3.3 présente la répartition en pourcentage du revenu selon les ménages en 1989. Le revenu de quelque 9,2 % des ménages canadiens et 12,8 % des ménages québécois était inférieur à 10 000 $, tandis que celui de 4,2 %, au Canada et de 2,6 % au Québec, supérieur à 100 000 $.

Non seulement les consommateurs se procurent-ils biens et services, mais à titre de propriétaires de ressources, ils décident aussi de l'utilisation de celles-ci. En 1990, les ménages ont gagné 377,6 milliards de dollars sous forme de salaires et d'autres revenus complémentaires tirés d'un travail, 45,145 milliards en tant que propriétaires d'entreprises, 57,940 milliards sous forme d'intérêt et d'autres revenus de placement, 3,348 milliards de dollars à titre d'exploitants agricoles et 36,282 milliards en provenance d'entreprises non constituées et sous forme de loyer, ce qui totalise 520,2 milliards de dollars. Étant donné que la main-d'oeuvre constitue la ressource sur laquelle la plupart des ménages exercent une emprise, nous nous attarderons à l'utilisation qu'en font les ménages.

En 1990, 12 572 000 personnes occupaient un emploi. De ce nombre, 429 000 étaient à l'emploi du secteur agricole. Le tableau 3.4 présente les secteurs d'emploi de la population canadienne en 1990, de même que la répartition en pourcentage des personnes occupées par ceux-ci. Les industries productrices de services employaient le plus grand nombre de personnes, soit 34,2 % de l'ensemble de la population active.

TABLEAU 3.3
Répartition en pourcentage du revenu des ménages (1989)

Tranche de revenu	Canada (%)	Québec (%)
Inférieur à 10 000 $	9,2	12,8
10 000 - 14 999	9,9	10,4
15 000 - 19 999	8,7	9,5
20 000 - 24 999	7,7	7,6
25 000 - 29 999	7,5	7,8
30 000 - 34 999	7,3	7,4
35 000 - 39 999	7,3	8,0
40 000 - 44 999	6,5	6,8
45 000 - 49 999	5,8	5,7
50 000 - 54 999	5,0	4,9
55 000 - 59 999	4,4	3,9
60 000 - 64 999	3,7	3,0
65 000 - 69 999	3,2	2,8
70 000 - 74 999	2,6	1,9
75 000 - 79 999	2,0	1,4
80 000 - 89 999	3,2	2,3
90 000 - 99 999	2,0	1,1
Supérieur à 100 000	4,2	2,6
TOTAL	100,0	100,0
Nombre approximatif de ménages (millions)	10 288	2 755

Source : Statistique Canada, *Répartition du revenu au Canada selon la taille*

TABLEAU 3.4
Emploi par industrie (1990)

Industrie	Canada Personnes occupées (milliers)	%	Québec Personnes occupées (milliers)	%
Industries productrices de biens	3 491	27,8	852	27,9
Industries productrices de services	9 081	72,2	2 204	72,1
Agriculture	429	3,4	60	2,0
Autres industries primaires	283	2,3	42	1,4
Industries manufacturières	200,1	15,9	583	19,0
Construction	778	6,2	167	5,5
Transport, communications et autres services publics	951	7,6	229	7,5
Commerce	2 247	17,9	545	17,8
Finance, assurance et immobilier	755	6,0	169	5,5
Services	4 299	34,2	1 045	34,2
Administration publique	831	6,6	216	7,1
TOTAL, industries	12 572	100,0	3 055	100,0

Source : Statistique Canada, *Population active*

En 1990, la plupart des travailleuses et des travailleurs canadiens étaient à l'emploi des industries productrices de services.

Nous connaissons les industries qui emploient les Canadiens et les Canadiennes. Mais quelles activités ceux-ci exerçaient-ils? La réponse à cette question nous éclairera sur les professions des Canadiennes et des Canadiens, que contient le tableau 3.5.

TABLEAU 3.5
Emploi selon la profession, Canada et Québec (juillet 1991)

	Personnes occupées (milliers)	
Profession	Canada	Québec
Direction et professions libérales	3 888	952
Travail de bureau	2 108	561
Ventes	1 207	295
Services	1 744	435
Professions du secteur primaire	715	116
Transformation, usinage et fabrication	1 514	409
Construction	763	165
Exploitation des transports	445	106
Manutentionnaires et autres	429	99
TOTAL	12 813	3 137

Source : Statistique Canada, *Population active*

LE SECTEUR DES ENTREPRISES

En 1990, les entreprises ont produit des biens et des services d'une valeur excédant 673 milliards de dollars.

Qu'est-ce qu'un entrepreneur? À vrai dire, toute personne qui exerce une activité. Toutefois, nous parlerons plutôt du secteur des entreprises, étant donné que ce sont ces dernières qui achètent les ressources, qu'elles transforment en biens et en services. En 1990, la valeur des biens et des services produits par l'économie canadienne s'est chiffrée à 673,1 milliards de dollars. L'ensemble des entreprises employait 12 572 000 personnes et a versé 379,5 milliards de dollars en salaires et en traitements. Durant cette période, il a également dépensé quelque 125,6 milliards de dollars en projets de construction ainsi qu'en matériel et outillage, distribués ainsi (milliards de dollars) :

En 1990, les entreprises employaient plus de 12 millions de travailleuses et de travailleurs. Durant cette période, elles ont versé plus de 379,5 milliards de dollars en salaires et en traitements.

Construction résidentielle	45 259
Construction non résidentielle	35 700
Matériel et outillage	44 610

Enfin, les investissements des entreprises ont représenté plus de 19 % des dépenses totales appliquées à l'achat de biens et de services au Canada.

Les employeurs importants

Comme vous avez pu le constater, les industries canadiennes emploient un nombre important de personnes. Certaines n'emploient

TABLEAU 3.6
Revenu du travail par
industrie (1990)

Industrie	Revenu du travail (M $)
Agriculture, pêche et piégeage	2 574
Forêts	2 443
Mines, carrières et puits de pétrole	8 255
Industries manufacturières	63 759
Construction	23 981
Transport, communications et services publics	33 039
Commerce	47 690
Finance, assurance et affaires immobilières	29 378
Entreprises collectives et services personnels	102 998
Administration publique	26 602
TOTAL des industries	379 488

Source : Statistique Canada, *L'observateur économique canadien*

qu'une poignée de travailleurs, alors que les effectifs d'autres se chiffrent à des centaines de milliers. Qui sont ces grands employeurs? Le tableau 3.7 énumère les vingt employeurs les plus importants au Canada et au Québec.

TABLEAU 3.7
Entreprises classées
selon les effectifs, au
Canada et au Québec
(1991)

	Canada		Québec	
Rang	Entreprise	Effectifs	Entreprise	Effectifs
1	BCE	120 000	BCE	30 324
2	Imasco	86 863	Hydro-Québec	20 067
3	Canadien Pacifique	72 200	Canadien Pacifique	14 684
4	Société canadienne des postes	60 324	SOCANAV	13 400
5	Compagnie de la Baie d'Hudson	60 000	Société canadienne des postes	13 039
6	Restaurants McDonald's	60 000	Alcan Aluminium	10 000
7	Alcan Aluminium	57 000	Bombardier	9 863
8	Noranda	56 000	Provigo	9 000
9	George Weston	55 800	Compagnie de la Baie d'Hudson	8 500
10	Sears Canada	48 000	Sears Canada	8 379
11	Thomson	44 800	Pratt et Whitney Canada	8 338
12	General Motors du Canada	42 555	Canadien National	8 300
13	Canadien National	39 091	Air Canada	8 200
14	Laidlaw	36 000	S.T.C.U.M.	9 038
15	Crownx	32 500	Noranda	8 000
16	Canada Safeway	29 000	Quebecor	7 895
17	Ford du Canada	28 000	Domtar	5 700
18	Hydro-Ontario	27 000	Stone Consolidated	5 349
19	F.W. Woolworth	27 000	Abitibi-Price	5 000
20	Int'l Semi-Tech Microelectronics	27 000	Métro Richelieu	4 900

Source : *The Financial Post 500* (1991), *Les Affaires* (1991)

LE SECTEUR PUBLIC

Au Canada, il existe trois ordres de gouvernement : fédéral, provincial et municipal (ou local). Chacun a ses propres responsabilités, et les trois utilisent et dirigent l'utilisation des ressources limitées de l'économie. La présente section se penche sur les activités des administrations publiques sur l'économie canadienne.

Nous avons vu précédemment que l'État était à la fois un producteur et un consommateur. Ses activités sur les plans juridique, du respect des lois et de la défense, de l'entretien des routes ainsi que de la gestion quotidienne des affaires publiques constituent toutes des activités de production. L'État consomme également une partie importante de la production de biens et de services de l'économie. Songez aux diverses agences des trois ordres de gouvernement, puis à l'ensemble des achats de ceux-ci de matériel militaire, d'équipement destiné à l'entretien des routes, de matériel et de fournitures de bureau, de matériaux de construction, etc.

La tableau 3.8 montre les dépenses publiques totales au Canada entre 1969 et 1990. Elles comprennent les dépenses de biens et de services ainsi que la formation de capital.

Les dépenses publiques de biens et de services ainsi que la formation de capital ont passé de 17,2 milliards en 1969 à 148,8 mil liards de dollars en 1990. On peut se faire une meilleure idée de l'ampleur des dépenses publiques en reliant ces dernières aux dépenses totales de biens et de services. En 1969, les dépenses publiques représentaient quelque 20,8 % des dépenses totales. En 1990, cette proportion s'établissait à 22,2 %. Entre 1969 et 1990, les dépenses publiques se sont chiffrées en moyenne à 22,0 % des dépenses totales.

Les dépenses publiques représentent plus de 22 % des dépenses totales.

En plus de l'achat de biens et de services, l'État dépense de fortes sommes sous forme de *paiements de transfert*, notamment les prestations d'assurance-chômage et de la sécurité de la vieillesse, les allocations familiales et les subventions. Le tableau 3.9 renferme de l'information sur les dépenses publiques selon les secteurs.

Les services sociaux, le service de la dette, la santé et l'éducation représentent la plus grande partie des dépenses publiques totales.

Le tableau 3.9 présente aussi la répartition en pourcentage des dépenses publiques selon les fonctions. La plus grande partie, 24 %, est appliquée aux services sociaux, la deuxième en importance, 14,9 %, au service de la dette, et la troisième, 12,7 %, à la santé. Les dépenses publiques de la fonction de l'éducation étaient également importantes, totalisant 12 % des dépenses publiques totales. En fait, les services sociaux, l'éducation, le service de la dette et la santé représentent 63 % des dépenses publiques totales.

TABLEAU 3.8
Dépenses publiques
(1969-1990)

Année	Dépenses publiques (M $)	Dépenses totales (M $)	% des dépenses publiques
1969	17 241	83 026	20,8
1970	19 621	89 116	20,0
1971	21 973	97 290	22,6
1972	24 088	108 629	22,2
1973	27 121	127 372	21,3
1974	32 890	152 111	21,6
1975	39 509	171 540	23,0
1976	44 519	197 924	22,5
1977	50 152	217 879	23,0
1978	54 469	241 604	22,5
1979	59 625	276 096	21,6
1980	67 473	309 891	21,8
1981	78 239	355 994	22,0
1982	89 174	374 442	23,8
1983	94 966	405 717	23,4
1984	100 479	444 735	22,6
1985	108 405	477 988	22,6
1986	112 696	505 666	22,3
1987	118 722	551 597	21,5
1988	127 726	605 147	21,1
1989	137 552	649 102	21,2
1990	148 824	671 577	22,2

Source : *Revue de la Banque du Canada*, juin 1991

TABLEAU 3.9
Dépenses publiques
consolidées selon les
fonctions principales
(1986)

Dépenses	Sommes dépensées (M $)	%
Services généraux	15 832,1	6,7
Protection des personnes et des biens	19 157,8	8,1
Transport et communications	13 045,0	5,5
Santé	30 227,3	12,7
Services sociaux	56 956,8	24,0
Éducation	28 490,1	12,0
Conservation des ressources et développement industriel	14 297,2	6,0
Environnement	4 493,2	1,9
Loisir et culture	4 990,1	2,1
Affaires extérieures et aide internationale	2 793,0	1,2
Planification et développement régionaux	1 095,6	0,5
Service de la dette	35 514,5	14,9
Autres	10 343,1	4,4
TOTAL	179 580,0	100,0

Source : Statistique Canada, *Finances publiques consolidées*

Le secteur public fournit également de l'emploi à un grand nombre de personnes. En 1990, les effectifs du gouvernement fédéral s'établissaient à près de 600 000, et les charges de personnel brutes totalisaient quelque 5 milliards de dollars. En 1990, les administrations provinciales et territoriales employaient 670 000 personnes, et les frais de personnel se chiffraient à 5,5 milliards de dollars. Au cours du premier trimestre de 1990, les administrations locales employaient 320 000 personnes, et les frais de personnel s'élevaient à 2,3 milliards de dollars.

LE SECTEUR EXTÉRIEUR

Jusqu'à présent, le secteur extérieur n'a pas fait partie de notre étude. Un sous-secteur des principaux secteurs, il comprend les consommateurs et les fabricants des pays étrangers qui achètent nos exportations et nous vendent leurs produits et services.

Le Canada exporte environ 26 % de la totalité de sa production et importe une quantité équivalente de tout ce qu'il consomme.

Historiquement, ce secteur a joué un rôle prépondérant dans l'essor de l'économie canadienne. En 1990, le Canada a exporté des biens et des services totalisant 168 928 millions de dollars, et importé des biens et des services d'une valeur de 166 878 millions de dollars. Nous exportons quelque 26 % de la totalité de notre production, et importons une quantité équivalente de tout ce que nous achetons.

Qui sont nos partenaires commerciaux, c'est-à-dire, de qui importons-nous et à qui exportons-nous nos biens et services? Quelles marchandises exportons-nous? La réponse à ces questions jettera de la lumière sur la structure de notre économie. Le tableau 3.10 contient de l'information sur les importations et exportations du Canada ainsi que sur les principaux partenaires commerciaux du pays.

TABLEAU 3.10
Exportations et
importations (1990)

Zone	Exportations (M $)	% du total	Importations (M $)	% du total
États-Unis	110 442	75,4	92 924	68,5
Royaume-Uni	3 482	2,4	4 942	3,6
Autres pays de la CEE	8 484	5,8	10 033	7,4
Japon	7 653	5,2	8 230	6,1
Autres pays de l'OCDE	3 493	2,4	4 986	3,7
Autres pays	12 928	8,8	14 441	3,7
TOTAL	146 482	100,0	135 557	100,0

Source : *Revue de la Banque du Canada*, juillet 1991

En 1990, les exportations du Canada ont totalisé 146,4 milliards de dollars, dont 75 % furent destinées aux États-Unis, le principal partenaire commercial du pays. Les autres partenaires commerciaux du Canada incluent le Royaume-Uni, les autres pays de la Communauté économique européenne (CEE), le Japon ainsi que des pays de l'Organisation de coopération et de développement économiques (OCDE).

Les États-Unis sont le principal partenaire commercial du Canada.

En 1990, les importations canadiennes se sont chiffrées à 135,6 milliards de dollars, dont plus de 68 % en provenance des États-Unis. Nous avons acheté des marchandises d'une valeur de 8,2 milliards de dollars du Japon, et d'une valeur de 10,0 milliards de dollars des pays de la CEE, le Royaume-Uni exclu.

Le Canada exporte principalement des véhicules et des pièces automobiles, des biens manufacturés, de la pâte et du papier, du blé ainsi que diverses ressources naturelles, et importe surtout des véhicules et des pièces automobiles, du matériel et de l'outillage, des biens de consommation et de l'équipement industriel.

LES RESSOURCES DU CANADA

Le Canada dispose de ressources humaines importantes

Au chapitre 1, nous avons souligné que la capacité de production d'un pays repose grandement sur la quantité de ressources dont celui-ci dispose. Les personnes constituent la première ressource de tout pays. En raison de leur formation, les hommes et les femmes qui exercent de multiples occupations ont acquis des aptitudes propres à accroître leur rendement. L'importance de la main-d'oeuvre est un facteur important de la détermination de la productivité (rendement par travailleur). Le tableau 3.11 présente le niveau de scolarité de la population canadienne âgée de 15 ans et plus.

TABLEAU 3.11
Niveau de scolarité de la population canadienne (juillet 1991)

Niveau	Nombre (en milliers)	
	Canada	Québec
0-8 ans	2 971	1 183
Études secondaires partielles	4 759	1 114
Études secondaires complétées	4 334	974
Études post secondaires partielles	1 837	360
Perfectionnement ou diplôme d'études post secondaires	4 526	1 209
Grade universitaire	2 341	514
TOTAL	20 768	5 354

Source : Statistique Canada, *Population active*

Le capital est une source d'accroissement de la productivité.

Les édifices à bureaux, entrepôts, usines, millions de kilomètres de routes, le matériel, l'outillage et les machines que l'on retrouve aux quatre coins du pays font partie de notre stock de capital. Toutes autres choses étant égales, plus le stock de capital est élevé, plus notre productivité s'accroîtra.

Outre la main-d'oeuvre et le capital, les ressources naturelles jouent un rôle important dans la vie économique du pays et influent directement sur notre niveau de vie. Le Canada dispose

La production minérale du Canada est importante.

d'une grande variété de ces ressources. Le tableau 3.13 présente la valeur de la production minérale du Canada, lors de certaines années, de 1960 à 1987.

TABLEAU 3.12
Valeur de la production minérale, certaines années, de 1960 à 1987

Année	Valeur (M $)
1960	2 492 510
1965	3 714 861
1970	5 722 059
1975	13 346 994
1980	31 841 758
1981	32 410 481
1982	33 831 494
1983	38 539 005
1984	43 789 031
1985	44 729 629
1986	32 445 940
1987	36 038 609

Source : Statistique Canada, *Annuaire du Canada (1990)*

Les ressources naturelles du Canada comprennent le pétrole, de l'eau douce en abondance, la forêt ainsi qu'une grande variété de minéraux métalliques et non métalliques. Le tableau 3.13 renferme les principaux types de minéraux produits au Canada.

Le Canada est un pays vaste qui s'étend sur 9 220 975 km² de terre et 755 165 km² d'eau douce. Le pays dispose aussi de vastes ressources forestières, et est un exportateur de premier rang de produits forestiers.

TABLEAU 3.13
Production de minéraux métalliques et non métalliques (1990)

NON MÉTALLIQUES	Quantité (tonnes)
Amiante	682 000
Gypse	8 181 000
Ciment	12 234 000
Chaux	2 323 000
Sel et saumure	11 196 000
Potasse	7 372 000
MÉTALLIQUES	Quantité (tonnes)
Cuivre non raffiné	794 000
Cuivre raffiné	516 000
Nickel	191 000
Plomb non raffiné	220 000
Plomb raffiné	100 000
Zinc non raffiné	1 320 000
Zinc raffiné	592 000
Minerai de fer	35 652 000
Or (en grammes)	164 347 000
Argent (en grammes)	1 380 192
Uranium (en kilogrammes)	9 734 000

Source : Statistique Canada, *L'observateur économique canadien*

Le tableau 3.14 présente un inventaire de ces ressources.

Nous avons maintenant une vue d'ensemble concrète de la structure de l'économie canadienne, qui vous servira de base à l'étude plus détaillée que vous êtes sur le point d'entreprendre.

TABLEAU 3.14
Inventaire des forêts du Canada (1986)

Type	Étendue
Terres forestières (milliers de km²)	
Total	3 979
Production	2 437
Terres forestières productives (milliers de km²)	
Terres provinciales de la Couronne	1 949
Terres fédérales de la Couronne	257
Terres privées	231
Volume (millions de m³)	
Résineux	17 834
Feuillus	5 320
TOTAL	23 154

Source : Statistique Canada, *Annuaire du Canada (1990)*

Les chapitres qui suivent vous présentent différents outils d'analyse qui vous aideront à comprendre le système économique du pays, ses forces et ses difficultés, ainsi que les politiques que l'on peut adopter afin d'en améliorer le rendement.

RÉSUMÉ DU CHAPITRE

1. L'économie canadienne est une économie de marché, où l'État intervient dans une certaine mesure.
2. Le Canada est une fédération de dix provinces et de deux territoires. L'Ontario et le Québec, qui comptent plus de 62 % de toute la population canadienne, sont les provinces les plus populeuses.
3. En 1990, les Canadiennes et les Canadiens ont dépensé 398,7 milliards de dollars en biens et services de consommation. Le revenu personnel total a atteint 596,1 milliards de dollars.
4. Un ménage se compose d'une personne ou d'un groupe de personnes qui vivent sous un même toit. En 1989, le Canada comptait 10 288 000 ménages.
5. En 1989, 9,2 % des ménages canadiens et 12,8 % des ménages québécois disposaient d'un revenu inférieur à 10 000 $.
6. En 1990, 12 572 000 Canadiennes et Canadiens occupaient un emploi. Quelque 27,8 % étaient à l'emploi d'industries productrices de services, alors que seulement 3,4 % travaillaient dans le secteur agricole.

7. Le groupe de professions le plus important est celui du travail de bureau. Environ 4 % de ces postes appartiennent à la catégorie des occupations primaires.
8. En 1990, l'ensemble des entreprises a produit des biens et des services d'une valeur de 673 milliards de dollars, employait 12 572 000 personnes et a versé 379,5 milliards de dollars sous forme de salaires et de traitements.
9. En 1990, les dépenses de l'État en biens et en services et la formation de capital ont totalisé 148,8 milliards de dollars. Les différents ordres de gouvernement appliquent des sommes importantes aux services sociaux, à l'éducation, au service de la dette et à la santé.
10. Les trois ordres de gouvernement procurent de l'emploi à un grand nombre de personnes, en plus de verser des sommes importantes sous forme de salaires et de traitements.
11. Le Canada exporte quelque 26 % de sa production totale de biens et de services, et importe une quantité équivalente de tout ce qu'il consomme. Notre secteur étranger est donc important, et les États-Unis sont notre premier partenaire commercial.
12. Le Canada dispose d'importantes ressources, notamment une main-d'oeuvre bien formée, des terres fertiles, de grandes quantités de dépôts minéraux ainsi que de vastes réserves d'eau douce et des ressources forestières abondantes.

Questions de révision et de discussion

1. Parlez du secteur canadien des ménages sur le plan de sa taille, de ses revenus, de ses dépenses et de son utilisation des ressources humaines.
2. Parlez du secteur canadien des entreprises sur le plan de son volume de production, du nombre de personnes qu'il emploie et des revenus qu'il génère.
3. Quelle importance revêt le secteur public pour l'économie du Canada? (Indice : parlez des dépenses et du nombre de personnes qu'il emploie.)
4. Quelle importance revêt le commerce extérieur pour l'économie canadienne?
5. Quelles sont les principales exportations du Canada, et à qui sont-elles destinées?
6. Pourquoi les ressources naturelles sont-elles importantes pour l'économie d'un pays? Énumérez certaines ressources naturelles dont dispose le Canada.
7. Énumérez certains facteurs de l'économie canadienne qui contribuent au rendement par travailleur.

LES ÉLÉMENTS DE L'OFFRE ET DE LA DEMANDE

> Lorsque l'offre et la demande s'équilibrent, tout événement apte à modifier cet état entraîne l'apparition instantanée de forces destinées à rétablir l'équilibre, comme lorsqu'une pierre qui pend au bout d'une ficelle est déplacée, la gravité tend à la ramener dans sa position initiale.
>
> Alfred Marshall, *Principes d'économie politique*

INTRODUCTION

L'expression *l'offre et la demande* a été tellement utilisée tant par les économistes que les profanes relativement aux affaires économiques qu'elle est presque devenue synonyme d'économique. Combien de fois avez-vous entendu l'énoncé suivant : «C'est une question d'économique, vous savez — l'offre et la demande.» L'économique est évidemment plus qu'une simple question d'*offre et de demande*, mais une bonne connaissance de ces deux notions fondamentales est essentielle à la compréhension du mode de fonctionnement de notre système économique et des enjeux en présence, en plus de nous aider à prendre des décisions éclairées. Le présent chapitre examine les éléments de l'offre et de la demande, et l'influence que ces deux facteurs exercent sur la détermination du prix d'un bien ou d'un service. Nous présentons également des applications de l'analyse de l'offre et de la demande ainsi qu'une analyse de l'équilibre général.

L'explication du mode de fonctionnement de l'offre et de la demande pour déterminer le prix d'un bien ou d'un service est présentée sous la forme d'un modèle. Ce dernier s'appuie sur un système de libre entreprise, où les décisions se prennent à la faveur d'un mécanisme de marché. Aucune intervention n'empêche le libre jeu des forces du marché sur l'offre et la demande.

LA NATURE DE LA DEMANDE

La demande : les diverses quantités que les consommateurs veulent et peuvent acheter à différents prix durant une période donnée.

Un de mes professeurs d'économique m'a déjà dit : «La demande n'est pas ce que tu penses qu'elle est.» Il avait raison. De nombreuses gens utilisent le terme pour désigner une foule de choses différentes. Pour l'économiste cependant, la demande a un sens bien précis. *La demande désigne les diverses quantités d'un bien ou d'un service que les consommateurs veulent et peuvent acheter à différents prix durant une période donnée.* Il importe de noter que la demande désigne non seulement la volonté d'acheter un bien ou un service, mais aussi le pouvoir d'achat. Les deux éléments doivent être présents pour que la demande soit valide. Rappelez-vous que la demande ne désigne pas la quantité déterminée qui sera achetée à un prix donné, mais plutôt une série de quantités et les prix associés à ces dernières. Supposons que nous disposons d'information sur les diverses quantités de pommes que les consommateurs voudront et pourront acheter à différents prix. L'information est disposée sous forme de barème de demande hypothétique des pommes au tableau 4.1.

TABLEAU 4.1
Barème de demande hypothétique des pommes.

Prix des pommes ($)	Quantité demandée par semaine (000)
0,50	100
0,40	110
0,45	120
0,35	130
0,30	140
0,25	150
0,20	160
0,15	170
0,10	180
0,05	190

Barème de demande : représentation tabulaire de la demande.

Un tableau qui renferme ce type d'information s'appelle un *barème de demande*. *Un barème de demande est un tableau qui présente diverses quantités d'un bien ou d'un service que les consommateurs sont disposés à acheter à différents prix durant une période donnée.* Remarquez l'importance de la période. Par exemple, affirmer que la quantité de pommes demandées à 0,35 $ est de 130 000 n'est pas très clair. Affirmer que la quantité de pommes demandées à 0,35 $ est de 130 000 par semaine est plus précis. L'achat de 130 000 pommes à 0,35 $ la pièce pendant une semaine n'équivaut certainement pas à l'achat de la même quantité et au même prix, mais échelonné sur un an. Les quantités demandées à des prix variés doivent comprendre un facteur temporel.

La loi de la demande

Le rapport inverse entre le prix et la quantité demandée s'appelle la loi de la demande.

Vous aurez noté au tableau 4.1 que la baisse de prix des pommes correspond à une hausse de la demande. La caractéristique fondamentale de la demande s'appelle la loi de la demande, et peut s'exprimer ainsi : à mesure que le prix diminue, toutes autres choses étant égales, la quantité demandée augmente; ou inversement, à mesure que le prix augmente, toutes autres choses étant égales, la quantité demandée diminue.

En d'autres mots, il existe un rapport inverse entre le prix d'un produit et la quantité demandée. Remarquez que la loi de la demande suppose que tous les autres facteurs demeurent constants, à l'exception du prix.

Quelles sont les raisons de ce rapport inverse entre le prix et la quantité demandée? Pourquoi les consommateurs achètent-ils davantage, lorsque les prix diminuent? D'abord, la baisse des prix signifie qu'un plus grand nombre de consommateurs seront en mesure de se procurer la denrée. Par conséquent, la quantité de pommes demandée augmente. En deuxième lieu, ceux qui achetaient des pommes avant l'accroissement de prix peuvent en acheter une plus grande quantité. En d'autres mots, la chute des prix se traduit par une augmentation du pouvoir d'achat ou du revenu réel des consommateurs, et il s'ensuit une demande accrue. Cette augmentation s'appelle l'*effet de revenu*. Troisièmement, en raison de la baisse du prix des pommes, certains consommateurs abandonneront l'achat de fruits plus coûteux au profit de ces dernières. Ce changement de quantité demandée survenu par suite du remplacement d'une denrée par une autre s'appelle l'*effet de substitution*. Par conséquent, pour l'ensemble de ces raisons, on peut s'attendre à ce que les consommateurs achètent une quantité supérieure d'un produit, lorsque le prix de ce dernier diminue, et une quantité inférieure, lorsque le prix augmente.

La courbe de demande

Courbe de demande : représentation graphique de la demande.

L'avantage de la représentation graphique de l'information par rapport à la représentation tabulaire est bien connue : le graphique nous permet de voir plus clairement les rapports entre deux variables. Le rapport entre le prix des pommes et la quantité demandée illustré au tableau 4.1 peut s'exprimer sous la forme d'un graphique. Les économistes mesurent généralement le prix sur l'axe vertical et la quantité demandée par unité de temps sur l'axe horizontal. Examinons ce qui se produit lorsque nous traçons l'information du tableau 4.1 sur un graphique. Il en résulte l'illustration 4.1, et le graphique présente la *courbe de demande*, que l'on définit comme suit : la courbe de demande est un graphique qui présente les diverses quantités d'un bien ou d'un service que les consommateurs sont disposés à acheter à prix variés.

Notez qu'en raison du rapport inverse entre le prix et la quantité demandée (la loi de la demande), la courbe de demande descend vers la droite comme l'indique la ligne DD de l'illustration 4.1.

Examinons le barème et la courbe de demande. À vingt cents la pièce, les consommateurs sont disposés à acheter 160 000 pommes par semaine. Cela est illustré par le point G de la courbe

ILLUSTRATION 4.1
Courbe de demande des
pommes.

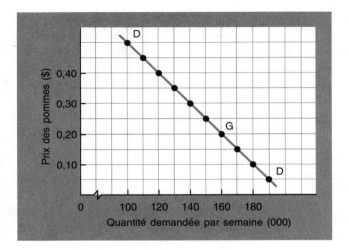

de demande. Il serait faux d'affirmer qu'à ce prix, la demande est
de 160 000 pièces, et plus juste de dire qu'à vingt cents, la *quantité
demandée* (non la demande) se chiffre à 160 000 unités. En d'autres
termes, la courbe de demande tout entière représente la demande,
tandis qu'un point, la quantité demandée à un prix donné.

Remarquez que la courbe de demande de l'illustration 4.1 et le
barème de demande du tableau 4.1 expriment un rapport linéaire
entre le prix et la quantité demandée. Il ne faut cependant pas
supposer que les courbes (ou barèmes) de demande se présentent
toujours sous cette forme. Nous avons utilisé un rapport linéaire
en raison de sa commodité.

Problème : Rose Sélavy, qui vend des roses à la place
Jacques-Cartier, désire écouler l'ensemble de ses stocks à la
fin de la journée. Au début de la journée, elle vend ses
gerbes pour la somme de 5 $. Au fil des heures, elle se
rend compte que ses fleurs se vendent très lentement et
qu'à ce rythme, elle n'aura vendu que la moitié de ses
stocks. Que devrait-elle faire pour corriger la situation?

Solution : Il est évident que le prix de 5 $ est trop élevé
et que Rose ne pourra écouler la totalité de ses stocks avant
la fin de la journée. En réduisant le prix, Rose pourra
vendre une plus grande quantité de fleurs. Il se peut
même qu'elle vende la totalité de ses stocks, si la diminution est suffisante. Les entreprises utilisent la même
stratégie afin d'accroître leurs ventes. Pensez aux jours à
1,44 $ de Woolco. (Les entreprises et Rose connaîtraient-
elles la loi de la demande?)

LES FACTEURS AFFECTANT LA QUANTITÉ DEMANDÉE

Il est évident que le prix n'est pas le seul facteur qui influe sur la quantité d'un produit que les consommateurs vont acheter. Parmi les autres facteurs qui jouent un rôle déterminant, on compte : le revenu, le prix d'articles apparentés, les goûts et préférences, les attentes et la population. Ces autres facteurs s'appellent des *déterminants hors-prix*, et l'expression s'applique également au prix d'un autre produit utilisé pour déterminer la quantité demandée. Examinons maintenant comment chacun de ces déterminants hors-prix peut affecter la quantité vendue d'un produit.

Le revenu   Si leurs revenus augmentent, les consommateurs auront tendance à acheter un plus grand nombre de produits et de services qu'auparavant. Supposons que les Langlois achetaient trois kilos de steak par semaine. Si leurs revenus augmentent, ils peuvent décider qu'ils ont maintenant les moyens d'en acheter cinq kilos par semaine sans sacrifier autre chose. En même temps, les Pelletier peuvent être incapables d'acheter du steak en raison de revenus peu élevés. Par contre, si leurs revenus augmentent, ils peuvent décider de commencer à en acheter. Par conséquent, il semble que la hausse du revenu se traduise par l'achat d'une plus grande quantité d'un produit donné, peu importe le prix. Cela s'applique à la plupart des produits et des services, et les économistes appellent les biens dont la quantité demandée est directement reliée au revenu des *biens ordinaires*. Un bien ordinaire est un bien dont la quantité vendue s'accroît en même temps que l'augmentation des revenus.

Bien que la plupart des commodités constituent des biens ordinaires, il y a des situations où les consommateurs n'achètent pas nécessairement davantage, lorsque leurs revenus augmentent. Prenons l'exemple du boeuf haché ordinaire. À un prix donné, et moyennant un certain niveau de revenu, les consommateurs en achèteront une certaine quantité par semaine. Si leurs revenus augmentent, la quantité de boeuf haché ordinaire qu'ils achètent peut en réalité diminuer, au profit de steaks ou de boeuf haché maigre. Le même raisonnement vaut pour les pommes de terre et les préparations comme Kool-aid. Les économistes appellent ces derniers des *biens inférieurs*. Un bien inférieur est un bien dont la quantité vendue diminue en même temps que l'augmentation des revenus.

Il est plus juste d'utiliser ordinaires et inférieurs pour décrire le comportement des consommateurs ou la réaction de ces derniers

Une hausse de revenu entraîne une diminution de la quantité demandée de biens inférieurs.

Une hausse de revenu entraîne une augmentation de la quantité demandée de biens ordinaires.

à tout changement de revenu, plutôt que de décrire les produits mêmes.

Prix de biens apparentés   Les biens et services sont reliés entre eux principalement de deux manières : il peut s'agir de *substituts* ou de *compléments*.   Un substitut est un bien qui en remplace un autre, comme la lime remplace le citron; le miel, le sucre; la margarine, le beurre; le café, le thé.   Deux biens sont complémentaires, lorsqu'on les utilise ensemble, comme l'automobile et l'essence, le lecteur de disques compacts et les disques eux-mêmes, l'ordinateur et la disquette, l'appareil-photo et la pellicule.

Si le prix de la lime augmente, les consommateurs auront tendance à recourir à un substitut comme le citron, et la quantité de citrons demandée sera à la hausse.   En général, lorsque le prix d'une denrée substituable s'accroît, les consommateurs tendent à acheter une plus grande quantité du substitut.   En ce qui concerne les produits complémentaires, on a dit qu'ils s'utilisaient ensemble.   Si le prix des ordinateurs diminue, les consommateurs en achèteront un plus grand nombre, ce qui entraînera vraisemblablement une demande de disquettes accrue.   En général, la chute du prix d'un complément se traduit par un accroissement de la demande du produit complémentaire.

Il faut dire que tous les produits ne sont pas apparentés. Certains ne sont ni des substituts ni des compléments. Par exemple, on ne s'attend à aucun rapport entre les voitures et le lait, les radios et les cadres, les ordinateurs et le jus de pomme ou les téléphones et les fours à micro-ondes.   Ces biens s'appellent des biens *indépendants* ou *neutres*.   Si le prix des radios diminue, par exemple, il ne faut pas s'attendre à ce que celui des cadres augmente en conséquence.

Les goûts et les préférences   La quantité achetée d'un bien dépend des goûts et des préférences des consommateurs.   Si les Manitobains décidaient de passer d'un régime à base de viande à un régime végétarien, il est évident que la viande serait moins en demande, et que la demande de légumes augmenterait.   Les entreprises consacrent des millions de dollars à la publicité afin d'inciter les consommateurs à acheter leurs produits.

Les attentes   Les attentes relativement aux prix futurs influent sur les achats présents des consommateurs.   Si ces derniers s'attendent à la hausse de prix d'un bien, il est probable qu'ils en fassent provision dès maintenant, afin de reporter la hausse de prix à plus tard.   Inversement, si les consommateurs s'attendent à une diminution de prix, ils reporteront l'achat des biens et des

---

Les substituts sont utilisés pour en remplacer d'autres; les compléments sont utilisés conjointement.

Un changement de prix des biens apparentés affecte la quantité demandée à chaque prix.

Les goûts et les préférences affectent la quantité demandée à chaque prix.

Les attentes affectent la quantité demandée à chaque prix.

services en question, afin de profiter des prix inférieurs futurs. Les attentes des consommateurs sur le plan des revenus influeront également sur leurs achats présents. Si l'on s'attend à une hausse importante de revenu dans un avenir rapproché, il se peut fort bien que l'on se procure des biens et des services avant même que l'augmentation ne se concrétise. Par ailleurs, si l'on s'attend à une diminution de revenu (par suite de la perte de son emploi, par exemple), on se procurera des quantités moindres de biens et de services. Un bon exemple de l'influence du revenu futur sur l'achat présent de biens et de services nous est fourni par les étudiants en droit et en médecine qui achèvent leur dernière année d'études. Généralement, ces étudiants ont des niveaux de vie plus élevés que ceux et celles dont le revenu actuel est semblable, mais qui ne peuvent compter sur aucune augmentation importante de revenu à brève ou longue échéance.

La population La quantité achetée d'un bien dépend du nombre d'acheteurs de ce bien dont dispose le marché. Toutes autres choses étant égales, on peut s'attendre à ce que le nombre d'oranges achetées soit beaucoup plus élevé à Montréal qu'à Matane, en raison de l'énorme différence de population entre les deux villes. On peut s'attendre à ce que l'augmentation de la population se traduise par l'achat accru de biens et de services.

Le nombre de consommateurs d'un marché affecte la quantité demandée que les acheteurs vont se procurer à chaque prix.

Problème : La librairie Le petit prince vend des craies de couleur et des livres à colorier. La compagnie de matériel artistique Guernica vient de lui offrir une vaste quantité de crayons de couleur à une fraction du prix régulier. Comment la librairie peut-elle utiliser ce matériel afin d'accroître ses ventes de livres à colorier?

Solution : Les craies de couleur et livres à colorier sont des biens complémentaires. La librairie peut vendre ses crayons de couleur à un prix inférieur, étant donné qu'elle les obtient à un prix relativement bas. Toutes autres choses étant égales, cela entraînera une hausse de la vente de crayons. Mais les consommateurs qui achètent un plus grand nombre de crayons achèteront également un nombre plus élevé de livres à colorier, étant donné que les uns s'utilisent avec les autres.

Problème :   Lorsque le prix de l'or augmente, les gens ont tendance à en acheter une plus grande quantité, et non une quantité moindre. Cela contredit-il la loi de l'offre et de la demande?

Solution :   Cela ne contredit pas la loi de l'offre et de la demande. En vertu de cette dernière, la quantité achetée sera moindre, lorsque le prix est élevé, *toutes autres choses étant égales*. Il se peut que les gens achètent de l'or en plus grande quantité, lorsque le prix du métal précieux augmente, parce qu'ils s'attendent à ce que le prix augmente davantage. Si leurs attentes sont confirmées, ils réaliseront un gain de capital. Leur comportement s'explique par la modification des attentes; les autres facteurs n'étant pas constants.

UN CHANGEMENT DE LA DEMANDE ET UN CHANGEMENT DE LA QUANTITÉ DEMANDÉE

La distinction entre un changement de la demande et un changement de la quantité demandée est importante, et il faut éviter de confondre les deux notions. La demande désigne la courbe ou le barème de demande en entier. Par conséquent, un changement de la demande entraînera une modification de la courbe tout entière. Supposons que le tableau 4.1 représente la demande de pommes à Pointe-Claire. Supposons maintenant que la demande est accrue parce qu'un groupe de médecins chercheurs déclare qu'une consommation suffisante de pommes pendant un certain temps protégera le corps d'une grande variété de maladies. Par conséquent, le barème de demande se transformera pour refléter l'achat accru de pommes à chaque prix. La colonne de droite du tableau 4.2 contient les nouvelles quantités.

TABLEAU 4.2
Barème de demande montrant un accroissement de la demande.

Prix des pommes ($)	Quantités originales demandées par semaine (000)	Nouvelles quantités demandées par semaine (000)
0,50	100	130
0,45	110	140
0,40	120	150
0,35	130	160
0,30	140	170
0,25	150	180
0,20	160	190
0,15	170	200
0,10	180	210
0,05	190	220

ILLUSTRATION 4.2
Accroissement de la
demande.

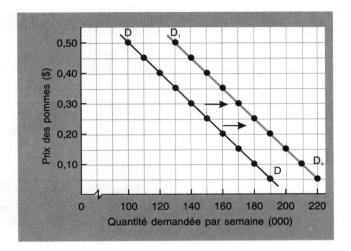

On peut tracer les deux courbes de demande sur un seul et même graphique pour illustrer le changement de la demande occasionné par la déclaration, comme à l'illustration 4.2. DD représente la courbe de demande originale et D_1D_1, la nouvelle courbe. L'augmentation de la demande est illustrée par le déplacement à droite de la courbe tout entière, qui occupe maintenant un nouvel espace. Notez que la quantité achetée est plus importante *à tout prix donné*. Une baisse de la demande signifierait qu'*à tout prix donné*, la quantité achetée est moindre, et le phénomène serait illustré par un déplacement à gauche de la courbe de demande, tel que présenté à l'illustration 4.3.

Un changement de la quantité demandée désigne une modification de la quantité achetée qu'entraînerait un changement de prix. Examinons la courbe de demande de l'illustration 4.4. À 2 $, la quantité demandée est de 48 000 par semaine. Si le prix

Une demande accrue est représentée par un déplacement à droite de la courbe de demande.

ILLUSTRATION 4.3
Diminution de la demande.

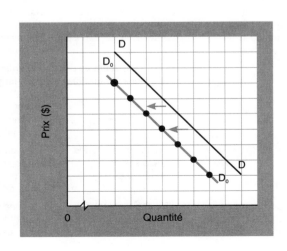

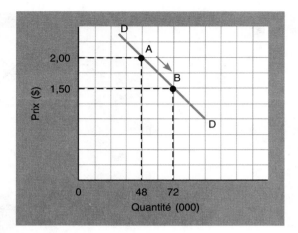

Une diminution de la
demande est représentée
par un déplacement à
gauche de la courbe de
demande.

tombe à 1,50 $, la quantité hebdomadaire demandée s'établit à 72 000. La modification de la quantité demandée est représentée par un mouvement le long de la même courbe de demande, depuis le point A au point B de l'illustration 4.4.

Un changement de prix du bien en question occasionnera une modification de la quantité demandée, et non de la demande. Seul le changement d'un déterminant autre que le prix peut occasionner un changement de la demande du bien. Un changement de revenu, de goût, de population, de prix d'un bien apparenté ou d'attentes entraînera un changement de la demande et, partant, de la courbe de demande tout entière.

Un changement dans un
déterminant hors-prix
entraîne un déplacement
de la courbe de demande.

Le tableau 4.3 présente une liste pratique des principaux facteurs à l'origine d'un déplacement de la courbe de demande. On désigne souvent ces déterminants hors-prix de *régulateurs de demande*.

Régulateurs de demande	Exemples
1. Un changement de revenu	Une augmentation du revenu entraîne une hausse du pouvoir d'achat. La demande de la plupart des biens (biens ordinaires) augmentera, mais celle des biens inférieurs (pneus usagés, par exemple) diminuera.
2. Un changement de prix des biens apparentés	Une augmentation du prix de Coke déplacera vers la droite (augmentation) la demande de Pepsi parce qu'il s'agit de substituts. Une diminution du prix des ordinateurs personnels entraînera une hausse de la demande de disquettes parce qu'il s'agit de compléments.
3. Un changement des goûts et des préférences	Une campagne publicitaire réussie destinée à la vente des oeufs augmentera la demande de cette denrée parce qu'elle modifie le goût des consommateurs en faveur des oeufs.
4. Un changement des attentes	L'annonce de l'imposition d'une taxe sur les vidéo-cassettes entraîne l'attente de prix futurs accrus et, par conséquent, augmente la demande présente du produit.

TABLEAU 4.3
(suite)

Régulateurs de demande	Exemples
5. Un changement de population	Un accroissement du nombre d'immigrants au Canada entraîne une hausse de la demande de mobilier.

Problème : En janvier, le nombre de machines à écrire achetées à Jonquière s'est élevé à 600, à 750 en février et à 875 en mars. À la lumière de ces données, Rodrigo Souza, un investisseur, a décidé que la demande de machines à écrire était à la hausse à Jonquière et qu'il serait opportun d'ouvrir un magasin qui en ferait la vente. Quelle erreur Rodrigo risque-t-il de commettre?

Solution : La hausse du nombre de machines à écrire achetées peut constituer une réponse au prix fléchissant des machines plutôt qu'à une demande accrue. Le cas échéant, Rodrigo aurait tort de croire que la demande de machines à écrire est en hausse. Une hausse de la quantité demandée n'équivaut pas forcément à une augmentation de la demande.

LA NATURE DE L'OFFRE

L'offre : les diverses quantités que les vendeurs veulent et peuvent offrir à différents prix durant une période donnée.

Un marché se compose d'acheteurs et de vendeurs, et afin d'en comprendre le comportement, il faut tenir compte des deux groupes. Après avoir examiné la demande (l'acheteur), il faut maintenant se pencher sur l'offre (le vendeur). *L'offre désigne les diverses quantités d'un bien ou d'un service qu'un vendeur sera en mesure d'offrir aux consommateurs à des prix variés durant une période donnée.* Comme la demande, l'offre ne désigne pas une quantité déterminée qui sera vendue à un prix donné, mais un ensemble de quantités ainsi qu'un éventail de prix connexes.

Supposons que nous disposons d'information sur les différentes quantités de pommes que les vendeurs sont disposés à vendre à des prix variés. Le tableau 4.4 présente cette information.

TABLEAU 4.4
Barème d'offre hypothétique des pommes.

Prix des pommes ($)	Quantité offerte par semaine (000)
0,05	40
0,10	60
0,15	80
0,20	100
0,25	120
0,30	140

TABLEAU 4.4
(suite)

Prix des pommes ($)	Quantité offerte par semaine (000)
0,35	160
0,40	180
0,45	200
0,50	220

Barème d'offre :
représentation tabulaire
de l'offre.

Le tableau 4.4 s'appelle un *barème d'offre* et peut se définir ainsi : un tableau qui présente les diverses quantités d'un bien ou d'un service que les vendeurs sont disposés à vendre à des prix variés au cours d'une période donnée.

La loi de l'offre

Le rapport direct entre le
prix et la quantité offerte
s'appelle la loi de l'offre.

Le tableau 4.4 montre que l'augmentation du prix des pommes se traduit par une quantité offerte accrue, et la diminution de prix, par une baisse de la quantité offerte. Le rapport fondamental entre le prix et la quantité s'appelle la *loi de l'offre*, et peut être défini ainsi : à mesure que le prix d'un bien diminue, toutes autres choses étant égales, la quantité offerte diminue; ou inversement, à mesure que le prix augmente, toutes autres choses étant égales, la quantité offerte augmente. Ainsi, il existe un lien direct entre le prix d'un bien et la quantité offerte.

Pourquoi? La raison principale est que les prix accrus incitent les vendeurs à offrir une quantité accrue. En outre, les hausses de prix peuvent attirer d'autres fournisseurs sur le marché.

L'exemple qui suit permet d'expliquer comment les vendeurs répondent aux augmentations de prix. Supposons que les agriculteurs disposent de certaines étendues de terre destinées à la production de blé et de maïs. Si le prix du blé augmente, ils passeront de la production du maïs à celle du blé. En outre, on peut facilement imaginer que des agriculteurs qui ne s'adonnaient pas à la culture du blé auparavant deviennent des producteurs de cette denrée. Il s'ensuivra une production de blé accrue.

La courbe d'offre

Courbe d'offre :
représentation graphique
de l'offre.

Il est avantageux de présenter l'information du tableau 4.4 au moyen d'un graphique, comme nous l'avons fait pour la demande. Il en résulte l'illustration 4.5, et le graphique désigne la *courbe d'offre*, que l'on définit comme suit : la courbe d'offre est un graphique qui présente les diverses quantités d'un bien ou d'un service que les vendeurs sont disposés à offrir à des prix variés.

ILLUSTRATION 4.5
Courbe d'offre des pommes.

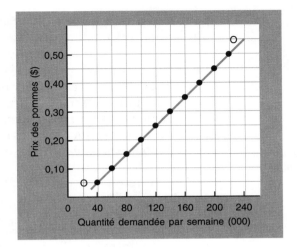

Étant donné qu'il existe un lien direct entre le prix et la quantité offerte (les deux se déplacent dans la même direction), la courbe monte comme l'indique la ligne OO de l'illustration 4.5.

Remarquez encore une fois que la totalité de la courbe d'offre représente l'offre, tandis qu'un point de la ligne, la quantité offerte à un prix donné. Comme dans le cas de la demande, nous avons supposé un rapport linéaire entre le prix et la quantité en raison de sa commodité, et il ne faut pas penser que les courbes d'offre sont toujours linéaires.

LES FACTEURS AFFECTANT LA QUANTITÉ OFFERTE

On a vu que la quantité d'un bien ou d'un service que les vendeurs sont disposés à offrir dépend de son prix. Mais le prix n'est pas le seul facteur qui entre en jeu, et d'autres facteurs sont également importants. Parmi ces déterminants hors-prix, on compte le nombre de producteurs (vendeurs), le prix de biens apparentés, les progrès techniques, les attentes et les coûts de production. Examinons l'influence de chacun sur la quantité offerte.

Le nombre de producteurs   Le nombre de vendeurs d'un marché aura un effet certain sur l'offre globale. En effet, l'offre du marché d'un bien ou d'un service constitue la somme des quantités offertes par l'ensemble des vendeurs individuels du marché. On peut s'attendre à une hausse de l'offre du marché, lorsque le nombre de vendeurs s'accroît, et à une baisse, lorsque le nombre de vendeurs diminue. Toutefois, si la production moyenne des fabricants augmente de manière appréciable, il se

Le nombre de vendeurs affecte la quantité offerte à chaque prix.

peut que l'offre globale du marché augmente, et ce malgré la diminution du nombre des fabricants.

Le prix des biens apparentés   Rappelez-vous ce qu'on a dit des substituts et des compléments, dans le cadre de l'étude de la demande. La situation de l'offre est semblable. Les biens peuvent se présenter sous forme de substituts ou de compléments dans le domaine de la production. Les biens sont des *substituts de production* s'ils sont fabriqués afin de se remplacer les uns les autres. Des exemples de substituts de production sont la laitue et les tomates (un agriculteur peut cultiver l'un ou l'autre sur la même terre), les sacs de cuir et les ceintures (on peut fabriquer les deux au moyen du même type de ressources). Les biens sont des *compléments de production* s'ils sont fabriqués ensemble, c'est-à-dire que la fabrication de l'un entraîne celle de l'autre. On les appelle également des *produits liés, ou co-produits*. Le boeuf et le cuir sont des exemples classiques de compléments de production.

Si le prix de la laitue augmente, la quantité de tomates cultivées diminuera, étant donné que les producteurs vont cultiver la laitue à la place de la tomate. En général, lorsque le prix d'un produit substituable augmente, les vendeurs tendent à diminuer l'offre du substitut. En ce qui concerne les compléments, ou co-produits, une augmentation de l'offre de l'un, disons le boeuf, entraînera une hausse de l'autre, le cuir, en raison de l'abattage d'un nombre de têtes plus élevé. En général, si le prix d'un complément diminue, l'offre du bien en question baissera également.

La technologie   Les fabricants utilisent les intrants (facteurs de production) pour produire biens et services. Les progrès techniques augmentent le rendement des facteurs existants et présentent de nouveaux types d'intrants plus efficaces que les précédents. Par conséquent, ces progrès occasionnent une offre accrue. Bien entendu, la décision de recourir à de nouvelles techniques doit tenir compte des coûts. Si les nouveaux procédés ne réduisent pas les coûts, il est peu probable que les fabricants les adoptent.

Les attentes   Si les fabricants s'attendent à des prix futurs accrus, ils commenceront peut-être dès maintenant à élargir leur capacité de production, ce qui leur permettra également d'augmenter leur production actuelle. Cela s'applique surtout aux biens que l'on ne peut garder en stock facilement. Cependant, il se peut fort bien que les attentes de prix futurs élevés encouragent les fabricants à accroître leurs stocks, afin de disposer de plus grandes quantités de biens à vendre plus tard à des prix plus

Les substituts et les compléments de production affectent la quantité offerte à chaque prix.

Les progrès techniques affectent la quantité offerte à chaque prix.

Les attentes affectent la quantité offerte à chaque prix.

avantageux. Une telle mesure se traduira par une offre présente réduite. Par conséquent, il faut éviter de généraliser en ce qui concerne l'effet des changements de prix anticipés sur l'offre.

Le prix des intrants (coûts de production) affecte la quantité offerte à chaque prix.

Le prix des intrants Des coûts de production accrus occasionneront une diminution de la quantité des commodités que les fabricants sont disposés à offrir. Les intrants représentent une partie importante des coûts de production. Plus leur coût est élevé, plus les coûts de production sont élevés, ce qui se traduit par une réduction de l'offre. Par contre, une diminution du coût des intrants occasionnera une hausse de l'offre.

> **Problème :** Comment l'augmentation des salaires dans l'industrie de la chaussure peut-elle influer sur l'offre?
>
> **Solution :** L'augmentation des salaires entraînera un accroissement des coûts de production, ce qui entraînera une diminution de l'offre.

UN CHANGEMENT DE L'OFFRE ET UN CHANGEMENT DE LA QUANTITÉ OFFERTE

Vous vous rappellerez la distinction entre un changement de la demande et un changement de la quantité demandée. Il faut également distinguer le changement de l'offre et le changement de la quantité offerte. L'offre désigne la courbe ou le barème d'offre en entier. Il s'ensuit que si l'offre change, la courbe tout entière se déplacera. Supposons que l'offre des pommes à Pointe-Claire est telle que présentée au tableau 4.4. Supposons également que l'offre s'accroît en raison de progrès techniques en matière de pomiculture. Cela donnera lieu à un nouveau barème d'offre, qui montre la quantité de pommes accrue offerte *à chaque prix*. La colonne de droite du tableau 4.5 contient les nouvelles quantités.

Un changement de l'offre est représenté par le déplacement de la courbe d'offre en entier.

TABLEAU 4.5
Barème de l'offre montrant un accroissement de cette dernière.

Prix des pommes ($)	Quantités originales offertes (000)	Nouvelles quantités offertes
0,05	40	80
0,10	60	100
0,15	80	120
0,20	100	140
0,25	120	160
0,30	140	180
0,35	160	200

Prix des pommes ($)	Quantités originales offertes (000)	Nouvelles quantités offertes
0,40	180	220
0,45	200	240
0,50	220	260

Une offre accrue est représentée par un déplacement à droite de la courbe d'offre.

Une diminution de l'offre est représentée par un déplacement ascendant de la courbe d'offre.

Tracez les deux courbes d'offre sur le même graphique afin d'illustrer le déplacement de l'offre occasionné par des progrès techniques. Le résultat est l'illustration 4.6. OO représente la courbe d'offre originale et O_1O_1, la nouvelle courbe. L'augmentation de l'offre est illustrée par le déplacement à droite de la courbe tout entière, qui occupe maintenant un nouvel espace. Notez que la quantité offerte est plus importante *à tout prix donné*. Une baisse de l'offre signifierait qu'*à tout prix donné*, la quantité offerte est moindre, et le phénomène serait illustré par un déplacement à gauche de la courbe d'offre, tel que présenté à l'illustration 4.7.

ILLUSTRATION 4.6
Accroissement de l'offre

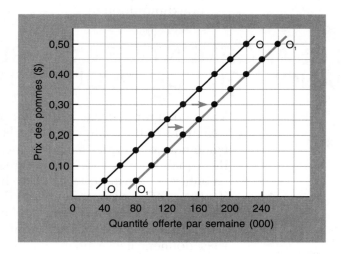

Un changement de la quantité offerte désigne une modification de la quantité offerte qu'entraînerait un changement de prix. Examinons la courbe d'offre de l'illustration 4.8. À 3 $, la quantité offerte est de 12 000 par semaine. Si le prix augmente à 4 $, la quantité hebdomadaire offerte s'établit à 20 000. La modification de la quantité offerte est représentée par un mouvement le long de la même courbe d'offre depuis le point C au point D de l'illustration 4.8.

Un changement de prix du bien en question occasionnera une modification de la quantité offerte, et non de l'offre. Seul le changement d'un déterminant hors-prix peut occasionner un

ILLUSTRATION 4.7
Diminution de l'offre.

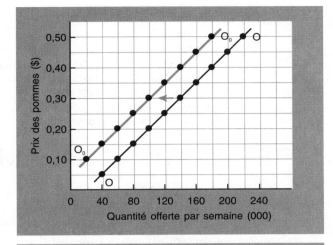

ILLUSTRATION 4.8
Un mouvement le long de
la courbe d'offre est
occasionné par un
changement de prix.

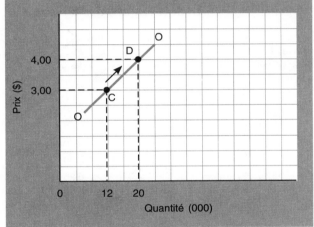

changement de l'offre du bien. Le changement du nombre de producteurs, de prix d'un bien apparenté, de technologie, d'attentes ou de prix des intrants occasionnera un changement de l'offre et, partant, de la courbe d'offre tout entière.

Le tableau 4.6 présente une liste pratique des principaux facteurs à l'origine d'un déplacement de la courbe d'offre. On désigne souvent ces déterminants hors-prix de *régulateurs d'offre*.

TABLEAU 4.6
Régulateurs d'offre :
déterminants hors-prix qui
modifient l'emplacement
de la courbe d'offre.

Régulateurs d'offre	Exemples
1. Un changement du nombre de producteurs	Une augmentation du nombre de fabricants de magnétoscopes augmente l'offre des appareils. Si un grand nombre de fabricants de jeans font faillite, l'offre de jeans diminuera.
2. Un changement de prix des biens apparentés	Une augmentation du prix de la laitue réduit l'offre de navets, car il s'agit de substituts. Une augmentation du prix du sucre de canne raffiné accroîtra l'offre de la mélasse, car il s'agit de produits liés.

TABLEAU 4.6
(suite)

Régulateurs d'offre	Exemples
3. Un changement technologique	L'invention d'ordinateurs rapides augmente la production (l'offre) des services informatiques.
4. Un changement des attentes	S'attendant à une hausse de prix du café, les fournisseurs réduisent l'offre actuelle en espérant vendre leur denrée à des prix futurs accrus.
5. Un changement de prix des intrants	Une hausse importante du prix de l'acier réduira l'offre d'automobiles.

LA DÉTERMINATION DE L'ÉQUILIBRE DES PRIX

Jusqu'à présent, nous avons examiné la demande et l'offre séparément. Nous allons maintenant les réunir afin de voir comment les forces du marché déterminent le prix d'un bien. À cette fin, le tableau 4.7 reprend les barèmes de demande et d'offre hypothétiques des tableaux 4.1 et 4.4 respectivement.

TABLEAU 4.7
Barèmes hypothétiques d'offre et de demande pour les pommes

Prix des pommes ($)	Quantité demandée (000)	Quantité offerte (000)
0,50	100	220
0,45	110	200
0,40	120	180
0,35	130	160
0,30	140	140
0,25	150	120
0,20	160	100
0,15	170	80
0,10	180	60

Prenons tout d'abord le prix de 0,15 $. À ce prix, les acheteurs sont disposés à acheter 170 000 pommes par semaine, mais les vendeurs n'en offrent que 80 000. Il y a donc une pénurie de 90 000 pommes. À 0,45 $, les acheteurs sont disposés à ne se procurer que 110 000 pommes par semaine, alors que les producteurs en offrent 200 000. Le surplus s'établit donc à 90 000. Passons maintenant au prix de 0,30 $. À ce prix, les acheteurs sont disposés à se procurer 140 000 pommes par semaine, et les vendeurs à offrir 140 000 pommes. À ce prix, il n'y a ni pénurie ni surplus.

À un prix autre que 0,30 $, les forces du marché entrent en jeu pour faire augmenter ou diminuer le prix. Examinons maintenant la situation à un prix de 0,40 $. À ce prix, les vendeurs sont disposés à offrir 180 000 pommes, mais les acheteurs, à ne s'en procurer que 120 000. Cela occasionne un *surplus* ou un *excédent de la quantité offerte.* Les vendeurs tentent alors d'écouler le surplus en abaissant le prix. À mesure que le prix baisse, la demande s'accroît. Le prix se stabilise à 0,30 $ parce qu'à ce prix, le marché est en mesure d'écouler ses stocks. Si, par contre, le prix tombe à 0,20 $, les acheteurs sont disposés à se procurer 160 000 pommes par semaine, tandis que les producteurs ne sont disposés à en offrir que 100 000. Ainsi, cette tarification occasionne une *pénurie* ou un *excédent de la quantité demandée.* Mécontents de la pénurie et désireux d'acheter un plus grand nombre de pommes, certains consommateurs sont prêts à payer plus cher, ce qui pousse le prix à la hausse, et les vendeurs en offrent une quantité accrue à un

ILLUSTRATION 4.9
Prix et quantité d'équilibre.

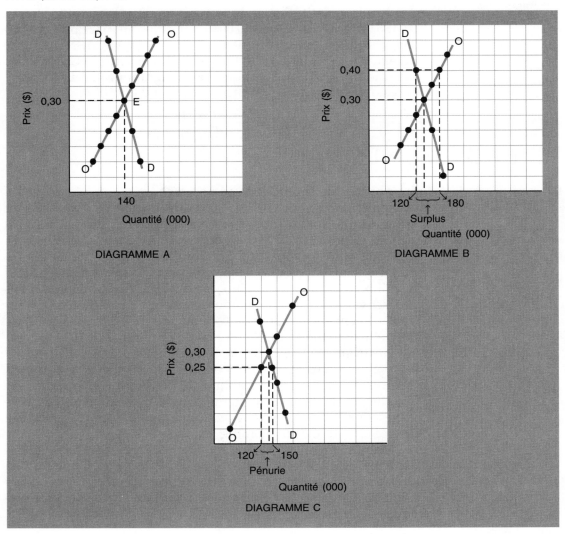

Le prix d'équilibre est le prix où la quantité demandée est égale à la quantité offerte.

prix plus élevé. Le prix se retrouve à 0,30 $ encore une fois, étant donné qu'à ce prix, la quantité demandée équivaut exactement à la quantité offerte. Notez que le prix de 0,30 $ est le seul qui prévaudra dans le marché, et aucune tendance ne viendra le modifier. On désigne un tel prix de *prix d'équilibre*, et la quantité vendue, de *quantité d'équilibre*. Le marché d'un produit est en équilibre, lorsque la quantité demandée est égale à la quantité offerte à un prix donné.

Le diagramme A de l'illustration 4.9 présente l'équilibre du marché sous forme d'un graphique. La courbe de demande DD et celle d'offre OO sont tracées d'après les barèmes du tableau 4.7.

L'intersection des courbes de demande et d'offre détermine les prix et quantité d'équilibre.

Les deux courbes se rencontrent à E, soit le point d'équilibre de prix de 0,30 $ et d'équilibre de quantité de 140 000 pommes. À 0,40 $, la quantité demandée est de 120 000, et la quantité offerte, de 180 000. Le surplus de 60 000 est indiqué au diagramme B. Le surplus occasionne une chute de prix à 0,30 $. À 0,25 $, la quantité demandée s'établit à 150 000, la quantité offerte, à 120 000. La pénurie de 30 000 est indiquée au diagramme C. La pénurie occasionne une hausse du prix au niveau d'équilibre de 0,30 $.

LES EFFETS DES CHANGEMENTS AU NIVEAU DE LA DEMANDE

Une demande accrue augmente à la fois le prix et la quantité, alors qu'une baisse de la demande entraîne une diminution du prix et de la quantité.

Supposons que la demande de pommes augmente parce que les consommateurs sont vraiment convaincus que les pommes sont le gage d'une bonne santé. Quel effet un tel changement aura-t-il sur l'équilibre des prix et des quantités? Analysons la situation à l'aide de l'illustration 4.10. Les courbes de demande et d'offre initiales sont DD et OO respectivement, l'équilibre de prix et l'équilibre de quantité initiaux, de 0,30 $ et de 140 000 pommes respectivement. La demande accrue est représentée par un déplacement de la courbe de demande de DD à D_1D_1. Cette nouvelle demande, combinée avec le prix initial de 0,30 $, occasionne un surplus de la demande de 30 000 pommes. La pénurie forcera une hausse du prix des pommes. Le nouveau prix d'équilibre du marché s'établit à 0,35 $, le nouvel équilibre de quantité, à 160 000. Une augmentation de la demande, toutes autres choses étant égales, occasionne une hausse de prix de la denrée ainsi que de la quantité vendue.

Malgré l'augmentation de la quantité vendue et achetée, l'offre demeure inchangée, et la courbe ne se déplace pas. Toutefois, on assiste à un mouvement le long de la courbe d'offre du point E au point F. On laisse à l'étudiant le soin d'expliquer l'effet d'une baisse de la demande.

ILLUSTRATION 4.10
Effet d'une demande
accrue.

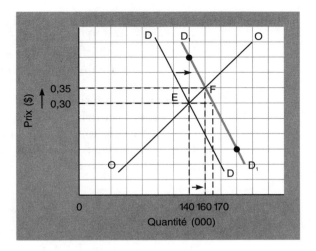

LES EFFETS DES CHANGEMENTS AU NIVEAU DE L'OFFRE

Une offre accrue diminue
le prix et augmente la
quantité, alors qu'une
baisse de l'offre hausse le
prix et réduit la quantité.

Supposons maintenant que l'offre de café diminue en raison d'une hausse de prix des ressources utilisées pour produire la denrée. Analysons la situation au moyen de l'illustration 4.11. Les courbes de demande et d'offre initiales sont DD et OO respectivement. Le déplacement de la courbe vers le haut (vers la gauche), de OO à O_oO_o, marque la diminution de l'offre. Au prix initial de 0,30 $, la nouvelle quantité offerte est de 80 000 tasses de café, et il se produit par conséquent une pénurie (quantité demandée excédée) de 60 000 tasses. La concurrence entre les acheteurs de café occasionne une hausse de prix, et le marché

ILLUSTRATION 4.11
Effet de la diminution de
l'offre.

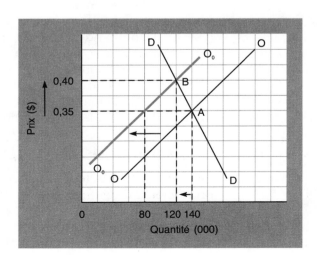

répond en établissant un nouvel équilibre, où le prix est de 0,40 $, et la quantité, de 120 000 tasses. On peut maintenant affirmer que la diminution de l'offre, toutes autres choses étant égales, occasionne une augmentation de prix d'un bien et une diminution de la quantité vendue.

Bien que la quantité demandée ait chuté, la demande demeure inchangée, et la courbe ne se déplace pas. À la place, on assiste à un mouvement le long de la courbe de demande du point A au point B. On laisse à l'étudiant le soin d'expliquer l'effet d'une augmentation de l'offre.

> **Problème :**   Lorsque le prix de l'or augmente considérablement, le prix de l'argent suit le même cours. Pouvez-vous en donner la raison?
>
> **Solution :**   Voici une explication valable. Comme le prix de l'or augmente, les gens en achètent moins, et se tournent du côté de l'argent à titre de substitut. Cette demande accrue de l'argent (un déplacement vers le haut de la courbe de demande) occasionne la hausse du prix de ce métal.

QUELQUES APPLICATIONS DE L'ANALYSE DE L'OFFRE ET DE LA DEMANDE

La simple analyse de la demande et de l'offre peut nous aider à mieux comprendre un certain nombre d'enjeux économiques importants. Dans la présente section, nous appliquerons l'analyse de la demande et de l'offre présentée précédemment à certains d'entre eux. Dans une économie comme celle du Canada, l'État intervient souvent dans le marché pour produire des résultats différents de ceux du marché. Vous verrez comment l'analyse de la demande et de l'offre peut vous aider à comprendre les effets de telles interventions.

Les effets des prix planchers

Prix plancher : niveau minimum d'un prix. Le prix plancher n'est efficace que s'il est supérieur au prix d'équilibre.

Le gouvernement fédéral a tenté d'améliorer la situation des producteurs d'oeufs en empêchant que le prix de cette denrée ne tombe sous un certain niveau. Le prix minimum permis s'appelle le *prix plancher*. Si ce prix est inférieur au prix d'équilibre du marché, c'est le prix établi par ce dernier qui prévaudra, et les effets du prix minimum seront nuls. Toutefois, si le prix minimum est supérieur au prix d'équilibre, c'est le prix minimum qui prévaudra et, comme vous le verrez bientôt, cela aura un effet d'entraînement. L'illustration 4.12 vous aidera à analyser l'effet de l'établissement d'un prix plancher.

ILLUSTRATION 4.12
Effet du prix plancher.

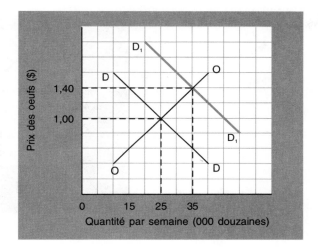

Les courbes de demande et d'offre sont représentées par DD et OO respectivement. L'équilibre de prix des oeufs déterminé par le marché est de un dollar la douzaine. Si le gouvernement établit un prix minimum de 1,40 $ la douzaine, les consommateurs ne sont disposés à en acheter que 15 000 douzaines par semaine, tandis que les producteurs en offrent 35 000. Il en résulte un surplus de 20 000 douzaines. Le gouvernement devra donc intervenir dans le marché et acheter le surplus, ce qui déplacera la courbe de demande vers le haut, à D_1D_1. Le montant global perçu par les producteurs se chiffrera à 1,40 $ fois 35 000, soit 49 000 $. Le gouvernement encourra une perte de 1,40 $ fois 20 000, soit 28 000 $.

L'effet des prix plafonds

Prix plafond : niveau maximum d'un prix. Le prix plafond n'est efficace que s'il est inférieur au prix d'équilibre.

Afin de protéger l'intérêt des consommateurs, un gouvernement peut légiférer afin d'interdire la vente d'un produit au-dessus d'un certain prix. Par exemple, de nombreuses municipalités limitent les prix que peuvent exiger les propriétaires de logements (une forme de régie du logement). Il s'agit de *prix plafonds*. Manifestement, si le maximum permis est supérieur au prix d'équilibre, la loi est inopérante, étant donné qu'il n'existe aucun conflit entre le prix d'équilibre du marché et le prix maximum permis par la loi. Mais supposons que le prix plafond admis est inférieur au prix d'équilibre.

L'illustration 4.13 présente l'effet de l'établissement d'un prix plafond. La courbe de demande est DD, la courbe d'offre OO, et le prix d'équilibre est établi à 500 $ par mois.

ILLUSTRATION 4.13
Effet du prix plafond.

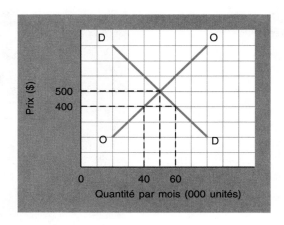

Supposons que le gouvernement établit un prix plafond de 400 $ par mois, ce qui veut dire que les propriétaires ne peuvent exiger plus de 400 $ par mois pour leurs logements. À ce prix, les propriétaires sont disposés à n'offrir que 40 000 unités, alors que les locataires sont disposés à en louer 60 000. Il s'ensuit une pénurie de 20 000 unités, et cela pousse les loyers à la hausse, au delà du prix plafond. En situation de pénurie, il faut recourir à une forme de rationnement, que l'initiative vienne du gouvernement ou du marché. Il en résulte souvent un *marché noir*, où le produit se vend à un prix supérieur à celui prévu par la loi.

Marché noir : marché où les biens se vendent illégalement au-dessus du prix établi par la loi.

L'effet des taxes d'accise

La taxe d'accise augmente le prix d'un bien imposé et en réduit la quantité achetée.

La *taxe d'accise* est une taxe perçue sur les biens fabriqués au pays. Il s'agit en réalité d'une espèce de taxe de vente. Supposons qu'une taxe de 4 $ est perçue sur chaque bouteille de vin vendue au Canada. On peut analyser l'effet d'une telle mesure au moyen de l'illustration 4.14. Les courbes de demande et d'offre avant l'imposition de la taxe sont représentées par DD et OO, et le prix d'équilibre est de 10 $. L'imposition de la taxe se traduit par une augmentation de prix de 4 $ par bouteille, ce qui réduit l'offre. Cette diminution entraîne un déplacement de la courbe vers le haut, et la distance verticale entre OO et O_oO_o représente la taxe. Remarquez que le nouveau prix d'équilibre n'est pas 14 $, mais

La taxe d'accise réduit l'offre et augmente le prix.

ILLUSTRATION 4.14
Effet de la taxe d'accise.

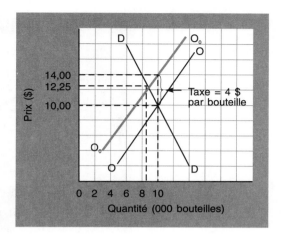

12,25 $. Ainsi, la hausse de prix est inférieure à la taxe. La quantité vendue passe de 10 000 à 9 000 bouteilles. Les recettes du gouvernement en provenance de la taxe s'établissent à 4 $ fois 9 000, soit 36 000 $. La part de la taxe qui incombe au consommateur est de 2,25 $ par bouteille, celle du producteur, à 1,75 $.

INTRODUCTION À L'ANALYSE DE L'ÉQUILIBRE GÉNÉRAL

L'analyse de l'équilibre général étudie les interrelations des divers marchés.

Jusqu'à présent, nous avons suivi la méthode d'analyse de l'équilibre partiel. L'*analyse de l'équilibre partiel* étudie le comportement des prix et des quantités au sein de marchés isolés uniques. Par contre, l'*analyse de l'équilibre global* étudie les interrelations de divers marchés. Cette section présente la seconde notion.

Pour simplifier notre analyse, émettons les suppositions suivantes au sujet de l'économie d'un pays que nous appellerons la Spartanie :

1. Il existe deux industries : la pomiculture et l'industrie des perles.

2. Les industries n'ont recours qu'à un facteur de production unique : la main-d'oeuvre.

3. La main-d'oeuvre est pleinement utilisée.

4. Le salaire de base (c'est-à-dire le coût de la main-d'oeuvre) est le même dans les deux industries.

Supposons maintenant que la Spartanie a décidé au début de produire 50 000 boisseaux de pommes et 150 000 perles. Cette combinaison est présentée à l'illustration 4.15 par le point A de la courbe de possibilités de production.

ILLUSTRATION 4.15
Courbe de possibilités de
production de la Spartanie.

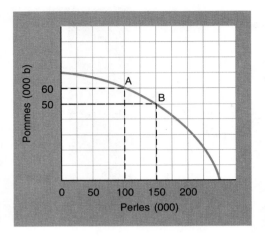

En supposant qu'il s'agit de quantités d'équilibre, on peut
montrer les conditions initiales du marché des pommes et des
perles aux illustrations 4.16 et 4.17 respectivement.

Supposons maintenant que les goûts des consommateurs
changent, et que ces derniers désirent acheter un plus grand
nombre de pommes et une quantité moindre de perles, comme le
suggère le point B de la courbe de possibilités de production de
l'illustration 4.15. Les illustrations 4.16 et 4.17 présentent respectivement la demande accrue de pommes et la demande moindre
de perles. Dans la première, la demande accrue de DD à D_1D_1
provoque une augmentation du prix des pommes; dans la seconde, la baisse de demande de perles de DD à D_0D_0 entraîne une
diminution du prix des perles.

Étudions maintenant le marché des facteurs ou des ressources. Les illustrations 4.18 et 4.19 présentent les conditions du
marché relativement à la main-d'oeuvre. La première présente la
demande et l'offre de main-d'oeuvre de l'industrie pomicole, et
la seconde, celles de l'industrie perlière. L'augmentation de la

ILLUSTRATION 4.16
Marché des pommes.

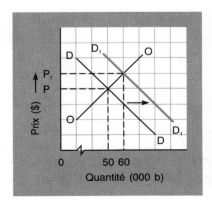

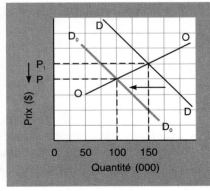

ILLUSTRATION 4.17
Marché des perles.

ILLUSTRATION 4.18
Conditions du marché relatives à la main-d'oeuvre de l'industrie pomicole.

ILLUSTRATION 4.19
Conditions du marché relatives à la main-d'oeuvre de l'industrie perlière.

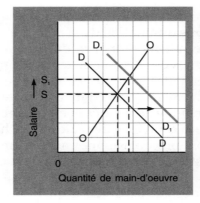

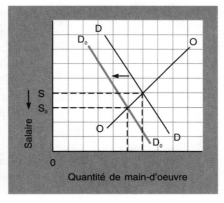

demande de pommes entraîne une augmentation de la demande de main-d'oeuvre de l'industrie pomicole — telle que présentée à l'illustration 4.18, par les courbes DD et D_1D_1. À son tour, cette demande de main-d'oeuvre accrue entraîne une augmentation des salaires dans cette industrie. La diminution de la demande de perles entraîne une baisse de la demande de main-d'oeuvre dans l'industrie perlière. L'illustration 4.19 présente cette réduction sous forme de déplacement de la courbe de demande de main-d'oeuvre dans cette industrie, de DD à D_0D_0. Cette diminution de la demande de main-d'oeuvre occasionne une réduction des salaires payés dans l'industrie perlière. Si la main-d'oeuvre des deux industries est substituable, les travailleuses et travailleurs auront tendance à aller vers l'industrie qui offre la meilleure rémunération, ce qui entraînera une baisse des salaires, et la tendance ne s'arrêtera que lorsque les salaires seront équivalents dans les deux industries.

Cette analyse de l'équilibre général nous a permis de brosser un tableau des effets des changements des marchés de produits sur les marchés de facteurs, en plus de démontrer que les marchés réels sont interreliés et non isolés.

RÉSUMÉ DU CHAPITRE

1. La demande désigne les diverses quantités d'un bien ou d'un service que les consommateurs veulent et peuvent acheter à des prix variés durant une période donnée. Un barème de demande est la représentation tabulaire de la demande, alors que la courbe de demande, sa représentation graphique.

2. La loi de la demande stipule que, toutes autres choses étant égales, une diminution de prix occasionne une hausse de la

quantité demandée, alors qu'une augmentation de prix entraîne une diminution de la quantité demandée.

3. Les déterminants hors-prix de la quantité demandée incluent les revenus des consommateurs, le prix des substituts et des compléments, les goûts, les attentes et la population.

4. Le changement de prix d'un produit entraîne un changement de la quantité demandée et est illustré par un mouvement le long de la courbe de demande. Un changement de déterminant hors-prix occasionne un changement de la demande, qui est illustré par un déplacement de la courbe de demande en entier.

5. L'offre désigne les diverses quantités d'un bien ou d'un service que les vendeurs (producteurs ou fabricants) veulent et peuvent offrir à des prix variés durant une période donnée.

6. La loi de l'offre est une hypothèse selon laquelle, les autres choses étant égales, l'augmentation de prix d'un produit occasionne une augmentation de la quantité offerte.

7. Les déterminants hors-prix de la quantité offerte incluent le nombre de vendeurs du marché, le prix des substituts et des compléments de production, les attentes, les progrès techniques et le prix des intrants.

8. Le prix d'équilibre est le prix auquel une quantité demandée est égale à la quantité offerte. Cela est représenté graphiquement à l'intersection des courbes de demande et d'offre.

9. Une pénurie se produit lorsque, à un prix donné, la quantité demandée excède la quantité offerte. En situation de pénurie, les forces économiques entrent en jeu pour ramener le prix près du niveau d'équilibre. Un surplus se produit lorsque, à un prix donné, la quantité offerte dépasse la quantité demandée. En situation de surplus, les forces économiques se mettent en branle pour ramener le prix près du niveau d'équilibre.

10. Un changement de la demande, toutes autres choses étant égales, occasionne un changement de prix et de quantité dans la même direction. Un changement de l'offre entraîne un changement de prix dans la direction opposée, mais un changement de quantité dans la même direction.

11. Le prix plancher est le prix minimum d'un bien, alors que le prix plafond est le prix maximum. Les prix plafonds donnent généralement naissance au marché noir, où les biens sont vendus à des prix supérieurs au prix minimum établi par la loi.

12. La taxe d'accise perçue sur un bien et qui s'élève à un montant précis a pour effet de réduire l'offre et d'augmenter le prix du bien. La quantité demandée diminue.

13. L'analyse de l'équilibre partiel étudie le comportement des prix et des quantités à l'intérieur de marchés uniques isolés, tandis que l'analyse de l'équilibre général examine les inter-relations de divers marchés.
14. L'analyse de l'équilibre général est importante parce que les marchés réels sont interreliés et non isolés.

Termes et notions à retenir

demande
barème de demande
courbe de demande
loi de la demande
substituts
compléments
biens indépendants ou neutres
biens ordinaires
changement de la demande
   et changement de la
   quantité demandée
offre
compléments de production
courbe d'offre
déplacement de la courbe
   d'offre et mouvement le long
   de la courbe d'offre

prix d'équilibre
quantité d'équilibre
pénurie (excédent de la
   quantité demandée)
surplus (excédent de la
   quantité offerte)
bien inférieur
prix plancher
prix plafond
marché noir
taxe d'accise
substituts de production
loi de l'offre
barème d'offre
analyse de l'équilibre partiel
analyse de l'équilibre
   général
intrants

Questions de révision et de discussion

1. Y a-t-il une différence entre la demande et les besoins? Expliquez.
2. Au moyen de diagrammes, illustrez la différence entre la demande et la quantité demandée.
3. Expliquez pourquoi vous vous attendriez à une courbe de demande descendante, de gauche à droite, en ce qui concerne la location de vidéocassettes.
4. Quels facteurs sont susceptibles d'influer sur la quantité de repas pris au restaurant par les familles d'Edmonton durant une période donnée?
5. «Une chute de prix des téléviseurs entraînera une augmentation de la quantité demandée. Cette demande accrue en raison de la baisse de prix occasionnera à son tour une hausse des prix.» Trouvez-vous une erreur dans cet énoncé? Le cas échéant, repérez-la et expliquez.

6. Quel côté du marché d'un bien ou d'un service donné sera-t-il affecté par les événements du tableau 4.8?

TABLEAU 4.8
Événements et biens

Événement	Bien ou service
(a) La chute du prix de l'essence	Les voitures
(b) Une hausse importante de tarifs des transports en commun	L'essence
(c) Une amélioration des techniques de construction des routes	Les routes
(d) Une augmentation des inscriptions au collège et à l'université	Les ouvrages scolaires

7. Quelle différence y a-t-il entre des substituts et des compléments dans les dépenses de consommation? Quel effet l'augmentation de prix du café aura-t-elle sur le marché du thé?
8. Expliquez pourquoi le surplus d'un bien donné réduira vraisemblablement le prix du bien.
9. Définissez chacun des termes suivants :
    (a) bien inférieur
    (b) biens liés
    (c) prix plancher
    (d) prix plafond
    (e) marché noir
    (f) taxe d'accise
10. Quelle différence y a-t-il entre l'analyse de l'équilibre partiel et l'analyse de l'équilibre général? Quel est l'avantage de la seconde?

Problèmes et exercices

1. Établissez un barème de demande hypothétique des ventes de pizza au Québec. Montrez comment ce barème sera affecté par une migration rapide des Québécois aux États-Unis.
2. Tracez les données contenues dans le barème de la question 1 sur un graphique. Montrez ensuite de quelle façon la migration des Québécois aux États-Unis est susceptible d'affecter la courbe de demande.
3. Utilisez des diagrammes pour illustrer chacun des éléments suivants :
    (a) l'effet de l'augmentation de prix du jus de pomme sur la demande de jus d'orange;
    (b) l'effet de revenus accrus sur la demande de billets d'avion;
    (c) l'effet de l'augmentation du prix de l'acier sur la demande d'automobiles;

(d) l'effet d'une chute de prix des ordinateurs personnels sur la demande de ces produits.

4. Utilisez un diagramme de demande et d'offre pour montrer l'effet des événements suivants sur le marché de la chaussure :
   (a) la décision du gouvernement provincial d'éliminer la taxe sur les chaussures;
   (b) l'annonce d'une augmentation de prix des chaussures de l'ordre de 25 p. 100 au cours des prochains mois;
   (c) l'entrée au Canada d'un nombre important de réfugiés;
   (d) l'invention d'un appareil qui permet de réduire le coût de fabrication des chaussures.

5. Les universitaires ont le choix de demeurer en résidence ou dans un logement privé, à l'extérieur. Le tableau 4.9 présente la demande de résidences. L'université dispose de 1 100 places à 20 $ chacune, par semaine, et ne peut en construire davantage.

TABLEAU 4.9
Demande de logement des étudiants.

Prix par semaine ($)	Nombre d'étudiants par semaine
30	300
28	420
26	500
24	580
22	650
21	800
20	1 200
19	1 600
18	2 000

   (a) Quel problème engendre la politique de prix actuelle de l'université?
   (b) Comment l'institution peut-elle le résoudre?
   (c) Donnez une estimation du prix susceptible de désengorger le marché.
   (d) Supposons maintenant que le prix des logements privés et des transports en commun augmente, tandis que celui des chambres universitaires demeure inchangé. Comment ces modifications tarifaires affecteront-elles la demande de chambres universitaires?

6. Afin de résoudre le problème des loyers universitaires élevés, un grand nombre de villes ont conçu des politiques de régie de logement. Quels sont les effets de telles mesures?

7. Le gouvernement impose une taxe d'accise de 10 $ sur chaque paire de souliers vendue, nonobstant le prix. Quel sera l'effet

de la taxe sur la vente de chaussures plus coûteuses? L'effet contredit-il la loi de la demande?

8. On affirme souvent que les lois relatives au salaire minimum créent du chômage. Utilisez l'analyse de la demande et de l'offre pour montrer comment cela se peut.

9. Le tableau 4.10 présente la demande et l'offre de vidéocassettes.

TABLEAU 4.10
Demande et offre de
vidéocassettes.

Prix ($)	Quantité demandée (000)	Quantité offerte (000)	Quantité offerte après la taxe (000)
9,00	20	44	36
8,50	24	40	
8,00	28	36	
7,50	32	32	
7,00	36	28	
6,50	40	24	
6,00	44	20	

(a) À l'aide d'un graphique, tracez les courbes de demande et d'offre des vidéocassettes.

(b) Quel est l'équilibre de prix et de quantité?

(c) Supposons que le gouvernement impose une taxe de un dollar sur chaque vidéocassette fabriquée et vendue au Canada. Remplissez la colonne de droite qui renferme la quantité offerte après l'imposition de la taxe. (Indice : À 8 $ chacune, la quantité offerte avant la taxe était de 36 000. Après l'imposition de la taxe, cette quantité ne sera offerte qu'au prix de 9 $.)

(d) Tracez la nouvelle courbe de demande, après l'imposition de la taxe.

(e) Quel est le nouvel équilibre de prix et de quantité?

(f) Quelle portion de la taxe de un dollar incombe aux consommateurs sous forme d'une hausse de prix, et aux fabricants?

(g) À combien se chiffrent les recettes du gouvernement en provenance de la taxe?

ANNEXE MATHÉMATIQUE

Introduction

La présente annexe constitue un outil additionnel aux fins d'analyse de la demande, de l'offre et de la détermination des prix. Le niveau des mathématiques utilisé ne dépasse pas celui de l'algèbre élémentaire. L'analyse économique requiert l'usage de mathématiques plus complexes. Cette présentation rudimentaire vous permettra toutefois de procéder à l'analyse économique au moyen des mathématiques.

La fonction de demande

On peut exprimer la fonction de demande d'un bien ainsi :

$$Qd = Q (P,Y,Ba,G,At,Po) \hspace{4cm} (1)$$

où Qd = quantité demandée
    P = prix du bien
    Y = revenu
    Ba = prix des biens apparentés
    G = goûts
    At = attentes
    Po = population

On a parlé de l'effet de chaque variable indépendante sur la quantité demandée précédemment.

Supposez que le revenu, les prix des biens apparentés, les goûts, les attentes et la population sont constants. La fonction de demande devient alors un rapport entre le prix et la quantité et peut s'exprimer ainsi :

$$Qd = Q(P) \hspace{5cm} (2)$$

Les variables indépendantes de l'équation (1) qui étaient constantes s'appellent des *paramètres de déplacement*; s'ils changent, la courbe de demande se déplacera. Selon la loi de la demande, le rapport entre le prix et la quantité demandée est inverse. En supposant qu'il existe un rapport linéaire entre le prix et la quantité demandée, on peut exprimer la fonction de demande ainsi :

$$Qd = a - bP, a > O, b > 0 \hspace{3cm} (3)$$

a représente la quantité demandé au prix zéro, et *−b, la pente de la fonction de demande, laquelle est négative étant donné que la courbe de* *demande est descendante. Une fonction de demande, par exemple, peut se présenter sous la forme d'une équation comme celle-ci :*

$$Qd = 100 - 50P \hspace{4cm} (4)$$

La fonction d'offre

On peut exprimer la fonction d'offre d'un bien ainsi :

$$Qo = Q(P,N,Ba,Te,At,Pi) \hspace{3cm} (5)$$

où   Qo = quantité offerte
    P = prix du bien
    N = nombre de vendeurs
    Ba = prix des biens apparentés
    Te = technologie
    At = attentes
    Pi = prix des intrants

En supposant que le nombre de vendeurs, le prix des biens apparentés, la technologie, les attentes et le prix des intrants sont constants, on peut exprimer la fonction d'offre ainsi :

$$Qo = Q(P) \hspace{5cm} (6)$$

Il existe un rapport direct entre le prix et la quantité offerte. Comme la fonction de demande, supposons qu'il existe un rapport linéaire entre le prix et la quantité offerte. On peut alors exprimer la fonction d'offre ainsi :

$$Qo = c + dP, d > 0 \hspace{4cm} (7)$$

où *c* est une constante et *d*, la pente de la fonction d'offre. La pente positive signifie que la courbe d'offre est ascendante. Une fonction d'offre peut se présenter sous la forme suivante :

$$Qo = -60 + 20P \hspace{4cm} (8)$$

En supposant que le prix est exprimé en dollars, le signe négatif signifie qu'à moins que le prix ne dépasse 3 $, les vendeurs n'offriront pas de biens.

L'équilibre du marché

Afin de déterminer le prix et la quantité d'équilibre, il faut ramener les fonctions de demande et d'offre dans un modèle de détermination de prix. Les équations de demande et d'offre présentent deux équations à trois inconnues (Qd, Qo et P). Nous savons qu'un équilibre se crée, lorsque le prix est tel que le marché ne présente ni pénurie ni surplus. Par conséquent,

$$Qd = Qo \hspace{6cm} (9)$$

Cette équation complète le modèle et nous permet d'obtenir une solution unique. Le modèle achevé est :

$$Qd = a - bP \hspace{5cm} (10)$$

$$Qo = c + dP \hspace{5cm} (11)$$

$$Qd = Qo \hspace{5.5cm} (12)$$

On obtient l'équilibre de prix et de quantité du marché en résolvant ce système d'équations pour P et Q.

Exemple : Supposons les équations de demande et d'offre suivantes :

$$Qd = 50 - 4P$$

$$Qo = -10 + 8P$$

Étant donné que Qd = Qo, nous pouvons établir que :

$$50 - 4P = -10 + 8P$$

Par conséquent, 12P = 60, et P = 5

En substituant la valeur de P dans l'une ou l'autre des équations, on obtient Q = 30. Par conséquent, le prix d'équilibre est 5, et la quantité d'équilibre, 30.

Exercices

1. Résolvez chacune des équations suivantes afin de déterminer le prix et la quantité d'équilibre :
   - (a) $Qd = 32 - 3P$
     $Qo = -12 + 8P$
   - (b) $Qd = 60 - 3P$
     $Qo = -40 + 7P$
   - (c) $Qd = 900 - 20P$
     $Qo = -100 + 30P$
2. On vous présente les équations de demande et d'offre suivantes :
   $Qd = 130 - 3P$
   $Qo = -20 + 12P$

(a) Complétez les barèmes de demande et d'offre suivants :

Prix	Quantité demandée	Quantité offerte
5		
10		
15		
20		

(b) Quels sont le prix et la quantité d'équilibre?

(c) Résolvez les équations de demande et d'offre pour P et Q, et comparez vos réponses à la réponse obtenue à la question 2 (b).

3. Les équations de demande et d'offre sont :

Qd = 28 − 2P

Qo = 5P

(a) Quels sont le prix et la quantité d'équilibre?

(b) Établissez des barèmes de demande et d'offre en vous appuyant sur ces équations pour les prix suivants : 7 $, 6 $, 5 $, 4 $, 3 $, 2 $ et 1 $.

(c) Utilisez les barèmes de demande et d'offre pour tracer les courbes de demande et d'offre.

4. À partir des courbes de demande et d'offre du marché exprimées par les équations suivantes :

Qd = 18 − 2P

Qo = −3 + 5P

(a) Tracez les courbes de demande et d'offre en choisissant des prix entre 1 $ et 6 $.

(b) Résolvez les équations de prix et de quantité d'équilibre.

PARTIE II
LES AGENTS
ÉCONOMIQUES

De toute évidence, nous ne pouvons utiliser les catégories clairement délimitées de la théorie pure, leur objet étant de simplifier l'analyse, non de définir des industries particulières. Il n'existe aucun exemple de concurrence parfaite ou de monopole pur.

Georges J. Stigler, *Five Lectures on Economic Problems*

L'ÉLASTICITÉ

> L'élasticité (ou réaction) de la demande d'un marché varie selon que la quantité demandée augmente peu ou beaucoup, quand les prix baissent, ou diminue beaucoup ou peu quand les prix montent.
>
> Alfred Marshall, *Principes d'économie politique*

INTRODUCTION

L'élasticité est une notion importante de l'analyse de l'offre et de la demande présentée au chapitre 4. Nous savons que, toutes autres choses étant égales, la baisse du prix d'un produit entraîne l'augmentation de la quantité demandée. Mais la hausse est-elle faible ou importante? Quelles sont les conséquences d'une augmentation ou d'une baisse de prix sur le revenu total du vendeur? La réponse à ces questions dépend de l'élasticité-prix de la demande du produit. Le chapitre vous présente une notion économique extrêmement importante, celle d'élasticité. Vous en étudierez diverses formes, apprendrez à les mesurer et à interpréter les résultats. Enfin, nous aborderons certaines applications de la notion d'élasticité.

LA DÉFINITION DE L'ÉLASTICITÉ DE LA DEMANDE

L'élasticité mesure la réaction.

L'*élasticité de la demande* mesure la réaction de la quantité demandée aux changements d'une des variables susceptibles de l'affecter. Pour certains biens et services, un faible changement de prix entraîne une forte variation de la quantité demandée, tandis que pour d'autres, un tel changement ne modifie pas sensiblement la demande. L'élasticité-prix de la demande mesure le pourcentage de changement que produit un faible changement de prix sur la quantité demandée. Cette notion est souvent désignée d'*élasticité-prix de la demande*, pour la distinguer des situations où la demande d'un bien peut dépendre de la variation du prix d'autres biens (produits substituts et complémentaires).

L'équation de l'élasticité-prix de la demande

L'élasticité-prix de la demande est souvent exprimée par l'équation suivante :

$$E_d = \frac{\% \text{ de changement de la quantité demandée}}{\% \text{ de changement du prix}}$$

ou encore :

$$E_d = \frac{\text{changement de la quantité demandée}}{\text{quantité initiale}} \div \frac{\text{changement de prix}}{\text{prix initial}}$$

où E_d désigne l'élasticité-prix de la demande. Le symbole Δ (delta) est couramment utilisé en économique, et le moment est venu de vous le présenter. Le symbole Δ désigne *un changement de*. Ainsi, la formule précédente peut s'exprimer comme suit :

$$E_d = \frac{\Delta Q}{Q} \div \frac{\Delta P}{P}$$

Le coefficient d'élasticité mesure le degré d'élasticité ou d'inélasticité.

où E_d désigne l'élasticité, Q, la quantité, et P, le prix. Cette équation est parfois désignée d'équation *de l'élasticité-prix de la demande*, car elle permet de calculer l'élasticité à un point particulier de la courbe de demande. La valeur de E_d est indiquée par un chiffre simple tel que 2, 5 ou 0,5, que l'on appelle le *coefficient d'élasticité*.

L'équation de l'élasticité-prix mesure l'élasticité à un point particulier de la courbe de demande.

Vous vous souviendrez qu'une augmentation de prix entraîne une réduction de la quantité demandée, tandis qu'une baisse de prix provoque une hausse de la quantité demandée. Comme le prix et la quantité demandée varient en sens opposé, la valeur de E_d est toujours négative. En économique, l'usage veut que l'on supprime le signe négatif pour exprimer l'élasticité de la demande par un nombre positif. En d'autres termes, on utilise la valeur absolue de E_d. L'exemple suivant montre comment cette équation peut servir à calculer l'élasticité-prix de la demande.

Exemple 1 :   Lorsque le prix d'un produit baisse de 10 $ à 8 $, la quantité demandée augmente de 1 200 à 1 800 unités. Quel est le coefficient d'élasticité de la demande?

Solution :   L'équation permettant de calculer E_d est la suivante :

$$E_d = \frac{\Delta Q}{Q} \div \frac{\Delta P}{P}$$

Le changement de quantité (ΔQ) = (1 800 − 1 200) = 600. La quantité initiale Q est 1 200. Le changement de prix (ΔP) = (8 $ −10 $) = − 2 $. Le prix initial était 10 $. En conséquence :

$$E_d = \frac{600}{1\,200} \div \frac{-2}{10}$$

$$= \frac{600}{1\,200} \times \frac{10}{-2} = \frac{-5}{2} = -2,5$$

Après l'élimination du signe négatif, on obtient :

$$E_d = 2,5$$

Les résultats de cette équation peuvent être déconcertants, car le coefficient d'élasticité obtenu dépend de la hausse ou de la baisse du prix. Dans l'exemple précédent, nous avons calculé le coefficient d'une baisse de prix. Voyons maintenant ce qui se produit, lorsque le prix monte. Notez que, dans les deux exemples, les prix et les quantités sont les mêmes.

Exemple 2 : Lorsque le prix d'un produit augmente de 8 $ à 10 $, la quantité demandée baisse de 1 800 à 1 200 unités. Quel est le coefficient d'élasticité de la demande?

Solution :

$$E_d = \frac{\Delta Q}{Q} \div \frac{\Delta P}{P}$$
$$\Delta Q = (1\,200 - 1\,800) = -600$$
$$Q = 1\,800$$
$$\Delta P = (10 - 8) = 2$$
$$P = 8$$

La substitution donne les résultats suivants :

$$E_d = \frac{-600}{1\,800} \div \frac{2}{8}$$

$$= \frac{-600}{1\,800} \times \frac{8}{2} = -1,3$$

Après l'élimination du signe négatif, on obtient :

$$E_d = 1,3$$

Si le prix baisse, le coefficient d'élasticité est de 2,5; s'il monte, le coefficient est de 1,3. Pour remédier à cette situation, les économistes ont affiné la formule de telle façon qu'elle donne le même résultat, quelle que soit la direction du changement de prix. Examinons donc cette formule modifiée.

L'équation de l'élasticité d'arc

L'élasticité d'arc mesure l'élasticité entre deux points de la courbe de demande.

En prenant les moyennes de deux prix et de deux quantités, on obtient l'équation de l'élasticité-prix de la demande suivante :

$$E_d = \frac{Q_0 - Q_1}{\dfrac{Q_0 + Q_1}{2}} \div \frac{P_0 - P_1}{\dfrac{P0 + P_1}{2}}$$

$$= \frac{Q_0 - Q_1}{Q_0 + Q_1} \div \frac{P_0 - P_1}{P_0 + P_1}$$

où Q_0 égale la quantité initiale demandée, P_0, le prix initial, Q_1, la nouvelle quantité demandée et P_1, le nouveau prix. Cette nouvelle équation s'appelle l'équation *de l'élasticité d'arc de la demande*, étant donné qu'elle mesure E_d entre deux points de la courbe de la demande. Nous cherchons à obtenir une mesure de l'élasticité de la demande qui soit la même dans les deux sens. L'équation de l'élasticité d'arc nous permet d'y arriver, car elle donne la même valeur, que le prix monte ou baisse. Pour le vérifier, utilisons l'équation pour calculer l'élasticité-prix de la demande en employant les changements de prix et de quantité de l'exemple 2.

$$E_d = \frac{Q_0 - Q_1}{Q_0 + Q_1} \div \frac{P_0 - P_1}{P_0 + P_1}$$

$$Q_0 - Q_1 = 1\ 800 - 1\ 200 = 600$$

$$Q_0 + Q_1 = 1\ 800 + 1\ 200 = 3\ 000$$

$$P_0 - P_1 = 8 - 10 = -2$$

$$P_0 + P_1 = 8 + 10 = 18$$

$$E_d = \frac{600}{3\ 000} \div -\frac{2}{18} = -1{,}8$$

L'élasticité-prix de la demande est donc 1,8. Voyez maintenant si vous pouvez vérifier que le coefficient d'élasticité est le même, lorsque le prix baisse de 10 $ à 8 $. Notez que le coefficient d'élasticité obtenu (1,8) au moyen de l'équation de l'élasticité d'arc est approximativement égal à la moyenne des valeurs obtenues aux exemples 1 et 2 (soit 2,5 et 1,3). C'est pourquoi cette élasticité d'arc est parfois appelée élasticité *moyenne*, car elle est fondée sur la moyenne des quantités et des prix.

LES DEGRÉS D'ÉLASTICITÉ DE LA DEMANDE

La demande peut être parfaitement inélastique, inélastique, d'élasticité unitaire, élastique ou parfaitement élastique.

Il peut arriver que le changement de prix d'un produit n'ait aucun effet sur la quantité demandée : celle-ci reste la même, quel que soit le prix. On dit alors que la demande est *parfaitement inélastique*. C'est essentiellement le cas, par exemple, d'un médicament vendu sur ordonnance. Parfois cependant, il suffit d'une faible variation de prix pour entraîner un énorme changement de la quantité demandée. On dit alors que la demande est *parfaitement élastique*. Si, à un même marché, cent commerçants vendent au même prix des raisins identiques, et que l'un d'eux hausse son prix, la quantité demandée à ce commerçant tombera probablement presque à zéro. Dans ce cas, la demande des raisins de ce commerçant est probablement presque parfaitement élastique. Nous reviendrons à cette situation dans un autre chapitre.

Entre ces deux extrêmes de demandes parfaitement élastique et parfaitement inélastique, trois différents degrés d'élasticité sont particulièrement importants. Si un changement de prix en pourcentage entraîne un changement en pourcentage encore plus grand de la quantité demandée, on dit que la demande est *élastique* par rapport au prix. Si un changement en pourcentage de prix donne lieu à un changement en pourcentage égal de la quantité demandée, on dit que la demande a une *élasticité unitaire*. Enfin, si un changement en pourcentage de prix produit un changement en pourcentage moins important de la quantité demandée, on dit que la demande est *inélastique*.

La formule de l'élasticité nous permet de connaître le degré d'élasticité-prix de la demande. Les cinq cas possibles sont les suivants :

1. Si E_d est infiniment grande, la demande est parfaitement élastique.

2. Si E_d est supérieure à 1, mais inférieure à l'infini (c'est-à-dire $1 < E < \infty$), la demande est élastique.

3. Si E_d est égale à 1, l'élasticité de la demande est unitaire.

4. Si E_d est inférieure à 1, mais supérieure à 0 (c'est-à-dire $0 < E_d < 1$), la demande est inélastique.

5. Si E_d est égale à 0, la demande est parfaitement inélastique.

Ces différents degrés d'élasticité de la demande peuvent être présentés géométriquement comme le fait l'illustration 5.1. Les diagrammes de l'illustration 5.1 servent uniquement de modèles. En réalité, les pentes des courbes de demande varient dans une certaine mesure selon les unités de mesure des axes. Le diagramme A illustre une demande parfaitement élastique, laquelle est représentée par une droite horizontale. Dans ce cas, la quantité qui peut être vendue au prix courant est infinie. Le diagramme B présente une demande élastique. Quand le prix augmente de P à P_1, la baisse de la quantité demandée est proportionnellement plus importante que l'augmentation de prix, comme le montre le changement de quantité de Q_1 à Q. L'élasticité unitaire est illustrée au diagramme C : au changement de prix de P à P_1 correspond un changement de quantité directement proportionnel. Le diagramme D présente le cas d'une demande inélastique, où le changement de prix produit un changement moins que proportionnel de la quantité demandée. Enfin, le diagramme E illustre le cas d'une demande parfaitement inélastique : quand le prix change, la quantité demandée demeure à Q.

ILLUSTRATION 5.1
Courbes de demande montrant différents degrés d'élasticité

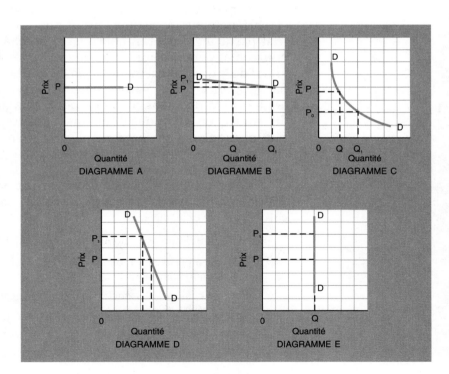

L'INTERPRÉTATION DU COEFFICIENT D'ÉLASTICITÉ

La formule de l'élasticité d'arc nous a permis d'établir, dans notre exemple, que le coefficient d'élasticité-prix de la demande était égal à 1,8. Mais que représente ce chiffre? Comme vous l'avez vu à la section précédente, si le coefficient est 1,8, la demande du produit est élastique : $E_d > 1$. Ce chiffre nous fournit aussi d'autres informations. Nous savons que

$$E_d = \frac{\%\Delta Q}{\%\Delta P} = 1,8$$

$$\%\Delta Q = 1,8 \times \%\Delta P$$

Ainsi, si le prix baisse de 10 %, la quantité demandée augmentera dans la proportion suivante :

$$\%\Delta Q = (1,8 \times 10) = 18\ \%$$

En conséquence, quand le coefficient d'élasticité de la demande est 1,8, un changement de prix de 10 % entraîne un changement de la demande (en sens opposé) de 18 %.

> **Problème :** Le gérant du magasin Uniformes Kyushu sait qu'aux prix actuels, l'élasticité-prix de la demande des uniformes est 2,8. Quel effet une augmentation du prix de 15 % aura-t-elle sur la quantité d'uniformes vendus par le magasin?
>
> **Solution :** Une élasticité-prix de la demande de 2,8 signifie que toute hausse de prix entraînera une baisse de la quantité demandée 2,8 fois plus élevée que le pourcentage d'augmentation du prix. Si la hausse de prix est de 15 %, la chute de la demande sera égale à $2,8 \times 15\ \% = 42\ \%$.

L'ÉLASTICITÉ DES PRIX SUR UNE COURBE DE DEMANDE LINÉAIRE

L'élasticité-prix de la demande varie le long d'une courbe de demande linéaire.

Calculons maintenant l'élasticité-prix de la demande de chaque variation de prix indiquée au tableau 5.1 Seul, le calcul du premier coefficient est effectué ci-dessous. Les autres apparaissent à la colonne 3 du tableau 5.1, ainsi qu'au tracé de l'illustration 5.2.

Comme l'élasticité-prix correspond à des *changements* de quantité et à des *changements* de prix, les coefficients se trouvent entre deux points plutôt qu'aux mêmes points du prix et de la quantité.

TABLEAU 5.1
Barème de demande

1 Prix ($)	2 Quantité demandée	3 Élasticité
9	4	
8	6	3,40
7	8	2,14
6	10	1,44
5	12	1,00

ILLUSTRATION 5.2
Demande et élasticité

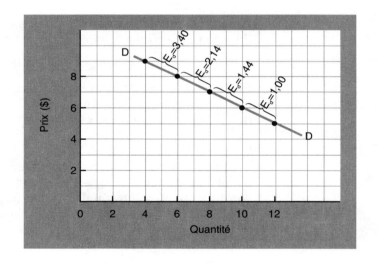

$$E_d = \frac{Q_0 - Q_1}{Q_0 + Q_1} \div \frac{P_0 - P_1}{P_0 + P_1}$$

$$= \frac{2}{10} \div \frac{1}{17} = 3,40$$

Cet exercice met en évidence deux points importants : (1) l'élasticité et la pente ne sont pas identiques — la pente est - ½ à chaque point de la courbe (vérifiez cela); et (2) l'élasticité de la demande varie le long de la courbe linéaire. Elle baisse à mesure que le prix diminue, c'est-à-dire à mesure que nous nous déplaçons vers le bas de la courbe de la demande.

L'ÉLASTICITÉ DE LA DEMANDE ET LE REVENU TOTAL

Si la demande est élastique, une baisse de prix entraîne une augmentation du revenu total.

Une autre façon d'étudier l'élasticité-prix de la demande d'un produit ou d'un service consiste à analyser l'évolution du revenu total, lorsque le prix change. Le revenu total (RT) réalisé sur la vente d'un produit est égal au prix de ce produit (P) multiplié par la quantité vendue (Q), soit :

$$RT = P \times Q$$

Si la demande d'un produit ou d'un service est élastique, une baisse du prix provoque une hausse proportionnellement plus forte de la quantité demandée. En conséquence, le revenu total augmente. Le tableau 5.2 présente une situation où la demande est élastique dans toutes les gammes de prix considérées. Lorsque le prix baisse, la demande augmente dans une proportion plus élevée que la baisse du prix; en conséquence, le revenu total augmente.

TABLEAU 5.2

Barème de demande hypothétique d'un produit pour lequel la demande est élastique

Prix ($)	Quantité demandée	Revenu total ($)
2,00	70 000	140 000
1,90	90 000	171 000
1,80	110 000	198 000
1,70	130 000	221 000
1,60	150 000	240 000
1,50	170 000	255 000
1,40	190 000	266 000
1,30	210 000	273 000
1,20	230 000	276 000

Si la demande a une élasticité unitaire, la baisse du prix n'entraîne aucun changement du revenu total.

Lorsque la demande possède une élasticité unitaire, toute baisse de prix du produit provoque une augmentation proportionnelle de la quantité demandée, si bien que le revenu global ne change pas. Le tableau 5.3 illustre le cas d'un produit qui fait l'objet d'une demande assortie d'une élasticité unitaire.

TABLEAU 5.3

Barème de demande hypothétique d'un produit pour lequel l'élasticité de la demande est à l'unité

Prix ($)	Quantité demandée	Revenu total ($)
0,80	60 000	48 000
0,60	80 000	48 000
0,48	100 000	48 000
0,40	120 000	48 000
0,30	160 000	48 000

TABLEAU 5.3
(suite)

Prix ($)	Quantité demandée	Revenu total ($)
0,24	200 000	48 000
0,20	240 000	48 000
0,16	300 000	48 000
0,12	400 000	48 000
0,10	480 000	48 000

Si l'on trace les données du tableau 5.3 sur un graphique, on obtient une courbe de demande où l'élasticité est constante à l'unité. Une telle courbe est une hyperbole rectangulaire conforme à l'équation $P \times Q = 48\,000$, comme le montre l'illustration 5.3.

ILLUSTRATION 5.3
Courbe de demande lorsque l'élasticité est constante

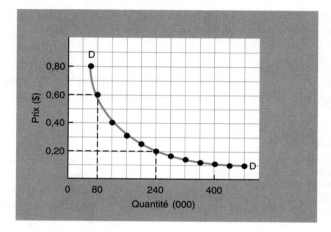

Les courbes de demande à élasticité constante sont largement utilisées dans les études économétriques (statistiques) de l'élasticité de la demande.

Si la demande d'un produit est inélastique, une baisse de prix du produit occasionne une hausse moins que proportionnelle de la quantité demandée; en conséquence, le revenu total baisse. Le tableau 5.4 présente le barème de demande d'un produit pour lequel la demande est inélastique.

Si la demande est inélastique, une réduction de prix entraîne une baisse du revenu total.

TABLEAU 5.4
Barème de demande hypothétique d'un produit pour lequel la demande est inélastique

Prix ($)	Quantité demandée	Revenu total ($)
0,50	48 000	24 000
0,46	50 000	23 000
0,42	52 000	21 840
0,38	54 000	20 520
0,34	56 000	19 040
0,30	58 000	17 400
0,26	60 000	15 600
0,22	62 000	13 640
0,18	64 000	11 520
0,14	66 000	9 240

Il arrive toutefois que la demande d'un produit soit élastique dans une fourchette de prix et inélastique dans une autre. Le tableau 5.5 illustre cette situation.

Prix ($)	Quantité demandée	Chiffre d'affaires total ($)
12	10	120
10	20	200
8	30	240
6	40	240
4	50	200
2	60	120

Le revenu total augmente de 120 $ à 240 $, lorsque le prix baisse de 12 $ à 8 $: la demande est élastique dans la fourchette des prix allant de 12 $ à 8 $. Le revenu total reste constant à 240 $ quand le prix baisse de 8 $ à 6 $; par conséquent, la demande a une élasticité unitaire entre 8 $ et 6 $. Par contre, quand le prix baisse de 6 $ à 2 $, le revenu total passe de 240 $ à 120 $: la demande est donc inélastique dans la fourchette des prix allant de 6 $ à 2 $.

L'illustration 5.4, qui reprend les données du tableau 5.5, vous aidera à mieux comprendre le rapport entre l'élasticité de la demande et le revenu total.

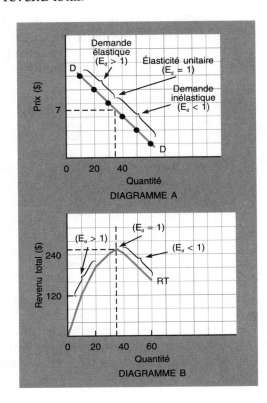

Nous avons vu que, si la demande est élastique, la baisse des prix entraîne une augmentation du revenu total. Ainsi, quand le prix baisse à l'intérieur de la fourchette de prix supérieurs à 8 $, où la demande est élastique, le revenu augmente. C'est ce qu'illustre, au diagramme B, la partie ascendante de la courbe du revenu. Si la demande a une élasticité unitaire (entre 8 $ et 6 $ au diagramme A), le revenu reste stable à 240 $, que le prix augmente ou baisse. À ce point de la courbe, $E_d = 1$. Enfin, si la demande est inélastique, la baisse du prix provoque une baisse du revenu total. C'est ce qu'illustre la partie descendante de la courbe dans la fourchette de prix inférieurs à 6 $.

Le tableau 5.6 résume les diverses relations possibles entre l'élasticité-prix de la demande et le revenu total.

TABLEAU 5.6
Élasticité et revenu total

Élasticité de la demande	Sens du changement de prix	Effet sur le revenu total
inélastique	hausse	hausse
inélastique	baisse	baisse
élastique	hausse	baisse
élastique	baisse	hausse
unitaire	tout changement	inchangé

Pour la plupart des produits, la demande peut être élastique, d'élasticité unitaire ou inélastique. Les cas extrêmes d'élasticité ou d'inélasticité parfaites de la demande sont rares. Comme vous le verrez à un autre chapitre toutefois, la demande d'un produit peut être parfaitement élastique dans certaines circonstances.

LES FACTEURS DÉTERMINANT L'ÉLASTICITÉ-PRIX DE LA DEMANDE

Tel que nous l'avons vu au tableau 5.5 et à l'illustration 5.4, la demande d'un produit ou d'un service peut être élastique dans une fourchette de prix et inélastique dans une autre. Il importe de savoir aussi que la demande peut être élastique à certains moments et inélastique à d'autres. La présente section traite des principaux facteurs qui peuvent influer sur l'élasticité-prix de la demande d'un produit.

La présence de produits substituts influe sur l'élasticité.

Les produits substituts   Un facteur important qui peut influer sur l'élasticité-prix de la demande d'un bien ou d'un service est l'existence d'un produit substitut. Si de nombreux produits de ce genre sont très apparentés, la demande du premier produit est généralement élastique. En effet, si le prix du produit ou du service augmente, les consommateurs adopteront l'un des nombreux produits concurrents. En conséquence, la demande du premier produit baissera sensiblement. Prenons l'exemple d'une certaine marque de café. Si le prix de la marque augmente, les consommateurs en achèteront une autre. Dans cette situation, la demande est donc élastique. Par ailleurs, s'il n'existe pas beaucoup de produits substituts apparentés, l'augmentation du prix entraînera une baisse de la demande, mais cette baisse sera modeste. Si, par exemple, le prix de détail de l'essence augmente de 0,02 $ le litre, on observera probablement une forte augmentation de la demande juste avant l'entrée en vigueur de la hausse mais, par la suite, la quantité demandée ne baissera probablement pas beaucoup.

Les usages multiples En général, plus les usages d'un produit sont variés, plus la demande en est élastique. C'est le cas des oeufs, par exemple. Si leur prix baisse, ils seront utilisés à un plus grand nombre de fins, si bien que la demande augmentera. Par contre, si un produit n'a qu'un ou deux usages possibles (l'estragon, par exemple, dont les feuilles sont utilisées pour relever les salades), la baisse du prix n'entraînera probablement pas une augmentation de la demande.

La demande de produits de luxe est généralement inélastique.

Le pourcentage du revenu consacré au produit ou au service La proportion du revenu qu'absorbe l'achat d'un produit ou d'un service influe aussi très souvent sur l'élasticité de la demande. Si cette proportion est négligeable, la demande du produit sera le plus souvent inélastique. Une augmentation de prix n'aura donc pas de répercussions sensibles sur le budget du consommateur et n'entraînera presque aucune modification de l'emploi des ressources de ce dernier. La fraction du revenu affecté à l'achat d'allumettes est un bon exemple. Si le prix de celles-ci passe de 3 cents à 5 cents (une hausse de 67 %), il est douteux que la baisse de la quantité demandée s'approche de 67 %. En fait, la baisse sera probablement minuscule. Par contre, dans le cas d'un article relativement onéreux, tel un téléviseur, l'augmentation du prix produira très probablement une baisse sensible de la quantité demandée. Inversement, la baisse du prix des téléviseurs provoquera probablement une augmentation sensible de la demande; en effet, beaucoup de gens songeront à se procurer un deuxième ou un troisième appareil.

La nature du produit L'élasticité des prix de la demande varie selon que le produit est un article de luxe ou un bien essentiel. La plupart considèrent que le lait est un aliment essen-

Marginal notes:

Les usages multiples influent sur l'élasticité.

L'importance du produit dans le budget influe sur l'élasticité.

La demande de produits de luxe est généralement inélastique.

La demande des produits essentiels est le plus souvent inélastique.

tiel pour les enfants. En conséquence, si le prix du lait augmente de 10 %, la quantité demandée ne baissera probablement pas dans la même proportion. De nombreux consommateurs renonceront à quelque autre produit plutôt que de priver leurs enfants de lait. La demande d'un produit ou d'un service jugé essentiel est le plus souvent inélastique. Par ailleurs, une augmentation du prix d'un forfait de vacances aux Antilles provoquera vraisemblablement une baisse plus que proportionnelle du nombre de forfaits vendus, toutes autres choses étant égales, bien entendu. En général, la demande d'un produit de luxe est élastique. Toutefois, les articles luxueux qui coûtent extrêmement chers n'appartiennent pas vraiment à cette catégorie : la demande de yachts de luxe est probablement inélastique, car les acheteurs éventuels ont une telle fortune qu'une faible augmentation de prix ne produira probablement pas de baisse sensible de la quantité demandée.

La durée   La durée de l'augmentation ou de la baisse a aussi un certain effet sur l'élasticité de la demande d'un produit. En général, plus la durée est longue, plus la demande sera élastique. En effet, il faut un certain temps pour que les gens s'adaptent à une situation nouvelle. Si le prix de l'essence augmente, le public réagira en en achetant moins, mais si la hausse est de courte durée, la consommation ne baissera probablement pas beaucoup. À plus long terme cependant, les consommateurs pourront décider de prendre plus souvent l'autobus, d'avoir recours au covoiturage, voire d'acheter des voitures plus petites qui consomment moins de carburant.

Problème :   Considérant les facteurs de l'élasticité-prix de la demande évoqués dans cette section, dites si vous pensez que la demande des biens ou des services suivants est élastique ou inélastique.
- (a) les soins médicaux
- (b) le papier hygiénique
- (c) les colliers de diamant
- (d) les services téléphoniques

Solution :

(a) Quand les gens sont malades, ils ont absolument besoin de voir un médecin. Par conséquent, la demande des soins médicaux est probablement inélastique.

(b) La demande de papier hygiénique est probablement inélastique pour deux principales raisons. D'abord, il n'existe aucun produit substitut apparenté; en second lieu, la fraction du budget consacrée au papier hygiénique est relativement faible.

(c) Il existe beaucoup de substituts aux colliers de diamants. En outre, un grand nombre considèrent qu'un tel article est un luxe. En conséquence, la demande des colliers de diamant sera probablement élastique.

(d) Le service téléphonique est essentiel. Il est donc peu probable qu'un changement modique du tarif entraîne une modification sensible de la quantité demandée. Autrement dit, la demande est inélastique.

AUTRES NOTIONS RELIÉES À L'ÉLASTICITÉ

Deux autres notions importantes reliées à l'élasticité de la demande méritent d'être mentionnées, soit celles d'*élasticité croisée de la demande* et d'*élasticité-revenu de la demande*.

L'élasticité croisée de la demande

L'élasticité croisée de la demande d'un produit est le changement relatif de la quantité demandée de ce produit divisé par le changement relatif de la demande d'un produit apparenté.

Au chapitre 4, nous avons vu que la demande d'un produit donné peut subir l'effet des changements de prix d'autres produits. Une variation du prix des limettes modifie la demande des citrons. De même, un changement de prix des jouets qui fonctionnent avec piles modifiera la quantité de piles demandée (rappelez-vous les produits substituts et complémentaires). L'élasticité croisée de la demande mesure l'effet du changement de prix d'un produit apparenté sur la demande du produit en vue. L'élasticité croisée de la demande d'un produit A est égale au changement relatif de la quantité demandée du produit A divisé par le changement relatif de prix du produit B.

Selon l'équation de l'élasticité-point présentée précédemment, l'élasticité croisée de la demande s'exprime comme suit :

$$E_A P_B = \frac{\Delta Q_A}{Q_A} \div \frac{\Delta P_B}{P_B}$$

On peut aussi exprimer l'élasticité croisée selon l'équation de l'élasticité d'arc, soit :

$$(E_A P_B) = \frac{\Delta Q_A}{Q_{A_0} + Q_{A_1}} \div \frac{\Delta P_B}{P_{B_0} + P_{B_1}}$$

L'élasticité croisée de la demande des produits substituts est positive.

L'élasticité croisée de la demande des produits complémentaires est négative.

L'élasticité croisée de la demande de biens indépendants est nulle.

où $E_A P_B$ égale l'élasticité croisée entre A et B, Q_A, la quantité demandée du produit A, et P_B, le prix du produit B. Si A et B sont des produits substituts, la hausse du prix de B entraîne une augmentation de la quantité demandée de A. Par conséquent, en présence de produits substituts, l'élasticité croisée de la demande est positive. Si A et B sont des produits complémentaires, la hausse du prix de B produit une baisse de la quantité demandée de A. Quand deux produits sont complémentaires, l'élasticité croisée de la demande est négative. Si A et B ne sont pas apparentés, un changement de prix de B n'aura pas d'effet sur la quantité demandée de A. Par conséquent, en présence de deux produits non apparentés, l'élasticité croisée de la demande est nulle. Ces rapports peuvent se résumer comme suit :

1. Si A et B sont des produits substituts, $E_A P_B > 0$;
2. Si A et B sont des produits complémentaires, $E_A P_B < 0$;
3. Si A et B sont des produits non apparentés, $E_A P_B = 0$.

L'élasticité-revenu de la demande

L'élasticité-revenu de la demande mesure la réponse du consommateur à un changement de revenu.

Toutes autres choses étant égales, une hausse de revenu produit une augmentation de la quantité demandée de biens ordinaires. Si le bien est d'une qualité inférieure, la hausse de revenu entraîne une baisse de la demande. Mais dans quelle proportion la quantité demandée augmentera-t-elle ou baissera-t-elle? Cela dépend de l'élasticité-revenu de la demande, qui peut se définir comme étant le *changement relatif de la quantité demandée divisé par le changement relatif du revenu*. Si E_y désigne l'élasticité-revenu de la demande, alors

$$E_y = \frac{\text{changement de la quantité demandée}}{\text{quantité initiale demandée}} \div \frac{\text{changement du revenu}}{\text{revenu initial}}$$

Au chapitre 4, nous avons parlé des biens ordinaires et inférieurs. En général, quand le revenu augmente, la demande croît aussi. Il s'agit de biens ordinaires, et l'élasticité-revenu de la demande de ceux-ci est positive. Pour certains biens toutefois, la quantité demandée baisse, lorsque le revenu augmente. Il s'agit de biens inférieurs, et l'élasticité-revenu de la demande de ceux-ci est négative. Ces constatations peuvent se résumer comme suit :

1. Pour les biens ordinaires (la plupart), $E_y > 0$.
2. Pour les produits inférieurs, $E_y < 0$.

Comme nous l'avons fait dans le cas de l'élasticité-prix de la demande, on peut utiliser les équations de l'élasticité-point et d'arc pour calculer l'élasticité-revenu de la demande. Il suffit de remplacer le prix par le revenu. Étant donné que les fabricants doivent avoir une idée de l'effet qu'un changement de revenu aura sur la vente de leurs produits, ils ont besoin de connaître l'élasticité-revenu de la demande de leur produit.

Problème :   On a informé des éleveurs que l'élasticité-revenu de la demande de boeuf est 2,2. Si le prix du boeuf ne change pas, et que l'on prévoit une hausse de 10 % du revenu moyen des consommateurs, quel changement les éleveurs doivent-ils apporter à leur production de viande de boeuf?

Solution :   Puisque l'élasticité-revenu de la demande de boeuf est de 2,2, une augmentation de 10 % des revenus entraînera une augmentation de 22 % (10 % x 2,2) de la demande de viande de boeuf. Par conséquent, les éleveurs devraient augmenter leur production de 22 %.

Problème :   Vous exploitez un petit magasin spécialisé dans la vente de café. L'élasticité croisée de la demande entre le café et le thé est évalué à 2,5. Si le prix du thé monte de 6 %, quel changement pouvez-vous prévoir dans la demande de café?

Solution :   Puisque le thé et le café sont des produits substituts, nous savons qu'une hausse du prix du thé entraînera une hausse de la demande de café, toutes autres choses étant égales. Et puisque l'élasticité croisée de la demande entre le café et le thé est de 2,5, une hausse de 6 % du prix du thé entraînera une augmentation de 6 % x 2,5 = 15 % de la demande de café.

L'ÉLASTICITÉ DE L'OFFRE

L'élasticité de l'offre mesure la réaction des vendeurs à un changement de prix.

La notion d'élasticité de l'offre ressemble de très près à celle de l'élasticité de la demande. La mesure dans laquelle les quantités offertes réagissent aux changements de prix s'appelle l'élasticité-prix de l'offre. L'*élasticité-prix de l'offre* est le pourcentage du changement de la quantité offerte divisé par le pourcentage du changement du prix. L'équation de l'élasticité-point nous permet d'exprimer l'élasticité des prix de l'offre ainsi :

$$E_o = \frac{\Delta Q}{Q} \div \frac{\Delta P}{P}$$

où E_o égale l'élasticité des prix de l'offre, Q, la quantité offerte et P, le prix. La formule de l'élasticité d'arc nous permet de calculer le coefficient d'élasticité de l'offre ainsi :

$$E_O = \frac{Q_0 - Q_1}{Q_0 + Q_1} \div \frac{P_0 - P_1}{P_0 + P_1}$$

La valeur de E_o représente le *coefficient d'élasticité de l'offre*. L'offre est élastique si un changement de prix entraîne une variation plus que proportionnelle de la quantité offerte. Si la variation est moins que proportionnelle, l'offre est inélastique. Notez que cette analyse reproduit celle de l'élasticité-prix de la demande.

On peut illustrer les divers degrés d'élasticité-prix de l'offre à l'aide de graphiques. Si la courbe linéaire de l'offre coupe l'axe vertical (prix), l'offre est élastique. Si la courbe linéaire de l'offre passe à l'origine, l'élasticité est unitaire, quelle que soit la pente. Si la courbe rectiligne (droite) de l'offre coupe l'axe horizontal (quantité), l'offre est inélastique. Si l'offre est parfaitement élastique, la courbe de l'offre est horizontale; enfin, si l'offre est parfaitement inélastique, la courbe est verticale. L'illustration 5.5 présente des courbes d'offre d'élasticité différente.

LES FACTEURS QUI DÉTERMINENT L'ÉLASTICITÉ-PRIX DE L'OFFRE

Les délais dont disposent les producteurs pour réagir à des changements de prix sont un élément déterminant de l'élasticité de l'offre.

Le temps   Les délais dont les producteurs ont besoin pour réagir à un changement de prix sont un élément déterminant de l'élasticité-prix de l'offre. Si ce délai est très bref, une hausse de prix ne modifiera pas sensiblement la quantité offerte en vente. Si une quantité quelconque du produit a déjà été fabriquée et mise sur le marché, une hausse de prix n'entraînera pas d'augmentation accrue de la quantité offerte en vente, car la quantité est fixe. On qualifie parfois cette période de *délai très bref* ou *délai du marché*. À mesure que le délai augmente, l'offre tend à devenir plus élastique, et les vendeurs peuvent réagir plus facilement au changement de prix de leur produit. Il est intéressant de noter que même en cas de délai très bref, les vendeurs peuvent retirer leurs produits du marché, plutôt que de les vendre à un prix inférieur à ce qui leur convient. Cela est souvent le cas, lorsque les produits

ILLUSTRATION 5.5
Courbes d'offre de degrés
d'élasticité diférents

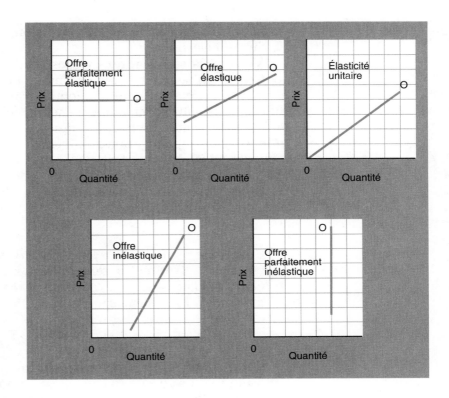

Le prix minimum est le prix plancher qu'un vendeur est disposé à accepter en échange d'un produit.

ne sont pas périssables et que les coûts d'entreposage sont peu élevés. Le prix sous lequel le producteur refuse de vendre s'appelle le *prix minimum*.

Les coûts d'entreposage influent sur l'élasticité de l'offre.

Les coûts d'entreposage L'élasticité de l'offre des produits non périssables qui peuvent être entreposés à peu de frais est généralement plus élevée que celle des produits périssables dont les coûts d'entreposage sont élevés. Si le prix d'un article peu coûteux à entreposer baisse, les vendeurs peuvent réagir en le retirant du marché. Si le prix de cet article s'accroît, le fournisseur peut puiser à même ses stocks pour en mettre une certaine quantité sur le marché. Cette stratégie n'est pas aussi rentable, lorsque les coûts d'entreposage sont élevés.

Les produits substituts et complémentaires

Les produits substituts et complémentaires influent sur l'élasticité de l'offre.

S'il existe un grand nombre de produits substituts d'un article, l'offre est probablement élastique. Si le prix de l'article baisse, les fabricants peuvent réaffecter leurs ressources à la production de l'un des nombreux produits substituts. Si le prix du chou tombe, les maraîchers peuvent facilement se lancer dans la production de laitue ou de concombres. La conversion est si facile que l'offre de chou est élastique.

Vous vous souviendrez que les produits complémentaires sont ceux qui sont fabriqués ensemble. La production de l'un entraîne directement la production de l'autre. L'offre d'un produit complémentaire mineur est généralement inélastique. Tel est le cas de la viande de boeuf et des peaux. Il est peu probable qu'une légère augmentation du prix des peaux incite les éleveurs à abattre leur troupeau. En outre, après que les bovins ont été abattus pour leur viande, les peaux seront vendues au prix courant, quel qu'il soit. En conséquence, l'offre de peaux est normalement inélastique.

> **Problème :**   Le coût de production de lunettes de soleil est de 10 $. Andrei Turgenev dispose d'un stock de lunettes qu'il ne vendra pas s'il ne peut réaliser un bénéfice d'au moins 10 %. L'entreposage ne coûte rien, et le produit est durable. Andrei vendra-t-il, si le prix qu'il peut obtenir est (a) 20 $, (b) 15 $, (c) 12 $, et (d) 10 $?.
>
> **Solution :**   La production de chaque paire de lunettes coûte 10 $ à Andrei. Le bénéfice minimum qu'il est prêt à accepter étant 10 %, son prix minimum est de 11 $. S'il ne l'obtient pas, il retirera ses lunettes du marché. Dans les cas (a), (b), et (c), le prix du marché est supérieur au prix minimum, et Andrei vendra. Par contre, le prix de 10 $ étant inférieur au prix minimum, il retirera son produit du marché.

APPLICATIONS

La notion d'élasticité de la demande trouve d'importantes applications dans les décisions des entreprises et les politiques de l'État. Supposons que les agriculteurs envisagent d'augmenter le prix des tomates pour accroître leur revenu. Le succès de cette décision dépend de l'élasticité-prix de la demande de tomates. Comme le montre le tableau 5.6, si la demande de tomates est inélastique, une faible hausse de prix entraînera un accroissement du revenu. Par contre, si la demande de tomates est élastique, la hausse de prix provoquera une baisse du revenu, et les maraîchers n'atteindront pas leur objectif.

L'exemple suivant illustre l'importance de l'élasticité-prix de la demande dans la politique budgétaire de l'État. Supposons que le gouvernement de l'Île-du-Prince-Édouard cherche à accroître ses recettes fiscales. Quelles marchandises peut-il imposer à cette fin? Une taxe sur l'essence accroîtra-t-elle les recettes? Oui; une taxe de 2 cents le litre augmentera les recettes fiscales, puisque la demande d'essence semble inélastique par rapport au prix.

Venons-en maintenant à l'élasticité-prix de l'offre. Est-elle importante aussi? Naturellement. Nous pouvons recueillir beaucoup de renseignements sur certains prix en étudiant l'élasticité de l'offre. Par exemple, pourquoi les tableaux rares sont-ils si coûteux? La demande est, bien entendu, importante, mais l'offre est, à toutes fins utiles, parfaitement inélastique. Une hausse des prix ne provoquera pas la production d'un autre tableau. Dans cette situation, la courbe de l'offre sera verticale, comme le montre l'illustration 5.6.

ILLUSTRATION 5.6
Offre parfaitement inélastique

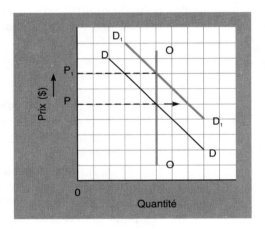

Toute augmentation de la demande entraîne une hausse de prix, puisqu'aucune production supplémentaire ne peut en amortir les effets.

RÉSUMÉ DU CHAPITRE

1. On calcule l'élasticité-prix de la demande en divisant le changement relatif de la quantité demandée par le changement relatif de prix. Le résultat de cette opération donne le coefficient d'élasticité.

2. La demande d'un produit peut être parfaitement élastique, élastique, d'élasticité unitaire, inélastique ou parfaitement inélastique. Les demandes parfaitement élastique ou parfaitement inélastique sont assez rares. La demande de produits et de services est généralement élastique, d'élasticité unitaire ou inélastique.

3. Si la demande d'un produit est élastique, la baisse du prix entraîne une augmentation de revenu du producteur. Si la demande a une élasticité unitaire, les changements de prix ne modifient pas le revenu de ce dernier. Enfin, si la demande est inélastique, une baisse du prix entraîne une réduction du revenu du producteur.
4. Les principaux facteurs qui agissent sur l'élasticité-prix de la demande sont l'existence de produits substituts, le nombre d'usages auxquels un article peut servir, la portion du revenu affectée à l'achat de l'article, le caractère luxueux ou essentiel de l'article et les délais.
5. Les autres notions importantes en matière d'élasticité sont l'élasticité croisée et l'élasticité-revenu de la demande. L'élasticité croisée mesure l'effet du changement de prix d'un bien B sur la quantité disponible d'un bien A. Si A et B sont des produits substituts, l'élasticité croisée de leur demande est positive. S'il s'agit de produits complémentaires, l'élasticité croisée de leur demande est négative. Si les produits A et B sont indépendants, leur élasticité croisée est nulle.
6. L'élasticité-revenu de la demande mesure l'effet d'un changement de revenu sur la quantité demandée. L'élasticité-revenu de la demande des biens ordinaires est positive; celle des biens inférieurs, négative.
7. L'élasticité-prix de l'offre mesure le niveau auquel la quantité offerte en vente répond aux variations de prix. On la mesure en divisant les changements relatifs de la quantité offerte par le changement relatif de prix.
8. Les principaux déterminants de l'élasticité de l'offre sont le temps, les coûts d'entreposage et l'existence de produits substituts et complémentaires.
9. La notion d'élasticité trouve d'importantes applications au niveau des décisions qui touchent les prix ainsi que celui de la production des entreprises et des politiques de l'État, en plus de nous aider à comprendre le comportement de certains prix.

Termes et notions à retenir

élasticité
élasticité-prix de la demande
coefficient d'élasticité
équation de l'élasticité-point
équation de l'élasticité d'arc

produits substituts et complémentaires
élasticité-revenu de la demande
biens ordinaires et biens inférieurs
élasticité de l'offre
délai très bref (délai du marché)
élasticité croisée de la demande

degrés d'élasticité de   prix minimum
   la demande

Questions de révision et de discussion

1. Dans quelles circonstances l'élasticité-prix de la demande d'un produit est-elle :
    (a) élastique
    (b) inélastique
    (c) parfaitement inélastique
2. Dressez une liste de six produits. Dites si la demande de chacun est élastique ou inélastique par rapport au prix, et expliquez pourquoi.
3. Précisez la nature de l'élasticité de la demande (élastique, inélastique, etc.) de chacun des produits suivants :
    la gomme à mâcher
    le boeuf
    les yachts
    le thé
    les calculatrices de poche Lloyd
    le transport en commun à Montréal
4. Comment interpréteriez-vous un coefficient d'élasticité de -3,6 de la demande d'un produit?
5. L'élasticité-prix de la demande d'un produit est-elle la même que la pente de la courbe de la demande de ce même produit? Expliquez.
6. Quels sont les principaux déterminants de l'élasticité-prix de la demande?
7. Le gouvernement de la Colombie-Britannique désire augmenter ses recettes fiscales. Si le coefficient d'élasticité de la demande de bois-d'oeuvre est 2,5 et celui du saumon, 0,86, quel produit vaut-il mieux imposer pour obtenir les recettes fiscales les plus élevées?
8. Expliquez pourquoi une augmentation de prix des produits agricoles peut améliorer le revenu des agriculteurs?
9. Expliquez pourquoi une baisse de l'offre de produits agricoles peut améliorer le revenu des agriculteurs.
10. Quels sont les principaux déterminants de l'élasticité-prix de l'offre?
11. Vous exploitez un bateau de pêche à Burgeo (Terre-Neuve). Vos cales renferment une certaine quantité de poisson que vous devez vendre dans un délai précis, car vous n'avez pas de chambre froide et ne voulez pas que le poisson se gâte. Quelle est ici l'élasticité-prix de l'offre? Serait-elle différente, si vous aviez une chambre froide?

12. Expliquez comment l'élasticité-prix de l'offre peut nous aider à comprendre la raison du prix élevé des objets anciens.

Problèmes et exercices

1. Quand le prix des chronomètres tombe de 15 $ à 12 $, la quantité demandée passe de 200 à 270. Calculez le coefficient d'élasticité-prix de la demande de ces chronomètres selon (a) l'équation de l'élasticité-point, (b) l'équation de l'élasticité d'arc.
2. Répétez l'exercice 1, quand le prix change de 12 $ à 15 $ et que la quantité passe de 270 à 200.
3. Le tableau 5.7 montre l'évolution de la demande du bien Y.

TABLEAU 5.7
Évolution de la demande
du bien Y

Prix ($)	Quantité	Élasticité (E_d)
10	50	
8	60	
6	70	
4	80	
2	90	

(a) À l'aide des données des deux premières colonnes, tracez la courbe de demande du bien Y.
(b) Au moyen de l'équation de l'élasticité d'arc, calculez le coefficient d'élasticité de prix de chaque changement de prix, et remplissez la troisième colonne. (N'oubliez pas que les coefficients d'élasticité vont entre les lignes.)
(c) Que cet exercice vous a-t-il permis d'observer à propos de l'élasticité de la demande aux prix les plus élevés, par rapport à celle de la demande aux prix les plus faibles?
4. (a) Dressez le barème de demande d'un produit pour lequel la demande est parfaitement inélastique dans la gamme de prix de 8 $, 7 $, 6 $, 5 $, 4 $ et 3 $. Choisissez vos propres quantités.
(b) Montrez la courbe de demande à l'aide d'un graphique.
(c) Nommez un produit ou un service auquel cette demande pourrait s'appliquer.
5. Le tableau 5.8 contient des données sur Les importations Fez ltée.
(a) Remplissez la colonne du revenu.
(b) Calculez l'élasticité-prix de la demande de chaque changement de prix et remplissez la colonne de l'élasticité.
(c) Expliquez le lien entre le revenu et l'élasticité-prix de la demande.

TABLEAU 5.8
Données sur Les
importations Fez ltée

Prix ($)	Quantité demandée	Revenu total	Coefficient d'élasticité
10	100		
9	120		
8	140		
7	160		
6	180		
5	200		

6. Quand le prix du bien X augmente de 50 $ à 55 $, la demande du produit Y passe de 400 à 450 unités. Au moyen de l'équation de l'élasticité d'arc, calculez l'élasticité croisée de la demande entre X et Y.

7. Quand le revenu moyen des consommateurs augmente de 5 000 $ à 8 000 $, la demande d'automobiles augmente de 100 000 à 120 000 unités.

    (a) Calculez l'élasticité-revenu de la demande.

    (b) Quel renseignement ce coefficient d'élasticité fournit-il?

8. Supposons que l'élasticité-prix de la demande du blé est 0,65. Quel sera l'effet, sur les producteurs, d'une mauvaise récolte qui fera monter le prix du blé de 15 %?

9. Montrez que si la demande d'un produit est parfaitement inélastique sur le plan du prix, le poids (incidence) d'un impôt frappant chaque unité produite (vendue) sera entièrement répercuté sur les consommateurs.

10. Montrez que si l'offre d'un produit est parfaitement inélastique par rapport au prix, le poids (incidence) d'un impôt frappant chaque unité produite (vendue) retombera intégralement sur les producteurs (vendeurs).

LA THÉORIE DU COMPORTEMENT DU CONSOMMATEUR

> L'utilité des biens appréciés pour leur beauté dépend étroitement de leur cherté.
>
> Thorstein Veblen, *Théorie de la classe de loisir*

INTRODUCTION

Au chapitre 4, nous avons analysé la demande d'un produit particulier. La demande totale (ou demande du marché) dont il était question est simplement la somme des demandes de tous les consommateurs à la recherche du produit en cause. À présent, nous nous intéresserons aux ménages à l'origine des demandes individuelles qui constituent la demande totale du produit.

La satisfaction des désirs est le fondement de l'activité économique. Le but ultime de la production, de la consommation et des échanges est de satisfaire des désirs. Cette satisfaction découle de la consommation de biens et de services. Par conséquent, pour comprendre l'activité économique, il est essentiel de comprendre aussi le comportement des consommateurs. Vous trouverez au présent chapitre la théorie nécessaire afin d'analyser la façon dont un ménage utilise l'argent dont il dispose pour maximiser sa satisfaction.

LA NOTION D'UTILITÉ

Par *utilité*, les économistes entendent la satisfaction que procure la consommation de biens et de services. Si l'on pouvait mesurer la satisfaction de la même façon que les distances ou les masses, un consommateur pourrait dire exactement, à la fin d'un excellent repas, combien d'unités de satisfaction la bonne chère lui a procuré. Les économistes ont inventé une unité de satisfaction ou d'utilité, appelée *util*. L'utilité résultant de la consommation d'un bien ou d'un service varie d'une personne à l'autre, ainsi que d'un moment à un autre pour la même personne. Bien qu'on ne puisse la mesurer directement, et qu'elle ne prête pas à des comparaisons entre les personnes, la notion qu'elle recouvre est importante, car elle nous permet de comprendre comment les consommateurs choisissent entre les différents biens qu'ils pourraient acheter. La notion de décision marginale que nous examinerons nous aidera dans l'étude d'autres domaines économiques.

Il est extrêmement important de comprendre la différence entre l'utilité totale et l'utilité marginale. L'*utilité totale* est la satisfaction totale procurée par la consommation d'un bien ou

Util : unité de satisfaction ou d'utilité.

L'utilité totale désigne la satisfaction totale et l'utilité marginale, la satisfaction supplémentaire.

d'un service. Par exemple, si vous aimez beaucoup la crème glacée, plus vous en consommerez en une semaine (dans des limites raisonnables, naturellement), plus votre utilité totale sera grande. Par ailleurs, l'*utilité marginale* est la satisfaction supplémentaire que procure la consommation d'unités additionnelles d'un bien ou d'un service, et elle s'exprime comme suit :

$$Um = \frac{\Delta UT}{\Delta Q}$$

où Um désigne l'utilité marginale, UT, l'utilité totale, et Q, la quantité. Le tableau 6.1 illustre les barèmes hypothétiques d'utilité totale et d'utilité marginale dans le cas de la crème glacée consommée par une personne particulière en une semaine.

TABLEAU 6.1
Barèmes d'utilité hypothétique de la crème glacée

Quantité de crème glacée consommée (cornets par semaine)	Utilité totale	Utilité marginale
0	0	
1	40	40
2	70	30
3	95	25
4	115	20
5	125	10
6	130	5
7	133	3
8	134	1

L'utilité totale égale la somme des unités marginales.

Remarquez que les valeurs de l'utilité marginale se trouvent entre les lignes des valeurs de l'utilité totale. Par ailleurs, en additionnant les utilités marginales qui figurent à la troisième colonne du tableau 6.1, on obtient l'utilité totale procurée par les 8 cornets de crème glacée.

L'utilité totale et l'utilité marginale peuvent aussi être présentées graphiquement, comme à l'illustration 6.1. Les données de l'utilité totale du tableau 6.1 et le graphique correspondant à l'illustration 6.1 montrent que l'utilité totale augmente avec le nombre de cornets consommés, mais que le taux de progression décroît. Ce phénomène est appelé la *loi de l'utilité marginale décroissante*, qui peut s'exprimer comme suit : quand la consommation d'un bien par une personne augmente, l'utilité ou la satisfaction que procure chaque unité additionnelle diminue.

L'utilité marginale diminue en fonction de l'augmentation de la quantité consommée.

L'exemple suivant vous aidera à mieux comprendre cette loi. Par un chaud après-midi d'été, vous apprécierez probablement un cornet de crème glacée. Peut-être en apprécierez-vous aussi un deuxième, mais moins que le premier. Il est très probable qu'un troisième cornet vous apportera encore moins de satisfaction que le deuxième, un quatrième, moins que le troisième, et ainsi de suite. Autrement dit, bien que votre satisfaction augmente, celle que vous apporte chaque cornet de crème glacée diminue, c'est-à-dire que l'utilité marginale diminue.

ILLUSTRATION 6.1
Utilité totale et utilité marginale

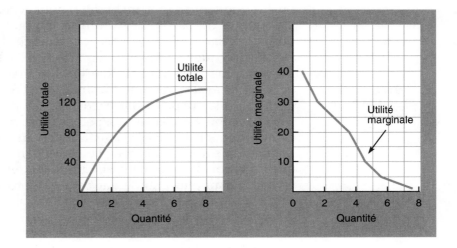

Problème : Un ami vous a donné une caisse de cola à la cerise, et vous voulez déterminer combien vous devriez en consommer dans un délai donné. Selon une évaluation subjective, l'utilité totale que vous a apportée la consommation des trois premières bouteilles est de 16 utils, et l'utilité marginale est positive, mais décroissante. Devriez-vous en consommer plus?

Solution : Si l'utilité marginale est positive, la consommation additionnelle de cola à la cerise augmentera votre satisfaction totale, que l'utilité marginale croisse ou décroisse. Comme l'utilité marginale est positive après la troisième bouteille, votre satisfaction totale augmentera si vous en consommez plus.

LE PROBLÈME DU CONSOMMATEUR : MAXIMISER L'UTILITÉ

Les consommateurs atteignent l'équilibre en maximisant leur satisfaction.

Supposons que les consommateurs visent à maximiser leur utilité totale. Ceux-ci prennent leurs décisions de manière que leurs achats de biens et de services leur procurent la satisfaction la plus grande. S'ils réussissent, on dit qu'ils sont en équilibre. Les consommateurs en équilibre n'ont pas envie de réorganiser leurs achats de biens et de services, puisque toute modification entraînerait une baisse du degré de satisfaction.

Prenons l'exemple d'Éric Alma, un consommateur qui dispose d'une somme fixe (un budget) pour acheter deux biens : des asperges et du bacon. Éric a utilisé son budget de sorte que le dernier dollar appliqué à l'achat d'asperges lui procure plus de satisfaction que le dernier dollar affecté à l'achat du bacon. Supposons, plus précisément, que l'utilité tirée du dernier dollar dépensé en asperges est de 15, tandis que l'utilité procurée par le dernier dollar dépensé en bacon est de 10. Puisque le dollar supplémentaire dépensé en asperges procure à Éric plus de satisfaction que s'il l'utilisait pour acheter du bacon, celui-ci augmentera sa satisfaction totale en choisissant des asperges plutôt que du bacon. Inversement, si l'utilité du dernier dollar dépensé en bacon était plus grande que celle que procurent les asperges, Éric accroîtrait sa satisfaction en achetant plus de bacon et moins d'asperges. Autrement dit, il peut accroître sa satifaction totale en réorganisant ses achats. Pour que le consommateur atteigne la satisfaction maximale, il faut que l'utilité du dernier dollar dépensé sur chaque produit soit égale.

> L'utilité est maximale quand l'utilité du dernier dollar dépensé est la même pour chaque produit.

Au début, l'utilité du dernier dollar dépensé en asperges est de 15, celle en bacon, de 10. Lorsque Éric accroît sa consommation d'asperges et réduit celle de bacon, l'utilité marginale des asperges baisse, tandis que celle du bacon augmente. (Rappelez-vous la loi de l'utilité marginale décroissante.) Éric maximisera sa satisfaction, lorsque l'utilité du dernier dollar dépensé baissera à 12 dans le cas des asperges et montera à 12 dans le cas du bacon. À ce point, Éric n'aura plus envie de réorganiser ses achats. Il sera alors en équilibre, et tout changement réduira son degré de satisfaction.

Jusqu'ici, notre analyse n'a pas tenu compte du prix respectif des asperges et du bacon. Toutefois, l'état d'équilibre d'Éric en dépend. L'utilité marginale de chaque dollar dépensé en asperges est égale à l'utilité marginale des asperges divisée par le prix de ces dernières. De même, l'utilité marginale par dollar dépensé en bacon est égale à l'utilité marginale du bacon divisée par le prix de la denrée. En conséquence, on peut formuler comme suit la situation dans laquelle un consommateur se trouve en équilibre : un consommateur qui achète deux produits A et B maximisera sa satisfaction si l'utilité marginale de A divisée par le prix de A est égale à l'utilité marginale de B divisée par le prix de B.

Ce principe est souvent exprimé par l'équation suivante :

$$\frac{Um_A}{P_A} = \frac{Um_B}{P_B}$$

Le principe d'égalisation des utilités marginales : égaliser des valeurs marginales afin de maximiser ou de minimiser une variable.

où Um_A est l'utilité marginale de A, Um_B, l'utilité marginale de B, P_A, le prix de A, et P_B, le prix de B. Cette règle, appelée *principe d'égalisation des utilités marginales*, peut aussi s'exprimer de la façon suivante :

$$\frac{Um_A}{Um_B} = \frac{P_A}{P_B}$$

Comme le montre cette équation, le consommateur est en équilibre (c'est-à-dire qu'il maximise sa satisfaction), lorsque le ratio des utilités marginales égale celui des prix.

Le consommateur doit généralement composer avec plus de deux produits. L'état d'équilibre peut être étendu à un grand nombre de produits, auquel cas on l'exprime ainsi :

$$\frac{Um_A}{P_A} = \frac{Um_B}{P_B} = \frac{Um_C}{P_C} = \cdots = \frac{Um_Z}{P_Z}$$

L'exemple suivant illustre le problème de répartition du consommateur.

Exemple : Le tableau 6.2 présente les barèmes d'utilité de la consommatrice, Yuki Hino, qui dispose de 11 $ pour se procurer les produits A et B. Comment doit-elle répartir son budget pour maximiser sa satisfaction?

TABLEAU 6.2 Barèmes d'utilité marginale	$ appliqués à A	Um_A	$ appliqués à B	Um_B
	1	80	1	58
	2	70	2	56
	3	60	3	52
	4	50	4	48
	5	40	5	44
	6	30	6	40
	7	20	7	35
	8	10	8	30
	9	5	9	25
	10	1	10	20

Si Yuki affecte le premier dollar au produit A, elle recueille 80 unités de satisfaction (80 utils), tandis que si elle le consacre au produit B, elle n'obtient que 58 utils. Elle voudra donc affecter son premier dollar au produit A. Le deuxième dollar affecté à A apporte 70 unités de satisfaction, tandis que s'il est affecté à B, il n'en produit que 58. Il devra donc être affecté à A. Pour la même raison, le troisième dollar est affecté à A. Quand au quatrième dollar, il apporte 50 unités de satisfaction s'il est affecté à A, mais 58 s'il l'est à B. En conséquence, le quatrième dollar servira à acheter le produit B. Les cinquième et sixième dollars seront affectés à B, le septième à A, le huitième, le neuvième et le dixième à B, et le onzième à A. En fin de compte, Yuki aura appliqué 5 $ au produit A et 6 $ au produit B. On constate que cette répartition est conforme au principe énoncé plus tôt : quand les consommateurs répartissent leur revenu de sorte que l'utilité du dernier dollar affecté au produit A est égale à celle du dernier dollar consacré à B, ils maximisent leur satisfaction.

Problème : Reprenez les données du tableau 6.2, en supposant que le budget de Yuki a augmenté à 14 $. Comment réorganisera-t-elle ses achats pour maximiser sa satisfaction?

Solution : Avec 14 $, Yuki consacrera 6 $ au produit A et 8 $ au produit B. L'utilité marginale du dernier dollar consacré à chaque produit est égale à 30.

LE PARADOXE EAU-DIAMANT OU PARADOXE DE LA VALEUR

Les diamants coûtent plus cher que l'eau, non pas parce qu'ils sont plus utiles, mais parce que leur utilité marginale est beaucoup plus élevée que celle de l'eau.

Le *paradoxe eau-diamant*, ou *paradoxe de la valeur*, a préoccupé de nombreux économistes classiques, y compris Adam Smith (1723-1790) qui est considéré comme le père des sciences économiques. Le paradoxe est le suivant : pourquoi l'eau coûte beaucoup moins cher que les diamants, alors qu'elle est beaucoup plus utile? La réponse à cette question est que les diamants sont relativement beaucoup plus rares que l'eau. En matière de prix, la notion importante est l'utilité marginale, et non pas l'utilité totale. L'eau est utile, mais son utilité marginale est faible, tandis que celle des diamants est élevée. Le prix étant proportionnel à l'utilité marginale, celui des diamants est plus élevé que celui de l'eau.

LA COURBE DE DEMANDE DU CONSOMMATEUR

Cette analyse permet également de déterminer les effets de la variation du prix d'un produit sur la quantité demandée. Supposons de nouveau que le consommateur a le choix entre les produits A et B. Si le prix de A baisse, son utilité marginale par dollar

$$\frac{Um_A}{P_A}$$

augmente. En conséquence, le consommateur en achètera plus. L'exemple qui suit explique ce mécanisme. Supposons que A vaut 10 $, et que son utilité marginale est 40, lorsque le consommateur est en équilibre. L'utilité marginale par dollar de A est la suivante :

$$\frac{40}{10} = 4$$

Comme le consommateur est en équilibre, nous savons que l'utilité marginale par dollar du produit A égale celle du produit B :

$$\frac{Um_A}{P_A} = \frac{40}{10} = \frac{Um_B}{P_B} = 4$$

Si le prix de A tombe à 8 $, on obtient l'équation suivante :

$$\frac{Um_A}{P_A} = \frac{40}{8} = 5$$

qui est maintenant supérieure à

$$\frac{Um_B}{P_B}$$

Pour rétablir l'équilibre, le consommateur achète une quantité accrue du produit A et une quantité moindre du produit B. L'Um_A diminue et l'Um_B augmente donc jusqu'à ce que

$$\frac{Um_A}{P_A}$$

égale de nouveau

$$\frac{Um_B}{P_B}$$

Ainsi, la baisse du prix de A accroît donc la quantité de ce produit achetée par le consommateur. La courbe de demande du consommateur est donc descendante de gauche à droite.

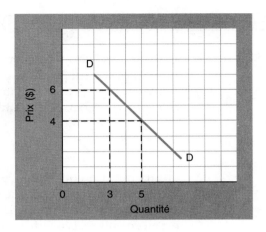

On peut procéder autrement pour démontrer le lien entre l'utilité marginale et la courbe de demande du consommateur. À l'illustration 6.2, on trouve la courbe de demande d'oranges de votre consommateur favori, vous-même, pour un mois.

On peut interpréter cette courbe comme suit : vous êtes disposé à payer 3 sacs au prix maximum de 6 $ le sac. Si le prix est supérieur à 6 $, vous n'achèterez pas le troisième sac.

Pourquoi refusez-vous de payer le troisième sac plus de 6 $? Selon votre évaluation subjective de la satisfaction supplémentaire (c'est-à-dire l'utilité marginale) tirée du troisième sac, ce dernier ne vaut pas davantage. Voilà pourquoi vous n'achèterez pas le cinquième sac si le prix dépasse 5 $. Comme on l'a vu, plus vous consommez d'oranges en un mois, moins les oranges additionnelles vous apportent de satisfaction. Vous ne voulez donc pas payer un supplément pour les acheter. Ce mécanisme montre clairement le lien entre l'utilité marginale et la demande.

LA DEMANDE DU MARCHÉ

Pour obtenir la courbe de demande du marché (chapitre 4) d'un produit donné, on additionne les courbes de demande de chaque consommateur. Supposons que le marché compte seulement trois consommateurs, Marie Gabor, Émile Tran et Joanne Blais. Le tableau 6.3 présente les barèmes de demande de ces trois consommateurs et la demande du marché.

TABLEAU 6.3
Barèmes de demande
individuelle

Demande de Marie		Demande d'Émile		Demande de Joanne		Demande du marché	
P	Q	P	Q	P	Q	P	Q
8	2	8	0	8	3	8	5
6	3	6	2	6	5	6	10
4	4	4	4	4	7	4	5

Au prix de 8 $, Marie achète 2 unités par semaine, Émile, aucune, et Joanne, 3. La quantité totale demandée à ce prix est de 5 unités, comme l'indique le barème de demande du marché. À 6 $, Marie achète 3 unités par semaine, Émile entre sur le marché et en achète 2, et Joanne, 5. La quantité totale demandée se chiffre donc à 10 unités. Enfin, à 4 $, Marie achète 4 unités, Émile, 4, et Joanne, 7, soit un total de 15 unités. La demande du marché égale donc la somme des demandes individuelles.

La courbe de demande du marché est la somme horizontale des courbes de demande individuelle.

Peut-on tracer la courbe de demande du marché à l'aide des courbes de demande individuelle? L'illustration 6.3 présente les courbes de demande de Marie, d'Émile et de Joanne. À 8 $, la quantité totale demandée par les trois consommateurs est de 5. En combinant le prix et la quantité, on obtient un point sur la courbe de demande du marché. À 6 $, la quantité totale demandée était de 10 unités par semaine. En combinant ce prix et cette quantité, on obtient un autre point sur la courbe de demande du marché. Le troisième point est déterminé de la même façon. Ainsi, la courbe de demande du marché est la somme horizontale des courbes de demande individuelle.

ILLUSTRATION 6.3
Dérivation de la courbe de demande du marché

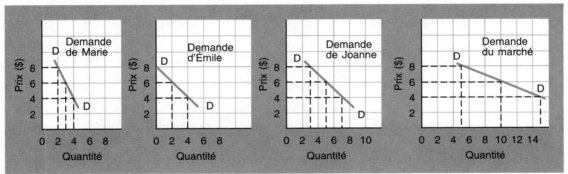

LE SURPLUS DU CONSOMMATEUR

Étudions maintenant une notion économique utile, le *surplus du consommateur*. Supposons que les pommes coûtent 50 cents le kilo. Les consommateurs accepteraient peut-être de payer 3 $ le premier kilo, mais ne paient que 50 cents (prix du marché). Ils auraient sans doute été disposés à payer le deuxième kilo 2 $, le troisième kilo, 1,20 $, le quatrième kilo, 60 cents, mais le prix demeure à 50 cents. Le tableau 6.4 présente les données correspondantes.

Le surplus du consommateur est la différence entre le montant qu'un consommateur aurait été disposé à payer et celui qu'il

TABLEAU 6.4
Illustration du surplus du
consommateur

Pommes (kg)	Total que le consommateur aurait accepté de payer	Montant payé par le consommateur	Surplus du consommateur
1	3,00 $	0,50 $	2,50 $
2	5,00	1,00	4,00
3	6,20	1,50	4,70
4	6,80	2,00	4,80

Le surplus du consommateur est la différence entre le prix que les consommateurs auraient été disposés à payer et celui qu'ils ont effectivement payé.

a effectivement payé. Le surplus du consommateur peut aussi être illustré à l'aide d'un graphique (illustration 6.4). Le prix d'équilibre et la quantité d'équilibre du produit, déterminés par le marché, s'établissent respectivement à 50 cents et à 5 kilos. Bien des consommateurs auraient été disposés à payer plus cher pour acheter le produit. Comme ils n'ont payé que 50 cents, ils ont, à toute fins utiles, réalisé un surplus ou bénéfice appelé le *surplus du consommateur*.

ILLUSTRATION 6.4
Surplus du consommateur

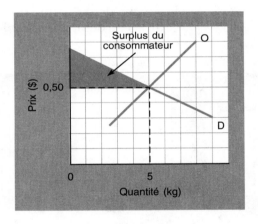

Le consommateur tire souvent une satisfaction plus grande d'un bien que ne le laisse supposer le prix.

Le surplus du consommateur varie selon le prix que ce dernier est disposé à payer. On a vu que ce prix dépend de la valeur que le consommateur attribue à l'utilité procurée par le produit. La partie ombrée de l'illustration 6.4 représente le surplus total du consommateur. Les consommateurs tirent donc souvent une plus grande satisfaction, ou utilité, d'un bien ou d'un service que ne le laisse supposer le prix.

RÉSUMÉ DU CHAPITRE

1. L'utilité est le degré de satisfaction tiré de la consommation de biens et de services. Elle n'est pas quantifiable et ne peut être comparée d'une personne à l'autre.

2. L'utilité totale est la satisfaction totale tirée de la consommation d'un bien ou d'un service. L'utilité marginale est la satisfaction additionnelle tirée de la consommation d'unités additionnelles du bien ou du service. On détermine l'utilité totale en additionnant les utilités marginales procurées par chaque unité additionnelle.
3. Selon la loi de l'utilité marginale décroissante, l'utilité (satisfaction) tirée de chaque unité additionnelle est inversement proportionnelle à la consommation d'un bien.
4. On suppose que les consommateurs veulent maximiser leur satisfaction, en égalant les utilités marginales et la valeur en dollars de chaque bien auquel ils consacrent leur revenu. Les consommateurs sont donc en équilibre.
5. On peut dériver la courbe de demande du consommateur depuis l'analyse de l'utilité. La courbe de demande du consommateur indique l'utilité marginale.
6. Dans le marché, la courbe de demande d'un bien ou d'un service égale la somme des courbes de demande de chaque consommateur de ce bien ou de ce service.
7. Le surplus du consommateur est la différence entre ce que le consommateur aurait été disposé à payer et ce qu'il a payé. Il indique que les consommateurs tirent une plus grande satisfaction d'un bien que ne le laisse croire le prix.

Termes et notions à retenir

utilité	principe d'égalisation des utilités marginales
util	
utilité marginale	conditions nécessaires à l'équilibre du consommateur
paradoxe de la valeur	
utilité totale	demande individuelle et demande du marché
loi de l'utilité marginale décroissante	surplus du consommateur

Questions de révision et de discussion

1. À l'aide d'un exemple, illustrez la différence entre l'utilité totale et l'utilité marginale.
2. Pensez-vous que l'analyse de l'utilité du comportement du consommateur est importante, même si l'utilité n'est pas chiffrable? Pourquoi?
3. Énoncez la loi de l'utilité marginale décroissante. Pensez-vous qu'elle s'applique à tous les biens et services?
4. Qu'est-ce qui caractérise l'équilibre du consommateur?

5. Quel est le lien entre l'utilité marginale et la demande du consommateur?
6. Quel est le lien entre la courbe de demande individuelle et celle de demande du marché?
7. Décrivez brièvement la façon de procéder pour dériver la courbe de demande du marché depuis les courbes de demande des consommateurs.
8. Expliquez le paradoxe eau-diamant.
9. Expliquez brièvement le surplus du consommateur.
10. Quels sont les effets du surplus du consommateur?

Problèmes et exercices

1. D'après les données du tableau 6.2, comment Yuki Hino doit-elle impartir un budget de 17 $ entre les produits A et B, pour maximiser sa satisfaction?
2. En utilisant les données du tableau 6.5 relatives aux utilités de A et de B, et en supposant que A coûte 2 $ et B, 3 $:

TABLEAU 6.5
Utilités de A et de B

Quantité de A	Um_A	$\dfrac{Um_A}{P_A}$	Quantité de B	Um_B	$\dfrac{Um_B}{P_B}$
1	16		1	21	
2	18		2	24	
3	16		3	18	
4	14		4	15	
5	10		5	12	
6	6		6	6	

(a) Complétez les colonnes $\dfrac{Um_A}{P_A}$ et $\dfrac{Um_B}{P_B}$

(b) Comment le consommateur doit-il répartir un budget de 12 $ entre A et B?

(c) Comment le consommateur modifiera-t-il ses achats, si son budget augmente à 22 $?

3. Le marché du saumon comprend trois consommateurs : Marc, Lucie et Claire. Leurs barèmes de demande de saumon figurent au tableau 6.6.

TABLEAU 6.6
Barèmes de demande de saumon

Demande de Marc		Demande de Lucie		Demande de Claire	
P	Q	P	Q	P	Q
10	8	10	6	10	5
8	10	8	8	8	7
6	12	6	10	6	9

(a) Calculez le barème de demande de saumon du marché.

(b) Tracez la courbe de demande de chaque consommateur, ainsi que la courbe de demande du marché.

4. Le tableau 6.7 présente le barème de demande de boeuf dans le cas d'Anne Lambert.

TABLEAU 6.7
Demande de boeuf d'Anne

Prix ($)	Quantité demandée par semaine (kg)
7	0
6	1
5	2
4	3
3	4

Tracez la courbe de demande d'Anne. Si le prix du marché du boeuf est de 4 $ le kilo, portez sur votre graphique le surplus du consommateur total d'Anne et calculez la valeur de celui-ci.

ANNEXE
L'ANALYSE DE LA
COURBE D'INDIFFÉRENCE

> Le consommateur se trouve donc dans une situation comparable à celle de l'âne de Buridan, du moins à certains égards. On se souviendra que l'âne se trouvait à égale distance entre un boisseau d'avoine et un seau d'eau, et qu'il est mort de faim, faute de pouvoir choisir entre ces deux biens.
>
> Milton H. Spencer, *Demand Analysis : Indifference Curves*

INTRODUCTION

Un des principaux défauts de l'analyse du comportement du consommateur présentée au chapitre 6 est qu'elle suppose que le consommateur peut attribuer des nombres comme 1, 5 ou 9 (nombres cardinaux) au degré de satisfaction tiré de la consommation d'une unité, d'un produit ou d'un service. Ces nombres, qui mesurent la satisfaction, sont des unités appelées *utils*. Cette méthode (méthode de l'utilité cardinale ou mesurable) tient pour acquis que le consommateur est capable de déterminer qu'il tire, par exemple, 10 unités de satisfaction de la consommation d'une unité de tarte aux pommes, et 5, de la consommation d'une unité de crème glacée. À l'aide de la méthode d'utilité cardinale, on peut ainsi conclure que le consommateur aime deux fois plus la tarte aux pommes que la crème glacée.

Par ailleurs, cette méthode n'indique pas clairement la contrainte qui caractérise le choix du consommateur entre les divers biens offerts. On suppose que si le consommateur dispose d'un budget donné pour acheter les produits A et B, il ne peut accroître ses achats de A qu'en renonçant partiellement à B. Toutefois, le problème du choix du consommateur n'a pas été analysé.

La méthode de la courbe d'indifférence surmonte le problème de la mesure de l'utilité.

La présente annexe se penche sur une méthode plus perfectionnée d'analyse du comportement du consommateur, qui ne suppose pas que l'utilité peut se mesurer à l'aide de nombres cardinaux, mais que les consommateurs sont capables de classer leurs préférences. Ainsi, ces derniers peuvent indiquer qu'ils préfèrent le produit A au produit B en classant le second à 6, et le premier, à un niveau supérieur (12, par exemple). Ce classement indique une préférence pour A, sans laisser entendre que A procure deux fois plus de satisfaction que B. Les nombres revêtent un sens *ordinal* (non cardinal). En outre, cette méthode précise les contraintes qui s'exercent sur les choix du consommateur.

LA PRÉFÉRENCE ET L'INDIFFÉRENCE

Si les consommateurs ont le choix entre deux biens, ils préféreront l'un à l'autre, ou manifesteront de l'indifférence.

On suppose qu'un consommateur ayant le choix entre trois produits, A, B et C, peut indiquer sa préférence ou son indifférence pour ces produits. Si le consommateur préfère A à B, il classera A à un niveau plus élevé que B. S'il est indifférent à B et à C, il classera B et C au même niveau. Les notions de préférence et d'indifférence peuvent donc servir à décrire les goûts du consommateur.

On suppose que les préférences du consommateur sont transitives.

Dans toute situation, si un consommateur a le choix entre deux biens ou deux ensembles de biens, il préférera l'un à l'autre, ou manifestera de l'indifférence. En outre, s'il préfère A à B, et B à C, il préfère donc A à C. En d'autres termes, on suppose que les préférences du consommateur sont *transitives*.

Les barèmes d'indifférence

Pour analyser le comportement du consommateur à l'aide de la méthode ordinale, on a recours aux courbes d'indifférence, lesquelles nous permettent de comprendre les barèmes d'indifférence. Supposons que vous devez choisir entre six sacs, A, B, C, D, E et F, dont chacun contient un mélange de pommes et de poires (tableau 6A.1).

TABLEAU 6A.1
Barème d'indifférence

Sac	Pommes	Poires	Utilité totale
A	40	29	S_1
B	32	30	S_1
C	26	31	S_1
D	23	34	S_1
E	21	39	S_1
F	20	46	S_1

Barème d'indifférence : tableau contenant les diverses combinaisons de produits qui procurent le même degré de satisfaction au consommateur.

Supposons aussi que, selon votre évaluation subjective, chaque sac (ou combinaison) de A à F vous procure le même degré de satisfaction, soit S_1, que l'on vous remette 40 pommes et 29 poires, 32 pommes et 30 poires ou 26 pommes et 31 poires. Le tableau 6A.1 présente un *barème d'indifférence*, lequel indique les diverses combinaisons de produits qui procurent le même degré de satisfaction au consommateur.

Examinons maintenant le barème d'indifférence du tableau 6A.2. Les combinaisons de A à F sont toutes aussi souhaitables les unes que les autres, car chacune procure le même degré de satisfaction, S_2. Toutefois, en comparant les tableaux 6A.1 et 6A.2, on constate que les sacs du deuxième tableau sont plus volumineux que ceux du premier. En supposant que les consommateurs préfèrent l'abondance, on peut conclure qu'ils choisiront les combinaisons du tableau 6A.2 plutôt que celles du tableau 6A.1. S_2 représente donc un degré de satisfaction supérieur à S_1.

TABLEAU 6A.2
Barème d'indifférence

Sac	Pommes	Poires	Utilité totale
A	58	29	S_2
B	51	30	S_2
C	46	31	S_2
D	42	34	S_2
E	39	39	S_2
F	38	46	S_2

LES COURBES D'INDIFFÉRENCE

Si l'on saisit le sens et l'importance des barèmes d'indifférence, il est facile de comprendre les courbes d'indifférence. Tout d'abord, nous allons indiquer sur un graphique les combinaisons de pommes et de poires du tableau 6A.1, en gardant à l'esprit que d'autres combinaisons procurent le même degré de satisfaction. Si l'on traçait toutes les combinaisons qui procurent le même degré de satisfaction, la courbe obtenue serait semblable à celle de l'illustration 6A.1.

ILLUSTRATION 6A.1
Courbe d'indifférence

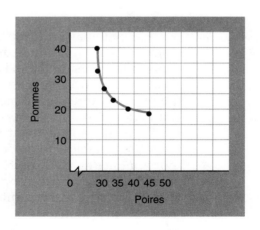

Tous les points d'une courbe d'indifférence représentent des combinaisons qui procurent le même degré de satisfaction.

L'illustration 6A.1 présente une *courbe d'indifférence*. Cette dernière est un graphique qui indique toutes les combinaisons de produits (ou de groupes de produits) qui procurent le même degré de satisfaction.

Les propriétés des courbes d'indifférence

Les courbes d'indifférence comportent trois caractéristiques fondamentales :

1. elles sont descendantes;
2. elles sont convexes par rapport à l'origine;
3. elles ne se coupent pas.

Les courbes descendantes Une courbe peut être verticale, horizontale, ascendante ou descendante. Supposons que les courbes d'indifférence sont verticales. Qu'en conclut-on? Examinez la courbe d'indifférence de l'illustration 6A.2.

ILLUSTRATION 6A.2
Courbe d'indifférence
verticale

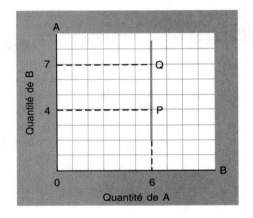

La combinaison P représente 4 unités de A et 6 de B, et la combinaison Q, 7 unités de A et 6 de B. En supposant que les consommateurs préfèrent l'abondance, il ne fait aucun doute que P et Q ne procurent pas le même degré de satisfaction et ne peuvent se situer sur la même courbe d'indifférence. Cette contradiction élimine la possibilité d'une courbe d'indifférence verticale. Il est également facile de démontrer, à l'aide d'arguments semblables, qu'on peut éliminer les courbes d'indifférence horizontales et ascendantes. Les courbes d'indifférence ne peuvent donc être que descendantes. À l'illustration 6A.3, la courbe d'indifférence descendante indique que si un consommateur renonce à 6 unités de A, il doit recevoir 5 unités de B pour obtenir le même degré de satisfaction.

Les courbes d'indifférence sont descendantes.

Les courbes d'indifférence sont convexes par rapport à l'origine.

Les courbes convexes Supposons qu'un consommateur possède une grande quantité de bananes, mais peu d'ananas. Il est fort probable qu'il voudra échanger des bananes contre des ananas. Toutefois, à mesure que la quantité de bananes diminue, le nombre de bananes qu'il est disposé à échanger contre la même quantité d'ananas décroît. Pareillement, quelle que soit la quantité d'ananas qu'un consommateur possède, le nombre d'ananas qu'il sera disposé à échanger contre une quantité égale baissera. Lorsqu'on possède un bien en grande quantité, on est donc plus disposé à l'échanger contre un autre bien qu'on ne possède qu'en faible quantité. On peut donc conclure que les courbes d'indifférence sont convexes par rapport à l'origine (relativement abruptes à la partie supérieure et plates à la partie inférieure, comme l'indique l'illustration 6A.3).

ILLUSTRATION 6A.3
Courbe d'indifférence descendante

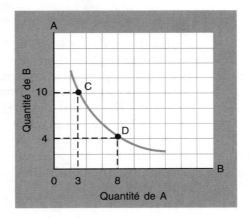

La convexité des courbes d'indifférence signifie un taux marginal décroissant de substitution.

La convexité des courbes d'indifférence peut également s'expliquer de la façon suivante : à mesure que le consommateur se déplace le long de la courbe d'indifférence, il échange un bien contre un autre. Le taux auquel cet échange se produit s'appelle le *taux marginal de substitution*, ou le taux auquel le consommateur échange des unités d'un bien contre des unités d'un autre bien, afin de conserver le même degré de satisfaction.

Le taux marginal de substitution est la pente de la courbe d'indifférence.

À noter que le taux marginal de substitution (TmS) est la pente de la courbe d'indifférence. À mesure que le consommateur se déplace le long de la courbe d'indifférence, il est disposé à échanger une quantité moindre d'un bien contre un autre. Autrement dit, le taux marginal de substitution diminue (comparez la pente de la courbe d'indifférence aux points A et B de l'illustration 6A.3). La courbe d'indifférence est donc convexe par rapport à l'origine.

Les courbes d'indifférence ne se coupent pas.

Les courbes sans intersection   Enfin, les courbes d'indifférence ne se coupent pas. Toutefois, l'illustration 6A.4 présente le contraire. Que peut-on conclure? Les combinaisons A et B étant situées sur la même courbe d'indifférence 1, elles procurent le

ILLUSTRATION 6A.4
Intersection de deux
courbes d'indifférence

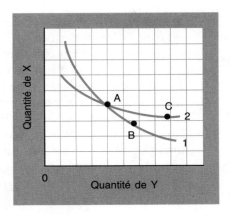

même degré de satisfaction. Les combinaisons A et C se trouvent sur la courbe 2; le degré de satisfaction est donc identique. Par conséquent, pour que les combinaisons B et C procurent aussi le même niveau de satisfaction, elles doivent être situées sur la même courbe, ce qui n'est pas le cas. En fait, C contient nettement plus de X et de Y. On a donc démontré que les courbes d'indifférence ne peuvent se couper. Dans le cas contraire, elles indiquent que les préférences des consommateurs ne sont pas constantes, une possibilité que l'on a éliminé précédemment.

LA CARTE D'INDIFFÉRENCE

Les courbes d'indifférence forment une carte d'indifférence.

La description complète des goûts et des préférences des consommateurs nécessite un ensemble complet de courbes d'indifférence. Cet ensemble s'appelle *carte d'indifférence* (voir l'illustration 6A.5). Cinq courbes sont représentées, mais en fait, le champ en contient un nombre infini. Tous les points d'une même courbe représentent des combinaisons qui procurent le

ILLUSTRATION 6A.5
Carte d'indifférence

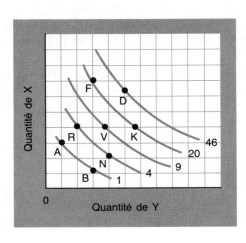

même degré de satisfaction. Toute combinaison d'une courbe d'indifférence plus élevée procure un degré de satisfaction supérieur à celui des combinaisons d'une courbe moins élevée.

Pour résumer les préférences des consommateurs, on utilise les symboles suivants :
= indique l'indifférence;
> et < indiquent une préférence.
Ainsi, G = H signifie que G et H procurent la même satisfaction; G que H veut dire que G est préféré à H, et G H, que G procure moins de satisfaction que H. L'illustration 6A.5 indique donc que :

$$A = B$$

$$D > N$$

$$V < K$$

LA DROITE DE BUDGET

Les choix du consommateur sont soumis à des contraintes budgétaires.

Ginette Frank dispose d'un budget de 6 $ pour acheter du maquereau et de la morue. Le maquereau vaut 0,75 $ le kilo, et la morue, 1,50 $ le kilo. Le tableau 6A.3 présente les combinaisons de maquereau et de morue que Ginette peut acheter sans dépasser son budget de 6 $. Chaque combinaison peut aussi être illustrée à l'aide d'un diagramme. Si Ginette n'achète que du maquereau, elle peut en obtenir 8 kilos (point A de l'illustration 6A.6). Par contre, si elle applique la totalité de son budget à l'achat de morue, elle en aura 4 kilos (point E). En reliant les points A et E, on obtient la *droite de budget* (ou ligne de prix). Toutes les combinaisons de maquereau et de morue que Ginette peut acheter moyennant 6 $ figurent sur cette droite. La droite de budget, ou ligne de prix, est donc la représentation graphique de toutes les combinaisons possibles de deux biens qu'un consommateur peut acheter, selon le revenu de ce dernier et le prix des deux biens.

TABLEAU 6A.3
Achats possibles selon le budget

Maquereau (kg)	Morue (kg)	Montant ($)
0	4	6
2	3	6
4	2	6
6	1	6
8	0	6

La droite de budget montre clairement la contrainte budgétaire qui s'exerce sur le consommateur.

Au point P, sous la droite de budget, Ginette ne dépense pas entièrement son budget, et au point Q, son budget n'est pas suffisant. La droite de budget fixe la limite que Ginette ne peut

ILLUSTRATION 6A.6
Droite de budget

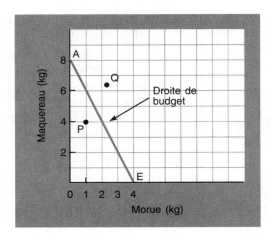

pas dépasser. Les achats effectués doivent se situer sous ou sur celle-ci.

Par ailleurs, la pente de la droite de budget de l'illustration 6A.6 indique la quantité de maquereau à laquelle il faut renoncer pour acheter un kilo de morue. Elle se définit comme suit :

$$\frac{\text{Distance verticale}}{\text{Distance horizontale}} = -\frac{8}{4} = -2$$

La pente de la droite de budget est égale au rapport de prix entre deux biens, mais accompagnée d'un signe négatif.

À noter qu'il s'agit du même rapport de prix entre deux biens, mais accompagné d'un signe négatif.

$$\frac{\text{Prix de la morue}}{\text{Prix du maquereau}} = \frac{1,50}{0,75} = 2$$

Comme il en est toujours ainsi, on peut dire que la pente de la droite de budget est égale au rapport de prix entre deux biens, mais accompagnée d'un signe négatif.

Les effets de la variation de revenu sur la droite de budget

Une variation de revenu déplace la droite de budget, mais ne change pas la pente de celle-ci.

Supposons que le budget (le revenu) de Ginette passe de 6 $ à 9 $, mais que le maquereau et la morue demeurent au même prix, 0,75 $ et 1,50 $ le kilo. Ginette peut donc acheter plus de maquereau et de morue, soit 12 kilos de maquereau, sans morue, ou 6 kilos de morue, sans maquereau. L'éventail de ses choix s'est élargi. L'illustration 6A.7 présente la droite de son nouveau budget, qui est parallèle à la précédente.

ILLUSTRATION 6A.7
Effets d'une variation de
revenu sur la droite de
budget

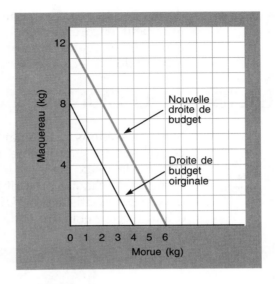

Les effets de la variation de prix sur la droite de budget

La variation de prix
entraîne celle du rapport
de prix et, par
conséquent, celle de la
pente de la droite de
budget.

Qu'arrive-t-il, si le prix change? Supposons que la morue passe de 1,50 $ à 1,20 $ le kilo, mais que le maquereau demeure à 0,75 $. Moyennant un budget de 6 $, Ginette peut acheter 8 kilos de maquereau si elle n'achète pas de morue, et 5 kilos (et non 4) de morue, sans maquereau. L'illustration 6A.8 indique que la droite de budget se déplace, lorsqu'un prix change. La baisse du prix de la morue entraîne le déplacement vers l'extérieur de la droite de budget, laquelle n'est pas parallèle à la première. En d'autres termes, la droite de budget ne se *déplace* pas, elle *pivote*. Étant

ILLUSTRATION 6A.8
Effets d'une variation de
prix sur la droite de budget

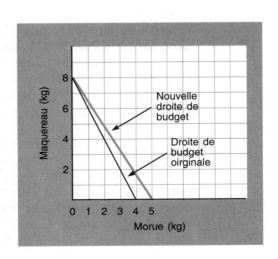

donné que le prix du maquereau n'a pas changé, le consommateur peut encore en acheter la même quantité. Toutes autres choses étant égales, la variation du prix d'un produit change le rapport de prix et, par conséquent, la pente de la droite de budget.

L'ÉQUILIBRE DU CONSOMMATEUR

La maximisation de l'utilité se produit, lorsque la droite de budget est tangente à une courbe d'indifférence.

Nous possédons maintenant les outils analytiques nécessaires pour résoudre le problème de choix du consommateur. D'après le prix de deux biens et le budget du consommateur, quelle quantité de chaque produit le consommateur achètera-t-il pour maximiser sa satisfaction? L'illustration 6A.9 présente les courbes d'indifférence et la droite de budget de Nick Kotoulas.

ILLUSTRATION 6A.9
Équilibre du consommateur

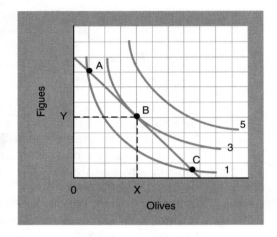

Nick peut choisir n'importe quelle combinaison d'olives et de figues qui se trouve sur ou sous la droite de budget. En outre, il désire se situer sur la courbe d'indifférence la plus élevée possible. Comme il a l'intention de dépenser la totalité de son budget, il peut choisir entre les points A, B et C de l'illustration 6A.9. A et C se trouvant sur une courbe d'indifférence inférieure à celle de B, ils procurent un degré de satisfaction inférieur à celui de B. Nick obtient donc une satisfaction maximale à B, où la droite de budget est tangente (ne fait que toucher) à une courbe d'indifférence. Tout déplacement diminuera la satisfaction de Nick. (Vérifiez l'exactitude de cet énoncé.) Nick est donc en équilibre au point B. Il maximise son utilité en achetant OY unités de figues et OX unités d'olives. Habituellement, un consommateur choisit la combinaison qui maximise sa satisfaction, soit celle où la droite de budget est tangente à une courbe d'indifférence. Un ménage maximise sa satisfaction en se déplaçant le long de sa droite de budget, jusqu'à la courbe d'indifférence la plus élevée possible. Cela se produit, lorsque la droite de budget est tangente à la courbe.

Examinons en détail la meilleure situation du consommateur. Au point de tangence, la pente de la courbe d'indifférence est la même que celle de la droite de budget. On a vu qu'elle est aussi égale au taux marginal de substitution (TmS). La pente de la droite de budget est le rapport des prix des deux biens. On peut donc reformuler le point d'équilibre du consommateur au regard du taux marginal de substitution et du rapport des prix. Le consommateur est en équilibre lorsque :

> Le consommateur est en équilibre, lorsque le taux marginal de substitution est égal au rapport des prix.

$$TmS_{xy} = \frac{P_x}{P_y}$$

où TmS_{xy} est le taux marginal de substitution entre deux marchandises X et Y, et P_x et P_y, les prix de X et de Y.

Les effets de la variation de revenu sur l'équilibre du consommateur

À l'illustration 6A.10, le consommateur Yijun Tran est en équilibre au point A de la courbe d'indifférence 1.

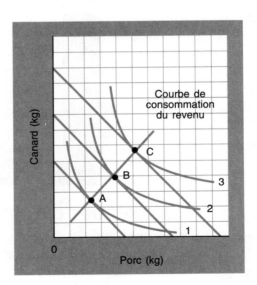

ILLUSTRATION 6A.10
Effets de l'augmentation du revenu, lorsque le bien est ordinaire

L'augmentation du revenu de Yijun entraîne un déplacement parallèle vers l'extérieur de la droite de budget. La nouvelle droite est tangente à une courbe d'indifférence plus élevée, comme la courbe 2. Yijun est maintenant en équilibre à B. Une nouvelle augmentation de son revenu entraînera un autre déplacement vers l'extérieur de la droite, qui sera tangente à une courbe d'indifférence plus élevée encore, comme la courbe 3. Désormais, Yijun est en équilibre à C. Ainsi, le degré de satisfaction augmente en même temps que le revenu. On peut facilement calculer les effets d'une baisse du revenu sur le niveau de satisfaction du consommateur.

En joignant les points A, B et C de l'illustration 6A.10, on obtient la *courbe revenu-consommation*. Cette dernière joint les points de tangence entre les droites du budget et les courbes d'indifférence, à mesure que le revenu du consommateur augmente. Elle indique comment le consommateur réagit à l'évolution de son revenu.

Les achats de Yijun augmentent avec son revenu. Les marchandises achetées en plus grande quantité à mesure qu'augmente le revenu s'appellent *biens ordinaires*. À l'illustration 6A.10, le canard et le porc sont des biens ordinaires.

Toutefois, il se peut que Yijun achète moins de poulet, bien que son revenu augmente. Il s'agit donc d'un *bien inférieur*, comme l'indique l'illustration 6A.11. Notez la forme de la courbe revenu-consommation dans le cas d'un bien inférieur.

Bien ordinaire : bien que le consommateur achète en plus grande quantité, lorsque le revenu augmente.

Bien inférieur : bien que le consommateur achète en moins grande quantité, lorsque le revenu augmente.

ILLUSTRATION 6A.11
Courbe revenu-consommation d'un bien inférieur

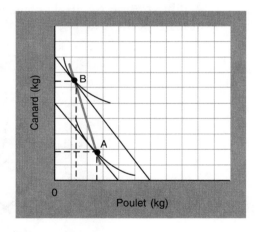

Les courbes d'Engel

Les courbes d'Engel montrent comment les consommateurs réagissent à la variation de leur revenu.

Les *courbes d'Engel*, appelées ainsi en l'honneur d'Ernst Engel, un statisticien du XIXᵉ siècle, montrent le lien entre le revenu et la quantité demandée. Elles peuvent servir à illustrer les réactions d'un consommateur, lorsque le revenu de ce dernier change. Supposons que les goûts et préférences de Yijun de même que le prix du canard et du poulet sont invariables, mais que son revenu change. L'illustration 6A.11 indique que Yijun achète une plus grande quantité de canard et moins de poulet, lorsque son revenu augmente. Ces données figurent à l'illustration 6A.12 sous la forme de courbes d'Engel.

Lorsque le revenu augmente de Y_1 à Y_2, la quantité de canard demandée passe de D_1 à D_2 (diagramme A) et la quantité de poulet, de Q_1 à Q_0 (diagramme B).

ILLUSTRATION 6A.12
Courbes d'Engel de biens ordinaires et inférieurs

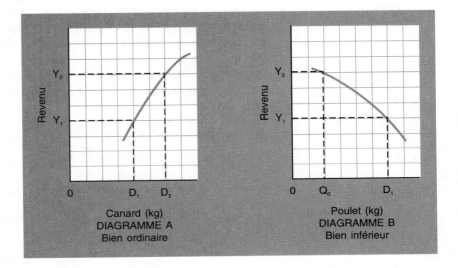

Les effets de la variation de prix sur l'équilibre du consommateur

L'illustration 6A.13 indique que Nicole Green est en équilibre à A sur la courbe d'indifférence 1. Une baisse du prix de l'orge modifie la pente de sa droite de budget.

ILLUSTRATION 6A.13
Effet de la variation de prix

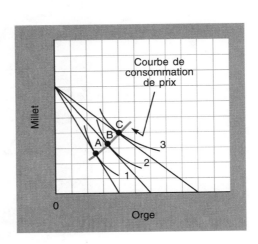

La courbe
prix-consommation :
droite joignant les points
déquilibre, lorsque le prix
d'un bien change

La droite de budget s'aplatit et devient tangente à une courbe d'indifférence plus élevée, la courbe 2 (illustration 6A.13). Désormais, Nicole est en équilibre à B. Une nouvelle chute du prix de l'orge aplatit davantage la droite de budget, qui est maintenant tangente à la courbe d'indifférence 3. Le nouveau point d'équilibre de Nicole est C. De toute évidence, toutes autres choses étant égales, la chute du prix d'un produit permet aux consommateurs d'atteindre un degré de satisfaction supérieur.

En joignant les points A, B et C de l'illustration 6A.13, on obtient la *courbe prix-consommation*. Cette dernière joint les points de tangence entre les droites de budget et les courbes d'indifférence, lorsque le prix d'un produit change.

LA DÉRIVATION DE LA COURBE DE DEMANDE DU CONSOMMATEUR

La courbe de demande du consommateur peut être dérivée depuis la courbe prix-consommation (illustration 6A.14). Le panneau A illustre l'évolution des achats de John Fuller, lorsque le

ILLUSTRATION 6A.14
Dérivation de la courbe de
demande du
consommateur

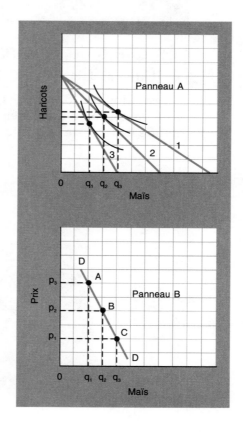

prix du maïs change. Ceux-ci passent de q_1 à q_2, puis à q_3. Le panneau B est en correspondance avec le panneau A. Le prix p_3 correspond à la ligne de prix initiale 3. À ce prix, John achète q_1 unités de maïs, soit le point A de la courbe de demande de maïs. Lorsque le prix baisse à P_2, John achète q_2 unités de maïs (point B). Au prix p_1, John en achète q_3 unités (point C). En joignant les points A, B et C, on obtient la courbe de demande du consommateur.

Les biens de Giffen

La courbe de demande de l'illustration 6A.14 est descendante. Robert Giffen, un économiste de la fin du XIXᵉ siècle, a envisagé la possibilité d'une courbe de demande ascendante. Prenons l'exemple d'un produit relativement bon marché, comme les pommes de terre. Si le prix baisse, le revenu réel du consommateur augmente. Toutefois, au lieu d'acheter plus de pommes de terre, les consommateurs peuvent acheter un autre produit, comme de la viande. En conséquence, la demande du produit baisse en même temps que le prix. On parle alors de *biens de Giffen*.

Biens de Giffen : biens dont la demande baisse en même temps que le prix.

RÉSUMÉ DU CHAPITRE

1. En utilisant la courbe d'indifférence pour décrire le comportement des consommateurs, on suppose que les consommateurs savent classer leurs préférences. Cette approche ordinale permet d'éviter les difficultés qui se présentent, lorsqu'on tient pour acquis qu'on peut mesurer l'utilité de façon cardinale.

2. Lorsque les consommateurs doivent choisir entre deux produits, on suppose qu'ils expriment leur préférence ou leur indifférence.

3. La courbe d'indifférence de deux produits indique les combinaisons possibles qui procurent le même degré de satisfaction. Les courbes d'indifférence sont descendantes, convexes par rapport à l'origine et ne se coupent pas.

4. Le taux marginal de substitution est celui auquel les consommateurs échangent un produit contre un autre, afin de conserver le même degré de satisfaction. Il est égal à la pente de la courbe d'indifférence.

5. La droite de budget présente les diverses combinaisons de deux produits qu'un consommateur peut acheter selon son budget et le prix des produits.

6. La pente de la droite de budget est le rapport des prix de deux produits donnés, avec un signe négatif.

7. Quand le revenu change, la droite de budget se déplace parallèlement à sa position initiale. Par contre, une variation du prix d'un produit entraîne celle de la pente de la droite de budget.

8. Les consommateurs atteignent leur équilibre en se déplaçant le long de la droite de budget, jusqu'au point où la droite est tangente à une courbe d'indifférence. Au point d'équilibre, le taux marginal de substitution égale le rapport des prix de deux produits.

9. Toutes autres choses étant égales, l'augmentation du revenu accroît la satisfaction du consommateur. Une chute de prix produit le même effet.

10. La courbe revenu-consommation joint les points de tangence entre les droites du budget et les courbes d'indifférence, lorsque le revenu augmente. La courbe prix-consommation joint les différents points de tangence entre les droites de budget et les courbes d'indifférence, lorsque le prix d'un produit varie.

11. Lorsque le revenu augmente, la quantité de biens ordinaires achetés augmente, tandis que celle des biens inférieurs baisse.

12. Une courbe d'Engel illustre la relation entre le revenu et les quantités demandées par les consommateurs. Elle indique la réaction des consommateurs à un changement de revenu.

13. La pente de la courbe d'Engel est positive dans le cas de biens ordinaires et négative dans le cas de biens inférieurs.

14. La courbe de demande du consommateur peut être dérivée de la courbe prix-consommation.

Termes et notions à retenir

utilité ordinale	courbe revenu-consommation
utilité cardinale	bien ordinaire
courbe d'indifférence	bien inférieur
taux marginal de substitution	courbe d'Engel
carte d'indifférence	courbe prix-consommation
droite de budget	bien de Giffen

Questions de révision et de discussion

1. Quel est le principal avantage de la méthode de la courbe d'indifférence par rapport à celle de l'utilité cardinale, pour étudier le comportement des consommateurs?

2. Quelles sont les propriétés des courbes d'indifférence?

3. Qu'indique la convexité des courbes d'indifférence?

4. Prouvez que les courbes d'indifférence ne se coupent pas.

5. Démontrez qu'un ménage est en équilibre, lorsque la combinaison qu'il choisit est celle où la droite de budget est tangente à la courbe d'indifférence.

6. À l'aide d'une courbe d'indifférence, démontrez que l'augmentation du revenu accroît la satisfaction du consommateur, toutes autres choses étant égales.

7. Démontrez que la situation d'un consommateur qui achète deux produits s'améliore, si le prix d'un produit baisse, toutes autres choses étant égales.

8. Quelle est la différence entre un bien ordinaire et un bien inférieur?

9. Expliquez la différence entre un bien inférieur et un bien de Giffen.

Problèmes et exercices

1. Le tableau 6A.4 présente des données sur les possibilités d'achat d'Élise Bourgeois, une étudiante. Il indique diverses combinaisons de hamburgers et de frites qui procurent à Élise le même degré de satisfaction.

TABLEAU 6A.4
Barème d'indifférence

Combinaison	Hamburgers	Frites
A	1	50
B	2	30
C	3	20
D	4	15

(a) Tracez la courbe d'indifférence d'Élise.

(b) Calculez le taux marginal de substitution entre les diverses combinaisons.

2. Gabriel affirme que toutes les combinaisons suivantes de gâteaux et de tartelettes le satisfont également :

Gâteaux	Tartelettes
2	25
4	15
6	9
8	6
10	5

À l'aide d'un graphique dont l'axe vertical représente les gâteaux, et l'axe horizontal, les tartelettes, tracez la courbe d'indifférence de Gabriel.

3. Michèle dispose de 40 $ pour acheter des écharpes et des romans. Les écharpes valent 5 $, et les romans, 4 $.
   (a) Tracez la droite de budget de Michèle.
   (b) Le prix des écharpes monte à 8 $, et celui des romans reste à 4 $. Tracez la nouvelle droite de budget sur le même graphique.
   (c) Supposons que le budget de Michèle monte à 56 $, et que les écharpes et les romans valent respectivement 8 $ et 5 $. Tracez la nouvelle droite de budget.
4. Un consommateur dispose d'un budget de 40 $ pour l'achat des biens X et Y. Le premier coûte 2 $, le second, 4 $. La contrainte budgétaire du consommateur est présentée au tableau 6A.5.

TABLEAU 6A.5
Contrainte budgétaire

Combinaison	Quantité de X	Quantité de Y	Budget ($)
A	20	0	40
B	16	2	40
C	12	4	40
D	8	6	40
E	4	8	40
F	0	10	40

   (a) Tracez la droite de budget du consommateur.
   (b) Calculez la pente de cette droite de budget.
   (c) Quel est le rapport des prix?
   (d) Le revenu du consommateur augmente à 60 $, mais les prix de X et de Y ne varient pas. Tracez la nouvelle droite de budget.
5. (a) Tracez la droite de budget d'après le tableau 6A.5.
   (b) Le prix de X augmente de 2 $ à 2,50 $, toutes autres choses étant égales. Tracez la nouvelle droite de budget.
   (c) Calculez la pente de la nouvelle droite de budget.
   (d) Calculez le nouveau rapport des prix.
6. L'illustration 6A.15 présente la droite de budget et la courbe d'indifférence de Henri Harvey.

ILLUSTRATION 6A.15
Droite de budget et courbe d'indifférence de Henry Harvey

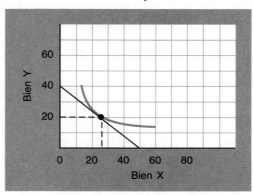

Sachant que le produit X coûte 10 $:
  (a) Calculez le revenu de Henri (son budget).
  (b) Quel est le prix du produit Y?
  (c) Quel est le taux marginal de substitution au point d'équilibre?
  (d) Quel est le rapport des prix de X et de Y?
7. A vaut 6 $, et B, 10 $. Le consommateur dispose d'un budget de 60 $.
  (a) Tracez la droite de budget du consommateur.
  (b) Les prix de A et de B ainsi que le revenu du consommateur doublent; tracez la nouvelle droite de budget.
  (c) Quels sont les effets du doublement de tous les prix et des revenus sur la satisfaction du consommateur?
8. Les concombres valent 0,30 $, et la laitue, 0,60 $. Daniella dispose d'un budget de 6 $. L'illustration 6A.16 indique que Daniella est en équilibre, lorsqu'elle achète 8 concombres et 6 laitues. Si le budget de Daniella de même que le prix des concombres et des laitues doublent, combien d'unités de chaque article Daniella devra-t-elle acheter pour maximiser sa satisfaction?

ILLUSTRATION 6A.16
Point d'équilibre de
Daniella

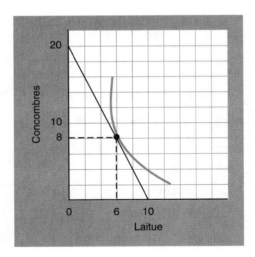

9. Tracez la courbe revenu-consommation et la courbe d'Engel dans le cas d'un bien inférieur.
10. Montrez géométriquement comment on peut dériver la courbe de demande du consommateur à partir de la courbe prix-consommation.

L'ENTREPRISE, LA SPÉCIALISATION ET L'EMPLACEMENT INDUSTRIEL

> La nature de notre structure industrielle ne prête pas à un classement rigoureux.
>
> George J. Stigler, *Five Lectures on Economic Problems*

INTRODUCTION

Les décisions relatives aux dépenses de consommation sont prises par le consommateur ou le ménage, et celles qui se rapportent à la production, par les entreprises. Le présent chapitre examine les divers types d'entreprises, la notion de spécialisation et l'emplacement industriel. Parmi les types d'entreprises que l'on retrouve partout au pays, on compte l'entreprise individuelle, la société de personnes, la société par actions et la coopérative. Celles-ci ne désignent pas seulement les modalités financières qui permettent à l'entreprise de fonctionner, mais également la responsabilité des propriétaires au regard des dettes de l'entreprise, les lois qui s'appliquent à l'exploitation, le rôle du propriétaire dans l'exploitation et le type d'impôt qui doit être versé.

Nous axerons notre propos sur les entreprises à but lucratif, c'est-à-dire celles dont la raison d'être est de réaliser des bénéfices. Il existe aussi d'autres organismes qui emploient des ressources pour produire des biens et des services, mais qui ne cherchent pas à réaliser de profits. Il s'agit d'organismes sans but lucratif comme les oeuvres de charité ainsi que diverses institutions sociales, religieuses, philanthropiques, scientifiques et éducationnelles. Ces organismes peuvent être aussi constitués sous les formes mentionnées précédemment.

L'ENTREPRISE INDIVIDUELLE

Entreprise individuelle : entreprise appartenant à une seule personne physique, laquelle prend toutes les décisions.

Jean Dupré croit qu'il peut obtenir un revenu intéressant en vendant des vers aux pêcheurs. Il achète donc des vers, puis les revend à des clients dans son garage. Jean a ainsi créé une entreprise individuelle. Il en va de même d'une avocate qui a quitté un cabinet afin de s'installer à son compte. Ces personnes sont les propriétaires uniques de leur entreprise, qu'elles financent elles-mêmes (parfois, avec l'aide de leur famille). Elles prennent toutes les décisions relatives aux activités. Si l'affaire prospère, le propriétaire recueille la totalité des bénéfices; dans le cas contraire, il essuie seul les pertes. La propriété individuelle caractérise surtout les petites entreprises (confiserie, exploitation agricole, etc.) et certaines professions libérales, comme la comptabilité ou les services de consultation aux entreprises.

Les avantages de l'entreprise individuelle :

1. Le propriétaire unique tire de la satisfaction et de la fierté de posséder une entreprise qui assure son indépendance.
2. Sachant qu'il peut tout perdre en cas de faillite, il est prêt à fournir les efforts nécessaires pour que l'entreprise fonctionne efficacement.
3. Quand il faut agir vite, l'entreprise individuelle dispose d'un avantage par rapport aux autres types d'entreprise, car le propriétaire n'a pas à consulter de tiers ni à obtenir l'approbation d'une autre personne.
4. Le propriétaire tient à établir de bons rapports de travail avec les personnes qu'il emploie et à s'assurer la fidélité de ses clients. S'il réussit, la qualité supérieure des services qu'il offre se répercute favorablement sur son chiffre d'affaires.
5. Le propriétaire unique peut bénéficier de certains avantages fiscaux. Ses bénéfices ne sont imposés qu'une fois, ce qui n'est pas le cas des sociétés par actions, comme nous le verrons plus loin.

Les inconvénients de l'entreprise individuelle :

1. Le propriétaire unique est nettement désavantagé dans les cas où l'entreprise nécessite des capitaux énormes. Rares sont ceux qui peuvent recueillir de telles sommes. Voilà pourquoi les grandes entreprises industrielles appartiennent rarement à un seul propriétaire.
2. La poursuite des activités n'est pas assurée dans le cas du décès ou de la retraite du propriétaire. Toutefois, certaines entreprises individuelles ont survécu pendant plusieurs générations, d'autres membres de la famille se succédant à la relève.
3. Le propriétaire unique est responsable de la totalité des dettes de l'entreprise. En effet, il ne jouit pas d'une responsabilité limitée et, en cas de faillite, doit rembourser les dettes. Il peut donc perdre des biens personnels comme sa voiture, son mobilier ou sa maison, car la loi n'établit aucune distinction entre les biens personnels et ceux de l'entreprise.

Nous venons d'apprendre ce qu'est l'entreprise individuelle, ainsi que ses avantages et ses inconvénients. Passons maintenant à la société de personnes.

LA SOCIÉTÉ DE PERSONNES

Société de personnes : entente entre plusieurs personnes dans le but de posséder et d'exploiter une entreprise. Les associés sont solidairement responsables de la totalité des dettes de l'entreprise.

Jean, notre marchand de vers de terre, est tellement prospère qu'il décide de louer un petit immeuble dans une rue voisine et d'y installer le commerce lancé dans son garage. L'entreprise a grandi, et son exploitation exige maintenant plus de capitaux. Jean a besoin de quelqu'un pour partager la responsabilité du loyer et gérer le magasin en son absence. Il en parle à deux amis, qui acceptent de se lancer en affaires avec lui en constituant une société de personnes. Une *société de personnes* est une entreprise dont la propriété et l'exploitation sont partagées entre plusieurs personnes, les associés. En général, ces derniers signent un contrat qui précise l'apport de capital et les responsabilités de chaque associé, de même que le partage des bénéfices. Avocats, médecins, conseillers en gestion et petits détaillants constituent souvent des sociétés de personnes.

Les avantages de la société de personnes :

1. La société peut mobiliser des capitaux plus importants qu'une entreprise individuelle.
2. Comme l'entreprise individuelle, elle n'est pas assujettie à l'impôt. Bien entendu, chaque associé doit payer de l'impôt, mais les bénéfices de l'entreprise ne sont pas imposés.
3. Habituellement, toutes les décisions importantes sont prises par les associés. Les décisions prises sont donc plus mesurées que dans le cas d'une entreprise individuelle.
4. La société de personnes peut profiter des aptitudes et des connaissances particulières de chaque associé, comme en commercialisation, en gestion, en comptabilité, etc. Chacun participe à la réussite de l'entreprise.

Les inconvénients de la société de personnes :

1. La société de personnes manque de continuité. Si l'un des associés décède ou si les associés ne peuvent parvenir à une entente, il se peut que la société soit dissoute.
2. Bien qu'elle puisse mobiliser plus de capitaux qu'une entreprise individuelle, les sommes recueillies demeurent très limitées.
3. La société de personnes ne jouit pas d'une responsabilité limitée, et il s'agit du désavantage le plus sérieux. Chaque associé est entièrement responsable des dettes de l'entreprise, dans toute la mesure de son avoir personnel. Si l'un des associés prend une mauvaise décision au nom de la société, il porte donc atteinte à la sécurité financière des autres.

La société en commandite

Dans une société en commandite, certains associés jouissent d'une responsabilité limitée, mais au moins un associé doit assumer une responsabilité illimitée.

La société en commandite est une version modifiée de la société de personnes. Elle réduit, dans une certaine mesure, les inconvénients associés à la responsabilité illimitée des associés. Dans une société en commandite, certains associés jouissent d'une responsabilité limitée et ne sont responsables qu'à concurrence des sommes investies dans la société. Ils ne participent cependant pas à la gestion de l'entreprise et ne peuvent mener des affaires au nom de celle-ci. Au moins un des associés doit assumer une responsabilité illimitée. La formule de la société en commandite facilite la mobilisation de capitaux, car certains associés jouissent d'une responsabilité limitée. Sachant qu'ils ne perdront, au pire, que leur investissement dans l'entreprise, ces derniers sont plus disposés à participer.

> **Problème :** Pourquoi est-il avantageux, pour la clientèle, qu'un cabinet d'avocats soit constitué en société de personnes?
>
> **Solution :** Dans une société de personnes, chaque associé est entièrement responsable non seulement des dettes qui résultent de ses actes, mais aussi de ceux des autres associés. Si un avocat commet une erreur dans une affaire, il expose les autres aux conséquences. Il tentera donc de prendre les meilleures décisions qui soient. La clientèle profite également de la consultation accrue entre les avocats.

LA SOCIÉTÉ PAR ACTIONS

Notre ami Jean est de retour. La société de personnes qu'il a constituée connaît un grand succès, et certains clients commencent à demander du matériel de pêche. Les associés de l'entreprise décident donc d'élargir les activités, d'ouvrir des magasins dans toute la ville et de vendre, outre vers de terre et autres appâts, du matériel de pêche ainsi que des ouvrages sur la pêche. Ils aimeraient aussi étendre leurs activités aux provinces voisines et avoir un jour une chaîne de magasins à l'échelle du pays.

Dans l'immédiat toutefois, ils veulent s'étendre dans toute la ville et vendre du matériel de pêche en plus des appâts. Pour ce faire, des capitaux importants sont requis. En outre, les associés décident de se consacrer à l'élevage scientifique des vers de terre, ce qui nécessite un matériel très coûteux. S'ils pouvaient convaincre quelques personnes fortunées de participer à la société, ils pourraient probablement se procurer le matériel et les installations nécessaires. Toutefois, il est extrêmement difficile de trouver des gens qui acceptent d'investir des capitaux considérables et d'être entièrement responsables des dettes de l'entreprise. Pour surmonter cet obstacle, Jean et ses associés peuvent créer une société par actions.

Une *société par actions* est une entreprise formée par un groupe de personnes qui jouissent d'une responsabilité limitée. Les associés doivent obtenir l'autorisation de se constituer en société auprès des autorités fédérales ou provinciales. La société peut

Société par actions : entreprise dont les actionnaires jouissent d'une responsabilité limitée.

alors mobiliser des capitaux importants en vendant des parts au public. Les détenteurs d'actions (les actionnaires) sont propriétaires de l'entreprise. Ils élisent un conseil d'administration, lequel embauche les membres de la haute direction. Sur le plan juridique, la société par actions est distincte de ses actionnaires. Elle peut poursuivre et être poursuivie en justice, contracter et être assujettie à l'impôt comme une personne physique. La société par actions est adoptée par la plupart des grandes entreprises. Ces entreprises sont désignées par les mots «société», «limitée» (ltée), «incorporée» (inc.), à l'exemple des suivantes :

> La Société ABC
> Groupe-Conseil inc.
> Éconoservice ltée

Dans les sociétés par actions, les risques sont pris par les actionnaires (les propriétaires) et les décisions, par un gestionnaire salarié qui, parfois, ne détient aucune action. Les bénéfices réalisés sont distribués aux actionnaires sous forme de dividendes. La société peut réinvestir une partie des profits dans l'entreprise, que l'on appelle *bénéfices non répartis* ou *bénéfices non distribués*.

Les avantages de la société par actions :

1. Les capitaux mobilisés sont importants, et les actions de la société se vendent facilement d'une personne à l'autre. Par conséquent, ce type d'investissement est jugé extrêmement intéressant.
2. Ce type d'entreprise bénéficie de la continuité qui manque aux entreprises individuelles et aux sociétés de personnes. Si un actionnaire décède, la société n'est pas affectée.
3. La société par actions a généralement les moyens de se prévaloir des services de spécialistes et peut embaucher chercheurs, économistes, cadres, comptables, avocats et experts de différents domaines. En conséquence, les décisions prises seront généralement sensées.
4. Dans une société par actions, la responsabilité de chaque propriétaire (ou actionnaire) est limitée à son investissement dans l'entreprise. En cas de faillite, la perte ne dépasse pas la somme investie. Il s'agit là du plus grand avantage de la société par actions.

Les inconvénients de la société par actions :

1. Les bénéfices de la société sont imposés deux fois : celle-ci paie de l'impôt sur ses bénéfices avant de les distribuer, et les dividendes des actionnaires sont aussi assujettis à l'impôt.
2. Les propriétaires ne gèrent pas les activités de l'entreprise, et les personnes qui prennent des décisions quotidiennes n'ont pas nécessairement la même motivation que les propriétaires.
3. La société a souvent une telle ampleur qu'il se crée un clivage entre les travailleurs et la direction. Des liens personnels étroits entre le propriétaire et le client s'avèrent donc impossibles.

Problème : Une société de personnes rentable, Les cinéastes de la nuit américaine, considère qu'elle pourrait réaliser des bénéfices beaucoup plus élevés en étendant ses activités. Toutefois, certains investisseurs refusent de devenir associés, car leur responsabilité serait illimitée. Comment l'entreprise peut-elle surmonter cet obstacle?

Solution : La société par actions favorise la mobilisation de capitaux. En outre, les actionnaires jouissent d'une responsabilité limitée; en cas de faillite de l'entreprise, leurs biens ne sont pas en danger. Par conséquent, Les cinéastes de la nuit américaine pourraient trouver suffisamment de capitaux pour étendre leurs activités en constituant une société par actions.

Problème : L'État cherche surtout à accroître ses recettes fiscales. Doit-il favoriser la création de sociétés par actions?

Solution : Les bénéfices de la société par actions sont assujettis à l'impôt de même que les dividendes versés aux actionnaires. L'État favorise donc la création de telles sociétés. Toutefois, il pourrait perdre ces recettes fiscales, car le taux d'imposition maximum des bénéfices des sociétés est inférieur à celui des autres entreprises. L'État doit donc comparer les deux sources d'imposition.

LA COOPÉRATIVE

Coopérative : entreprise dont les membres fournissent les capitaux et touchent des dividendes en fonction de leur clientèle.

Une coopérative est une entreprise que les membres-clients possèdent, financent et gèrent. Les membres partagent les risques et les avantages en fonction de leur clientèle. On constitue une coopérative afin de profiter des avantages de la vente et de l'achat sur une grande échelle. La coopérative ressemble à la société par actions, dont elle est une version modifiée. Elle recueille des capitaux en vendant des actions, et ses actionnaires jouissent d'une responsabilité limitée.

Toutefois, contrairement à la société par actions, où le vote est proportionnel au nombre d'actions, chaque membre de la coopérative jouit d'un seul vote, quel que soit le nombre d'actions qu'il détient. La gestion est donc démocratique. En outre, les dividendes ne sont pas distribués selon le nombre d'actions détenues, mais en fonction des opérations réalisées.

Les types de coopératives

On classe les coopératives selon leurs principaux objectifs. Il existe des coopératives de consommation, de production, de détaillants et de distribution.

Des consommateurs forment une *coopérative de consommation* afin d'exploiter une entreprise qui offre des biens et des services de consommation. Étant donné que les dividendes sont répartis entre les membres en fonction du volume d'activité, c'est-à-dire la clientèle, de chacun, les membres ont avantage à faire affaire avec la coopérative aussi souvent que possible.

Des producteurs forment une *coopérative de production* afin de promouvoir leurs intérêts. Ainsi, des producteurs laitiers ou des exploitants de vergers peuvent fonder une coopérative afin d'améliorer leur rendement respectif.

Les *coopératives de détaillants* et les *coopératives de distribution* visent à profiter des achats et de la commercialisation sur une grande échelle. La coopérative d'achat achète de grandes quantités pour bénéficier de prix plus avantageux, et la coopérative de distribution vend de grandes quantités, afin d'accroître ses bénéfices.

Les avantages de la coopérative

1. La coopérative peut jouir des avantages d'une exploitation à grande échelle. Par exemple, une coopérative de consommation peut acheter à meilleur prix en commandant de grandes quantités et en se prévalant de remises. Une coopérative de production peut créer et exploiter un réseau de distribution de ses produits, lequel s'avérera moins coûteux que si les membres ont chacun leur réseau.
2. Les gestionnaires et les clients d'une coopérative oeuvrent généralement de concert pour assurer le succès de l'entreprise.

Les inconvénients de la coopérative

1. La coopérative recrute rarement des gestionnaires compétents hors de ses rangs.
2. Les activités de la coopérative peuvent être gênées par l'impossibilité de recueillir des capitaux importants. En effet, seules les personnes ayant l'intention de faire affaire avec la coopérative ont un intérêt à acheter des actions de cette dernière. Par ailleurs, les membres acceptent rarement d'investir des capitaux supplémentaires, étant donné que les dividendes ne sont pas distribués selon l'investissement, mais en fonction de la clientèle.
3. Le caractère très démocratique de la coopérative peut entraver la prise de décisions. Il se peut les membres manquent d'information pour voter à bon escient sur des enjeux importants.

Les coopératives au Canada

En 1984, 3 316 coopératives existaient au Canada, dont 800 (25 %) au Québec. Le Québec comptait le plus grand nombre de coopératives de distribution et de coopératives de détaillants. Les coopératives sont populaires aussi en Saskatchewan et en Alberta. Le tableau 7.1 présente des données sur les coopératives au Canada.

TABLEAU 7.1
Coopératives selon la
région (1984)

Région	Nombre de coopératives	Chiffre d'affaires total (M $)
Provinces atlantiques	345	842,0
Québec	838	2 588,3
Ontario	311	1 065,5
Provinces des Prairies et Colombie-Britannique	1 822	10 441,7
TOTAL (Canada)	3 316	14 937,4

Source : Statistiques Canada, *Annuaire du Canada* (1988)

Problème : Vous voulez lancer un nouveau produit sur le marché, et pour ce faire, n'avez pas besoin de capitaux importants. Quelle forme d'entreprise devriez-vous mettre sur pied?

Solution : Vous devriez créer une entreprise individuelle. Les démarches d'ordre juridique ne sont pas nécessaires, et les frais de lancement, minimes. Si votre entreprise est couronnée de succès après un certain temps, vous pourrez envisager une autre forme de constitution.

LE FINANCEMENT DES ENTREPRISES

À titre d'étudiant en économique, il vous serait utile de posséder quelques notions de financement des entreprises. Le mode de financement adopté dépend de la forme d'entreprise.

On a vu qu'une entreprise individuelle est financée par son propriétaire, lequel assume la totalité des frais d'exploitation. Une société de personnes est financée de façon analogue, mais les associés se partagent les dépenses. Lorsque l'entreprise commence à être rentable, les bénéfices peuvent servir à financer une expansion et d'autres investissements.

Les sociétés par actions peuvent se financer grâce à leurs bénéfices non répartis, à des emprunts ou à des capitaux propres.

Contrairement à l'entreprise individuelle et à la société de personnes, la société par actions dispose d'un certain nombre de moyens de financement. D'abord, elle peut s'autofinancer en réinvestissant les bénéfices après impôt plutôt qu'en les distribuant. Ces bénéfices non répartis constituent la principale source de capitaux des entreprises.

L'émission d'obligations

La société par actions peut aussi assurer son financement en émettant des obligations. Une *obligation* est un certificat émis par l'État ou par une société, en vertu duquel des intérêts sont versés périodiquement (annuellement ou semestriellement, par exemple) jusqu'à l'échéance. L'émetteur (l'emprunteur) s'engage à verser au détenteur du certificat (le prêteur) la pleine valeur nominale indiquée, lorsque l'obligation est échue. Si vous achetez une obligation de 1 000 $ émise par une société qui s'engage à verser 100 $ par année pendant 5 ans, la société vous emprunte 1 000 $. En échange, vous recevrez 100 $ par année pendant 5 ans, plus la valeur nominale de 1 000 $ lorsque l'obligation est échue, soit dans 5 ans.

Toutefois, si la société avait prévu un rendement de 15 %, mais que celui-ci n'est que de 8 %, elle est tenue de verser la somme prévue par l'obligation. Les versements ne dépendent pas des bénéfices de la société. Si cette dernière manque à ses engagements, elle s'expose à des poursuites judiciaires et aux mesures prévues par la loi.

Le crédit bancaire

En troisième lieu, une société peut emprunter auprès d'une banque ou d'un autre établissement financier. Les deux parties négocient les modalités de l'emprunt. D'une façon générale, les entreprises utilisent les obligations pour obtenir des capitaux à long terme, tandis que le crédit bancaire est généralement consenti à plus court terme : pour un maximum de trois ans et, le plus souvent, pour moins d'un an. Le taux d'intérêt que la société doit payer dépend en grande partie de l'évaluation, par l'établissement prêteur, du niveau de risque associé à l'entreprise.

L'émission d'actions

Enfin, une société peut émettre des actions. Lorsque vous achetez des actions d'une entreprise, vous en devenez co-propriétaire. À ce titre, vous avez droit à une part des bénéfices, mais vous vous exposez aussi à participer aux pertes qui peuvent être encourues.

Les capitaux mobilisés à la faveur de l'émission d'obligations ou d'emprunts bancaires sont appelés *capitaux empruntés*; le produit de la vente d'actions s'appelle les *capitaux propres*.

LA SPÉCIALISATION

La spécialisation peut consister à concentrer l'activité sur une tâche donnée ou une occupation particulière.

L'existence de sociétés par actions permet la production à grande échelle. L'efficacité des grandes entreprises provient entre autres du fait qu'elles peuvent exploiter les avantages de la spécialisation, laquelle se présente sous deux formes : la spécialisation par occupation et la spécialisation par tâche.

La *spécialisation par occupation* est celle que pratique une personne qui se spécialise dans un métier ou une profession, au lieu de se lancer dans diverses activités disparates (la généralisation). Elle est celle que pratique notamment plombiers, agriculteurs, enseignants, sculpteurs et médecins.

On parle de *spécialisation par tâche* lorsque la production d'un bien est divisée en plusieurs tâches lesquelles sont confiées à des travailleurs différents. La description d'Adam Smith de la fabrication d'une épingle illustre si clairement cette notion que nous reproduisons intégralement le passage en question.

> Un homme tire le fil, un autre le redresse, un troisième le coupe, un quatrième en meule le dessus qui recevra la tête; la fabrication de la tête exige deux ou trois opérations distinctes; la poser est une tâche particulière, blanchir les aiguilles, une autre; mettre les aiguilles dans le papier est un métier particulier. Ainsi, l'importante activité qui consiste à fabriquer une épingle se subdivise en quelque 18 opérations distinctes qui, dans certaines usines, sont exécutées par des mains différentes alors que dans d'autres, un même homme en exécutera deux ou trois.*

La production à la chaîne des constructeurs automobiles constitue un exemple classique de la spécialisation par tâche.

La spécialisation accroît la productivité.

Les avantages de la spécialisation   Les avantages de la spécialisation sont nombreux. Prenons deux personnes : Simon et Diana. Simon est un bon pêcheur, mais un mauvais chasseur, alors que Diana chasse assez bien, mais prend peu de poisson.

1. De toute évidence, la production combinée de ces deux personnes sera plus élevée si Simon concentre ses efforts (c'est-à-dire se spécialise) sur la pêche, et Diana, sur la chasse, plutôt que si chacun s'adonne à la chasse

---

*   Adam Smith, *La richesse des nations*

et à la pêche. En général, la spécialisation permet aux gens de choisir les emplois qui leur conviennent le mieux.

2. La spécialisation épargne du temps. Un travailleur doit consacrer un certain temps à l'apprentissage d'une nouvelle tâche, même s'il est exceptionnellement doué. Il faut aussi un certain temps pour passer d'un ensemble d'outils à un autre. La spécialisation élimine ces délais.

3. La spécialisation maximise l'emploi des machines. Sans spécialisation, les outils et le matériel resteraient inactifs pendant de longues périodes. Par exemple, si Diana et Simon ne se spécialisent pas, il est évident que, pendant que Diana chasse, son matériel de pêche est inutilisé, comme l'est son matériel de chasse, quand elle pêche. Il en va de même pour Simon. Sur le plan économique, il n'est pas logique, par exemple, que chaque agriculteur possède son propre moulin, qui restera inactif la plupart du temps, étant donné que la production de la farine peut être assurée sans interruption par une minoterie.

4. En répétant continuellement une tâche précise, un opérateur acquiert une dextérité qui accroît son efficacité. En outre, sa connaissance générale de sa tâche augmente probablement au fur et à mesure qu'il l'exerce.

Les inconvénients de la spécialisation   Il ne fait nul doute que la spécialisation a largement contribué à l'accroissement de la productivité. Néanmoins, elle comporte certains inconvénients.

1. La spécialisation restreint le champ de compétence des travailleurs. Ceux-ci acquièrent la dextérité nécessaire à l'exécution de leur tâche, mais leur compétence est limitée dans d'autres domaines.

2. Les travailleurs qui exécutent indéfiniment la même tâche, jour après jour, souffrent d'ennui. Ils n'ont guère l'occasion de faire preuve de créativité car, après un certain temps, la tâche ne comporte plus aucun défi. Les travailleurs à la chaîne se plaignent souvent de n'être que des machines.

3. La spécialisation nécessite une certaine interdépendance. Dans le cas de Diana et de Simon, si chacun se spécialise, Diana doit pouvoir compter sur Simon pour lui procurer du poisson, tandis que Simon s'adressera à Diana pour sa viande. Chacun perd ainsi une partie de son indépendance.

Malgré ces inconvénients, on peut s'attendre à ce que la spécialisation reste un aspect fondamental de la production industrielle.

L'EMPLACEMENT INDUSTRIEL

Le principal déterminant de l'emplacement industriel est le coût de revient.

Nous avons étudié les divers types d'entreprises, les avantages et les inconvénients de chacun, les modes de financement possible et la spécialisation de la production. Toutefois, il peut arriver qu'une entreprise ait la structure appropriée et qu'elle soit convenablement financée, mais que son emplacement l'empêche de prospérer. En effet, la réussite d'une entreprise dépend grandement de son emplacement. C'est pourquoi il importe de comprendre l'importance de l'emplacement industriel.

Le choix de l'emplacement industriel dépend surtout des coûts. Un processus de production comporte trois éléments distincts : le coût des matières premières, celui de la fabrication elle-même et celui de la distribution du produit. Ces trois éléments déterminent en grande partie le lieu d'implantation d'une entreprise. Dans les sections suivantes, nous allons examiner divers facteurs qui déterminent le choix de l'emplacement.

Le choix de l'emplacement industriel

La provenance des matières premières, la disponibilité d'eau, de carburant, d'électricité, etc., les moyens de transport, la main-d'oeuvre disponible, la population et le contexte politique déterminent le lieu d'implantation d'une entreprise.

Souvent, les entreprises s'installent à proximité de la source des matières premières que leur production requiert. Cette considération importe grandement, surtout quand le procédé de fabrication entraîne une grande différence de poids entre la matière première et le produit fini. C'est pourquoi les scieries se trouvent le plus souvent à proximité des forêts, et les usines de poisson, près de l'océan.

Certaines usines grandes consommatrices d'eau, de carburant ou d'électricité préféreront s'installer là où ces ressources sont disponibles à un prix modique. On ne s'attend généralement pas à trouver une usine de papier qui consomme de grandes quantités d'eau à un endroit où l'approvisionnement de cette ressource est insuffisant. De même, une brasserie s'installera rarement à un endroit où la qualité de l'eau est médiocre. Pour beaucoup d'usines, la disponibilité de carburant et d'électricité revêt aussi une grande importance dans le choix du lieu d'implantation.

Très souvent, les matières premières doivent être transportées à l'usine, et la production de presque toutes les entreprises doit être expédiée aux utilisateurs. Par conséquent, le transport joue un rôle important dans le choix du lieu d'implantation des usines, notamment des routes, des chemin de fer, des voies fluviales et des services aériens adéquats.

La disponibilité de main-d'oeuvre est également un facteur déterminant. Les entreprises qui ont besoin d'effectifs importants préféreront un endroit où la main-d'oeuvre est abondante et peu coûteuse. Dans certains cas, l'entreprise a besoin de travailleurs ayant des connaissances spécialisées. Si elle peut les trouver à un endroit particulier, elle décidera souvent de s'y installer.

D'autres entreprises encore sont situées à proximité de leurs principaux marchés. C'est le cas des banques, des boulangeries, des épiceries et des salons de beauté qui se trouvent tout près de leur clientèle. Le choix du lieu d'implantation d'une entreprise dépend aussi de l'attitude du secteur public envers l'activité industrielle. Une fiscalité particulièrement onéreuse, par exemple, peut décourager l'implantation de certaines entreprises dans certaines régions, tandis qu'une fiscalité avantageuse peut les attirer.

Enfin, quand tous les autres facteurs sont favorables, le climat politique peut aussi être pris en considération. L'incertitude politique, la crainte de nationalisation ou des charges fiscales importantes peuvent décourager l'implantation des entreprises, voire encourager les entreprises existantes à déménager, au profit de régions où le régime fiscal est plus avantageux.

Problème :   Désireuse de combattre la pauvreté, la province d'Esperanza fixe le salaire minimum à un niveau nettement supérieur à celui des autres provinces. La mesure aura-t-elle des répercussions sur l'emplacement industriel?

Solution :   Le coût de la main-d'oeuvre est un facteur important dans le choix du lieu d'implantation des entreprises. Toutes autres choses étant égales, les entreprises préfèrent les régions où les coûts de main-d'oeuvre sont les plus bas. Celles qui emploient beaucoup de travailleurs rémunérés au salaire minimum sont portées à éviter la province où le salaire minimum est le plus élevé, à moins que d'autres facteurs favorables ne compensent cet inconvénient.

RÉSUMÉ DU CHAPITRE

1. Les principaux types d'entreprises sont l'entreprise individuelle, la société de personnes et la société par actions. L'entreprise individuelle a un propriétaire unique qui gère l'entreprise, en recueille les fruits et assume les pertes. Le propriétaire d'une entreprise individuelle est intégralement responsable de la totalité des dettes de l'entreprise et il peut perdre tous ses biens personnels, si l'entreprise fait faillite.
2. Dans la société de personnes, plusieurs personnes sont propriétaires de l'entreprise et en assurent l'exploitation. Comme le propriétaire d'une entreprise individuelle, les associés d'une société de personnes sont personnellement responsables des dettes de l'entreprise. Dans la société en commandite, une variante de la société de personnes, la responsabilité de certains associés est limitée.
3. Dans la société par actions, un groupe de personnes (les actionnaires) s'entendent pour exploiter une entreprise. La

responsabilité des actionnaires est limitée et, sur le plan juridique, la société est considérée comme une personne morale, distincte de ses propriétaires.

4. La coopérative appartient à ses membres, dont chacun n'a qu'une voix. Ce type d'entreprise verse des dividendes à ses membres au prorata de la clientèle de chacun. Il existe des coopératives de consommateurs, de producteurs, d'achat et de commercialisation.

5. Les entreprises individuelles et les sociétés de personnes sont essentiellement financées au moyen des fonds que les propriétaires mobilisent ou des bénéfices que l'entreprise réalise.

6. Les sociétés par actions assurent leur financement à la faveur de bénéfices non répartis, de vente d'obligations, d'emprunts bancaires ou de l'émission d'actions. Les sommes en provenance des appels publics à l'épargne ou des emprunts bancaires s'appellent capitaux empruntés, tandis que celles qui proviennent de l'émission d'actions sont des capitaux propres.

7. Il existe deux types principaux de spécialisation : par occupation et par tâche. Généralement, les avantages de la spécialisation compensent très largement les inconvénients.

8. Parmi les éléments susceptibles d'influer sur le choix du lieu d'implantation d'une entreprise de production, on compte la proximité des matières premières, la disponibilité d'eau, de carburant et d'électricité, le transport, la disponibilité de main-d'oeuvre, le marché et les charges fiscales.

Termes et notions à retenir

entreprise individuelle
société de personnes
société en commandite
société par actions
coopérative
responsabilité limitée
spécialisation (par
  occupation, par tâche)

obligations
capitaux empruntés
capitaux propres
actionnaire
dividendes
bénéfices non répartis
  (ou non distribués)

Questions de révision et de discussion

1. Les petites entreprises individuelles bénéficient de certains avantages économiques. Lesquels? Nommez des domaines où les entreprises individuelles peuvent prospérer.

2. Quels sont les principaux avantages et inconvénients de l'entreprise individuelle?

3. Quels sont les avantages et inconvénients de la société de personnes?
4. Pour quelle raison un groupe de personnes peut-il vouloir créer une société de personnes?
5. Qu'est ce qu'une société en commandite? Quels en sont les avantages?
6. Expliquez les avantages et les inconvénients de la société par actions.
7. Quels sont les moyens dont dispose une société par actions pour mobiliser des capitaux? Commentez chaque moyen.
8. Quelle différence y a-t-il entre les capitaux empruntés et les capitaux propres.
9. Quels sont les avantages et les inconvénients de la coopérative?
10. Quelle différence y a-t-il entre :
    (a) une coopérative de consommateurs et une coopérative de producteurs?
    (b) une coopérative d'achat et une coopérative de commercialisation?
11. Quelle différence y a-t-il entre la spécialisation par occupation et la spécialisation par tâche?
12. Indiquez certains avantages et inconvénients de la spécialisation.
13. «Le contexte politique est un élément important du choix de l'emplacement industriel». Élaborez.
14. Quels sont les principaux déterminants des entreprises industrielles?

Problèmes et exercices

1. Quel type d'entreprise vous semble le plus approprié pour :
   (a) un kiosque à journaux
   (b) une petite confiserie
   (c) une entreprise de confection de vêtements pour hommes à grande échelle
   (d) un modeste cabinet de comptables
   (e) une chaîne d'hôtels
   (f) une entreprise construisant des ordinateurs pour les marchés mondiaux
   Justifiez chaque choix.
2. Vous touchez actuellement un salaire annuel de 75 000 $ et possédez des actions de Bell Canada. Préférez-vous que Bell vous verse des dividendes annuels ou qu'elle réinvestisse ses bénéfices?
3. À quel type d'entreprise les situations suivantes s'appliquent-elles vraisemblablement le plus?

(a) Vous investissez 50 000 $ de votre propre argent pour lancer une entreprise et embauchez trois personnes qui travailleront pour vous.

(b) Vous vous entendez avec un ancien camarade de classe pour investir 50 000 $ chacun dans une entreprise que vous allez créer et vous entendez également vous partager les bénéfices. Vous gérez l'entreprise avec votre camarade et embauchez dix employés.

(c) Vous investissez 50 000 $ de votre propre argent et empruntez à une amie 20 000 $ pour lancer une entreprise. Vous gérez l'entreprise et embauchez cette amie ainsi que cinq autres employés.

(d) Vous discutez d'une idée commerciale avec quatre amis. L'idée leur plaît, et vous vous entendez tous les cinq pour demander au gouvernement fédéral l'autorisation de constituer une entreprise. Pour mobiliser les capitaux, vous vendez 500 actions à 200 $ chacune. Vous gérez l'entreprise et embauchez dix employés.

(e) Croyant que les prix pratiqués par la librairie du collège ou de l'université sont indûment élevés, vous convoquez une réunion des étudiants. Pendant la réunion, vous vous entendez pour créer une association dont les membres seront les étudiants qui auront payé 50 $ de droits d'inscription. Avec l'argent recueilli, vous mettez sur pied la librairie Étudiantine qui vendra des livres aux étudiants membres. Pour exploiter la librairie, vous employez des membres de l'association.

4. Une entreprise commerciale peut se procurer des capitaux en empruntant ou en procédant à une émission d'actions. Dans chacun des cas suivants, utilisez la lettre E s'il s'agit de capitaux empruntés, et la lettre P, s'il s'agit de capitaux propres.

(a) L'entreprise émet 1 000 actions à 50 $ chacune

(b) L'entreprise vend des obligations à échéance de dix ans d'une valeur de 2 000 000 $.

(c) L'entreprise emprunte 50 000 $ à une banque et donne son immeuble en garantie.

(d) Le propriétaire de l'entreprise emprunte 10 000 $ à un ami, auquel il s'engage à payer 10 % d'intérêt par an.

5. Expliquez comment vous vous y prendriez pour créer un magasin à rayons fonctionnant comme une coopérative. Que feriez-vous pour convaincre les gens d'en devenir membres?

6. Choisissez quatre entreprises de votre région ou de votre province et expliquez pourquoi elles ont choisi l'endroit où elles se trouvent.

ANNEXE
LE SYSTÈME
FINANCIER

INTRODUCTION

Le système financier constitue un aspect important de notre économie. Au présent chapitre, nous étudierons les fonctions de celui-ci, en plus d'examiner le rôle des diverses institutions financières au Canada et au Québec.

LE SYSTÈME FINANCIER

Les fonctions du système financier

Les agents économiques ne peuvent pas toujours équilibrer leurs revenus et leurs dépenses. Certains ménages réussissent à épargner, alors que d'autres empruntent en recourant au crédit, et il en est de même des entreprises et des divers ordres de gouvernement. Les agents économiques sont donc à la fois emprunteurs et épargnants. Par conséquent, l'objectif premier de tout système financier consiste à canaliser l'épargne de l'économie et d'en assurer la redistribution.

Le second rôle du système financier est d'assurer le bon fonctionnement du *système des paiements*. Le système des paiements est l'ensemble des accords institutionnels qui permettent le paiement des transactions entre les agents économiques. Généralement, ces mécanismes reposent sur la monnaie.

Les marchés

On distingue les marchés primaire, secondaire et monétaire des capitaux.

Il importe de différencier les divers types de marchés qui existent au sein du système financier. Le *marché monétaire* comprend les titres à courte échéance (généralement inférieure à un an), et le *marché des capitaux* désigne les transactions à plus long terme. Le marché monétaire est un instrument privilégié sur lequel reposent les politiques de la Banque du Canada; il sert également à combler les besoins financiers des entreprises.

On parle également de *marché primaire* et de *marché secondaire*. Le premier est lié au secteur réel de l'économie et s'applique à la transaction initiale d'un titre. Il s'agit donc du financement d'une dépense du secteur non financier. Le second tient compte des transactions subséquentes du titre, lesquelles sont réalisées à l'aide d'intermédiaires financiers. Examinons ces derniers.

LES INTERMÉDIAIRES FINANCIERS

Les intermédiaires financiers ou institutions financières comprennent les banques à charte, les caisses populaires et de crédit, les sociétés de fiducie, les sociétés de prêts hypothécaires, les compagnies d'assurances et les courtiers en valeurs mobilières. Ces institutions n'offrent pas les mêmes services. En effet, certaines (banques à charte et caisses populaires) acceptent des dépôts et octroient de prêts, tandis que d'autres (compagnies d'assurances et sociétés de placement) offrent des services.

Les banques à charte*

Les banques à charte sont la pierre angulaire du système financier canadien. À l'origine, les banquiers répondaient essentiellement aux besoins des entreprises en accordant des prêts commerciaux, et la loi leur interdisait de consentir des prêts personnels. Elles n'ont acquis ce droit qu'en 1953 et de nos jours, elles offrent une vaste gamme de services (octroi de prêts, compte-chèques et d'épargne, règlement de factures, etc.)

La structure bancaire canadienne est un système de banques à succursales multiples, qui diffère grandement du système sans succursales qui prévaut aux États-Unis, où l'on compte plusieurs milliers de banques indépendantes sans succursales.

La loi qui régit les banques à charte canadiennes est une loi fédérale connue sous le nom de Loi sur les banques. En 1980, une révision de la loi a autorisé les banques étrangères à exercer leurs activités au Canada. Celles-ci portent le nom de *banques de l'annexe B*, tandis que les banques canadiennes déjà constituées lorsque la loi a été révisée ont été classées dans les *banques de l'annexe A*.

On compte aujourd'hui 54 banques étrangères au Canada, dont quinze appartiennent à des intérêts américains, dix, à des intérêts japonais et quatre, à des intérêts français. L'actif de ces banques dépasse 50 milliards de dollars. Le tableau 7A.1 montre les principales banques à charte en 1989 ainsi que leur actif.

La plus grande partie des fonds des banques à charte provient des dépôts des clients. À la fin de 1990, ces dépôts s'élevaient à 202,2 milliards de dollars, soit 68 % du total des dépôts en dollars canadiens. Les dépôts à terme et à préavis autres que de particu-

La loi sur les banques régit les activités des banques à charte au Canada.

---

*   Le lecteur est invité à consulter *Économie globale* (Beauchemin) pour une analyse plus détaillée du rôle des banques à charte au sein du système financier canadien.

liers constituent la seconde source en importance et représentent 68,3 milliards de dollars, ou 23 % du total. Les prêts de toute sorte (personnels, hypothécaires, commerciaux) constituent évidemment la principale utilisation des fonds des banques à charte.

ILLUSTRATION 7A.1
Actif des banques à charte au 28 février 1988

Banque	Actif (M $)
Banque Royale du Canada	111 663 340
Banque Canadienne Impériale de Commerce	96 647 804
Banque de Nouvelle-Écosse	77 793 553
Banque de Montréal	77 501 474
Banque Toronto-Dominion	62 306 289
Banque Nationale du Canada	31 663 335
Banque Laurentienne du Canada	4 848 781
Banque Commerciale de l'Ouest	504 299
TOTAL des banques canadiennes	462 928 875
Banques étrangères	50 072 422

Source : *La Gazette officielle du Canada*, partie 1, Ottawa, le 22 avril 1989.

Les caisses d'épargne et de crédit

La première caisse populaire a été fondée en 1901 par Alphonse Desjardins, à Lévis. Le but de cette coopérative d'épargne était de faire fructifier l'épargne des ménages québécois et de permettre à ces derniers d'accéder au crédit à des taux d'intérêt raisonnables. Malgré des débuts difficiles, le Mouvement des caisses populaires et d'économie Desjardins compte à l'heure actuelle quelque 1 340 caisses regroupées en onze fédérations régionales. Il emploie plus de 27 000 personnes, et son actif excède 40 milliards de dollars.

Les caisses populaires jouent un rôle important dans le système financier québécois.

Le Mouvement Desjardins offre maintenant un vaste éventail de services financiers allant de l'assurance-vie aux services de fiducie. Le Mouvement occupe la première place au Québec en matière de prêts hypothécaires (45 % du marché), et accroît continuellement sa présence sur le marché des prêts personnels, lequel est dominé par les banques à charte. En 1990, les caisses populaires disposaient de plus de 50 % de l'épargne personnelle des ménages québécois, contre moins de 20 % il y a quarante ans.

À l'instar des caisses de crédit, les caisses populaires sont régies par les provinces. Les caisses de crédit sont le pendant des caisses populaires dans les autres provinces canadiennes, et on en compte au delà de 2 000. Les fonds des caisses populaires et de crédit proviennent principalement des dépôts et de l'avoir des membres (tableau 7A.2). À la fin de 1990, le passif-dépôts de ces institutions s'élevait à 62,9 milliards de dollars à l'échelle du Canada, et l'avoir des membres représentait 4,6 milliards de dollars supplémentaires.

Les fonds des caisses populaires et de crédit sont surtout appliqués à l'octroi de prêts hypothécaires et personnels. En 1990, les prêts hypothécaires ont totalisé plus de 32,4 milliards de dollars.

ILLUSTRATION 7A.2

Actif et passif des caisses populaires et des caisses de crédit (1990)

Composante	Montant (M $)
ACTIF	
Encaisse et dépôts à vue	5 911
Dépôts à terme	6 957
Titres du gouvernement canadien	212
Titres provinciaux et municipaux	192
Participation au capital social des centrales	442
Prêts personnels	10 367
Prêts hypothécaires	36 487
Autres éléments de l'actif	11 799
TOTAL de l'actif	72 367
PASSIF	
Emprunts	2 237
Dépôts	62 850
Autres éléments du passif	2 661
Avoir propre	4 618
TOTAL du passif	72 367

Source : *Revue de la Banque du Canada*

Les sociétés de fiducie et de prêts hypothécaires

Au moment de leur création, les sociétés de fiducie (*trusts*) étaient confinées par la loi aux rôles d'exécuteur testamentaire et d'administrateur. Elles pouvaient également consentir des prêts hypothécaires. De nos jours, elles exercent les mêmes activités que les banques, en plus de conserver leur monopole des services fiduciaires.

La très grande partie de leurs fonds provient des dépôts à terme et d'épargne, comme le montre le tableau 7A.3. À la fin de 1990, les dépôts à terme s'élevaient à 93,4 milliards de dollars. Quant à l'utilisation des fonds, les prêts hypothécaires représentaient 64,8 % de l'actif, ou 87,2 milliards de dollars.

Les compagnies d'assurances

Les compagnies d'assurances recueillent l'épargne des ménages canadiens en échange d'un service et, contrairement aux institutions financières étudiées jusqu'à présent, leur objectif principal n'est pas de prêter les sommes amassées. Les Québécois ont la

ILLUSTRATION 7A.3
Actif et passif des
sociétés de fiducie et de
prêts hypothécaires au
Canada (1990)

ACTIF	Montant (M $)
Encaisse	1 322
Dépôts à terme	787
Effets à court terme et acceptations bancaires	5 912
Obligations canadiennes	3 779
Prêts hypothécaires	87 225
Bons du Trésor du gouvernement canadien	6 966
Prêts personnels	8 164
Autres prêts	6 284
Contrats de crédit-bail	2 479
Actions canadiennes	5 788
Autres éléments de l'actif	5 762
TOTAL de l'actif	134 468
PASSIF	
Dépôts d'épargne	27 114
Dépôts à terme	93 407
Emprunts et découverts bancaires	551
Billets à ordre	1 171
Autres éléments du passif	5 675
Avoir propre des actionnaires	6 551

Source : *Revue de la Banque du Canada*

Les Québécois appliquent une partie importante de leur revenu disponible à l'achat de contrats d'assurances.

réputation de s'assurer beaucoup, et les 9,4 milliards de dollars versés en primes en 1990 en témoignent. Les Québécois consacrent 8,8 % de leur revenu disponible à des contrats d'assurances. En 1990, on dénombrait 433 compagnies d'assurances en exploitation au Québec, bien que seulement un petit nombre dominent le marché (La Laurentienne, le Groupe Commerce, Desjardins, la Sun Life, l'Industrielle et la Métropolitaine).

Les courtiers en valeurs mobilières

Les courtiers en valeurs mobilières servent d'intermédiaires entre les épargnants et les investisseurs, et s'occupent de financement direct. Ainsi, lorsqu'une société cherche à financer ses activités en émettant des actions, elle a recours aux services d'un courtier en valeurs mobilières. Une fois émises, les actions peuvent se transiger sur le marché secondaire qu'est la *Bourse*.

La Caisse de dépôt et de placement du Québec (CDPQ)

La Caisse de dépôt et de placement du Québec a été mise sur pied en 1965. Sa mission consiste à gérer les fonds qui lui sont confiés tout en favorisant le développement économique du Québec. En fait, la CDPQ ne recueille pas directement l'épargne des Québécois, mais reçoit et gère les fonds de divers organismes, notamment le Régime des rentes du Québec, sa principale source de fonds, ainsi que le Fonds de pension des fonctionnaires, la Régie de l'assurance-automobile, la Commission de la santé et de la sécurité au travail et la Commission de la construction.

La Caisse de dépôt et de placement du Québec est une composante importante du système financier canadien.

Au fil des ans, la CPDQ est devenue un joueur important de l'échiquier financier canadien. En 1990, ses placements atteignaient 35,5 milliards de dollars, et ses actions, 12,3 milliards de dollars, ce qui lui conférait le titre de premier acheteur et vendeur d'actions au Canada. La répartition des placements de la CDPQ est présentée au tableau 7A.4. En 1990, les obligations, qui totalisaient 17 7 milliards de dollars, occupaient une place importante dans son portefeuille, de même que les émissions du gouvernement du Québec, qui se chiffraient à 14,9 milliards de dollars.

ILLUSTRATION 7A.4
Répartition des placements de la Caisse de dépôt et de placement du Québec (au 31 décembre 1990)

Type de placement	Montant (M $)	Répartition en pourcentage du total (%)
Obligations	17 700	49,9
Actions	12 300	34,6
Hypothèques	2 000	5,6
Immobilier	1 800	4,8
Valeurs à court terme	1 800	5,1
Total	35 500	100,0

Source : *La Presse*, le lundi 27 mai 1991

RÉSUMÉ DU CHAPITRE

1. Les deux rôles du système financier sont de canaliser et de redistribuer l'épargne, et d'assurer le bon fonctionnement du système des paiements.
2. Les intermédiaires financiers comprennent les banques à charte, les caisses populaires et de crédit, les sociétés de fiducie, les sociétés de prêts hypothécaires, les compagnies d'assurances et les courtiers en valeurs mobilières.
3. Les banques à charte sont régies par la Loi sur les banques. On distingue les banques de l'annexe A et celles de l'annexe B (les banques étrangères).
4. Les dépôts des clients constituent la principale source de fonds des banques à charte, qui utilisent les fonds principalement pour accorder des prêts.

5. Les caisses populaires ont été fondées en 1901 par Alphonse Desjardins. Elles encouragent l'épargne et consentent des prêts à leurs membres à un taux d'intérêt raisonnable.
6. Les dépôts et l'avoir des membres constituent les principales sources de fonds des caisses populaires. Les fonds servent surtout à accorder des prêts.
7. Les dépôts à terme constituent la principale source de fonds des sociétés de fiducie et des sociétés de prêts hypothécaires.
8. Le Québec compte 433 compagnies d'assurances en exploitation. En 1990, les Québécois ont versé 9,4 milliards de dollars à ces institutions.
9. La Caisse de dépôt et de placement du Québec gère les fonds qui lui sont confiés, tout en favorisant le développement économique du Québec.

Termes et notions à retenir

système des paiements	intermédiaire financier
marché primaire	Loi sur les banques
marché secondaire	caisse populaire
marché des capitaux	société de fiducie
marché monétaire	société de prêts hypothécaires
banque à charte	

Questions de révision et de discussion

1. Quels sont les éléments constituants du système financier?
2. Distinguez les divers intermédiaires financiers.
3. Qu'est-ce qui distingue le marché primaire du marché secondaire?
4. Expliquez la différence entre les banques de l'annexe A et celles de l'annexe B.
5. Quelles sont les principales sources de fonds des banques à charte? Des caisses populaires?
6. Comment les caisses populaires utilisent-elles leurs fonds?
7. Qu'est-ce qu'un société de fiducie?
8. Discutez l'affirmation suivante : «Les Québécois consacrent une partie importante de leur budget aux primes d'assurances, et cet argent pourrait être utilisé à un meilleur dessein.»
9. D'où proviennent les fonds de la Caisse de dépôt et de placement du Québec? Compte tenu de sa mission, croyez-vous que sa politique de placement soit appropriée?

LA THÉORIE
DE LA
PRODUCTION

> L'hypothèse selon laquelle les résultats des méthodes indirectes sont supérieurs à ceux des méthodes directes est l'une des plus importantes de la théorie de la production.
> Eugen von Bohm-Bawerk, *Positive Theory of Capital*

INTRODUCTION

L'entreprise transforme les intrants en extrants.

L'entreprise produit des biens et des services. Il peut s'agir de biens de consommation et de services, comme des fours à micro-ondes et des services bancaires, ou d'intrants utilisés par d'autres entreprises, comme l'acier et les briques. L'entreprise peut être constituée en entreprise individuelle, en société de personnes, en société de capitaux ou en coopérative, et fabriquer de nombreux produits. Au présent chapitre, afin d'étudier les principes de la production, nous supposerons qu'un seul produit est fabriqué, comme des logiciels ou des albums de photos. L'entreprise achète des facteurs de production (intrants), les transforme en extrants à la faveur d'un procédé de production, puis les vend à d'autres entreprises ou aux consommateurs. Au chapitre 6, on a vu que le consommateur ou le ménage prend les décisions relatives à la consommation. Par contre, les décisions relatives à l'entreprise relèvent du propriétaire ou du gestionnaire salarié. Le propriétaire a toutefois le dernier mot, car il prend tous les risques.

LES OBJECTIFS DE L'ENTREPRISE

La théorie économique suppose que l'entreprise veut maximiser ses bénéfices.

Pour analyser le comportement de l'entreprise et prévoir ses réactions dans diverses circonstances, on doit définir clairement les objectifs de cette dernière. La théorie économique suppose que l'entreprise veut maximiser ses profits (bénéfices). Ces derniers désignent la différence entre le revenu (le produit des ventes) et les coûts.

$$\pi = RT - CT$$

où π désigne les bénéfices, RT, le revenu total, et CT, le coût total.

Certains ont rejeté l'hypothèse de la maximisation des bénéfices et soutiennent que l'entreprise peut avoir d'autres objectifs. Ils reconnaissent que l'entreprise doit réaliser assez de bénéfices pour rémunérer ses propriétaires, mais par la suite, elle vise à maximiser ses ventes, son image de marque, de même que la satisfaction et le bien-être général des consommateurs. Certains ont également suggéré que l'entreprise, en voulant atteindre ces

L'entreprise vise également à maximiser ses ventes, son image de marque et le bien-être des consommateurs.

objectifs, prenait des chemins détournés afin de maximiser ses bénéfices à long terme. En dépit de ces critiques, on suppose que cette hypothèse est vraie. Cette dernière a permis aux économistes d'analyser et de prévoir le comportement des entreprises avec un certain succès.

> **Problème :** Si l'entreprise vise seulement à maximiser ses bénéfices, fera-t-elle preuve de discrimination sexuelle ou ethnique lors de l'embauche de travailleurs?
>
> **Solution :** L'entreprise qui veut maximiser ses bénéfices se soucie des coûts. Elle embauchera donc des travailleurs qui contribueront à accroître la production, quels que soient leur sexe ou leur ethnie. En fait, si la main-d'oeuvre d'un sexe ou d'une ethnie (par exemple, les femmes et les Grecs) est qualifiée et relativement peu coûteuse, la recherche de bénéfices exige que celle-ci soit embauchée de préférence à d'autres travailleurs. Il n'est pas dans l'intérêt de l'entreprise de faire preuve de discrimination, si elle veut maximiser ses bénéfices.

L'EFFICACITÉ ÉCONOMIQUE ET L'EFFICACITÉ TECHNIQUE

La méthode la plus efficace sur le plan technique est celle qui utilise le moins d'intrants.

L'une des décisions fondamentales que doit prendre l'entreprise se rapporte au mode de production. On peut habituellement combiner des facteurs de production de diverses façons, afin d'obtenir une production donnée. La méthode qui nécessite le moins d'intrants est la plus efficace sur le plan technique. La notion d'efficacité technique est illustrée au tableau 8.1. Supposons que les trois modes, A, B et C, permettent de fabriquer 10 000 chemises par semaine. Par ailleurs, B exige une main-d'oeuvre et un capital accrus par rapport à A ou à C; B est donc moins efficace que les deux autres sur le plan technique.

TABLEAU 8.1
Efficacité technique

Méthode	Capital	Main-d'oeuvre	Production hebdomadaire (chemises)
A	100	500	10 000
B	180	900	10 000
C	50	800	10 000

La méthode la plus
efficace sur le plan
économique est celle dont
le coût est le moindre.

Qu'en est-il des méthodes A et C? A nécessite plus de capital que C, mais moins de main-d'oeuvre. Les deux modes sont donc efficaces sur le plan technique. Lequel choisira l'entreprise? Celui dont le coût est le moindre, c'est-à-dire celui qui est le plus efficace sur le plan économique. Pour déterminer lequel coûte le moins cher, il faut connaître le prix des facteurs de production, soit celui du capital et de la main-d'oeuvre.

Supposons que le capital coûte 40 $, et la main-d'oeuvre, 50 $. On peut calculer le coût de chaque méthode de la façon suivante :

$$C_a = (100 \times 40\ \$) + (500 \times 5\ \$) = 6\ 500\ \$$$

$$C_b = (\ 50 \times 40\ \$) + (800 \times 5\ \$) = 6\ 000\ \$$$

où C_a égale le coût de A, et C_b, le coût de C. Ces données indiquent que C est plus efficace que A sur le plan économique.

Supposons maintenant que le capital coûte 20 $, et la main-d'oeuvre, 10 $. Le coût de chaque méthode se présente comme suit :

$$C_a = (100 \times 20\ \$) + (500 \times 100\ \$) = 7\ 000\ \$$$

$$C_b = (\ 50 \times 20\ \$) + (800 \times 10\ \$) = 9\ 000\ \$$$

Dans ce cas, A est plus efficace que C sur le plan économique. À noter qu'une méthode inefficace sur le plan technique l'est également sur le plan économique. La méthode la plus efficace sur le plan économique est celle qui l'est également sur le plan technique, au moindre coût.

Les rapports d'efficacité économique

On peut déterminer facilement la méthode la plus efficace sur le plan économique, lorsque la production est invariable. Il suffit de comparer les coûts. Toutefois, la tâche se complique, lorsque les coûts et les niveaux de production varient. L'exemple suivant suppose que la demande du produit est déterminée.

Le rapport d'efficacité
économique est celui de
la valeur des extrants et
du coût des intrants.

Pour choisir la méthode la plus efficace sur le plan économique, lorsque les coûts et les niveaux de production varient, on peut utiliser la notion du *rapport d'efficacité économique*, qui se définit comme suit :

$$REE = \frac{\text{valeur des extrants}}{\text{coût des intrants}}$$

où REE égale le rapport d'efficacité économique. Plus ce dernier est élevé, plus la méthode est efficace.

Passons au tableau 8.2. Supposons que le capital coûte 20 $, et la main-d'oeuvre, 10 $. On a déjà établi la valeur des intrants à 7 000 $ (méthode A) et 9 000 $ (méthode C). Si une chemise coûte 5 $, la valeur des extrants est de 50 000 $ (10 000 x 5 $) par la méthode A, et de 55 000 $ (11 000 x 5 $) par la méthode C.

$$REE\ (A) = \frac{50\ 000}{7\ 000} = 7,1$$

$$REE\ (C) = \frac{55\ 000}{9\ 000} = 6,1$$

Étant donné que le rapport d'efficacité économique de la méthode A est plus élevé, A est plus efficace que la méthode C sur le plan économique. Grâce à la méthode A, chaque dollar d'intrant produit un extrant d'une valeur de 7,10 $. À la faveur de la méthode C, la valeur de l'extrant n'est que de 6,10 $.

TABLEAU 8.2
Méthode de production, lorsque le niveau de production varie

Méthode	Capital	Main-d'oeuvre	Production hebdomadaire (chemises)
A	100	500	10 000
C	50	800	11 000

Problème : Vous songez à lancer une entreprise de production de porte-plume. Vous avez le choix entre les deux méthodes indiquées au tableau 8.3. Le capital coûte 5 $, et la main-d'oeuvre, 6 $. Le prix des porte-plume est de 10 $. Quelle méthode choisirez-vous?

TABLEAU 8.3
Méthode de production de porte-plume

Méthode	Capital	Main-d'oeuvre	Production
1	10	6	24
2	15	2	25

Solution : Votre choix dépendra de l'efficacité économique des deux méthodes. Avec la méthode 1, la valeur des intrants égale (10 x 5 $) + (6 x 6 $) = 86 $, et celle des extrants, (24 x 10 $) = 240 $. Le rapport d'efficacité économique égale donc 240/86 = 2,79. Avec la méthode 2, la valeur des intrants égale (15 x 5 $) + (2 x 6 $) = 87 $, et celle des extrants, (25 x 10 $) = 250 $. Par conséquent, le rapport d'efficacité économique est de 250/87 = 2,87.

LES PÉRIODES DE PRODUCTION

Les décisions de l'entreprise relatives à l'utilisation efficace du matériel et à l'expansion ou à la diminution des activités se classent en deux catégories : les décisions à court terme et celles à long terme. Pour distinguer les deux, il faut tenir compte de la nature des intrants de l'entreprise. Ces derniers se divisent en deux catégories : les facteurs fixes et les facteurs variables. Les *facteurs fixes* sont ceux dont on ne peut modifier la quantité au cours de la période donnée, comme le terrain et le matériel de production. Les facteurs de production dont la quantité peut varier s'appellent *facteurs variables*. Il peut s'agir par exemple de la main-d'oeuvre et des matières premières. Lors d'une période *à court terme*, l'entreprise possède au moins un facteur de production fixe. Le délai est trop court pour que l'entreprise puisse varier tous ses intrants. Lors d'une période *à long terme*, l'entreprise peut varier tous ses facteurs de production, car aucun facteur de production n'est fixe. Prenons l'exemple suivant. Vous exploitez une petite entreprise de photocopie, laquelle compte deux photocopieurs installés dans un local loué, situé près de l'université. Après trois ans, vous décidez de fermer boutique, afin de poursuivre une carrière plus lucrative. Votre bail vient d'expirer, mais vous ne pouvez vous défaire des deux photocopieurs avant trois semaines. Étant donné que la fermeture de l'entreprise nécessite trois semaines, il s'agit là de la période à court terme. Par la suite, vous pourrez varier tous vos intrants (dans ce cas, vous défaire des photocopieurs). La période à long terme commence donc après les trois semaines. Les périodes à court et à long terme ne sont donc pas définies. Au sein de certaines industries, la période à court terme peut être plus ou moins courte. Ainsi, dans le cas d'un cireur de chaussures, la période à court terme n'est que de quelques heures, et dans le cas d'une société de services publics, de plusieurs années.

> À court terme, l'entreprise possède au moins un facteur de production fixe.

> À long terme, l'entreprise ne possède que des facteurs de production variables.

LA FONCTION DE PRODUCTION

> La fonction de production est le lien, déterminé techniquement, entre les intrants et les extrants.

L'expression *fonction de production* désigne la relation entre les intrants et les extrants de l'entreprise. Pour simplifier l'analyse, nous examinerons un facteur de production qui ne tient compte que de deux facteurs : la main-d'oeuvre et le terrain. De plus, nous supposerons que le terrain est un facteur fixe, et la main-d'oeuvre, un facteur variable. Le lien technique entre les intrants et les extrants de l'entreprise peut s'exprimer comme suit :

$$Q = Q (M, \overline{T})$$

où Q égale les extrants, M, la quantité de main-d'oeuvre et T, la quantité fixe de terrain. Le trait qui coiffe le T indique que T est fixe. Puisque l'équation contient un facteur fixe, cette fonction de production est à court terme. Le tableau 8.4 indique l'évolution des extrants à mesure que des unités de main-d'oeuvre s'ajoutent à une quantité fixe de terrain.

TABLEAU 8.4
Lien entre les intrants et les extrants (données hypothétiques)

Unités du facteur variable (par semaine)	Produit total (unités par semaine)	Produit marginal (unités par semaine)	Produit moyen (unités par semaine)
0	0		
1	15	15	15
2	34	19	17
3	57	23	19
4	88	31	22
5	110	22	22
6	126	16	21
7	140	14	20
8	144	4	18
9	144	0	16
10	140	4	14
11	121	-19	11
12	96	-25	8

LE PRODUIT TOTAL, LE PRODUIT MARGINAL ET LE PRODUIT MOYEN

Le produit total

Le produit total désigne la production totale au cours d'une période donnée.

Le produit total (PT) désigne la production totale de l'entreprise au cours d'une période donnée. La colonne 2 du tableau 8.4 indique la variation de la production selon la quantité du facteur variable (la main-d'oeuvre). Le produit total augmente en même temps que le nombre d'unités du facteur variable. Il atteint un plafond de 144 unités, lorsque l'entreprise emploie 8 ou 9 unités de main-d'oeuvre (travailleurs), puis baisse, lorsque l'entreprise augmente encore le nombre de travailleurs.

Le produit marginal

Le produit marginal (Pm) est la variation du produit total par suite de l'ajout d'une unité de facteur variable. Il peut s'exprimer comme suit :

$$Pm = -\frac{\Delta Q}{\Delta T}$$

Le produit marginal d'un facteur variable est la production supplémentaire obtenue par suite de l'utilisation d'une unité supplémentaire du facteur variable.

où T égale la quantité de main-d'oeuvre et Q, le produit total ou la production totale. Le tableau 8.4 indique que la première unité de main-d'oeuvre accroît la production de 15 unités. Le produit marginal égale donc 15. L'ajout d'une autre unité de main-d'oeuvre augmente la production totale de 15 à 34 unités; le produit marginal égale donc 19. La colonne 3 du tableau 8.4 contient les valeurs du produit marginal. Elles figurent entre les lignes sur lesquelles se trouvent les valeurs du produit total. Les entreprises accordent une attention particulière à l'évolution du produit marginal par rapport à l'augmentation de la quantité de l'intrant variable.

Le produit moyen

Le produit moyen est égal à la production par unité du facteur variable.

Le produit moyen (PM) est le produit total divisé par le nombre d'unités du facteur variable, c'est-à-dire la production totale par unité du facteur variable. Il peut s'exprimer ainsi :

$$PM = \frac{Q}{T}$$

Les valeurs du produit moyen sont indiquées à la colonne 4 du tableau 8.4. On note que le produit moyen augmente, atteint un plafond de 22 unités de production à 4 ou 5 travailleurs, puis baisse, lorsque le nombre de travailleurs augmente.

ILLUSTRATION 8.1
Produit total, produit moyen et produit marginal

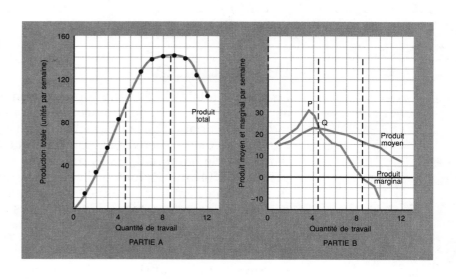

On peut aussi représenter la relation entre le produit total, le produit moyen et le produit marginal à l'aide d'un graphique (illustration 8.1). La partie A présente la courbe de produit total et la partie B, les courbes de produit moyen et de produit marginal. On a placé les deux graphiques côte à côte, afin de mieux montrer les liens entre les trois courbes. Examinons à présent le lien entre le produit marginal et le produit total, de même qu'entre le produit marginal et le produit moyen.

Les relations entre le produit marginal et le produit total

1. Si le produit marginal est positif, le produit total augmente, puisque le produit marginal égale la variation du produit total par suite de l'ajout d'une unité du facteur variable. Si ce chiffre est positif, le produit total augmente inévitablement. Au tableau 8.4 et à l'illustration 8.1, le produit marginal reste positif jusqu'à l'embauche du huitième travailleur. Le produit total augmente jusqu'à ce point.
2. Quand le produit marginal est négatif, le produit total baisse, puisque qu'on ajoute un nombre négatif au produit total. Au tableau 8.4 et à l'illustration 8.1, le produit total commence à baisser, lorsque l'entreprise embauche son dixième travailleur. À ce point, le produit marginal est de -4.
3. Quand le produit marginal est nul, le produit total cesse d'augmenter, mais ne baisse pas. Il a atteint un plafond. Au tableau 8.4 et à l'illustration 8.1, ce phénomène se produit lorsque la production est de 144 unités, et la main-d'oeuvre, de 8 unités.

Les relations entre le produit marginal et le produit moyen

Pour mieux comprendre et retenir le lien entre le produit marginal et le produit moyen, on peut se représenter le produit moyen comme un aimant qui attire la moyenne à lui.

1. Lorsque le produit marginal est supérieur au produit moyen, ce dernier augmente. Au tableau 8.4 et à l'illustration 8.1, c'est ce qui se produit jusqu'à l'ajout du quatrième travailleur. Lorsque la courbe du produit marginal dépasse celle du produit moyen, cette dernière est attirée vers le haut par le produit marginal. Prenons l'exemple suivant. Dans une classe d'économique de 30 étudiants, la note moyenne obtenue à un examen est de 69 %. Un nouvel étudiant arrive; il obtient une note de 77 %. Cette nouvelle note (note marginale), supérieure à la moyenne de la classe, augmente la note moyenne de la classe. Voici un autre exemple. Votre note finale à un cours est calculée selon quatre examens passés pendant l'année. Vous obtenez une moyenne de 70 % aux trois premiers examens. La note que vous obtiendrez au quatrième sera la note marginale de cet examen. Si elle est supérieure à 70 %, votre moyenne montera.
2. Lorsque le produit marginal est inférieur au produit moyen, ce dernier baisse. Le tableau 8.4 et l'illustration indiquent cette situation, à l'embauche du cinquième travailleur. À l'illustration 8.1, lorsque la courbe

du produit marginal est inférieure à celle du produit moyen, celle du produit moyen descend. Pourquoi? Pensez à ce qu'il adviendrait de votre note moyenne, si vous obtenez un résultat inférieur à 70 % à votre quatrième examen.

3. Si le produit marginal est égal au produit moyen, ce dernier a atteint son plafond. La courbe du produit marginal de l'illustration 8.1 coupe celle du produit moyen au point le plus élevé de cette dernière. Au tableau 4, c'est ce qui se produit lorsque la production est de 110 unités, et la main-d'oeuvre, de 5 unités.

LA LOI DES RENDEMENTS DÉCROISSANTS

L'ajout de quantités croissantes d'un facteur variable à un facteur fixe se traduit, après un certain point, par la baisse du produit marginal.

L'évolution à court terme du produit total par suite de l'ajout d'unités d'un facteur variable à un facteur fixe a donné naissance à une hypothèse célèbre, appelée la *loi des rendements décroissants*. Selon cette loi, l'ajout de quantités supplémentaires d'un facteur variable à une quantité donnée de facteur fixe se traduit, après un certain point, par la baisse du produit marginal.

La productivité marginale commence à décroître au niveau de production où le produit marginal est maximal. À l'illustration 8.1, il s'agit du point P. Au delà de ce point, l'augmentation de la production ralentit. La productivité moyenne commence à décroître au niveau de production où le produit moyen est maximal, soit à une production de 110 unités au tableau 8.4, et au point Q de l'illustration 8.1.

La loi des rendements décroissants traite du produit physique plutôt que du rendement monétaire. Elle pousse les entreprises à élaborer des modes de production toujours plus efficaces.

L'UTILISATION EFFICACE DES INTRANTS

Au début du présent chapitre, on a utilisé la notion de coût pour définir l'efficacité économique. La méthode la plus rentable est celle dont le coût est le plus faible à un niveau de production donné. À la présente section, nous examinons le choix des intrants. L'entreprise se pose essentiellement les mêmes questions que le consommateur, lorsque ce dernier doit répartir une somme fixe à l'achat de plusieurs produits.

Pour faciliter l'analyse, nous supposons que l'entreprise n'utilise que deux facteurs de production : la main-d'oeuvre et le capital. Son objectif est de maximiser ses bénéfices. Elle voudra donc atteindre un niveau de production donné au moindre coût. Pour réduire ses coûts, elle doit remplir la condition suivante :

$$\frac{Pm_K}{P_K} = \frac{Pm_M}{P_M}$$

où Pm_K égale le produit marginal du capital (la production supplémentaire obtenue par l'utilisation d'une unité additionnelle de capital, Pm_M, le produit marginal de la main-d'oeuvre (la production supplémentaire obtenue par l'utilisation d'une unité additionnelle de main-d'oeuvre, P_K, le prix du capital et P_M, le prix de la main-d'oeuvre.

Comparez la condition précédente à celle qui a été étudiée au chapitre 6, sur la maximisation de l'utilité. Manifestement, si le dernier dollar alloué au capital, à savoir :

$$\frac{Pm_K}{P_K}$$

augmente la production de 15 unités, et que le dernier dollar alloué à la main-d'oeuvre, $Pm_M / _PM$, n'augmente la production que de 6 unités, l'entreprise se procurera davantage de capital et moins de main-d'oeuvre, pourvu que la main-d'oeuvre et le capital soient interchangeables. Par contre, si le dernier dollar alloué au capital augmente moins la production que s'il était alloué à la main-d'oeuvre, c'est-à-dire si

$$\frac{Pm_K}{P_K} < \frac{Pm_M}{P_M}$$

l'entreprise se procurera plus de main-d'oeuvre et moins de capital. La situation idéale de l'entreprise qui cherche à réduire ses coûts est la suivante :

$$\frac{Pm_K}{P_K} = \frac{Pm_M}{P_M}$$

Cette réduction des coûts peut s'exprimer comme suit :

$$\frac{Pm_K}{Pm_M} = \frac{P_K}{P_M}$$

On parvient à la combinaison d'intrants de moindre coût, lorsque le rapport des produits marginaux égale celui des prix des intrants.

Autrement dit, l'entreprise répartit ses intrants le plus efficacement, lorsque le rapport du produit marginal du capital et celui de la main-d'oeuvre égale le rapport du prix du capital et celui de la main-d'oeuvre. Cette situation illustre le principe d'équilibre des valeurs marginales déjà étudié.

LE PRINCIPE DE SUBSTITUTION

Si le capital est moins coûteux que la main-d'oeuvre, et que ces deux intrants sont interchangeables, l'entreprise utilisera un capital accru. Par contre, si la main-d'oeuvre est moins coûteuse, elle

Pour réduire ses coûts, l'entreprise tend à utiliser une quantité accrue du facteur le moins coûteux, et une quantité moindre du facteur le plus coûteux.

sera davantage utilisée. Le *principe de substitution* désigne le remplacement du facteur le plus coûteux par le facteur le plus économique.

Le principe de substitution se rapporte à la réduction des coûts, soit :

$$\frac{Pm_K}{P_K} = \frac{Pm_M}{P_M}$$

Lorsque le prix du capital (P_K) baisse, la relation devient :

$$\frac{Pm_K}{P_K} = \frac{Pm_M}{P_M}$$

Par conséquent, pour réduire ses coûts, l'entreprise utilisera un capital accru. Le Pm_K baissera et le Pm_M augmentera, ce qui rétablira l'égalité entre les deux rapports. À court terme, il se peut que l'entreprise ne puisse substituer un facteur à l'autre ou, à tout le moins, le faire intégralement. À long terme, il est plus facile de substituer des intrants.

RÉSUMÉ DU CHAPITRE

1. L'entreprise achète des intrants et les transforme en extrants. Les décisions sont prises par le propriétaire, qui veut maximiser les profits (bénéfices).
2. L'efficacité technique désigne l'utilisation d'intrants au plan matériel, et l'efficacité économique, l'utilisation d'intrants au plan des coûts.
3. La méthode la plus efficace sur le plan technique est celle qui utilise le moins d'intrants. La plus efficace sur le plan économique est celle dont les coûts sont les moins élevés.
4. Lors d'une période à court terme, l'entreprise est incapable de varier la totalité des intrants, ce qu'elle peut accomplir à long terme. Ces périodes ne sont toutefois pas définies.
5. Le rapport entre les intrants et les extrants d'une entreprise s'appelle la fonction de production.
6. Le produit moyen d'un facteur variable égale le produit total divisé par la quantité du facteur variable.
7. Le produit marginal d'un facteur variable égale la variation de la production ou du produit total par suite de l'utilisation d'une unité supplémentaire du facteur variable.
8. Selon la loi des rendements décroissants, l'ajout de quantités supplémentaires d'un facteur variable à une quantité donnée d'un facteur fixe se traduit, après un certain point, par la

diminution du produit marginal. Il s'agit d'un phénomène à court terme, qui est matériel et non monétaire.

9. Pour déterminer la combinaison d'intrants de moindre coût, on peut mettre en équivalence le rapport du produit marginal des facteurs et celui des prix.

10. Selon le principe de substitution, si le prix d'un facteur de production augmente par rapport au prix d'un autre facteur, l'entreprise remplace le facteur le plus coûteux par le facteur le moins coûteux.

Termes et notions à retenir

entreprise	facteurs fixes et facteurs variables
entrepreneur	fonction de production
efficacité technique	produit total, moyen et marginal
court terme	loi des rendements décroissants
long terme	combinaison d'intrants
principe de substitution	de moindre coût

Questions de révision et de discussion

1. Lesquelles des entités suivantes constituent une entreprise? Pourquoi?
   (a) Un agriculteur du Manitoba;
   (b) L'école de conduite Tizoc;
   (c) Une modeste station radiophonique privée;
   (d) Un syndicat de professeurs d'université.

2. Selon la théorie économique, l'entreprise vise à maximiser ses bénéfices. Comment ces derniers sont-ils calculés? Quelles réserves a-t-on émis à l'endroit de cette théorie?

3. En plus de la maximisation des bénéfices, quels autres objectifs l'entreprise peut-elle chercher à atteindre?

4. Quelle est la différence entre l'efficacité technique et l'efficacité économique?

5. Quelle est la différence entre (a) une période à long terme et une période à court terme? (b) les facteurs fixes et les facteurs variables? Illustrez au moyen d'exemples.

6. Qu'entend-on par fonction de production à court terme?

7. Décrivez la variation du produit total, lorsque le produit marginal est (a) positif (b) négatif (c) positif, mais décroissant.

8. Décrivez la variation du produit moyen, lorsque le produit marginal est (a) inférieur au produit moyen (b) égal au produit moyen (c) supérieur au produit moyen (d) décroissant.

9. «Les rendements peuvent être décroissants, bien que le produit total augmente». Expliquez.

10. Expliquez la loi des rendements décroissants. Quel lien existe-t-il entre cette loi et une croissance démographique rapide?

11. Expliquez comment une entreprise utilise ses intrants afin de minimiser ses coûts.

12. Qu'entend-on par principe de substitution? Quel est le lien entre la réduction des coûts et le principe de substitution?

Problèmes et exercices

1. Le tableau 8.5 indique les unités de main-d'oeuvre et de capital requises pour atteindre une production de 100 unités.

TABLEAU 8.5
Combinaisons de main-d'oeuvre et de capital requises pour atteindre une production de 100 unités

Combinaison	Main-d'oeuvre	Capital	Production
A	8	15	100
B	9	20	100
C	6	20	100

(a) Quelle méthode est inefficace sur le plan technique? Pourquoi?

(b) Si la main-d'oeuvre coûte 3 $ par unité et le capital, 5 $ par unité, quelle est la méthode la plus efficace sur le plan économique?

(c) Si le prix de la main-d'oeuvre double et que le coût du capital est invariable, quelle est la méthode la plus efficace sur le plan économique?

2. Au problème présenté à la page 201, si le capital coûte 6 $ et la main-d'oeuvre, 5 $, quelle méthode choisirez-vous?

3. (a) À l'aide du barème de production du tableau 8.6, calculez les produits marginaux du facteur variable.

TABLEAU 8.6
Données de production

Unités du facteur fixe	Unités du facteur variable	Produit total
20	0	0
20	1	25
20	2	45
20	3	60
20	4	70
20	5	75

(b) Ce barème de production indique-t-il des rendements décroissants?

4. Le tableau 8.7 présente le barème de production de la société Zodiac.

TABLEAU 8.7
Données de production
de la société Zodiac

Capital	Main-d'oeuvre	Production
30	0	0
30	1	10
30	2	30
30	3	45
30	4	55
30	5	63
30	6	68
30	7	68
30	8	63
30	9	58

(a) Le barème de production de Zodiac révèle-t-il des rendements décroissants?

(b) Calculez les barèmes de produit moyen et de produit marginal de main-d'oeuvre.

(c) Sur un graphique, tracez la courbe du produit total.

(d) À l'aide d'un autre graphique, tracez les courbes du produit marginal et du produit moyen sous la courbe du produit total (comme à l'illustration 8.1).

5. La production d'une entreprise requiert deux intrants variables, la main-d'oeuvre et le capital. La main-d'oeuvre coûte 2 $ l'heure et le capital, 5 $ l'heure. Les barèmes de production de l'entreprise sont présentés au tableau 8.8.

TABLEAU 8.8
Données de production

Main-d'oeuvre			Capital		
Quantité par heure	PT par heure	Pm_M par heure	Quantité par heure	PT par heure	Pm_K par heure
0	0		0	0	
1	20		1	25	
2	30		2	40	
3	38		3	50	
4	43		4	55	
5	45		5	55	
6	45		6	50	

(a) Complétez les colonnes du produit marginal de la main-d'oeuvre et du produit marginal du capital.

(b) Si l'entreprise désire dépenser 9 $ l'heure en main-d'oeuvre et en capital, combien doit-elle acheter de chacun?

(c) Comment l'entreprise répartira-t-elle un coût total de 30 $ entre la main-d'oeuvre et le capital pour minimiser ses coûts?

6. Le tableau 8.9 indique la variation de la production par suite de l'ajout d'unités d'un facteur variable à un facteur fixe.

TABLEAU 8.9
Données de production

Unités du facteur variable	Produit total	Produit marginal	Produit moyen
0	0		
1	12		
2	30		
3	51		
4	68		
5	80		
6	84		
7	84		
8	80		
9			

(a) Complétez les colonnes du produit marginal et du produit moyen.
(b) Sur le même graphique, tracez les courbes du produit marginal et du produit moyen.
(c) Au sommet de la courbe du produit moyen, inscrivez M. Comparez les valeurs du produit moyen et du produit marginal à ce point.

ANNEXE LA PRODUCTION À L'AIDE DE DEUX INTRANTS VARIABLES : UNE AUTRE MÉTHODE

> Dans les limites de leurs connaissances et de leur esprit d'entreprise, les producteurs choisissent les facteurs de production qui conviennent le mieux à leurs objectifs; la somme des prix des facteurs utilisés est habituellement inférieure à celle des prix de tout autre ensemble de facteurs qui pourraient leur être substitué; et chaque fois que le producteur a l'impression qu'il n'en est pas ainsi, il choisira normalement de leur substituer la méthode la moins coûteuse.
>
> Alfred Marshall, *Principes d'économie politique*

INTRODUCTION

Au chapitre 8, vous avez vu comment une entreprise utilisant deux intrants variables détermine la quantité à attribuer à chacun d'après leur prix respectif. Pour prendre cette décision, elle a mis en équivalence le rapport des produits marginaux et le rapport des prix. La présente annexe examine une autre méthode qui permet de déterminer la quantité de chaque intrant que l'entreprise devra utiliser. Vous remarquerez la similitude entre cette approche et celle qui a été présentée à l'annexe 6A.

LES ISOQUANTS

Supposons que l'entreprise a plusieurs intrants fixes et deux intrants variables. Les intrants variables sont le capital (K) et la main-d'oeuvre (L). L'entreprise peut atteindre une production donnée en utilisant diverses combinaisons de capital de main-d'oeuvre. Le tableau 8A.1 indique diverses combinaisons de capital et de main-d'oeuvre que l'entreprise peut utiliser pour atteindre une production de 100 unités.

TABLEAU 8A.1
Production réalisée avec différentes combinaisons de capital et de main-d'oeuvre.

Quantité de capital	Quantité de main-d'oeuvre	Production
6	4	100
5	6	100
4	9	100
3	13	100
2	18	100
1	24	100

Comme le montre ce tableau, pour maintenir la production constante à 100 unités, chaque fois que l'entreprise renonce à une unité de capital, elle doit employer plus de main-d'oeuvre.

Les données du tableau 8A.1 peuvent être présentées graphiquement. À la figure 8A.1, la courbe 100 correspond au tracé des combinaisons de capital et de main-d'oeuvre qui permettent de produire 100 unités. Comme chaque point de cette courbe représente une quantité égale d'extrants, la courbe est appelée un *isoquant* («iso» signifie «égal»; isoquant désigne donc quantité égale).

Les isoquants sont parfois appelés aussi *courbes d'isoproduit* ou *courbes d'indifférence de production*. Un isoquant est une courbe qui indique diverses combinaisons de deux intrants permettant d'atteindre le même niveau de production.

Toutes les combinaisons d'intrants d'un isoquant permettent de réaliser le même niveau de production.

ILLUSTRATION 8A.1
Isoquant

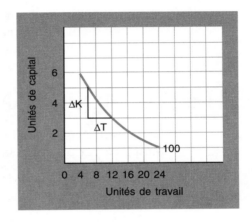

Les propriétés des isoquants

Les caractéristiques des isoquants sont généralement les mêmes que celles des courbes d'indifférence.

1. Elles sont en pente descendante vers la droite
2. Elles ne se coupent pas
3. Elles sont convexes par rapport à l'origine

Examinons brièvement chacune de ces caractéristiques.

Les isoquants ont une pente négative.

Pente descendante   Pour que le niveau de la production soit constant quand le capital employé baisse, il faut utiliser plus de main-d'oeuvre.

Les isoquants ne se coupent pas.

Parallélisme   Si des isoquants se coupaient, on pourrait en conclure qu'il serait possible d'accroître la production sans changer les quantités d'intrants. De plus, une même combinaison d'intrant pourrait produire deux niveaux différents de production maximale. Comme c'est impossible, nous pouvons adopter le postulat que les isoquants ne se coupent pas.

Les isoquants sont convexes par rapport à l'origine.

Convexité   Le rythme auquel un intrant peut être remplacé par un autre sans modifier le niveau de production est appelé *taux marginal de substitution technique (TMST)*. La convexité d'un isoquant indique que le taux marginal de substitution technique diminue. Plus on se déplace vers le bas de l'isoquant de la figure 8A.1, plus on utilise de main-d'oeuvre et moins de capital. Parallèlement, le produit marginal de la main-d'oeuvre baisse. Pourquoi? Comme on utilise une quantité croissante de main-d'oeuvre, alors que la quantité de capital est fixe, le produit marginal de la main-d'oeuvre descend. Il descend plus encore si on utilise une quantité accrue de main-d'oeuvre alors que la quantité de capital décroît. En conséquence, pour maintenir la production constante, l'entreprise doit employer de plus en plus de main-d'oeuvre pour chaque unité de capital qu'elle n'utilise pas.

LA PENTE D'UN ISOQUANT

La pente d'un isoquant indique le taux auquel un intrant peut être remplacé par un autre sans changer le niveau de la production.

La pente d'un isoquant est le taux marginal de substitution technique.

La pente de l'isoquant de la figure 8A.1 est $\dfrac{\Delta K}{\Delta L}$, abstraction faite du signe négatif.

En économie, le terme qui désigne cet échange est le taux marginal de substitution technique. Au fur et à mesure qu'on on se déplace vers le bas de l'isoquant, la réduction de la production causée par la baisse du capital est exactement égale à l'augmentation de la production que produit l'augmentation de la main-d'oeuvre. La réduction de la production qu'entraîne l'utilisation d'un peu moins de capital est delta $K \times PM_K$. L'augmentation de la production qu'entraîne l'utilisation d'un peu plus de main-d'oeuvre est $L \times PM_L$. En conséquence :

$$\Delta K \times PM_K = \Delta L \times PM_L$$

$$\text{ou } \frac{\Delta K}{\Delta L} = \frac{PM_L}{PM_K}$$

où PM_K, est le produit marginal du capital et PM_L, le produit marginal de la main-d'oeuvre. En conséquence, la pente de l'isoquant est le rapport du produit marginal de la main-oeuvre sur le produit marginal du capital.

LA CARTE DES ISOQUANTS

Une carte des isoquants est un ensemble d'isoquants

La figure 8A.1 présente un isoquant. La figure 8A.2 en contient plusieurs. Un tel ensemble d'isoquants est appelé carte d'isoquants. Tous les points de l'isoquant 200 indiquent les diverses combinaisons de capital et de main-d'oeuvre qui peuvent être utilisées pour produire 200 unités. Pour le faire, on peut utiliser, par exemple, K_1 unité de capital et L_1 unité de main-d'oeuvre, ou K_0 unité de capital et L_2 unité de main-d'oeuvre. Tous les points de l'isoquant 600 indiquent les combinaisons de capital et de main-d'oeuvre qui peuvent être utilisées pour produire 600 unités. En conséquence, tous les points d'un isoquant supérieur correspondent à un niveau de production supérieur à celui que représente un isoquant inférieur.

ILLUSTRATION 8A.2
Carte d'isoquants

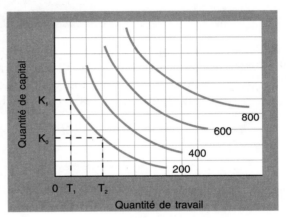

LA LIGNE D'ISOCOÛT

La ligne d'isocoût ressemble à la droite de budget, de la même façon que les isoquants sont proches des courbes de l'indifférence. Supposons qu'une entreprise utilise deux intrants variables : le capital et la main-d'oeuvre. Le prix du capital (P_K) est de 4 $ par unité, tandis que celui de la main-d'oeuvre (P_L) est de 6 $ par unité; l'entreprise dispose d'un maximum de 48 $. Le tableau 8A.2 indique diverses combinaisons de capital et de main-d'oeuvre que l'entreprise peut acheter au même prix total.

TABLEAU 8A.2
Combinaisons de capital et de main-d'oeuvre ayant le même coût

Quantité de capital	Quantité de main-d'oeuvre	Coût total ($)
12	0	48
9	2	48
6	4	48
3	6	48
0	8	48

Les données du tableau 8A.2 sont représentées graphiquement à la figure 8A.3.

ILLUSTRATION 8A.3
Ligne d'isocoût

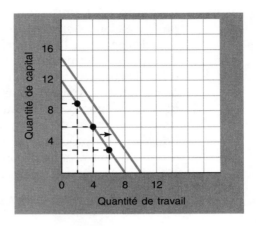

En reliant les points de la figure 8A.3, nous traçons une *ligne d'isocoût*. La ligne d'isocoût montre diverses combinaisons de deux intrants qui peuvent être achetés au même prix (c'est-à-dire au même coût), les prix respectifs des deux intrants étant connus.

> Toutes les combinaisons d'intrants situées sur une même ligne d'isocoût ont le même coût.

La pente de la ligne d'isocoût est $-\dfrac{12}{8}$ ou $-\dfrac{3}{2}$. Le rapport des prix des intrants est de $\dfrac{P_L}{P_K} = \dfrac{3}{2}$. La pente de la ligne d'isocoût est le rapport des prix, mais avec un signe négatif. Si le budget de l'entreprise monte de 48 $ à 60 $, alors que les prix respectifs du capital de la main-d'oeuvre ne changent pas, l'entreprise pourra acheter 15 unités de capital si elle n'achète aucune unité de main-d'oeuvre, ou 10 unités de main-d'oeuvre si elle n'achète aucun capital. La droite du budget serait parallèle, orientée vers l'extérieur, comme le montre la figure 8A.3

LA COMBINAISON D'INTRANTS DE MOINDRE COÛT

> La combinaison d'intrants de moindre coût est réalisée quand la ligne d'isocoût est tangente à un isoquant.

L'objectif de l'entreprise est de maximiser son bénéfice. Elle cherchera donc à atteindre le niveau de production qu'elle souhaite au coût le plus faible possible. Voyons la figure 8A.4. Si l'entreprise dépense son budget entier, elle choisira une combinaison d'intrant qui se situe sur la ligne d'isocoût. La combinaison d'intrant qui lui permet d'atteindre la production la plus élevée se situe au point A, où la ligne d'isocoût est tangente à l'isoquant. Tout écart par rapport au point de tangence (un déplacement vers B, par exemple) amènera l'entreprise à un isoquant inférieur qui correspond à une production moins élevée. De la même façon, tout déplacement vers le point C de l'isoquant entraînerait une augmentation du coût. Par conséquent, la meilleure combinaison (moindre coût) est K_1 unité de capital et L_1 unité de main-d'oeuvre.

ILLUSTRATION 8A.4
Combinaison d'intrant de moindre coût

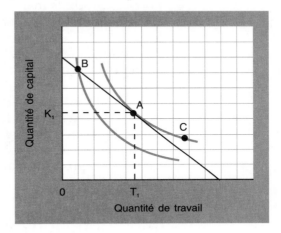

Réfléchissons un peu sur le point de tangence. À cet endroit, la pente de l'isoquant est égale à celle de la ligne d'isocoût. Toutefois, la pente de l'isoquant est le taux marginal de substitution technique, qui est égal à $\dfrac{PM_L}{PM_K}$, et la pente de la ligne d'isocoût est $\dfrac{P_L}{P_K}$. En conséquence, le point du coût minimum peut être exprimé comme suit :

$$\frac{PM_L}{PM_K} = \frac{P_L}{P_K}$$

Cet équilibre est celui que nous avons déjà établi précédemment au présent chapitre.

RÉSUMÉ DE L'ANNEXE

1. Un isoquant (ou courbe d'isoproduit) représente diverses combinaisons de deux intrants qui peuvent être utilisées pour atteindre un même niveau de production.
2. La pente des isoquants est négative; les isoquants ne se coupent pas et ils sont convexes par rapport à leur origine.
3. La pente d'un isoquant est le taux marginal technique (TMST). Il indique le taux auquel un intrant peut être remplacé par un autre sans modifier la production.

4. Le taux marginal de substitution technique diminue lorsqu'on se déplace vers le bas de l'isoquant. Le fait que l'isoquant est convexe indique que le taux marginal de substitution technique est décroissant.
5. Le taux marginal de substitution technique est égal au rapport des produits marginaux des deux intrants considérés.
6. On appelle carte d'isoquants un ensemble d'isoquants. Tous les points d'un isoquant supérieur correspondent à un niveau de production plus élevé que celui d'un isoquant inférieur.
7. La ligne d'isocoût indique diverses combinaisons d'intrants ayant le même coût total.
8. La pente d'une ligne d'isocoût (abstraction faite du signe négatif) est égale au rapport des prix des deux intrants considérés.
9. La combinaison d'intrants de moindre coût se trouve au point de tangence entre l'isocoût et l'isoquant. À cet endroit, le rapport des produits marginaux des deux intrants est égal au rapport de leur prix.

Termes et notions à retenir

isoquant (courbe
   d'isoproduit)
carte d'isoquants
ligne d'isocoût

taux marginal de substitution
   technique (TmST)
combinaison d'intrants de
   moindre coût (tangence)

Questions de révision et de discussion

1. Quelles sont les propriétés des isoquants?
2. Pourquoi la pente d'un isoquant est-elle négative?
3. Expliquez pourquoi un isoquant est convexe par rapport à l'origine.
4. Qu'est-ce que le taux marginal de substitution technique? Pourquoi est-il décroissant?
5. Que montre une carte d'isoquant?
6. «La principale différence entre un isoquant et une courbe d'indifférence est que l'un est mesurable tandis que l'autre est entièrement subjective». Élaborez.
7. Montrez qu'un isoquant ne peut pas avoir une pente positive.
8. Montrez que le point de tangence entre une ligne d'isocoût et un isoquant est la combinaison d'intrants la plus avantageuse pour une entreprise.

Problèmes et exercices

1. La société Ser-Vite peut fabriquer 500 objets en utilisant la combinaison de travailleurs et de machines indiquée au tableau 8A.3 Tracez un isoquant pour Ser-Vite en plaçant les machines sur l'axe vertical et les travailleurs sur l'axe horizontal.

TABLEAU 8A.3
Combinaisons de machines et de travailleurs nécessaires pour produire 500 articles

Nombre de machines	Nombre de travailleurs
2	35
4	25
6	19
8	16
10	15

2. Le tableau 8A.4 présente diverses combinaisons de capital et de main-d'oeuvre permettant de produire respectivement 8 et 16 unités.

TABLEAU 8A.4
Barème de production pour une production de 8 et de 16 unités

Capital	Main-d'oeuvre	Production
20	5	8
12	6	8
8	8	8
6	12	8
5	20	8
40	10	16
24	12	16
16	16	16
12	24	16
10	40	16

   (a) Tracez sur un même graphique les isoquants pour des productions de 8 et de 16 unités.
   (b) Dans chaque cas, dites si l'isoquant présente un taux marginal de substitution décroissant.

3. Tracez deux isoquants qui se coupent et utilisez-les pour montrer l'absurdité économique d'isoquants qui se coupent.

4. Une entreprise utilise deux intrants variables, la main-d'oeuvre et le capital. Le prix de la main-d'oeuvre est de 5 $ par unité et celui du capital est de 8 $ par unité. L'entreprise dispose d'un budget mensuel de 120 $ pour sa main-d'oeuvre et son capital.
   (a) Tracez la ligne d'isocoût de l'entreprise
   (b) Le budget mensuel de l'entreprise augmente à 160 $. Sur le même graphique que (a) ci-dessus, tracez la nouvelle ligne d'isocoût.
   (c) Calculez la pente des deux lignes d'isocoût et comparez-la au rapport des prix du capital et de la main-d'oeuvre.

5. La figure 8A.5 illustre un isoquant et une ligne d'isocoût pour Prix Juste ltée.

ILLUSTRATION 8A.5
Isoquant et ligne d'isocoût de Prix Juste

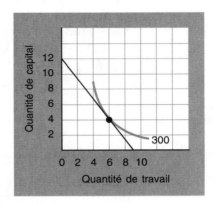

(a) Si les prix respectifs du capital et de la main-d'oeuvre sont de 3 $ et de 4 $, quel est le coût total des intrants achetés par Prix Juste?

(b) D'après le budget indiqué par la ligne d'isocoût, quelle est la combinaison de capital et de main-d'oeuvre que Prix Juste devrait utiliser pour atteindre le coût minimum de la production de 300 unités?

(c) Calculez le taux marginal de substitution technique au point du coût minimum et comparez-le au rapport des prix des intrants.

6. Le tableau 8A.5 présente diverses combinaisons de capital et de main-d'oeuvre permettant de produire 100 unités par mois.

TABLEAU 8A.5
Combinaisons de capital et de main-d'oeuvre permettant de produire 100 unités par mois

Capital	Main-d'oeuvre	Nombre d'unités produites par mois
30	19	100
22	20	100
16	21	100
13	24	100
11	29	100
10	36	100

(a) Tracez l'isoquant correspondant aux données du tableau 8A.5.

(b) Si les prix respectifs du capital et de la main-d'oeuvre sont de 6 $ et de 10 $, et que le budget de l'entreprise est de 306 $ par mois pour le capital et la main-d'oeuvre, tracez la ligne d'isocoût sur le même graphique que l'isoquant.

(c) Quelle combinaison de capital et de main-d'oeuvre l'entreprise devrait-elle choisir pour atteindre une production de 100 unités?

LES COÛTS DE PRODUCTION

> En calculant les charges de production d'un bien, il faut tenir compte du fait qu'il se produira probablement des changements au niveau des quantités produites et que, même en l'absence de progrès technique, ces derniers seront accompagnés de changements au niveau des quantités relatives des facteurs de production.
>
> Alfred Marshall, *Principes d'économie politique*

INTRODUCTION

La fonction de coût est une relation entre le coût et la production.

Pour déterminer son meilleur niveau de production, une entreprise doit connaître la relation entre ses intrants et sa production. Elle a aussi besoin de comprendre la relation qui existe entre les coûts et le volume de production. Le présent chapitre étudie cette relation, qu'on appelle souvent la fonction de coût de l'entreprise, et qui peut s'exprimer par l'équation suivante :

$$C = C(Q)$$

où C représente le coût et Q, la quantité produite. Toute production entraîne des coûts (ou charges). Dans ce chapitre, vous comprendrez le lien étroit qui existe entre la production et les coûts que cette dernière entraîne.

LES COÛTS DE L'ENTREPRISE

Par coûts explicites, on entend des charges qui entraînent des décaissements. Un coût implicite est un coût d'opportunité qui n'engendre aucun paiement direct hors de l'entreprise.

Les coûts (ou charges) sont les sommes que l'entreprise doit verser en contrepartie des facteurs de production qu'elle utilise pour produire des biens et des services. Ces sommes comprennent les salaires, le loyer du terrain et des bâtiments, les impôts, les taxes et l'achat de matières premières, de combustible et d'électricité. Les charges de ce type sont appelées coûts explicites.

Outre ces décaissements, l'entreprise peut utiliser les ressources qu'elle possède déjà. Les charges qui résultent alors de cette opération n'entraînent aucun paiement direct à des tiers. Ces charges sont appelées *coûts implicites*, ou *coûts imputés*, et doivent être considérées dans le calcul des coûts de l'entreprise. Le cas de Jean qui décide de vendre des vers de terre depuis son garage constitue un exemple de coût implicite.

En utilisant son garage en guise de magasin, Jean engage des frais dont la valeur peut être estimée en recourant à la notion de coût d'opportunité. Ici, l'opportunité représente l'utilisation la plus avantageuse que Jean aurait pu faire de son garage. À titre d'exemple, supposons qu'une personne décide d'exploiter elle-même sa terre, au lieu d'accepter un emploi rémunéré à 15 000 $ par année. Le coût implicite de l'exploitation de sa terre sera donc de 15 000 $.

Pour mieux comprendre le principe du coût implicite, voyons le cas de Pierre Labelle qui investit 100 000 $ de son propre capital pour lancer la société Labelle Allure et acheter le matériel dont l'entreprise aura besoin. Si Pierre avait laissé son argent à la banque, il aurait touché un intérêt annuel de 8 %. À la fin de l'année, Pierre doit donc ajouter 8 000 $ (8 % de 100 000 $) à ses charges (il s'agit là du coût implicite de son capital). De plus, le matériel de Pierre se dépréciera. Cette *dépréciation*, ou amortissement, représente un coût implicite qu'il devra considérer comme faisant partie du coût de son capital.

Les dirigeants d'entreprise et les comptables sont portés à attacher plus d'importance aux coûts explicites qu'aux coûts implicites. De leur côté, les économistes considèrent qu'il faut toujours tenir compte des coûts totaux, implicites et explicites, de la production.

Problème : Vous avez décidé d'offrir vos services comme peintre en bâtiment pendant l'été. L'annonce de vos services dans le journal local coûte 50 $. Vous utilisez votre voiture pour le transport de vos outils et appliquez 550 $ à l'achat de peinture, de pinceaux, de rouleaux, etc. À la fin de l'été, votre entreprise a rapporté des recettes de 2 000 $. Avez-vous réalisé un bénéfice?

Solution : Votre chiffre d'affaires a été de 2 000 $. Vous devez d'abord en déduire 50 $ pour l'annonce et 550 $ pour le matériel. Il vous reste 1 400 $. Cette somme représente-t-elle votre bénéfice? N'oubliez pas que vous avez utilisé votre voiture; vous devez donc déduire un certain montant pour l'essence, l'huile et l'usure du véhicule, soit disons 200 $. Il reste encore 1 200 $. Pour savoir si vous avez réalisé un bénéfice, vous devez maintenant évaluer le coût d'opportunité de votre temps. Si vous aviez pu trouver un emploi plus rémunérateur, on dira que votre entreprise a perdu de l'argent. Si l'emploi que vous aviez trouvé vous avait rapporté 800 $, vous auriez alors réalisé un bénéfice de 400 $, soit la différence entre cette dernière somme et le montant rapporté.

> **Remarque :**   Ce problème montre clairement qu'il importe de ne pas négliger les coûts implicites — dans le présent cas, l'amortissement, les heures travaillées et le revenu que vous auriez pu gagner, par exemple, en louant votre voiture pendant l'été.

LES COÛTS À COURT TERME

À court terme, l'entreprise doit faire face à des coûts fixes et à des coûts variables.

À court terme, les décisions de l'entreprise peuvent se répercuter sur certains coûts sans toutefois en affecter d'autres. Par exemple, si l'entreprise décide d'ajouter quelques unités à sa production, sans doute lui suffira-t-il d'embaucher davantage de travailleurs et d'utiliser plus de matières premières, sans devoir cependant augmenter le nombre de machines. C'est pourquoi il importe de distinguer les différents types de charges. Le coût total (CT) de l'entreprise représente la somme des coûts fixes totaux (CFT) et des coûts variables totaux (CVT) :

$$CT = CFT + CVT$$

Les coûts fixes ne varient pas en fonction de la production.

Les *coûts fixes* sont ceux qui ne varient pas, même lorsque le niveau de production change ou s'arrête temporairement. Ils comprennent, par exemple, les primes d'assurances, l'intérêt versé sur les emprunts, certaines taxes (taxes foncières, etc.), le loyer et les salaires de la direction. Dans les milieux d'affaires, les coûts fixes portent souvent le nom de *frais généraux*. Ces derniers n'existent qu'à court terme, étant donné que les facteurs de production fixes ne le sont qu'à court terme.

Les coûts variables dépendent du volume de production.

Par ailleurs, les *coûts variables* changent en fonction du volume de production. Ils comprennent, par exemple, le coût des matières premières, de la main d'oeuvre et du combustible ainsi que l'amortissement de l'équipement de production. Les coûts variables font donc partie des charges d'exploitation. L'entreprise fera face à ce genre de coûts aussi bien à court qu'à long terme.

Le coût moyen

Le coût total moyen représente la somme des coûts fixes moyens et des coûts variables moyens.

Il importe que l'entreprise connaisse son coût moyen, c'est-à-dire son coût par unité de production. Le *coût moyen* (CM), ou coût total moyen (CTM), est le quotient du coût total divisé par le nombre d'unités produites. Ainsi, si Q est la quantité d'unités produites, le coût total moyen se calcule comme suit :

$$CTM = \frac{CT}{Q}$$

Le *coût total moyen* (CTM), aussi appelé coût unitaire, représente la somme du coût fixe moyen (CFM) et du coût variable moyen (CVM) :

$$CTM = CFM + CVM$$

Le *coût fixe moyen* (CFM) est égal au coût fixe total (CFT) divisé par le nombre d'unités produites (Q) :

$$CFM = \frac{CFT}{Q}$$

Le *coût variable moyen* (CVM) s'obtient en divisant le coût variable total (CVT) par le nombre d'unités produites :

$$CVM = \frac{CVT}{Q}$$

Remarquez qu'on peut calculer le coût total moyen en divisant chaque élément du coût total par la quantité d'unités produites :

$$CT = CFT + CVT$$

$$CTM = \frac{CT}{Q} = \frac{CFT}{Q} = \frac{CVT}{Q}$$

$$CTM = CFM + CVM$$

Le coût marginal

Le coût marginal (Cm) est une autre notion que nous utiliserons fréquemment. Le *coût marginal* représente le coût supplémentaire associé à l'ajout d'une unité additionnelle de production. Comptables et dirigeants d'entreprises le désigne souvent de *coût différentiel*. On représente ce coût à l'aide de l'équation suivante :

Le coût marginal, ou coût différentiel, est le coût supplémentaire qu'entraîne une augmentation équivalente à une unité de production.

$$Cm = \frac{\Delta CT}{\Delta Q}$$

La notion de coût marginal est analogue à celle d'utilité marginale, dont nous avons parlé au chapitre 6, ainsi qu'à la notion de produit marginal mentionnée au chapitre 8. Par exemple, si le coût de production de 9 unités se chiffre à 200 $, et celle de 10 unités à 220 $, le coût marginal de cette hausse de production (c'est-à-dire le coût supplémentaire qu'entraîne la production d'une unité additionnelle) sera de 20 $. Vous trouverez ci-dessous une récapitulation des diverses notions relatives aux coûts; les rapports entre ces notions sont expliqués au tableau 9.1.

Résumé des notions de coût

CT	= coût total	$$CTM = \frac{CT}{Q}$$
CTM	= coût total moyen	
CFT	= coût fixe total	$$= \frac{CFT}{Q} + \frac{CVT}{Q}$$
CVT	= coût variable total	
CFM	= coût fixe moyen	$$CTM = CFM + CVM$$
CVM	= coût variable moyen	
Cm	= coût marginal	$$Cm = \frac{\Delta CT}{\Delta Q}$$
CT	= CFT + CVT	

Dans le tableau 9.1, la colonne 1 indique les divers niveaux de production réalisés au cours d'une période donnée et la colonne 2, le coût fixe total de l'entreprise. Ce montant (200 $ dans l'exemple) reste le même, quel que soit le niveau de production. Vous observerez que, même quand la production est nulle ($Q = 0$), l'entreprise doit payer les intrants fixes. Le coût variable total apparaît à la colonne 3. Celui-ci monte au fur et à mesure que la production augmente : de 400 $ pour la première unité, à 15 000 $ pour 12 unités. Pour accroître sa production, l'entreprise doit utiliser de plus grandes quantités d'intrants variables (plus de main d'oeuvre, plus de matières premières, etc.); en conséquence, son coût variable total augmente. La colonne 4 indique le coût total, obtenu en additionnant le coût fixe total et le coût variable total. Le coût total augmente progressivement, puisque le coût variable total augmente en fonction de la production.

> La courbe du coût total est égale à la somme des courbes du coût variable total et du coût fixe total.

L'illustration 9.1 présente les courbes du coût total, du coût fixe total et du coût variable total. La courbe du coût fixe total (CFT) est une droite horizontale, ce qui montre que ce dernier est constant à 200 $, quel que soit le niveau de production. La courbe du coût variable total (CVT) monte progressivement à mesure que la production augmente. La courbe du coût total (CT) est la somme des courbes du coût fixe total et du coût variable total. Comme la courbe du coût fixe total est une droite horizontale, la courbe du coût total a la même forme que celle du coût variable total, mais elle se situe au-dessus de cette dernière. La distance verticale entre les courbes CT et CVT représente le CFT, quelle que soit la quantité produite.

La colonne 5 du tableau 9.1 indique le coût fixe moyen, que l'entreprise calcule en divisant la colonne 2 par la colonne 1. Le coût variable moyen est indiqué à la colonne 6; il est calculé en

TABLEAU 9.1

Coûts hypothétiques d'une entreprise

1 Quantité produite (unités)	2 CFT ($)	3 CVT ($)	4 CT ($)	5 CFM ($)	6 CVM ($)	7 CTM ($)	8 Cm ($)
0	200	0	-	-	-	-	
							400
1	200	400	600	200,00	400,00	600,00	
							200
2	200	600	800	100,00	300,00	400,00	
							100
3	200	700	900	66,67	233,33	300,00	
							100
4	200	800	1 000	50,00	200,00	250,00	
							300
5	200	1 100	1 300	40,00	220,00	260,00	
							400
6	200	1 500	1 700	33,33	250,00	283,33	
							700
7	200	2 200	2 400	28,57	314,28	342,85	
							800
8	200	3 000	3 200	25,00	375,00	400,00	
							1 000
9	200	4 000	4 200	22,22	444,44	466,66	
							2 000
10	200	6 000	6 200	20,00	600,00	620,00	
							4 000
11	200	10 000	10 200	18,18	909,09	927,27	
							5 000
12	200	15 000	15 200	16,67	1 250,00	1 266,67	

divisant la colonne 3 par la colonne 1. La colonne 7, qui indique le coût total moyen, est établie en additionnant le coût fixe moyen et le coût variable moyen. On peut aussi remplir cette colonne en divisant la colonne 4 par la colonne 1.

La colonne 8 indique le coût marginal que l'on peut calculer à partir de la colonne 3 ou de la colonne 4. Comprenez-vous

ILLUSTRATION 9.1

Courbes du coût total

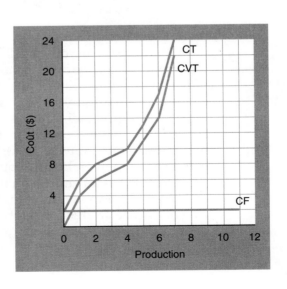

pourquoi?

L'illustration 9.2 montre la relation qui existe entre le coût fixe moyen (CFM), le coût variable moyen (CVM), le coût total moyen (CTM), et le coût marginal (Cm). La courbe du coût fixe moyen baisse progressivement à mesure que la production augmente, parce qu'au fur et à mesure que la production augmente, le coût fixe est étalé sur un nombre croissant d'unités. La courbe du coût variable moyen baisse d'abord jusqu'au point minimum (K), pour ensuite remonter. La courbe du coût total moyen commence aussi par baisser, touche le point minimum L, puis remonte. Quant à la courbe du coût marginal, elle baisse, puis remonte au fur et à mesure que la production augmente.

ILLUSTRATION 9.2
Courbes du coût moyen et du coût marginal

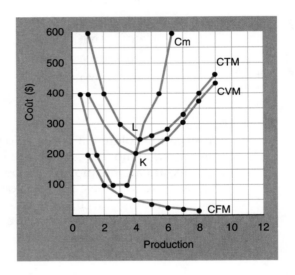

La courbe du coût marginal coupe les courbes du coût moyen et du coût total moyen à leurs points minimums.

Vous aurez remarqué que la courbe ascendante du coût marginal coupe la courbe du coût variable moyen et celle du coût total moyen aux points minimums de ces dernières. Il est facile de comprendre pourquoi. Si le coût marginal est inférieur au coût moyen, ce dernier diminue; s'il est supérieur au coût moyen, celui-ci augmente. Lorsque le coût marginal est égal au coût moyen (au point d'intersection), le coût moyen cesse de baisser et commence à monter. En conséquence, le coût moyen a atteint son point le plus bas à l'endroit où il coupe le coût marginal. Remarquez aussi que le point minimum du coût variable moyen se situe à un niveau de production inférieur à celui du point minimum du coût total moyen. Cette situation est attribuable à l'influence du coût fixe moyen décroissant, qui vient s'ajouter au coût variable moyen pour former ce coût total moyen.

La relation entre le coût marginal et le coût moyen est résumée ci-dessous :

Remarque : Souvenez-vous de la relation entre le marginal et le moyen ainsi : le coût marginal attire le coût moyen comme un aimant.

Les relations entre le Cm et le CVM

1. Quand Cm< CVM, le CVM baisse (le coût marginal fait baisser le coût moyen). Ce phénomène se produit, lorsque la production varie de quatre unités au plus.
2. Quand Cm > CVM, le CVM monte (le coût marginal fait monter le coût moyen). Ce phénomène se produit, lorsque la production atteint 5 unités ou plus.
3. Quand Cm = CVM, le CVM ne monte ni ne baisse. Il a atteint son minimum. Ce phénomène se produit quelque part entre la quatrième et la cinquième unité de production.

Les relations entre le Cm et le CTM

1. Quand Cm< CTM, le CTM baisse.
2. Quand Cm> CTM, le CTM monte.
3. Quand Cm = CTM, le CTM est à son minimum.

LES RELATIONS ENTRE LE COÛT MARGINAL ET LE PRODUIT MARGINAL, ET ENTRE LE COÛT VARIABLE MOYEN ET LE PRODUIT MOYEN

De toute évidence, il existe une relation entre le coût marginal et le produit marginal. Examinons-la plus à fond. Le tableau 9.2 présente des données hypothétiques de coût et de production. Supposons que chaque unité additionnelle de facteur variable (chaque travailleur) est embauchée à un salaire constant de 5 $ par unité de temps. Le coût marginal par unité supplémentaire de production est tout simplement égal au coût excédentaire (5 $) divisé par la production supplémentaire (produit marginal). En conséquence, si le produit marginal de chaque travailleur additionnel augmente, le coût marginal de chaque unité additionnelle diminue.

Au tableau 9.2, le produit marginal du premier travailleur est de 5 unités, tandis que le coût supplémentaire résultant du recrutement de ce dernier est de 5 $; par conséquent, le coût marginal par unité de production supplémentaire est de 5 $ / 5 =

1 $. Le produit marginal du deuxième travailleur est de 7 unités (le coût de recrutement de ce travailleur supplémentaire est encore de 5 $); le coût marginal par unité de production supplémentaire est donc de 5 $ / 7 = 0,71 $. Les autres coûts marginaux sont calculés de la même façon.

TABLEAU 9.2

Données hypothétiques de coût et de production

Quantité du facteur variable (travailleurs)	Produit total (unités par semaine)	Produit marginal (unités)	Produit moyen (unités)	Coût marginal par unité de production supplémentaire	CVM par unité de production supplémentaire
0	0		—		—
		5		1,00	
1	5		5		1,0
		7		0,71	
2	12		6		0,83
		9		0,56	
3	21		7		0,71
		7		0,71	
4	28		7		0,71
		6		0,83	
5	34		6,8		0,74
		4		1,25	
6	38		6,3		0,79
		2		2,50	
7	40		5,7		0,88

Vous remarquerez toutefois que le rendement commence à décroître après l'embauche du troisième travailleur. Comme le produit marginal est à la baisse, le coût marginal augmente. Pour une valeur de facteur variable donnée, un produit marginal croissant (rendements croissants) entraîne un coût marginal décroissant; inversement, un produit marginal décroissant (rendements décroissants) engendre un coût marginal croissant.

Ces relations apparaissent à l'illustration 9.3. Il existe des relations analogues entre le produit moyen et le coût variable moyen. Ces dernières sont aussi présentées à l'illustration 9.3.

Récapitulation des relations

Les courbes de coût marginal et de coût variable moyen reflètent les courbes de produit marginal et de produit moyen.

On peut résumer les relations examinées à la présente section comme suit :
1. Quand le produit marginal augmente, le coût marginal diminue.
2. Quand le produit marginal baisse, le coût marginal augmente.
3. Quand le produit marginal atteint son maximum, le coût marginal est à son minimum.
4. Quand le produit moyen augmente, le coût variable moyen diminue.
5. Quand le produit moyen baisse, le coût variable moyen augmente.
6. Quand le produit moyen atteint son maximum, le coût variable moyen est à son minimum.

ILLUSTRATION 9.3
Relations entre le produit
marginal et le coût
marginal, et entre le
produit moyen et le coût
variable moyen

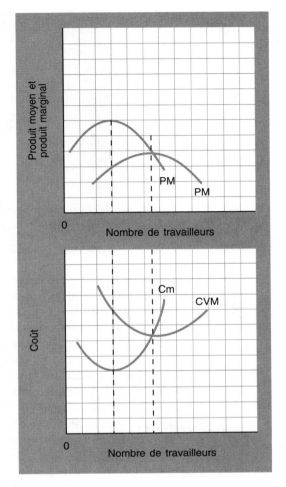

LES COÛTS À LONG TERME

À long terme, la totalité
des intrants de l'entreprise
sont variables; par
conséquent, la totalité des
coûts le sont aussi.

Jusqu'à présent, nous avons examiné la situation d'une entreprise dont au moins un facteur de production est fixe, et notre analyse a porté à court terme. Voyons maintenant la situation d'une entreprise qui peut faire varier tous ses intrants; dans ce cas, l'analyse portera à long terme.

À long terme, les facteurs de production et les coûts de l'entreprise ne sont plus fixes, ce qui permet à cette dernière de modifier la taille de ses installations ou l'ampleur de son exploitation, si elle le juge à propos. Comme elle cherche à maximiser ses profits, elle cherchera évidemment à minimiser les coûts de chaque niveau de production.

Pour comprendre le mode de prise de décisions de l'entreprise à long terme, supposons que celle-ci possède trois usines.

ILLUSTRATION 9.4
Courbes des coûts à court
terme de trois usines

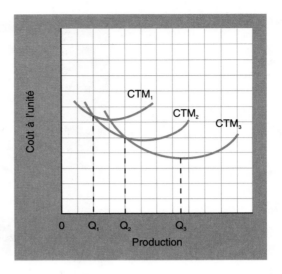

L'entreprise choisit l'usine
dont la taille lui permet
d'atteindre le coût moyen
le plus faible au niveau de
production désiré.

L'illustration 9.4 présente les courbes de coût moyen à court terme de ces usines, ce qui nous permet de comparer les coûts moyens à divers niveaux de production de chacune. CMCT1 désigne la courbe des coûts moyens à court terme de l'usine 1, CMCT2, celle de l'usine 2 et CMCT3, celle de l'usine 3. Si l'entreprise vise une production inférieure à Q1 unités, elle choisira l'usine 1. En effet, cette usine présente le coût moyen le plus faible à ce niveau de production. Si l'entreprise veut atteindre un niveau de production qui se situe entre Q1 et Q2, elle choisira l'usine 2. Enfin, si la production doit dépasser Q2, elle choisira l'usine 3 qui, de toute évidence, affiche le coût moyen le plus faible à ce niveau.

L'entreprise choisit l'usine dont la taille lui permet d'atteindre le coût moyen le plus faible au niveau de production qu'elle vise. À l'illustration 9.4, nous avons supposé que l'entreprise ne possédait que trois usines. Imaginons plutôt qu'elle dispose d'un nombre infini d'usines de taille différente (illustration 9.5). Le graphique compte plusieurs courbes de coûts à court terme. La courbe du coût moyen à long terme est tangente à un nombre infini de courbes de coûts moyens à court terme. C'est pourquoi on l'appelle parfois *courbe enveloppante* : géométriquement, la courbe CMLT enveloppe en effet les courbes du CMCT.

Coût moyen à long
terme : coût unitaire le
plus faible d'un niveau de
production donné, quand
tous les intrants sont
variables.

Lorsque la courbe du CMLT est décroissante, les points de tangence se trouvent à gauche du point minimum des courbes du CMCT; lorsqu'elle est croissante, ces points se trouvent à droite du minimum. Le coût moyen à long terme d'une entreprise représente le coût unitaire le plus faible d'un niveau de production donné, lorsque tous les facteurs sont variables. L'illustration 9.6 montre la courbe du coût moyen à long terme sans les courbes des coûts moyens à court terme qui lui sont associées.

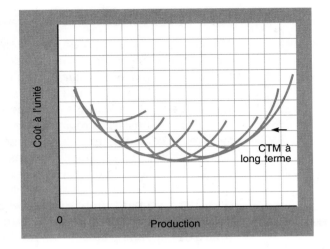

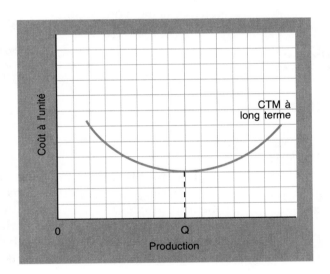

LES RENDEMENTS D'ÉCHELLE

Au chapitre 8, nous avons vu comment la production totale d'une entreprise évolue, lorsqu'on ajoute progressivement des quantités d'un intrant variable à un intrant fixe. À ce propos, nous avons examiné le principe des rendements décroissants. À présent, nous verrons comment la production totale d'une entreprise évolue, lorsque la totalité des intrants change. Nous examinerons trois types de rapport : les rendements d'échelle croissants, constants et décroissants.

Les rendements d'échelle croissants

Lorsqu'une augmentation des facteurs à l'échelle entière de la production engendre une hausse disproportionnée de cette dernière, on parle de *rendements d'échelle croissants*. En supposant que les prix des facteurs (intrants) ne changent pas, des rendements d'échelle croissants entraînent une baisse du coût unitaire.

Pour que les rendements d'échelle soient croissants, il faut que l'augmentation de tous les intrants produise un accroissement proportionnellement plus élevé de la production.

On peut illustrer la relation entre les rendements d'échelle croissants et le coût unitaire à long terme de la manière suivante. Pour simplifier, supposons que l'entreprise n'utilise que deux facteurs de production : la main d'oeuvre (T) et le capital (K). Supposons aussi que le prix de la main d'oeuvre est de 2 $ par unité de temps et celui du capital, 1 $ par unité de temps, et que pour réaliser une unité de production, l'entreprise utilise trois unités de main d'oeuvre et deux unités de capital. Le tableau 9.3 présente des données sur la production et les coûts. Si l'entreprise double tous ses intrants, sa production triple. C'est ce qu'on entend par rendements d'échelle croissants. Notez également que le coût moyen à long terme passe de 8 $ à 5,33 $.

TABLEAU 9.3
Production, coût et rendements d'échelle croissants

Intrants		Production (unités)	Coût total ($)	Coût moyen à long terme ($)
T	K			
3	2	1	8	$\frac{8}{1} = 8$
6	4	3	16	$\frac{16}{3} = 5,33$

En raison de cette relation, on utilise souvent l'expression *coûts décroissants* pour décrire ce type de rendements. À l'illustration 9.7, les coûts sont décroissants (les rendements d'échelle sont croissants) au niveau de la section décroissante de la courbe du coût moyen à long terme. Entre 0 et Q1, les rendements d'échelle de l'entreprise augmentent. On dit alors que l'entreprise réalise *des économies d'échelle*.

Les rendements d'échelle constants

Pour que les rendements d'échelle soient constants, il faut que l'augmentation de l'ensemble des intrants produise une hausse proportionnelle du niveau de production.

On dit que les *rendements d'échelle* sont *constants*, si l'augmentation de l'ensemble des intrants entraîne une hausse proportionnelle du niveau de production. Dans cette situation, le coût unitaire à long terme ne change pas, lorsque la production augmente. Examinez les données du tableau 9.4. Lorsque l'entreprise double ses intrants, sa production double aussi. Le coût moyen à long terme reste fixe à 8 $. À l'illustration 9.7, les rendements d'échelle sont constants, lorsque la production varie de Q1 à Q2.

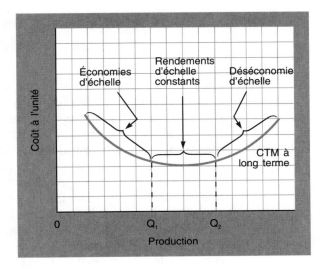

Intrants		Production (unités)	Coût total ($)	Coût moyen à long terme ($)
T	K			
3	2	1	8	$\dfrac{8}{1} = 8$
6	4	2	16	$\dfrac{16}{2} = 8$

Les rendements d'échelle décroissants

Si tous les intrants de l'entreprise augmentent, mais que la production n'augmente pas dans la même proportion, on dit que les *rendements d'échelle* sont *décroissants*. Tel qu'illustré au tableau 9.5, lorsque l'entreprise double ses intrants, le coût moyen à long terme augmente, mais la production ne double pas. C'est ce qui apparaît dans la section croissante de la courbe du coût moyen à long terme (CMLT) de l'illustration 9.7. Au-delà du point Q2, les coûts de l'entreprise augmentent. On dit qu'au-delà de ce point, l'entreprise subira des *déséconomies d'échelle*..

Intrants		Production (unités)	Coût total ($)	Coût moyen à long terme ($)
T	K			
3	2	1	8	$\dfrac{8}{1} = 8$
6	4	1,5	16	$\dfrac{16}{1,5} = 10,67$

Les raisons de la croissance et de la décroissance des rendements d'échelle

Les rendements d'échelle croissants peuvent résulter d'une spécialisation de l'entreprise, de l'augmentation du volume d'achats ou d'une productivité accrue des usines de grande taille.

On pourrait s'attendre à ce que les rendements d'échelle soient toujours constants. En effet, si une usine peut produire 500 unités par jour, ne serait-il pas logique de supposer que deux usines identiques en produiront 1 000? Cela est le cas d'un grand nombre d'entreprises, où les rendements d'échelle de certaines gammes de production demeurent constants.

Qu'est-ce qui explique alors la croissance et la décroissance des rendements d'échelle? La croissance peut résulter de la spécialisation, ce qui n'est guère réalisable au niveau de la petite entreprise, ou d'un volume d'achats accru, grâce auquel l'entreprise profite de remises dont ne peuvent toujours profiter les commandes plus petites. C'est pourquoi les usines de grande taille sont souvent plus productives que les petites (du moins jusqu'à un certain point), et les coûts de l'entreprise diminuent à mesure que celle-ci grandit. Par ailleurs, la hausse des coûts est souvent attribuable à une gestion de moins en moins efficace; plus l'entreprise croît, plus la gestion en devient complexe, et le processus décisionnel se perd alors dans les méandres administratifs.

Les rendements d'échelle décroissants sont principalement attribuables à une gestion inefficace.

RÉSUMÉ DU CHAPITRE

1. L'entreprise essuie les coûts reliés à l'achat et à l'utilisation de facteurs de production, qu'elle utilise pour fabriquer des biens ou offrir des services.

2. La fonction de coût est la relation entre les coûts et la production.

3. Les coûts explicites sont ceux qui entraînent le paiement direct d'intrants. Les coûts implicites, ou coûts imputés, sont ceux qui n'entraînent pas de tel paiement, parce que les ressources utilisées appartiennent déjà à l'entreprise.

4. Le coût total à court terme de l'entreprise comprend les coûts fixes et les coûts variables. Les coûts fixes demeurent même si l'entreprise interrompt temporairement sa production. Les coûts variables évoluent selon le niveau de production.

5. Le coût total moyen est le coût total divisé par le nombre d'unités produites. Le coût fixe moyen est le coût fixe total divisé par le nombre d'unités produites. Le coût variable moyen est le coût variable total divisé par le nombre d'unités produites. Le coût total moyen est la somme du coût fixe moyen et du coût variable moyen.

6. Le coût marginal ou différentiel est le coût supplémentaire qu'entraîne la production d'une unité supplémentaire de production.

7. Le coût fixe total ne varie pas selon le volume de la production. Le coût total et le coût variable total augmentent avec la production.

8. Le coût fixe moyen diminue continuellement; le coût variable moyen et le coût total moyen commencent par baisser, puis touchent un minimum, et remontent. La courbe du coût marginal coupe celles du coût variable moyen et du coût total moyen à leurs points minimums.

9. Lorsque le produit marginal s'accroît, le coût marginal décroît, et inversement. La même relation existe entre le produit moyen et le coût variable moyen.

10. À long terme, une entreprise n'a que des coûts variables, puisqu'elle n'a pas d'intrants fixes.

11. Le coût moyen à long terme est le coût unitaire le plus faible d'un niveau de production donné, lorsque tous les intrants peuvent varier.

12. Les rendements d'échelle (ou coûts décroissants) sont croissants, lorsqu'une hausse de la totalité des intrants se traduit par une augmentation proportionnellement supérieure de la production. Cette situation est illustrée par la section décroissante de la pente de la courbe du coût moyen à long terme.

13. Les rendements d'échelle sont constants, lorsqu'une augmentation de la totalité des intrants entraîne un accroissement proportionnel de la production. Cette situation est illustrée par la section plate (horizontale) de la courbe du coût moyen à long terme.

14. Les rendements d'échelle (ou coûts croissants) sont décroissants, lorsqu'une augmentation de la totalité des intrants entraîne un accroissement proportionnellement moins élevé de la production. Les rendements d'échelle décroissants sont illustrés par la section ascendante de la pente de la courbe du coût moyen à long terme.

Termes et notions à retenir

fonction de coût	coût total moyen
coût explicite	coût marginal
coût implicite	coût à long terme
coût total	rendements d'échelle croissants
coût fixe total	rendements d'échelle constants
coût variable total	rendements d'échelle décroissants
coût fixe moyen	économies d'échelle
coût variable moyen	déséconomies d'échelle

Questions de révision et de discussion

1. Qu'entend-on par «fonction de coût»?
2. Distinguez les coûts explicites et les coûts implicites.
3. Quelle est la différence entre les coûts fixes et les coûts variables? Illustrez.
4. Votre famille projette d'exploiter une station-service le long de l'autoroute 30 entre Montréal et Sorel. Dressez une liste des coûts que pourrait entraîner cette entreprise, et précisez s'il s'agit de coûts fixes ou variables.
5. Quelle relation existe-t-il entre :
   (a) le coût marginal et le coût moyen?
   (b) le coût marginal et le coût total?
6. Expliquez pourquoi la courbe du coût fixe moyen descend continuellement.
7. Expliquez la relation qui existe entre :
   (a) le produit marginal et le coût marginal;
   (b) le produit moyen et le coût variable moyen.
8. Expliquez les expressions suivantes :
   (a) rendements d'échelle croissants;
   (b) rendements d'échelle constants;
   (c) rendements d'échelle décroissants.
9. Quelle est la différence entre les rendements d'échelle croissants et les rendements d'échelle décroissants?
10. Comment expliquez-vous la présence de coûts décroissants?

Problèmes et exercices

1. Le tableau 9.6 présente des données relatives aux coûts d'une entreprise.

TABLEAU 9.6
Données sur les coûts
d'une entreprise

Q	CFT	CVT	CT	CFM	CVM	CTM	Cm
1	100	25					
2	100	40					
3	100	48					
4	100	60					
5	100	80					
6	100	108					
7	100	140					
8	100	192					
9	100	270					
10	100	380					
11	100	550					
12	100	780					

(a) Complétez le tableau en remplissant les cinq colonnes vides.

      (b) Tracez sur du papier quadrillé les courbes du coût fixe moyen, du coût variable moyen, du coût total moyen et du coût marginal.

      (c) À quel niveau de production la courbe du coût marginal coupe-t-elle la courbe du coût variable moyen et celle du coût total moyen? Comparez ces points à ceux où la courbe du coût variable moyen et celle du coût total moyen sont les plus basses.

2. Le tableau 9.7 présente des données sur les coûts de Providex ltée.

TABLEAU 9.7
Données sur les coûts de Providex ltée

Niveau de production	CFM ($)	CVM ($)
0	—	—
1	20,00	30,00
2	10,00	28,00
3	6,67	27,00
4	5,00	26,00
5	4,00	24,00
6	3,33	23,00
7	2,86	24,00
8	2,50	26,00
9	2,22	29,00
10	2,00	32,00

      Calculez les données suivantes de chaque niveau de production :
      (a) CFT   (b) CVT   (c) Cm

3. À l'aide des réponses de la question 2, tracez les courbes CFT, CVT et CT de Providex ltée.

4. Les coûts fixes d'une entreprise se chiffrent à 400 $. Tracez la courbe du coût fixe moyen de l'entreprise, lorsque la production varie de 1 à 8 unités.

5. Le tableau 9.8 présente des données sur les coûts de la société Excelcom.

TABLEAU 9.8
Données sur les coûts de la société Excelcom

Niveau de production	CT	Cm	CVT	CTM	CVM
0	60				
1	65				
2	70				
3	75				
4	80				
5	85				
6	96				
7	112				
8	136				
9	162				
10	190				

(a) Calculez Cm, CVT, CTM et CVM, et remplissez les colonnes au moyen des chiffres appropriés.

(b) Calculez les valeurs de CFM d'Excelcom.

(c) Tracez les courbes CFM, CVM, CTM et Cm d'Excelcom sur un même graphique.

6. Un éditeur de manuels scolaires a calculé qu'une production de 10 000 livres se traduit par un coût fixe moyen par livre de 5 $. À combien s'élèverait le coût fixe moyen de l'entreprise, si la production passait à 15 000 manuels?

7. La main d'oeuvre est le seul intrant variable de la compagnie Unipro. Le tableau 9.9 fournit des données sur la production d'Unipro.

TABLEAU 9.9
Données sur la production d'Unipro

Nombre de travailleurs	Production (unités)
0	0
1	15
2	25
3	33
4	38
5	42
6	44

Le salaire horaire s'établit à 5 $.

(a) Calculez le coût variable total des différentes valeurs de production indiquées.

(b) Calculez le CVM d'Unipro à chaque niveau de production indiqué.

(c) Tracez la courbe CVM d'Unipro.

8. Le tableau 9.10 présente les relevés de coûts à court terme qu'entraîne la production de chemises dans trois différentes usines.

TABLEAU 9.10
Relevés du coût à court terme pour la production de chemises

Usine 1		Usine 2		Usine 3	
Q	Cm	Q	Cm	Q	Cm
10	20	10	30	10	35
20	18	20	25	20	32
30	17	30	16	30	23
40	19	40	13	40	16
50	25	50	12	50	13
60	40	60	18	60	10
70	65	70	27	70	15
80	102	80	46	80	25
90	150	90	78	90	45

(a) Quelle gamme de production l'entreprise devrait-elle attribuer à l'usine 1?

(b) À l'usine 2?

(c) À l'usine 3?

(d) D'après les données du tableau 9.10, remplissez le barème des coûts à long terme de l'entreprise suivant :

Q	Cm (à long terme)
10	
20	
30	
40	
50	
60	
70	
80	
90	

L'ENTREPRISE EN CONCURRENCE PURE

> Le monopole est, par ailleurs, tout à fait contraire à une saine gestion, laquelle n'apparaît que sous l'effet d'une concurrence libre et universelle qui force tout le monde à y recourir par simple mesure de légitime défense.
>
> Adam Smith, *La richesse des nations*

INTRODUCTION

Jusqu'à présent, nous avons étudié l'offre en examinant les liens entre le coût et la production ainsi que les aspects du comportement de l'entreprise qui touchent le choix des intrants. Au présent chapitre, nous examinerons plutôt l'offre dans le contexte d'une concurrence parfaite. Nous verrons comment les décisions de l'entreprise qui touchent la production et la fixation des prix subissent l'influence du marché. Ces décisions dépendent en effet, dans une large mesure, des caractéristiques de l'industrie dans laquelle évolue l'entreprise. Nous examinerons surtout le fonctionnement de cette dernière dans le contexte d'une industrie en concurrence pure.

LES STRUCTURES DU MARCHÉ

Une industrie est un groupe d'entreprises qui fabriquent des produits similaires.

Par *structures du marché*, on entend certaines caractéristiques qui influent sur le comportement de l'entreprise en matière de fixation des prix et de production. Ces caractéristiques définissent en partie l'environnement dans lequel l'entreprise évolue. Au présent chapitre, il vous sera utile de comprendre la notion d'industrie. Une *industrie* est un groupe d'entreprises qui fabriquent des produits similaires. Or, une entreprise qui se trouve en situation de monopole dans une industrie se comporte généralement de façon très différente de celle qui compte de nombreux concurrents.

Tous les marchés possèdent leurs caractéristiques propres, mais les économistes les groupent généralement en quatre grandes catégories appelées structures parmi lesquelles ou retrouve la concurrence pure (ou parfaite), le monopole, la concurrence impure (ou monopolistique), et l'oligopole.

La concurrence pure et le monopole constituent les deux extrêmes de cette échelle de structuration du marché (voir le tableau 10.1). Entre ces deux pôles se trouvent la concurrence monopolistique et l'oligopole, que les économistes désignent souvent, avec le monopole, de *concurrence imparfaite* ou *impure*. Examinons chacune de ces structures.

La concurrence pure

La concurrence pure est une structure dans laquelle il existe un grand nombre d'entreprises en libre circulation qui offrent de nombreux produits similaires.

La structure du marché appelée *concurrence pure* ou *concurrence parfaite* possède les caractéristiques suivantes :

1. Le marché compte un si grand nombre d'entreprises qu'aucune n'exerce de contrôle sur le prix des produits. En conséquence, l'entreprise en concurrence pure est une *vendeuse au prix du marché*, mais elle contribue de façon si modeste à la production totale que, même en augmentant sa production au maximum ou en cessant toute activité, elle n'aura que peu d'effets sur cette dernière; chaque entreprise occupe un espace si minime dans l'industrie que la concurrence pure est souvent appelée *concurrence atomistique*.

    L'agriculture, les marchés boursiers et les marchés monétaires internationaux constituent de bons exemples de concurrence parfaite. Mais il existe bien peu d'exemples concrets de concurrence pure. Même dans le cas de l'agriculture, les divers programmes mis en oeuvre par l'État infléchissent les prix auxquels les agriculteurs vendent leurs produits. En conséquence, la concurrence pure n'existe pas vraiment dans cette industrie.

2. Les produits offerts sont homogènes ou normalisés. Ceux-ci étant identiques, les acheteurs se les procurent indifféremment auprès d'une entreprise ou d'une autre.

3. L'entrée et la sortie du marché sont libres. Comme il est possible d'y entrer ou d'en sortir sans entrave, les ressources peuvent y être injectées et en être retirées en toute liberté.

4. Les acheteurs connaissent les prix exigés par chaque entreprise. Si l'une d'elle tente d'exiger un prix plus élevé que celui du marché, elle perdra tous ses clients.

Pour qu'un marché soit concurrentiel, il doit posséder deux caractéristiques fondamentales : il faut que le nombre de vendeurs (entreprises) soit élevé, et qu'on puisse entrer et sortir de l'industrie en toute liberté. Les conditions qui déterminent l'existence de la concurrence pure sont donc plus restrictives que celles qui définissent la simple concurrence.

Le monopole

Le monopole, dans une industrie, désigne la situation dans laquelle se trouve une entreprise qui fabrique un produit pour lequel il n'existe aucun substitut proche.

Contrairement au marché de concurrence pure, le marché monopolistique est dominé par une seule entreprise. Il y a *monopole* quand, au sein d'une industrie, une entreprise unique fabrique un produit ou offre un service pour lequel il n'existe aucun substitut. L'entreprise qui détient un monopole exerce un contrôle considérable sur les prix des produits. Il existe en outre diverses entraves qui empêchent l'apparition d'autres entreprises au sein d'un tel marché. Ontario Hydro, Hydro-Québec et Bell Canada constituent des exemples de monopoles.

La concurrence monopolistique

La concurrence est monopolistique, lorsqu'un grand nombre d'entreprises offrent des produits différenciés.

Ici, le marché comprend un grand nombre d'entreprises où chacune vend un produit différencié et exerce une légère influence sur les prix. Toutefois, les écarts de prix sont généralement faibles parce que les consommateurs considèrent que les différences au niveau des produits eux-mêmes sont mineures. Par exemple, les magasins de vêtements sont très nombreux, et le consommateur y constatera certaines différences au niveau des prix. Ces écarts sont rarement grands, lorsqu'il s'agit de vêtements de qualité semblable.

L'oligopole

L'oligopole est une structure de marché dans laquelle les entreprises interdépendantes sont peu nombreuses.

Dans une structure d'oligopole, les vendeurs sont peu nombreux. Comme chaque entreprise détient une partie importante de la production globale, elle tiendra compte des politiques et des stratégies adoptées par ses concurrents. L'entreprise exerce donc une emprise considérable sur le prix des produits. Si les entreprises s'entendent en matière de prix et de production, leur influence augmente considérablement. Les industries de l'automobile, du brassage et du tabac sont oligopolistiques. En effet, dans chacun de ces secteurs, quatre grandes entreprises se partagent plus de 90 % de la production totale. Le tableau 10.1 présente les différents types de structures de marché et leurs caractéristiques respectives.

TABLEAU 10.1
Les structures de marché et leurs caractéristiques

Concurrence pure	Concurrence monopolistique	Oligopole	Monopole
Nombre élevé d'entreprises	Nombre élevé d'entreprises	Nombre d'entreprises peu élevé	Entreprise unique
Produits identiques	Produits différenciés	Produits similaires ou différenciés	Aucun produit de substitution
Entrée et sortie libres	Entrée et sortie libres	Certaines entraves à l'entrée	Fortes entraves à l'entrée
Aucune emprise sur les prix	Légère emprise sur les prix	Forte emprise sur les prix	Forte emprise sur les prix

Les prochaines section du chapitre se penchent sur le comportement d'une entreprise en concurrence pure. Cette dernière constitue l'un des modèles économiques les mieux connus et les plus utilisés, mais aussi le plus critiqué. Les deux chapitres suivants examinent le comportement des entreprises dans les autres structures de marché. Au chapitre 4, nous avons vu comment le prix d'un produit est établi dans un contexte de concurrence pure. Nous allons maintenant voir comment se comporte, dans un tel contexte, une entreprise qui cherche à maximiser ses profits (bénéfices).

Problème :   Peut-on s'attendre à ce qu'une entreprise qui appartient à une industrie en concurrence pure annonce son produit?

Solution :   Non. Par définition, l'entreprise qui évolue dans un marché en concurrence pure peut écouler la totalité de sa production au prix courant. La publicité n'est pas gratuite et, dans le cas de l'entreprise en concurrence pure, les coûts qu'elle entraîne ne produisent aucun avantage direct. Par conséquent, une entreprise appartenant à un secteur de concurrence pure n'annonce pas son produit.

Remarque :   Bien que la publicité ne soit pas avantageuse pour l'*entreprise* en concurrence pure, il se peut que l'*industrie* y ait recours, afin d'accroître la demande du bien qu'elle produit.

LES DÉCISIONS DE PRODUCTION À COURT TERME DANS UN CONTEXTE DE CONCURRENCE PURE

L'entreprise en concurrence pure doit déterminer quel niveau de production lui permettra de maximiser ses profits.

Vous vous souviendrez que l'entreprise en concurrence pure n'exerce aucune emprise sur les prix. Puisqu'il en est ainsi, la maximisation des profits ne dépend plus que de la détermination d'un niveau idéal de production. L'entreprise peut déterminer ce niveau de deux façons : par la méthode du coût total ou celle du coût marginal. Nous examinerons successivement ces deux méthodes.

La maximisation du bénéfice — la méthode du coût total

Le bénéfice est égal à la différence entre le revenu total (RT) et le coût total (CT). Si RT > CT, il s'ensuit que $\pi > 0$; si RT = CT, $\pi = 0$;

enfin si RT < CT, alors π < 0. Pour maximiser ses profits, l'entre-prise peut choisir le niveau de production auquel la différence entre le revenu total et le coût total est la plus grande. La façon dont elle procédera est indiquée au tableau 10.2.

TABLEAU 10.2

Données hypothétiques relatives au revenu total, au coût total et au bénéfice d'une entreprise en concurrence pureLes structures de marché et leurs caractéristiques

Production (unités)	Prix ($)	Revenu total ($)	Coût total ($)	Bénéfice ($)
1	10	10	30	-20
2	10	20	35	-15
3	10	30	39	-9
4	10	40	41	-1
5	10	50	44	6
6	10	60	49	11
7	10	70	56	14
8	10	80	66	14
9	10	90	80	10
10	10	100	95	5

Le profit est maximum, lorsque l'écart entre le revenu total et le coût total est le plus important.

La colonne 1 indique différents niveaux de production. Le prix du produit est de 10 $, comme le montre la colonne 2. Le revenu total, à la colonne 3, est égal au prix multiplié par la production. La colonne 4 indique le coût total et la colonne 5, le bénéfice, qui est calculé par la soustraction de la colonne 4 de la colonne 3. Comme le montre ce tableau, C'est à un niveau de production de 7 ou 8 unités que le bénéfice sera le plus élevé.

La méthode de calcul de la maximisation du bénéfice par le

ILLUSTRATION 10.1

Revenu total et coût total

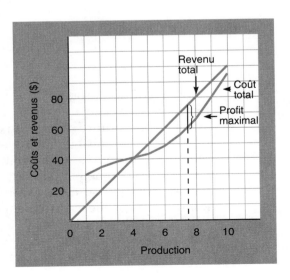

coût total peut aussi être représentée à l'aide d'un graphique. L'illustration 10.1 montre l'évolution du coût et du revenu présentés au tableau 10.2. Le revenu total de l'entreprise évolue selon une ligne droite qui part du point d'origine. Si la production est nulle, le revenu total l'est aussi; au fur et à mesure que la production augmente, le revenu en fait autant, puisque le prix est fixe et que le coût total augmente au fur et à mesure que la production s'accroît. La production la plus rentable se situe au point où l'écart entre le revenu et le coût total est le plus important.

Le calcul du bénéfice maximal — la méthode du coût marginal

Le profit est maximum, lorsque l'écart entre le revenu total et le coût total est le plus important.

Le *coût marginal* désigne le coût supplémentaire qu'entraîne la production d'une unité supplémentaire. Le *revenu marginal* est le revenu supplémentaire qu'apporte cette dernière. Le revenu marginal et le coût marginal apparaissent dans les colonnes 6 et 7 du tableau 10.3.

TABLEAU 10.3
Données hypothétiques relatives au revenu, au coût et au bénéfice d'une entreprise en concurrence pure

Quantité (unités)	Prix ($)	Revenu total ($)	Coût total ($)	Bénéfice ($)	Revenu marginal ($)	Coût marginal ($)
1	10	10	30	-20	10	5
2	10	20	35	-15	10	4
3	10	30	39	-9	10	2
4	10	40	41	-1	10	3
5	10	50	44	6	10	5
6	10	60	49	11	10	7
7	10	70	56	14	10	10
8	10	80	66	14	10	14
9	10	90	80	10	10	15
10	10	100	95	5		

Pour atteindre le meilleur bénéfice, l'entreprise choisit le niveau de production auquel son revenu marginal et son coût marginal sont égaux.

Si le coût de production d'une unité supplémentaire est inférieur au revenu que cette dernière génère, l'entreprise a avantage à produire celle-ci. En d'autres termes, tant que le coût marginal est inférieur au revenu marginal, l'entreprise augmentera sa production. Par contre, lorsque le coût de production d'une unité supplémentaire est plus élevé que le revenu qu'elle génère, l'entreprise ne la produira pas, car cette unité fera diminuer son bénéfice. Autrement dit, tant que le coût marginal est supérieur au coût marginal, l'entreprise réduira sa production. Lorsque le revenu marginal est égal au coût marginal, l'entreprise réalise donc un bénéfice maximal.

L'illustration 10.2 montre cette relation. Pour une production de 9 unités, le coût marginal dépasse le revenu marginal. En conséquence, l'entreprise réduira sa production. Quand la production est de 3 unités, le revenu marginal dépasse le coût marginal, si bien que l'entreprise augmentera sa production. Quand la production atteint 7 ou 8 unités, l'entreprise ne peut pas améliorer son bénéfice en changeant sa production. Par conséquent, une production de 7 ou de 8 unité permettra à l'entreprise de réaliser un bénéfice maximal. Vous remarquerez que le niveau de production pour lequel le bénéfice est le plus élevé se trouve à l'endroit où la courbe croissante du coût marginal coupe celle du revenu marginal.

Pourquoi l'entreprise déciderait-elle d'augmenter sa production jusqu'au point où le revenu marginal (Rm) est égal au coût marginal (Cm)? Pourquoi ne pas s'arrêter à un niveau légèrement inférieur, où Rm Cm? La réponse vous semblera plus évidente si vous considérez que l'écart entre le RM et le CM constitue un profit *supplémentaire*. Tant que Rm > Cm, toute augmentation de la production permet à l'entreprise d'améliorer son bénéfice. Quand le bénéfice n'augmente plus (c'est-à-dire quand le revenu marginal est égal au coût marginal), l'entreprise a atteint l'équilibre qui lui apporte le meilleur bénéfice possible.

ILLUSTRATION 10.2
Le revenu marginal et le coût marginal

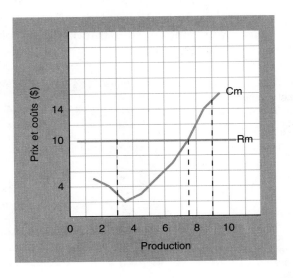

Problème : Il arrive souvent que les chefs d'entreprise n'aient jamais entendu parler de revenu marginal et de coût marginal. Faut-il en conclure qu'ils ne peuvent jamais maximiser leurs profits?

Solution : Si une entreprise atteint son bénéfice maximum, il faut que son revenu marginal soit égal à son coût marginal. Il en sera ainsi, que le responsable de l'entreprise le sache ou non. Un économiste pourrait étudier l'exploitation et donner des conseils aux dirigeants de l'entreprise sur la façon de modifier celle-ci afin d'améliorer le bénéfice; mais si l'entreprise réalise déjà un bénéfice maximal, cela voudra toujours dire que son revenu marginal est égal à son coût marginal.

Le prix, le revenu moyen et le revenu marginal dans une situation de concurrence pure

Dans le cas d'une entreprise en concurrence pure, la courbe de demande est parfaitement élastique.

Il importe de bien comprendre la relation entre le prix, le revenu moyen et le revenu marginal dans un marché de concurrence pure. Vous vous souviendrez que l'entreprise en concurrence pure est une vendeuse au prix du marché. Le prix auquel elle peut vendre sa production est donc fixé à l'avance. Comme un changement de production d'une telle entreprise n'a pas d'effets appréciables sur les prix du marché, la courbe de demande des produits de cette dernière est parfaitement élastique. Sur un graphique, (illustration 10.3), cette courbe est une ligne droite horizontale.

ILLUSTRATION 10.3
Revenu moyen et revenu marginal en situation de concurrence pure

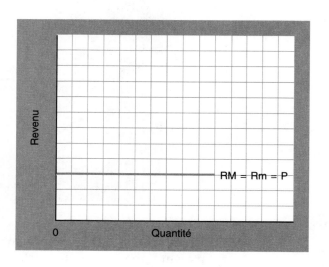

La courbe de demande des produits d'une entreprise en concurrence pure coïncide avec les courbes du revenu moyen et du revenu marginal

Le revenu moyen est tout simplement le revenu total divisé par le nombre d'unités vendues. Cette valeur est la même que le

Le revenu moyen et le prix sont identiques.

prix. Le simple calcul algébrique suivant montre que le revenu moyen et le prix sont égaux.

$$RT = revenu\ total$$

$$RM = revenu\ moyen$$

$$P = prix$$

$$Q = quantité$$

$$RT = P \times Q$$

$$RM = \frac{RT}{Q} = \frac{P \times Q}{Q} = P$$

Donc, RM = P

Comme le montre le tableau 10.3, le revenu marginal est constant et égal au prix ainsi qu'au revenu moyen. Cette relation n'existe qu'en situation de concurrence pure, où le prix est fixe. La condition menant à la maximisation du bénéfice s'exprime comme suit :

$$Rm = Cm = P$$

Nous verrons plus loin que le marché en concurrence pure est le seul dans lequel le bénéfice le plus élevé est atteint, lorsque le coût marginal est égal au prix.

Le niveau des profits de l'entreprise en concurrence pure

L'entreprise en concurrence pure atteint le bénéfice maximal (et se trouve donc en équilibre), lorsque la production est telle que son coût marginal est égal au prix. Mais quelle est donc l'ampleur de ce bénéfice? L'illustration 10.4 montre d'abord si l'entreprise en réalise un. À cet égard, il importe de ne pas oublier que le bénéfice total d'une entreprise égale la différence entre le revenu total et le coût total. Par conséquent, pour connaître le bénéfice de l'entreprise par unité de production, il suffit de diviser son bénéfice total par le nombre d'unités produites et vendues.

$$Bénéfice\ par\ unité = \frac{RT - CT}{Q}$$

$$= RM - CTM$$

$$= P - CTM$$

ILLUSTRATION 10.4
Niveau des bénéfices de
l'entreprise en
concurrence pure

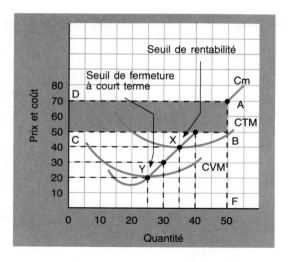

Si nous rapprochons le prix du coût total moyen, nous pouvons savoir si l'entreprise réalise ou non un bénéfice.

$$\text{Si } P > CTM, \text{ alors } \pi > 0$$
$$\text{Si } P = CTM, \text{ alors } \pi = 0$$
$$\text{Si } P < CTM, \text{ alors } \pi < 0$$

Pour que l'entreprise réalise un bénéfice, il faut que le prix soit supérieur au CTM. Celle-ci subira une perte, si le prix est inférieur au CTM.

À l'illustration 10.4, si le prix du produit est de 70 $, l'entreprise qui cherche à réaliser le meilleur bénéfice fixera sa production à 50 unités, lorsque Rm = P = Cm. À ce niveau de production, CT = 50 $; par conséquent, l'entreprise dégage un bénéfice de 70 $ – 50 $ = 20 $ sur chaque unité produite. Si le prix est inférieur à 70 $, le bénéfice de l'entreprise tombe. En fait, il se peut que le prix soit tellement bas que l'entreprise ne réalise aucun bénéfice, voire subisse une perte. À 30 $, par exemple, l'entreprise ne couvre pas son CTM (le prix est inférieur au CTM); par conséquent, l'entreprise subit une perte.

L'illustration 10.4 nous permet aussi de connaître le revenu total, le coût total et le bénéfice total de l'entreprise pour diverses combinaisons de prix et de production. Supposons que le prix du produit est de 70 $; l'entreprise fixera alors sa production à 50 unités. Son revenu total sera de 70 $ × 50 = 3 500 $: c'est ce que montre le rectangle ODAF. Le coût total (CTM x Q) de la production de 50 unités est égal à 50 $ × 50 = 2 500 $, comme l'illustre le rectangle OCBF. Le bénéfice total de l'entreprise est égal à la différence entre son revenu total (ODAF) et son coût total (OCPF); il correspond au rectangle ombré ABCD et s'élève à 20 × 50 = 1 000 $.

LA COURBE DE L'OFFRE À COURT TERME DE L'ENTREPRISE EN CONCURRENCE PURE

Le niveau de production correspondant au seuil de rentabilité est celui auquel le coût total de l'entreprise est égal à son revenu total.

L'analyse qui précède conduit à une méthode qui permet de déterminer la courbe d'offre à court terme de l'entreprise en concurrence pure. À court terme, l'entreprise atteint le meilleur résultat possible, lorsque sa production est telle que Rm = Cm. Comme le montre l'illustration 10.4, lorsque le prix est de 70 $, l'entreprise dégage un profit. En fait, il y a bénéfice pourvu que le prix soit supérieur à 40 $. À ce prix, l'entreprise atteint son *seuil de rentabilité*. Si le prix tombe à 30 $, le meilleur résultat est obtenu à un niveau de production de 30 unités (Rm = Cm), mais l'entreprise essuie tout de même une perte. Si elle change son niveau de production, elle ne fera qu'augmenter ses pertes. Dans cette situation, on dit que l'entreprise *minimise ses pertes*.

Si le prix tombe au-dessous du coût variable moyen à court terme, l'entreprise aura avantage à fermer.

Puisque l'entreprise subit des pertes quand le prix est inférieur à 40 $, ne ferait-elle pas mieux de fermer ses portes? Non. Tant que ses rentrées sont suffisantes pour couvrir son coût variable moyen à court terme, elle aura avantage à poursuivre son exploitation. En effet, si elle ferme, elle devra encore faire face à des coûts fixes, tandis que si elle continue de fonctionner, elle pourra couvrir une partie de ces derniers, et ses pertes seront inférieures à ses coûts fixes. Par contre, quand le prix tombe à moins de 20 $, l'entreprise ne couvre plus ses coûts variables, et ferait mieux de fermer. Le point Y de l'illustration 10.4 est le *seuil de fermeture* à court terme. Les divers points de la courbe du coût marginal révèlent les quantités que l'entreprise offrira en fonction des variations du prix. Notez cependant que cette dernière devra cesser de produire, lorsque le prix sera inférieur 20 $. La courbe d'offre à court terme de l'entreprise en concurrence pure qui cherche à maximiser ses profits est représentée par la partie de la courbe du coût marginal qui se trouve sous celle du coût variable moyen.

Revenons un instant à l'illustration 10.4. Nous avons vu que, à court terme, si le prix du produit se situe entre 20 $ et 40 $, l'entreprise a avantage à rester ouverte, bien qu'elle subisse des pertes. Mais à quel moment une entreprise se trouvant dans une telle situation devrait-elle fermer? Elle ne peut pas continuer indéfiniment à être déficitaire. À long terme, l'entreprise n'a aucun facteur fixe. Par conséquent, elle finira tôt ou tard par se retirer de l'industrie. Plus loin au présent chapitre, nous verrons comment l'entreprise fera, à long terme, les ajustements nécessaires pour éviter un tel sort.

Problème : «Une entreprise déficitaire devrait mettre un terme à ses activités.» Êtes-vous d'accord?

Solution : Dans certaines circonstances, l'entreprise peut avoir avantage à fonctionner à perte à court terme plutôt que de fermer ses portes, notamment, lorsque le prix de son produit est inférieur à son coût total moyen, mais supérieur à son coût variable moyen. Si l'entreprise décidait d'interrompre temporairement son exploitation, elle devrait néanmoins faire face à ses coûts fixes, mais n'aurait aucun revenu pour contribuer à les payer. Si elle poursuivait son exploitation, elle pourrait utiliser les rentrées dépassant ses coûts variables à cette fin. Toutefois, cette situation est inacceptable à long terme, et oblige l'entreprise à fermer.

LA COURBE D'OFFRE À COURT TERME DE L'INDUSTRIE

Comme vous le savez, en situation de concurrence pure, l'industrie compte un grand nombre d'entreprises. Néanmoins, afin d'illustrer géométriquement la dérivation de la courbe d'offre à court terme, nous supposerons que l'industrie D se compose de 3 entreprises seulement, les entreprises A, B et C. Le tableau 10.4 indique les différentes quantités offertes par chaque entreprise à chaque prix possible.

TABLEAU 10.4
Dérivation de la courbe d'offre à court terme d'une industrie

Prix ($)	Production de l'entreprise A	Production de l'entreprise B	Production de l'entreprise C	Production de l'industrie
3	2 000	3 000	800	5 800
6	3 000	5 000	900	8 900
9	4 000	7 000	1 000	12 000
12	5 000	9 000	1 100	15 100
15	6 000	11 000	1 200	18 200
18	7 000	13 000	1 300	21 300
21	8 000	15 000	1 400	24 400
24	9 000	17 000	1 500	27 500

La courbe d'offre à court terme de l'industrie est dérivée en additionnant horizontalement les courbes d'offre des entreprises qui la composent.

La courbe d'offre de l'industrie est dérivée de la somme horizontale des courbes d'offre des entreprises qui la composent. C'est ce que montre l'illustration 10.5. À 3 $, l'entreprise A offre 2 000 unités, l'entreprise B, 3 000 unités et l'entreprise C, 800 unités, et la quantité totale offerte par l'industrie est la suivante :

$$2\ 000 + 3\ 000 + 800 = 5\ 800.$$

Ce chiffre correspond au point E de la courbe d'offre de l'industrie. À 6 $, l'entreprise A offre 3 000 unités, l'entreprise B, 5 000 unités et l'entreprise C, 900 unités, et l'offre totale de l'industrie se situe à :

$$3\ 000 + 5\ 000 + 900 = 8\ 900$$

Ce chiffre correspond au point E1 de la courbe d'offre de l'industrie. De la même façon, nous pouvons tracer les autres points de la courbe comme le montre l'illustration 10.5.

ILLUSTRATION 10.5
Dérivation de la courbe d'offre de l'industrie

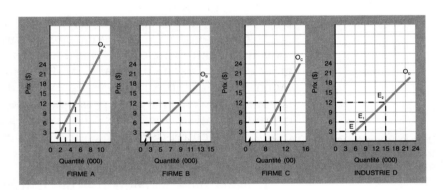

L'ÉQUILIBRE À LONG TERME

Dans un marché en concurrence pure, rien ne gêne l'allée et venue d'entreprises au sein d'une industrie. Si les entreprises d'une industrie réalisent des profits à court terme, d'autres s'y joindront. Cette nouvelle présence fera augmenter l'offre totale de l'industrie et, si la demande ne change pas, le prix tendra à baisser. De nouvelles entreprises viendront accroître encore les rangs de l'industrie, s'il reste des bénéfices intéressants à réaliser. Par contre, si les entreprises de l'industrie sont déficitaires, elles n'y resteront pas à long terme. Leur sortie provoquera une baisse de l'offre totale, si bien que le prix du produit tendra à remonter.

Une entreprise en concurrence pure qui se trouve en équilibre à long terme ne réalise aucun profit économique.

L'allée et venue des entreprises cessera, lorsque chacune réalisera un bénéfice nul, parfois appelé *bénéfice normal*. Vous vous demandez sans doute pourquoi une entreprise demeurera au sein d'une industrie, si elle ne réalise aucun profit. La réponse est facile à comprendre : comme nous l'avons vu, le profit est la différence entre le revenu total et le coût total, lequel comprend le coût d'opportunité (c'est-à-dire le revenu que les ressources produiraient, si elles étaient appliquées à des fins meilleures). Quand une entreprise dégage un bénéfice nul, son rendement est exactement égal à celui qu'auraient pu produire les mêmes intrants, s'ils avaient été utilisés à de meilleures fins.

La situation d'équilibre à long terme de l'entreprise peut être illustrée à l'aide d'un graphique. Dans l'illustration 10.6, si le prix du produit est de 15 $, comme le montre les courbes de demande et d'offre de l'industrie, l'entreprise réalise un profit économique. De nouvelles entreprises entreront alors dans l'industrie, si bien que la courbe d'offre de l'industrie se déplacera vers la droite, à O_1 par exemple. En conséquence, le prix baissera à 6 $. À ce prix, les entreprises subiront des pertes, et quitteront l'industrie. Leur départ entraînera un déplacement vers la gauche de la courbe d'offre de l'industrie (de O_1O_1 à O_0O_0 dans l'illustration), et le prix passera de 6 $ à 10 $. À ce prix, le profit de chaque entreprise est nul. Comme vous l'aurez remarqué, ce prix est égal au coût moyen, et l'entreprise est en équilibre, puisque son revenu marginal est égal à son coût marginal. Il importe d'observer aussi qu'en état d'équilibre, le prix est égal au coût marginal; toutefois, la courbe du coût marginal passe par le point le plus bas de la courbe du coût moyen, si bien que le prix est égal au coût moyen minimum. L'entreprise est en équilibre à long terme lorsque :

$$Rm = Cm = CM = P$$

Lorsque toutes les entreprises de l'industrie sont en équilibre à long terme et que plus rien n'en incite d'autres à entrer dans

Dans le contexte d'un équilibre à long terme et d'une concurrence pure, le prix est égal au coût moyen minimum.

ILLUSTRATION 10.6
Équilibre à long terme d'une entreprise en concurrence pure

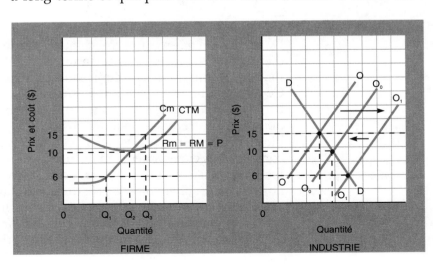

l'industrie ou à en sortir, la production de celle-ci demeure stable, et sa courbe d'offre ne se déplace plus. Dès lors, on dit que l'industrie est en équilibre à long terme. C'est ce qui se produit quand le revenu marginal est égal au coût marginal *et que* le coût moyen est égal au revenu moyen.

L'AJUSTEMENT À LONG TERME DE L'INDUSTRIE

À la section précédente, nous avons supposé implicitement que les coûts de l'industrie sont constants. Nous allons maintenant analyser explicitement les situations respectives d'une industrie dont les coûts sont constants et d'une autre dont les coûts sont croissants. La notion de coûts décroissants soulève une certaine controverse. Toutefois, nous ne nous attarderons pas à cette question. La courbe d'offre à long terme d'une industrie est extrêmement importante dans le cadre de notre analyse. Dans une industrie en concurrence pure, cette courbe indique les quantités d'un produit que les entreprises sont disposées à offrir à divers prix, lorsque l'industrie est en équilibre à long terme.

Les industries à coûts constants

Dans une industrie à coûts constants, les coûts restent constants, lorsque l'industrie grandit.

Une *industrie à coûts constants* est une industrie au sein de laquelle les prix des facteurs et, partant, des coûts de production, ne varient pas lorsque de nouvelles entreprises s'ajoutent. Quand l'industrie est en équilibre à long terme, le prix est égal au coût moyen à long terme minimum. Dans une industrie à coûts constants, l'augmentation de la production par suite de la venue de nouvelles entreprises n'influence pas les coûts. L'allée et venue des entreprises entraîne des changements au plan de la production totale, mais le prix du produit revient toujours au point où il égale le coût total moyen minimum. Par conséquent, à long terme, la quantité des produits offerts par l'industrie varie, mais les prix restent constants. Au coût total moyen minimum, la courbe d'offre à long terme d'une industrie à coûts constants est donc horizontale (parfaitement élastique).

L'illustration 10.7 présente les courbes d'une entreprise et d'une industrie en équilibre. L'entreprise dont il est question au graphique est représentative de toute les entreprises de l'industrie. La production est de 200 unités, et le prix du produit, 30 $. DD illustre la courbe de demande de l'industrie et OO, la courbe d'offre. La quantité totale produite par l'industrie est de 120 000 unités.

Supposons que la demande augmente de DD à D_1D_1 (illustration 10.7). Le prix passe alors de 30 $ à 60 $. Il est donc supérieur au coût moyen, si bien que les entreprises réalisent des profits économiques. Au prix de 60 $, l'entreprise typique accroît sa production à 300 unités. Quant à l'industrie, sa production augmente le long de OO, de 120 000 à 180 000 unités. Comme l'industrie dégage des bénéfices, elle attire de nouvelles entreprises, dont la venue entraîne un déplacement de la courbe d'offre de OO à O_1O_1 et ramène le prix à 30 $. Les entreprises les plus anciennes réduisent leur production en suivant leurs courbes du coût marginal au niveau de production de 200 unités, mais le nombre d'entreprises ayant augmenté, la production de l'industrie atteint 240 000 unités. Les bénéfices sont de nouveau nuls, mais aucune entreprise n'entre dans l'industrie ni ne la quitte. Au début, le prix était de 30 $, et la quantité, de 120 000 unités. En fin de course, le prix est de 30 $, et la production, de 240 000 unités. En reliant les points E et E1, nous obtenons la courbe d'offre à long terme (OL) de l'industrie.

ILLUSTRATION 10.7
Ajustement dans une
industrie à coûts constants

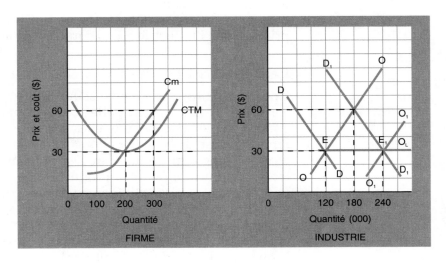

FIRME INDUSTRIE

Dans une industrie à
coûts croissants, les coûts
augmentent à mesure que
l'industrie grandit.

Les industries à coûts croissants

Une *industrie à coûts croissants* est une industrie dans laquelle les prix des facteurs et, partant, des coûts de production, augmentent à mesure que la production globale de l'industrie s'accroît par suite de la venue de nouvelles entreprises. Bien que les coûts à long terme soient constants dans beaucoup d'industries, il est raisonnable de s'attendre à ce que, lorsqu'une industrie grandit, l'augmentation de la demande d'un facteur de production dont les quantités sont limitées entraîne une augmentation du prix des intrants et, par conséquent, des coûts de production.

L'illustration 10.8 nous aidera à analyser ce phénomène. L'entreprise et l'industrie sont en équilibre à un prix de 30 $. L'entreprise typique produit 100 unités. DD et OO représentent les courbes de demande et d'offre initiales de l'industrie, dont la production totale est de 50 000 unités.

Supposons que la demande passe de DD à D_1D_1. Ce changement entraîne une hausse du prix, qui passe de 30 $ à 50 $. Les entreprises existantes accroissent leur production, laquelle se déplace le long de leurs courbes du coût marginal (non illustrées), et la production de l'industrie progresse le long de OO, de 50 000 à 70 000 unités. De nouvelles entreprises font leur apparition dans l'industrie, ce qui entraîne un déplacement de la courbe d'offre de OO à O_1O_1; les coûts augmentent, comme l'indique le déplacement de la courbe du coût moyen à long terme, de CMLT à CMLT1. En conséquence, l'augmentation de l'offre qu'entraîne la venue de nouvelles entreprises ne fait pas baisser le prix au niveau initial de 30 $, mais seulement à 40 $.

Nous traçons la courbe d'offre à long terme (O_L) de l'industrie en reliant les points E et E_1. Cette analyse montre que la courbe d'offre à long terme d'une industrie à coûts croissants a une pente ascendante.

ILLUSTRATION 10.8
Ajustement dans une industrie à coûts croissants

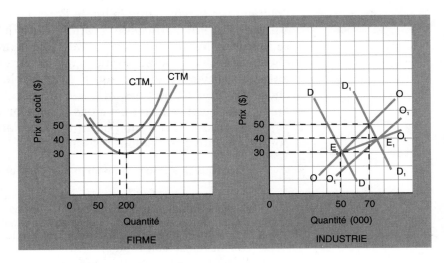

FIRME INDUSTRIE

L'IMPORTANCE DU MODÈLE DE CONCURRENCE PURE

Comme nous l'avons vu dans ce chapitre, il n'est pas facile de trouver dans la réalité des exemples de concurrence pure. Pourquoi les économistes consacrent-ils alors autant de temps à l'analyse du comportement de cette structure de marché? On le comprendra plus facilement en considérant la concurrence pure comme un modèle. En premier lieu, rappelons-nous qu'en situation de concurrence, le prix est égal au coût marginal. La *fixation du prix en fonction du coût marginal* (qui est typique de la concurrence pure) suppose que l'entreprise réalise, sur ses produits, un bénéfice exactement égal au coût d'opportunité. Par ailleurs, comme nous l'avons vu, l'équilibre à long terme est atteint, lorsque le prix est égal au coût moyen minimum. Par conséquent, dans le modèle de concurrence pure, les ressources sont employées de manière efficace.

Le modèle de concurrence pure est un idéal auquel les autres structures de marché peuvent donc être comparées. En fait, on peut le considérer comme un étalon. De plus, de nombreuses conséquences de ce modèle se manifestent dans des situations où la concurrence est impure.

L'optimum de Pareto

Un des objectifs de la science économique est de répartir efficacement les ressources. Mais comment peut-on évaluer l'efficacité de cette répartition? On peut y parvenir en utilisant les principes de *l'optimum de Pareto*. Selon la loi de Pareto (de l'économiste italien Vilfredo Pareto), l'efficacité est atteinte lorsqu'il est impossible de redistribuer les intrants et les extrants de façon à apporter quelque chose de plus à une personne, sans le faire au détriment d'une autre. Ou, inversement, lorsqu'il est possible d'apporter quelque chose de plus à une personne sans le faire au détriment d'une autre, c'est que l'économie n'a pas atteint son efficacité maximale.

Pour que soit atteint l'optimum de Pareto, il faut que les conditions suivantes soient présentes :

1. Il faut que chaque consommateur ait l'occasion de maximiser sa propre satisfaction.
2. Il faut que, pour chaque consommateur, le ratio des utilités marginales de deux produits, quels qu'ils soient, soit le même. En d'autres termes, il faut que tous les consommateurs payent chaque produit le même prix.
3. Il faut que le niveau de production de chaque entreprise soit tel que le coût marginal égale le prix.
4. Il faut que le coût de production de chaque produit soit le plus bas possible.
5. Il faut que chaque facteur de production soit affecté à son utilisation la plus efficace.
6. Il faut que chaque ménage ait la possibilité d'offrir les facteurs de service qu'il désire.
7. Il faut que les personnes soient libres d'exercer l'occupation de leur choix.

Le modèle de la concurrence pure est un idéal qui permet d'évaluer les autres structures de marché.

L'optimum de Pareto est un équilibre au sein duquel il est impossible d'apporter plus à une personne sans le faire au détriment d'une autre.

L'optimum de Pareto sera atteint, si la concurrence prévaut dans tous les marchés.

On peut démontrer que, si la concurrence pure existe dans tous les marchés, toutes les conditions qui précèdent seront remplies, et l'optimum de Pareto sera atteint. On peut donc en conclure que l'adage selon lequel toute concurrence est saine n'est pas sans fondement.

RÉSUMÉ DU CHAPITRE

1. Les économistes répartissent les différentes structures du marché en quatre grandes catégories : la concurrence pure, le monopole, la concurrence monopolistique et l'oligopole.

2. La concurrence pure ou parfaite et le monopole occupent les deux extrêmes d'un enchaînement continu de structures de marché. Le monopole, la concurrence monopolistique et l'oligopole sont généralement appelés concurrence impure.

3. Dans un contexte de concurrence pure, de nombreuses entreprises vendent un même produit. Les vendeurs sont si nombreux qu'aucun ne peut exercer d'influence appréciable sur le prix du produit. Chaque vendeur (ou entreprise) l'est au prix du marché. Au sein d'une telle structure, les entreprises peuvent aller et venir librement à l'intérieur du marché. La concurrence pure est aussi appelée concurrence atomistique.

4. On dit que le marché est monopolisé lorsqu'il est dominé par une seule entreprise. Dans le monopole pur, l'industrie ne compte qu'une seule entreprise, dite monopolistique, qui fabrique un produit pour lequel il n'existe aucun produit de substitution. L'entreprise monopolistique exerce une grande influence sur les prix.

5. Dans un marché de concurrence monopolistique, de nombreuses entreprises vendent chacune un produit différencié. Chacune exerce une influence modeste sur le prix du produit.

6. L'oligopole est une structure de marché où il n'existe qu'un nombre restreint de vendeurs. Chaque entreprise exerce une influence appréciable sur le prix du produit, et chacune subit probablement l'influence des autres entreprises qui composent l'industrie.

7. Le bénéfice d'une entreprise est égal à la différence entre le revenu total et le coût total de celle-ci. Afin de maximiser ses profits, l'entreprise vise le niveau de production où l'écart entre le revenu total et le coût total est le plus grand et où le revenu marginal est égal au coût marginal.

8. La courbe de demande d'une entreprise en concurrence pure est parfaitement élastique (horizontale). La courbe du revenu moyen est la même que celle du revenu marginal.

9. Une entreprise en concurrence pure réalise un bénéfice à court terme, si le prix auquel elle vend son produit est supérieur à son coût total moyen. Lorsque le coût total moyen est égal au prix, l'entreprise se trouve au seuil de rentabilité.

10. Si l'entreprise couvre ses coûts variables mais pas ses coûts totaux, et que sa production est telle que le revenu marginal est égal au coût marginal, on dit qu'elle minimise ses pertes. À court terme, l'entreprise a avantage à minimiser ses pertes plutôt que fermer ses portes. Le seuil de fermeture se situe au point où l'entreprise couvre tout juste son coût variable.

11. La courbe d'offre à court terme de l'entreprise en concurrence pure est représentée par la partie de la courbe du coût marginal qui se situe au-dessus de celle du coût variable moyen. Pour calculer la courbe d'offre à court terme de l'industrie, on additionne horizontalement les courbes d'offre des entreprises qui la composent.

12. En situation d'équilibre à long terme, l'entreprise en concurrence pure ne réalise pas de bénéfices. L'équilibre à long terme se situe au point où le revenu marginal est égal au coût marginal, au coût moyen et au prix. L'industrie est en équilibre, lorsque chaque entreprise est en équilibre et que le nombre d'entreprises appartenant à l'industrie ne change pas.

13. La courbe d'offre à long terme d'une industrie en concurrence pure montre les diverses quantités du produit que les entreprises appartenant à l'industrie offrent à différents prix en situation d'équilibre à long terme.

14. On dit qu'une industrie est à coûts constants lorsque les coûts de production ne changent pas quand l'industrie se développe du fait de l'arrivée de nouvelles entreprises. La courbe d'offre à long terme d'une industrie à coûts constants est horizontale.

15. On dit qu'une industrie est à coûts croissants, lorsque les coûts de production augmentent en période de croissance par suite de l'arrivée de nouvelles entreprises. Les industries à coûts croissants présentent des courbes d'offre à long terme ascendante.

16. Bien qu'il soit difficile de trouver des exemples de concurrence pure dans la réalité, ce modèle est utile, car il constitue un étalon qui permet d'évaluer les autres types de structures du marché.

17. L'optimum de Pareto est atteint, lorsqu'on ne peut apporter plus à une personne sans le faire au détriment d'une autre.
18. Si tous les marchés sont en concurrence pure, l'optimum de Pareto est atteint.

Termes et notions à retenir

structure du marché
concurrence pure
   (parfaite, atomistique)
courbe de l'offre à court
   terme d'une entreprise
courbe de l'offre à court
   terme de l'industrie
concurrence monopolistique
concurrence imparfaite
   (impure)
vendeur au prix du marché
fixation du prix en fonction
   du coût marginal

seuil de rentabilité
   seuil de fermeture
   industrie
   monopole pur
   oligopole
   courbe de l'offre à long
     terme de l'industrie
   équilibre de l'industrie
   industrie à coûts constants
   industrie à coûts croissants
   revenu marginal
   revenu moyen
   optimum de Pareto

Questions de révision et de discussion

1. Quelles sont les caractéristiques des structures de marché suivantes?
   (a) concurrence pure
   (b) monopole
   (c) concurrence monopolistique
   (d) oligopole
2. Pourquoi peut-on s'attendre à ce que le prix soit unique, au sein d'un marché en concurrence pure?
3. «L'entreprise en concurrence pure est vendeuse au prix du marché.» Expliquez.
4. Expliquez la différence entre la concurrence et la concurrence parfaite.
5. Pourquoi le revenu marginal est-il égal au prix dans le cas d'une entreprise en concurrence pure?
6. Montrez qu'une entreprise maximise ses profits, lorsque le niveau de sa production est celui auquel le revenu marginal est égal au coût marginal.
7. Expliquez comment dériver la courbe d'offre à court terme d'une entreprise qui s'efforce de maximiser ses bénéfices dans le contexte d'une concurrence pure.

8. Expliquez comment procéder pour dériver la courbe d'offre à court terme d'une industrie.

9. Expliquez comment une entreprise peut être en équilibre à court terme, alors qu'elle subit des pertes.

10. «L'objectif d'une entreprise est de maximiser ses profits. Si cet objectif est atteint, l'entreprise est en équilibre. L'entreprise ne peut pas être en équilibre, si elle ne réalise pas de bénéfices.» Discutez.

11. Expliquez le procédé par lequel une industrie en concurrence pure atteint son équilibre à long terme.

12. «Le modèle de la concurrence pure est absolument inutile dans un monde où cette forme de concurrence n'existe presque pas.» Discutez.

13. Dans quelle mesure le modèle économique de la concurrence parfaite est-il utile?

14. Qu'entend-on par optimum de Pareto? Mentionnez au moins quatre des conditions nécessaires à son obtention.

15. Existe-t-il un lien entre la concurrence pure et l'optimum de Pareto? Expliquez.

Problèmes et exercices

1. Les colonnes 1 et 2 du tableau 10.5 contiennent les relevés de la demande à laquelle une entreprise doit faire face.

TABLEAU 10.5
Données relatives à la demande et au revenu

1	2	3	4	5
Prix	Quantité	RT	RM	Rm
5	1			
5	2			
5	3			
5	4			
5	5			
5	6			

(a) Calculez le revenu total, le revenu moyen et le revenu marginal, puis complétez le tableau.

(b) Au moyen d'un graphique, tracez la courbe du revenu moyen et celle du revenu marginal.

(c) Sur le même graphique, tracez la courbe de la demande.

(d) Qu'observez-vous sur les courbes de la demande et du revenu moyen?

2. Les données relatives aux coûts de la société Expertex sont indiquées au tableau 10.6.
Le prix du marché de ce produit est de 5 $.

TABLEAU 10.6	Quantité (unités)	Coût total ($)
Données relatives aux coûts d'Expertex	0	10
	1	14
	2	17
	3	19
	4	20
	5	21
	6	23
	7	26
	8	30
	9	35
	10	44

(a) Quel est le revenu total d'Expertex à chaque niveau de production?

(b) Calculez les bénéfices ou les pertes d'Expertex pour chaque niveau de production.

(c) À quel niveau de production Expertex atteint-elle le bénéfice le plus élevé?

(d) Tracez le graphique du revenu total et du coût total d'Expertex et indiquez le bénéfice total maximum.

3. Reportez-vous au tableau 10.6. Le prix du produit est de 5 $.

(a) Calculez le coût et le revenu marginal de l'entreprise à chaque niveau de production.

(b) Tracez les courbes du coût et du revenu marginal de l'entreprise.

(c) À l'aide du graphique obtenu, indiquez le niveau de production le plus satisfaisant pour l'entreprise.

4. Le tableau 10.7 est celui d'une entreprise en concurrence pure qui cherche à maximiser ses profits.

TABLEAU 10.7	Q	CFT	CVT	CT	CFM	CVM	CTM	Cm	Rm	RT
Données relatives aux coûts d'Expertex	0	100	0	100						0
	1	100	25							100
	2	100	35							200
	3	100	50							300
	4	100	100							400
	5	100	180							500
	6	100	340							600
	7	100	560							700

(a) Calculez le prix du produit.

(b) Complétez le tableau.

(c) Si le prix est de 80 $, l'entreprise doit-elle poursuivre son exploitation? Pourquoi?

(d) Si le prix tombe à 40 $, l'entreprise devrait-elle poursuivre son exploitation? Pourquoi?

(e) Quel est le prix le plus faible que l'entreprise doit pouvoir toucher afin de poursuivre son exploitation à court terme?

5. Reportez-vous au tableau 10.7 et tracez la courbe d'offre à court terme de l'entreprise.

6. Vous exploitez une petite épicerie et vous apercevez que vous perdez de l'argent tout en couvrant vos coûts variables. Devez-vous continuer d'exploiter l'entreprise à court terme? Expliquez.

7. Les renseignements qui suivent touchent la société Les disques d'or, une entreprise en concurrence pure. Le prix de son produit est de 20 $.

TABLEAU 10.8

Données relatives au coût de la société Les disques d'or

Q (unités)	RT ($)	Rm ($)	CT ($)	Cm ($)	Bénéfices ($)
1			30		
2			40		
3			48		
4			58		
5			70		
6			90		
7			120		
8			160		

(a) Complétez le tableau et indiquez à quel niveau de production Les disques d'or devrait fonctionner pour maximiser son bénéfice.

(b) À l'aide d'un graphique, tracez les courbes du revenu total et du coût total de l'entreprise. À quel niveau de production la différence entre le revenu total et le coût total est-elle la plus élevée?

(c) À l'aide d'un graphique, tracez les courbes du revenu marginal et du coût marginal. À quel niveau de production ces deux courbes se coupent-elles?

8. Reportez-vous à l'illustration 10.9; décrivez la situation de l'entreprise du point de vue de la rentabilité à chaque courbe de revenu marginal indiquée.

9. L'illustration 10.10 présente des données relatives à une entreprise en concurrence pure qui maximise ses profits. Le prix du produit est de 50 $.

ILLUSTRATION 10.9
Courbes CTM, CVM, Cm
et Rm

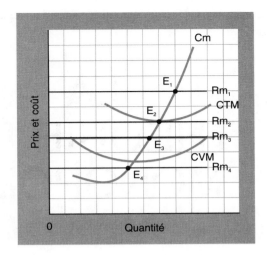

(a) Quel est le bénéfice le plus élevé que cette entreprise peut réaliser sur la *totalité* des unités qu'elle produit?

(b) À ce niveau de bénéfice, quel est le revenu total de l'entreprise?

(c) Quel est le coût total de l'entreprise au niveau de production qui lui apporte les bénéfices les plus élevés?

ILLUSTRATION 10.10
Prix et coût d'une
entreprise en concurrence
pure

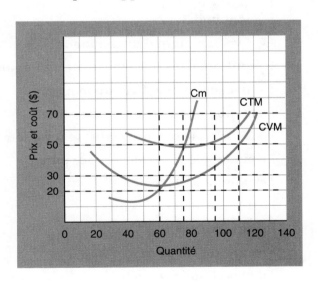

11

LA THÉORIE DU MONOPOLE

> Le prix d'un monopole est, en toutes circonstances, le plus élevé qui puisse être obtenu.
>
> Adam Smith, *La richesse des nations*

INTRODUCTION

La définition d'un monopole doit préciser le marché qui est monopolisé.

Au chapitre précédent, nous avons examiné les mécanismes de fixation des prix et de détermination de la production dans un contexte de concurrence pure. À présent, nous allons étudier ces mécanismes dans le contexte opposé, celui du monopole. Le monopole pur désigne une situation où il n'existe qu'un seul fabricant d'un produit sans équivalent proche. Ici, l'entreprise et l'industrie se confondent. Bien que cette définition semble simple et directe, elle soulève d'importantes questions. D'abord, la notion d'équivalent proche est subjective et arbitraire. La plupart des gens conviendront probablement que le café et le thé sont des équivalents proches, mais ne s'entendront pas aussi facilement sur l'électricité et le pétrole. Ces derniers peuvent être considérés comme des équivalents proches en matière de chauffage, mais pas du tout sur le plan de l'éclairage. Par ailleurs, la définition du monopole et du produit monopolisé sont inséparables.

On a vu qu'il est difficile de trouver des exemples de concurrence pure dans la réalité. Or, il est tout aussi rare d'y rencontrer des modèles de monopole pur. Le terme *monopole* évoque bien souvent l'image d'une grande entreprise qui exploite les consommateurs sans merci, maîtrise les prix et la production, et réalise des bénéfices démesurés. Pourtant, tous les monopoles ne méritent pas cette réputation peu flatteuse. Les entreprises de services publics sont souvent monopolistiques. Il y a sans doute des monopoles dans votre région, comme le réseau de transport en commun et les services d'aqueduc.

LES ENTRAVES À L'ENTRÉE SUR UN MARCHÉ

Les monopoles doivent leur existence à certaines entraves qui empêchent l'entrée sur le marché de concurrents éventuels.

À quoi le monopole doit-il son existence? Pour qu'un monopole existe, il faut que certains obstacles empêchent d'autres entreprises d'entrer sur le marché. On appelle ces obstacles *entraves à l'entrée sur un marché*. Examinons-en quelques-unes.

Les entraves érigées par les pouvoirs publics

Vous êtes un étudiant en économique très entreprenant et avez une idée qui, pensez-vous, devrait vous rapporter beaucoup d'argent. Vos amis et vous cueillerez le courrier, principalement d'entreprises, que vous livrerez dans un rayon de 30 km du centre-ville. Vous êtes convaincus de pouvoir offrir ce service à un prix nettement inférieur à celui du service postal, et de dégager un excellent bénéfice. Malheureusement, l'État ne vous permettra pas de mener une telle entreprise. En effet, dans certains cas, les pouvoirs publics empêchent les nouveaux venus de faire leur entrée dans des industries et de concurrencer les entreprises existantes. Ce type d'entraves est très fréquent et s'avère très efficace pour entretenir les monopoles. L'État peut accorder des *brevets* qui autorisent une entreprise à fabriquer un produit particulier; tant que le brevet reste valable (pendant 17 ans), l'entreprise qui le détient est protégée contre tout concurrent éventuel. Toutefois, on peut souvent contourner les brevets; bien que personne ne soit autorisé à fabriquer un produit identique, on peut réaliser un bien très similaire. Chaque année, l'État émet environ 21 000 nouveaux brevets.

Les brevets et les franchises constituent des entraves à l'entrée sur un marché.

L'État peut aussi reconnaître à une entreprise un droit exclusif de *franchise* pour exploiter une activité ou fournir un service dans une région particulière. En raison de cette franchise, aucune entreprise ne peut légalement exercer des activités identiques dans la même région. Ne croyez surtout pas que l'État est le seul à pouvoir concéder des franchises : de nombreuses entreprises privées le font aussi. Si, par exemple, vous devenez titulaire d'une franchise de McDonald's, vous n'avez pas à craindre la concurrence d'un autre restaurant du même nom, puisque aucun ne peut s'implanter dans le territoire qui vous a été reconnu. Vous aurez donc un monopole sur les hamburgers McDonald's, mais devrez faire face à la concurrence de Harvey's, de Wendy's, de Burger King et d'autres restaurants.

Les entraves résultant de la propriété ou de l'exercice d'une emprise sur des matières premières essentielles

La propriété ou l'exercice d'une emprise sur un intrant essentiel peut constituer une entrave pratique à l'entrée sur un marché monopolisé.

Supposons qu'une entreprise est propriétaire d'une matière première essentielle à la fabrication d'un produit. Si elle n'autorise aucune autre entreprise à utiliser cette matière, elle crée un monopole. Par exemple, la bauxite est une matière essentielle à la fabrication de l'aluminium. Si une entreprise est propriétaire de tous les gisements de bauxite d'un pays, ou si elle exerce une emprise sur ces derniers (advenant que la loi interdise l'importation de bauxite ou d'aluminium), elle détiendra le monopole de l'aluminium dans le marché intérieur. Une société sud-africaine détient ainsi un quasi-monopole dans le marché du diamant, car elle exerce son emprise sur la plupart des mines du monde.

Des économies d'échelle importantes peuvent fermer la porte, à toutes fins utiles, à de nouvelles entreprises au sein d'une industrie.

Les entraves résultant d'économies d'échelle En raison d'économies d'échelle importantes, une entreprise peut desservir un marché entier dans des conditions plus économiques que ne le feraient plusieurs entreprises. Le plus souvent, il s'agit d'un secteur où il est extrêmement coûteux d'implanter des usines à rendement élevé, dont le coût moyen minimum ne pourrait être couvert que si la production était assez importante pour alimenter le marché entier. Si plusieurs entreprises se font concurrence dans de telles circonstances, leur coût moyen sera extrêmement élevé, puisqu'elles devront se partager le marché. Songez à ce qu'il en coûterait de créer une compagnie de téléphone qui offrirait un service téléphonique à la population d'une région donnée. Lorsque le marché est tel qu'une seule entreprise peut probablement répondre plus efficacement à la demande, on parlera de situation de *monopole naturel*. C'est le cas, par exemple, des compagnies de téléphone, de gaz ou d'électricité telles que Bell Canada, Gaz Métropolitain ou Hydro-Québec.

LA COURBE DE DEMANDE D'UNE ENTREPRISE MONOPOLISTIQUE

La courbe de demande d'une entreprise monopolistique est identique à la courbe de demande globale de son produit.

La courbe de demande d'un monopole est décroissante.

Le monopole ne peut pas maîtriser les prix et la production.

Au chapitre 4, on a vu que la courbe de demande du marché est décroissante de gauche à droite. Puisque le monopole est la seule entreprise de l'industrie, sa courbe de demande est identique à celle du marché. Si cette entreprise désire accroître le volume de ses ventes, elle devra abaisser son prix; si, au contraire, elle augmente ce dernier, ses ventes diminueront. L'illustration 11.1 présente la courbe de demande hypothétique d'une entreprise monopolistique.

Au prix de 8 $, l'entreprise monopolistique peut vendre 120 unités et à 4 $, elle peut en vendre 240. Naturellement, l'entreprise monopolistique n'est pas vendeuse au prix du marché. Elle peut déterminer, dans une large mesure, le prix de ses produits. Néanmoins, elle ne peut pas maîtriser complètement les prix et la quantité. Par exemple, une entreprise dont la courbe de demande ressemble à celle de l'illustration 11.1 ne pourrait pas vendre plus de 120 unités à 8 $. Une fois le prix fixé, les ventes de l'entreprise sont déterminées par la demande. En effet, l'exploitation d'une entreprise monopolistique dépend complètement de la demande, laquelle n'est pas parfaitement inélastique, puisque sa courbe est décroissante.

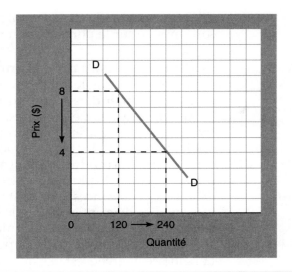

ILLUSTRATION 11.1
Courbe de demande
d'une entreprise
monopolistique

Problème : L'entreprise monopolistique est toujours dans une situation enviable; elle peut fixer un prix auquel elle réalisera les ventes désirées. Cet énoncé est-il exact?

Solution : Bien que très répandue, cette croyance est erronée. Bien sûr, l'entreprise monopolistique peut manipuler l'offre, puisqu'elle est la seule de son industrie, mais il ne faut pas oublier que la demande joue, elle aussi, un rôle important dans la fixation des prix. Si l'entreprise monopolistique décide de vendre une certaine quantité de son produit dans le marché, c'est la demande qui en déterminera le prix. Si, par contre, l'entreprise fixe son prix, la demande déterminera les ventes de l'entreprise. À moins que la demande du produit ne soit parfaitement inélastique, ce qui est rare, l'entreprise monopolistique ne peut pas, si elle fixe le prix de son produit, déterminer ses ventes. Par conséquent, l'énoncé est faux.

LE REVENU MARGINAL DU MONOPOLE

Dans un contexte de concurrence pure, la demande (ou le revenu moyen) et le revenu marginal sont identiques. Par contre, dans un monopole, il n'en va pas de même. Il faut donc distinguer la demande (ou le revenu moyen) du revenu marginal. L'entreprise doit connaître son revenu marginal pour déterminer si elle modifiera sa production, dans le but de maximiser ses bénéfices. Or, le revenu marginal baisse en même temps que le revenu moyen.

(Rappelez-vous l'effet d'aimant du revenu marginal sur le revenu moyen.) Toutefois, le revenu marginal diminue plus rapidement que le revenu moyen. En effet, pour augmenter ses ventes, l'entreprise monopolistique devra réduire le prix des unités excédentaires (qu'elle aurait pu vendre à un prix plus élevé si elle n'avait pas augmenté la production). Le tableau 11.1 illustre ce phénomène.

TABLEAU 11.1
Demande et revenu marginal hypothétiques d'un monopole

P ($)	Q (unités)	RT ($)	Rm ($)
10	1	10	8
9	2	18	6
8	3	24	4
7	4	28	2
6	5	30	0
5	6	30	−2
4	7	28	−4
3	8	24	

Le revenu marginal de l'entreprise monopolistique est inférieur au revenu moyen.

Comme l'indique le tableau 11.1, l'entreprise peut vendre une unité à 10 $. Elle peut en vendre 2 seulement si son prix baisse à 9 $. Son revenu total est alors de 18 $. La vente d'une unité additionnelle lui rapporte 8 $, soit son revenu marginal. L'entreprise peut aussi vendre la première unité à 9 $ et perdre un dollar sur cette unité, ou vendre 3 unités à 8 $ seulement. Son revenu total se chiffre alors à 24 $, et son revenu marginal, à 6 $. Par ailleurs, l'entreprise peut vendre les 2 premières unités à 9 $ en perdant un dollar sur *chacune*. Dans le cas d'un monopole, le revenu marginal est donc inférieur au revenu moyen et baisse plus rapidement que ce dernier. À noter que le prix et le revenu moyen sont identiques, comme on l'a vu au chapitre précédent. L'illustration 11.2 montre la rapport entre le revenu moyen et le revenu marginal.

Lorsque la courbe de revenu moyen décroît, celle de revenu marginal en fait autant, mais de manière plus abrupte.

Si les courbes de demande et de revenu marginal sont linéaires et décroissantes, la courbe de revenu marginal divisera toute ligne horizontale tracée entre l'axe vertical et la courbe de demande. À l'illustration 11.3, la courbe de revenu marginal divise ainsi les droites OQ et HK.

On a vu que le revenu marginal sert à déterminer le niveau de production auquel l'entreprise maximise ses bénéfices (le rapport Rm = Cm étudié au chapitre précédent.) Nous allons maintenant examiner la situation d'équilibre de l'entreprise monopolistique.

ILLUSTRATION 11.2
Revenus moyen et
marginal d'un monopole

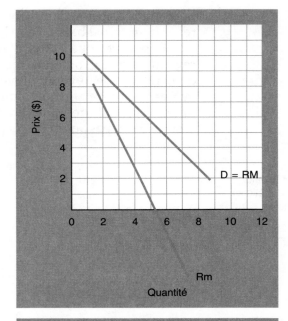

ILLUSTRATION 11.3
Rapport entre les courbes
linéaires de demande et
de revenu marginal

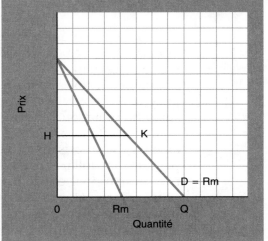

L'ÉQUILIBRE DANS UN CONTEXTE DE MONOPOLE

Le monopole doit
déterminer la production
et le prix auxquels il
maximisera ses bénéfices.

Dans un contexte de concurrence pure, l'entreprise est vendeuse au prix du marché; elle doit donc ajuster sa production en conséquence. En d'autres termes, elle accepte le prix fixé par le marché et modifie sa production afin de maximiser ses bénéfices. Dans un contexte de monopole, le prix n'est pas imposé à l'entreprise.

Pour maximiser ses bénéfices, l'entreprise doit donc tenir compte de deux variables : le prix de son produit et le niveau de production. Lorsque le prix est fixé, la production sera déterminée par la courbe de demande.

En matière de coût, l'entreprise monopolistique se trouve dans une situation analogue à toute autre entreprise dans n'importe quelle structure de marché. Le tableau 11.2 présente des données sur le coût et le revenu d'une entreprise monopolistique. Les bénéfices sont maximisés à une production de 4 unités. À ce niveau, la différence entre le revenu total (28 $) et le coût total (21 $) est la plus élevée, soit de 7 $. Le prix est également de 7 $. Si l'on met en équation le revenu et le coût marginal, on arrive aux mêmes conclusions : l'entreprise maximise ses bénéfices quand elle produit 4 unités à 7 $.

L'entreprise monopolistique maximise ses bénéfices quand son coût marginal égale son revenu marginal.

TABLEAU 11.2
Coût et revenu hypothétiques d'un monopole

Prix ($)	Quantité (unités)	Coût total ($)	Coût marginal ($)	Revenu total ($)	Revenu marginal ($)	Bénéfices ($)
11	0	10		0		−10
			2		10	
10	1	12		10		−2
			3		8	
9	12	15		18		3
			2		6	
8	3	17		24		7
			4		4	
7	4	21		28		7
			5		2	
6	5	26		30		4
			7		0	
5	6	33		30		−3
			10		−2	
4	7	43		28		−15
			17		−4	
3	8	60		24		−36

L'illustration 11.4 présente le rapport graphique entre les données du tableau 11.2. À cette illustration, Rm = Cm à une production de 4 unités. Si l'entreprise monopolistique vend son produit à 7 $, elle maximise ses bénéfices. Dans le graphique du haut, les bénéfices maximums sont représentés par la distance maximum entre RT et CT; dans le graphique du bas, ils sont illustrés par la zone ombrée.

Le monopole peut réaliser intentionnellement des bénéfices inférieurs aux bénéfices maximums.

On a donc déterminé le rapport prix-production qui permet à l'entreprise de maximiser ses bénéfices; tout autre rapport engendrera des bénéfices inférieurs. Le monopole peut toutefois fixer son prix à un autre niveau. Il peut choisir de ne pas réaliser de bénéfices maximums pour plusieurs raisons. D'abord, des bénéfices trop alléchants encourageront d'autres entreprises à vouloir entrer dans l'industrie, ce qui mettrait fin au monopole. Par ailleurs, le sens des responsabilités sociales des dirigeants pourrait les stimuler à ne pas adopter de mesures qui maximisent les bénéfices. L'importance de l'opinion publique n'est pas négligeable à cet égard; il se peut donc que l'entreprise se contente de bénéfices *satisfaisants*. Enfin, il se peut que le monopole désire éviter que l'État ne réglemente ses prix et d'autres facteurs de bénéfices.

L'entreprise de l'illustration 11.4 réalise des bénéfices, car son prix est supérieur à son coût total moyen. Cette situation pourrait durer longtemps, puisque des entraves empêchent l'arrivée d'autres entreprises dans l'industrie. Si ces dernières parviennent à surmonter ces obstacles, le monopole disparaîtra. À long terme, il pourrait en être de même des bénéfices, sous l'effet de la concurrence.

ILLUSTRATION 11.4
Maximisation des
bénéfices d'un monopole

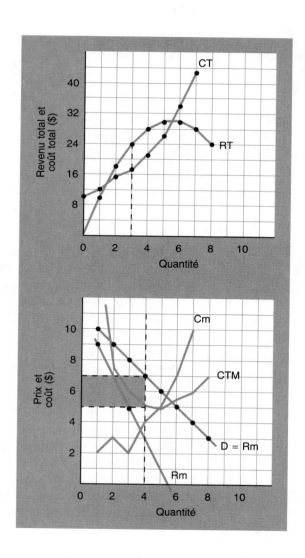

Problème : L'entreprise monopolistique accroît-elle toujours ses bénéfices en augmentant son prix?

Solution : Non. Si le prix fixé est inférieur à celui auquel son revenu marginal égale son coût marginal, une hausse de prix améliorera ses bénéfices. Toutefois, si le prix est supérieur à celui auquel le revenu marginal égale le coût marginal, la hausse du prix diminuera les bénéfices. Pour réaliser des bénéfices maximums, l'entreprise doit donc fixer son prix afin que Rm = Cm.

LE NIVEAU DES BÉNÉFICES DU MONOPOLE

Même un monopole peut subir des pertes.

Le revenu et le coût marginaux peuvent s'égaler à un prix inférieur au coût moyen.

On croit souvent, à tort, que l'entreprise monopolistique réalise toujours des bénéfices énormes. En fait, si certains monopoles sont extrêmement rentables, d'autres subissent des pertes. Dans certains cas, les coûts de production sont tellement élevés que l'entreprise perd de l'argent, comme l'indique l'illustration 11.5. Au niveau de production Q_1, l'entreprise opère de la façon la plus favorable dans les circonstances. Néanmoins, elle subit des pertes, puisque le prix P est inférieur au coût total moyen. Par contre, étant donné que celui-ci est supérieur au coût variable moyen, l'entreprise continuera probablement de fonctionner à court terme afin de minimiser ses pertes. Ces dernières sont représentées par la zone ombrée de l'illustration 11.5. À long terme, l'entreprise réorientera probablement ses ressources vers des activités plus rentables.

ILLUSTRATION 11.5
Pertes d'une entreprise monopolistique

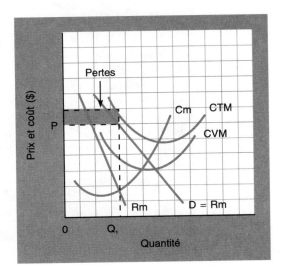

L'entreprise peut tenter d'améliorer ses bénéfices en accroissant son revenu total. Elle y parviendra si elle augmente son prix sans réduire la demande, une tâche difficile. En effet, elle devra déplacer la courbe de demande vers la droite, en ayant recours à la publicité, par exemple.

LE MONOPOLE INEFFICACE

L'inefficacité réduit les bénéfices du monopole.

Une entreprise dont les consommateurs doivent acheter ses produits pourra juger inutile de gérer attentivement ses coûts. Cette inefficacité de gestion risque de compromettre les bénéfices éventuels du monopole. L'expression *inefficacité X* désigne une situation où l'entreprise produit à un coût supérieur au moindre coût possible. Cette inefficacité X peut être due à plusieurs facteurs. Il se peut que l'entreprise garde des travailleurs improductifs au nom de la fidélité, verse un salaire à des membres de la famille ou à des amis improductifs, ou encore gonfle le compte de dépenses de ses dirigeants.

L'inefficacité X accroît les coûts et réduit les bénéfices de l'entreprise monopolistique.

L'illustration 11.6 présente les effets de l'inefficacité X sur les bénéfices d'une entreprise monopolistique. Le diagramme A représente l'efficacité et le diagramme B, l'inefficacité. Les courbes de demande et de revenu marginal sont les mêmes dans les deux cas. Le monopole efficace produit à un coût total moyen de C_1. On constate que le coût total moyen (CTM_1) du monopole inefficace est supérieur à celui du monopole efficace (CTM).

ILLUSTRATION 11.6
Efficacité et inefficacité X

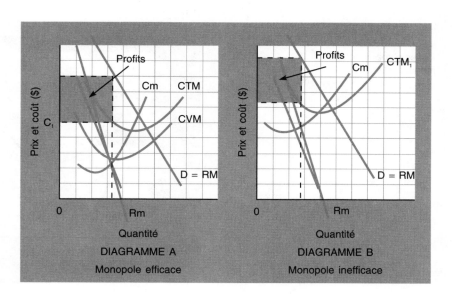

DIAGRAMME A
Monopole efficace

DIAGRAMME B
Monopole inefficace

L'ÉLASTICITÉ, LE REVENU TOTAL ET LE REVENU MARGINAL

On a vu que si la demande d'un produit est élastique, une baisse du prix augmentera le revenu total. Toutefois, ce dernier augmente seulement lorsque le revenu marginal est positif. Dans ce cas, la demande d'un produit à ce niveau est élastique.

Quand l'élasticité de la demande par rapport au prix est unitaire, une baisse de prix ne change pas le revenu total. Si ce dernier est stable, le revenu marginal est naturellement nul. Par conséquent, lorsque le revenu marginal est nul, l'élasticité de la demande du produit à ce prix est unitaire.

Si la demande est inélastique, une réduction du prix entraînera la baisse du revenu total. Toutefois, celui-ci ne peut baisser que si le revenu marginal est négatif. Par conséquent, quand le revenu marginal est négatif, la demande du produit est forcément inélastique.

Le tableau 11.3 illustre les rapports entre la demande, le revenu total et le revenu marginal d'un monopole. Ceux-ci sont présentés graphiquement à l'illustration 11.7. Si la production est inférieure à Q_1, le revenu marginal est positif, le revenu total augmente et la demande du produit est élastique à ce niveau. À une production Q_1, le revenu marginal est nul, le revenu total est maximum et la demande est unitairement élastique au prix P. Si la production dépasse Q_1, le revenu marginal est négatif, le revenu total baisse et la demande est inélastique à n'importe quel prix inférieur à P.

TABLEAU 11.3

Demande, revenu total et revenu marginal d'un monopole

Q (unités)	P ($)	RT ($)	Rm ($)
0	10,50	0	
			10
1	10,00	10	
			9
2	9,50	19	
			8
3	9,00	27	
			7
4	8,50	34	
			6
5	8,00	40	
			5
6	7,50	45	
			4
7	7,00	49	
			3
8	6,50	52	
			2
9	6,00	54	
			1
10	5,50	55	
			0
11	5,00	55	
			-1
12	4,50	54	

TABLEAU 11.3
(suite)

Q (unités)	P ($)	RT ($)	Rm ($)
			-2
13	4,00	52	
			-3
14	3,50	49	
			-4
15	3,00	45	
			-5
16	2,50	40	
			-6
17	2,00	34	
			-7
18	1,50	27	
			-8
19	1,00	19	
			-9
20	0,50	10	

Si l'entreprise monopolistique accroît sa production, ses dépenses augmentent; son coût marginal est alors positif. Par conséquent, le revenu marginal et le coût marginal se couperont

ILLUSTRATION 11.7
Rapport entre la demande, le revenu total, le revenu marginal et l'élasticité

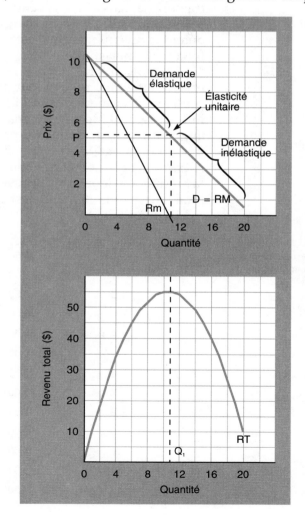

en un point positif. Toutefois, si le revenu marginal est positif, la demande est élastique. L'entreprise monopolistique qui veut maximiser ses bénéfices opérera donc toujours afin que la demande de son produit soit élastique.

> **Problème :** Lorsque le coût marginal est nul, démontrez que l'entreprise monopolistique maximise ses bénéfices en produisant à un niveau où l'élasticité de la demande par rapport au prix égale 1.
>
> **Solution :** L'entreprise monopolistique maximise ses bénéfices lorsque sa production est à un niveau où le revenu marginal égale le coût marginal. Si ce dernier est nul, elle réalise des bénéfices maximums, lorsque le revenu marginal est nul. Toutefois, dans ce cas, la demande est unitairement élastique. Si le coût marginal est nul, l'entreprise monopolistique réalise des bénéfices maximums, lorsque sa production est à un niveau où l'élasticité de la demande par rapport au prix égale 1.

LE MONOPOLE ET LA CONCURRENCE PURE

Au chapitre précédent, on a vu que le modèle de la concurrence pure sert à évaluer les autres structures de marché. Il est intéressant de comparer les variations du prix et de la production d'une industrie dans un contexte de concurrence pure à ceux d'un monopole.

L'allocation optimale est atteinte lorsque les ressources sont utilisées dans les meilleures conditions, c'est-à-dire quand le prix égale le coût marginal.

Le prix du monopole est plus élevé que celui d'une entreprise en concurrence pure.

Dans un contexte de concurrence pure, le prix d'une entreprise égale son coût marginal, une situation que les économistes appellent *l'allocation optimale*. Dans cette structure de marché, les ressources sont donc efficacement réparties. Dans un monopole, le prix est supérieur au coût marginal; l'emploi des ressources n'est donc pas optimal, comme l'indique l'illustration 11.8. En supposant que les courbes de coût sont les mêmes dans les deux cas, la courbe RM représente la demande (ou revenu moyen) du monopole. Celle-ci se confond avec la courbe de demande de l'industrie. Pour plus de commodité, une seule entreprise concurrentielle, désignée ici par l'indice «e», est illustrée. Afin de maximiser ses bénéfices, le monopole fixera sa production à Q_m et son prix à P_m, ce qui équilibre son revenu et son coût marginal. Dans un contexte de concurrence pure, le prix P_c égale le coût marginal. Notez que P_m est supérieur au coût marginal.

Dans un contexte de concurrence pure, la production est réalisée au coût unitaire minimum, contrairement au contexte de monopole, où le coût unitaire de la production est plus élevé. L'illustration 11.8 indique que le monopole qui veut maximiser ses bénéfices fixera sa production au point A sur la courbe de coût moyen. Dans un contexte de concurrence pure, la production atteint à long terme le point B, soit le niveau le plus bas de la courbe de coût moyen.

En outre, toutes autres choses étant égales, la production du monopole est inférieure à celle de l'entreprise strictement concurrentielle. À l'illustration 11.8, la production de l'entreprise monopolistique est Q_m et celle de l'entreprise strictement concurrentielle, Q_c. Il est donc probable que l'entreprise strictement concurrentielle emploie plus de travailleurs qu'une entreprise monopolistique. Le prix et la production de cette dernière sont inférieurs à ceux de la première.

Enfin, si l'entreprise monopolistique maintient un prix supérieur à son coût moyen, ses bénéfices seront positifs. Par contre, si une entreprise strictement concurrentielle réalise des bénéfices positifs à court terme, d'autres entreprises se joindront à l'industrie, tant que les bénéfices à long terme ne seront pas de nouveau nuls. Dans le cas du monopole, par contre, les bénéfices peuvent rester positifs en raison des entraves qui évitent l'arrivée d'autres entreprises dans le marché.

La production de l'entreprise monopolistique est inférieure à celle d'une entreprise strictement concurrentielle, et son coût unitaire est supérieur.

Les bénéfices d'une entreprise monopolistique peuvent être positifs, même à long terme.

ILLUSTRATION 11.8
Monopole et concurrence

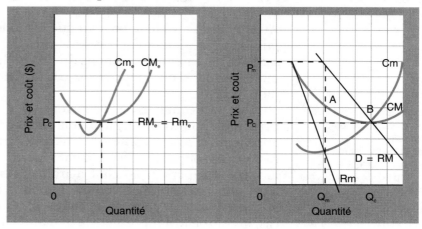

Problème : Comment la notion d'économies d'échelle nuance-t-elle la croyance générale selon laquelle la concurrence pure permet aux consommateurs de jouir d'un prix inférieur et d'une production supérieure à ceux d'un monopole?

> **Solution :** Cette croyance n'est valade que si les contraintes de coût de l'entreprise monopolistique sont analogues à celles de l'entreprise strictement concurrentielle. Toutefois, lorsque les économies d'échelle sont importantes, cette croyance s'avère fausse. Il se peut qu'une seule entreprise strictement concurrentielle ne puisse profiter des avantages des économies d'échelle, et qu'une entreprise monopolistique ait une production tellement importante que son coût unitaire est relativement faible. Dans un marché monopolisé, il se peut que le prix du produit soit inférieur et la production, plus élevée que dans un contexte de concurrence pure.

LE MONOPOLE RÈGLEMENTÉ

L'analyse précédente semble indiquer que les conséquences sociales du monopole peuvent être moins souhaitables que celles de la concurrence pure. Par exemple, la production de l'entreprise monopolistique est habituellement moindre à un coût unitaire supérieur, et le prix est supérieur à celui d'une entreprise concurrentielle, toutes autres choses étant égales. Cette aptitude à déterminer le prix et la production s'appelle *emprise monopolistique*. La mauvaise attribution des ressources qui caractérise le monopole est impossible dans une structure de marché strictement concurrentielle. Au sein de nombreux monopoles naturels, les prix sont fixés par des organismes publics de réglementation. Nous allons maintenant étudier la façon dont ces derniers procèdent, et les conséquences de leurs interventions.

La fixation du prix en fonction du coût marginal

En vertu de la réglementation, il se peut que le monopole doive fixer son prix en fonction de son coût marginal ou de son coût moyen, et sa production, à un niveau auquel son coût moyen est le plus faible.

On a vu qu'une entreprise monopolistique fonctionne à un niveau auquel le prix est supérieur au coût marginal. Du point de vue social, lorsque le prix égale le coût marginal, les ressources sont utilisées à leur pleine mesure. Voyons donc ce qui se produit si un organisme de réglementation impose à un monopole un prix égal à son coût marginal. L'illustration 11.9 nous aidera à mieux comprendre les effets d'une telle réglementation. Le graphique présente un monopole naturel. On notera que les coûts fixes étant extrêmement élevés, la courbe de revenu moyen coupe celle de coût moyen, lorsque cette dernière est encore décroissante. L'entreprise monopolistique non réglementée qui veut maximiser ses bénéfices fixera sa production à Q_{1m} et son prix à P_m. En effet, dans ces conditions, le revenu marginal égale le coût marginal (point A de l'illustration 11.9). Si l'organisme de réglementation fixe un prix égal au coût marginal, l'entreprise monopolistique fixera sa production à Q_r et son prix, à P_r (point B). En fixant le prix à P_r, l'organisme de réglementation empêche l'entreprise monopolistique de réduire sa production afin d'obtenir un prix plus élevé.

ILLUSTRATION 11.9
Monopole réglementé

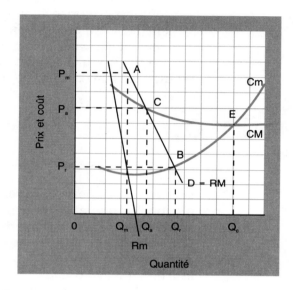

Lorsque le prix est fixé en fonction du coût marginal, le monopole risque de subir des pertes. C'est le cas de l'entreprise présentée à l'illustration 11.9, dont le prix égale le coût marginal. Étant donné qu'aucune entreprise n'est disposée à perdre indéfiniment de l'argent, celle-ci devra adopter les mesures nécessaires pour survivre, ou se retirer du marché. Si l'État juge que le monopole est essentiel, il pourra décider de prendre lui-même l'entreprise en charge et d'accepter les pertes, ou de subventionner le monopole. Toutefois, il pourrait craindre de soulever l'indignation du public en subventionnant un monopole privé.

La fixation du prix en fonction du coût moyen

Si l'organisme réglementaire décide qu'il est peu sage de fixer le prix en fonction du coût marginal, il le déterminera peut-être en fonction du coût moyen (point C de l'illustration 11.9). Dans ce cas, l'entreprise monopolistique choisira une production Q_M, à un prix P_M. Cette solution empêche l'entreprise de réaliser des bénéfices et respecte le principe selon lequel les ressources du propriétaire doivent produire un rendement équitable. Comme vous pouvez le constater, grâce à cette méthode de fixation du prix, le niveau de production est supérieur à celui que choisirait un monopole non réglementé, sans toutefois atteindre le niveau le plus souhaitable sur le plan social, Q_r, où le prix égale le coût marginal.

La fixation du prix en fonction du coût moyen minimum

Enfin, l'organisme de réglementation peut faire en sorte que le monopole fonctionne au point le plus bas de sa courbe de coût moyen (point E de l'illustration 11.9). Si la courbe de coût moyen décroît en s'étalant sur divers niveaux de production (illustration 11.9), il se peut que le point minimum soit atteint à un niveau de production supérieur aux besoins du marché.

En effet, pour fonctionner à ce niveau, l'entreprise doit atteindre une production Q_c, ce qui dépasse nettement les quantités que l'entreprise pourrait vendre à n'importe quel prix. La solution choisie par l'organisme de réglementation dépendra donc des objectifs fixés. Dans tous les cas, le monopole réglementé atteint une production supérieure à un prix inférieur, comparativement à une entreprise non réglementée.

LA DISCRIMINATION DANS UN CONTEXTE DE MONOPOLE

Jusqu'ici, nous avons supposé que le monopole vend son produit au même prix à tous ses clients. Mais dans certaines circonstances, celui-ci variera le prix de son produit ou de son service selon les acheteurs, une pratique connue sous le nom de *discrimination des prix*. Cette dernière consiste à fixer des prix différents selon les acheteurs ou groupes d'acheteurs, pour des motifs qui ne relèvent pas des différences de coûts. Par exemple, à l'instar de nombreuses compagnies d'électricité, Bell Canada accorde des tarifs différents aux abonnés commerciaux et aux particuliers. Par ailleurs, un avocat peut demander à un client bien nanti des honoraires sensiblement supérieurs à ceux qu'il aurait exigés d'un client moins fortuné, relativement à une affaire similaire. Enfin, une entreprise peut vendre ses produits moins cher à l'étranger que dans le marché intérieur.

La discrimination des prix nécessite deux conditions : en premier lieu, l'entreprise monopolistique doit classer les acheteurs

Pour pratiquer la discrimination des prix, le monopole doit classer les acheteurs en différentes catégories et éviter les opérations d'arbitrage.

La discrimination des prix n'est rentable que si l'élasticité de la demande par rapport au prix diffère dans chaque marché.

de ses produits en catégories — riches ou pauvres, adultes ou enfants, particuliers ou entreprises, etc. Deuxièmement, elle doit être en mesure de maintenir un cloisonnement entre les marchés, afin que les acheteurs ne puissent pas faire d'*opérations d'arbitrage* (en achetant dans un marché et en revendant dans un autre afin d'empocher la différence entre les deux prix). Si le monopole ne peut cloisonner ainsi ses marchés, le prix montera dans celui où le prix est moindre, et baissera dans l'autre, jusqu'à ce que l'écart disparaisse. Ces deux conditions ne garantissent toutefois pas la rentabilité de la discrimination des prix; l'élasticité de la demande par rapport au prix doit différer dans chaque marché.

L'exemple suivant illustre les avantages de la discrimination des prix. Supposons que la clientèle d'un produit donné est composée de deux groupes, les étudiants et les professeurs. Les premiers sont prêts à payer 10 $ l'unité, et les autres, pas plus de 6 $. L'entreprise accroîtra ses bénéfices, si elle vend son produit 10 $ aux étudiants et 6 $ aux professeurs. En effet, en fixant un prix unique de 6 $, elle perdrait 4 $ à chaque vente auprès des étudiants; par contre, si elle exigeait un prix unique de 10 $, les professeurs n'achèteraient pas le produit. Le principe du surplus du consommateur, étudié au chapitre 6, explique aussi pourquoi le monopole a avantage à pratiquer la discrimination des prix. En fixant le prix le plus élevé possible, le monopole recueille la totalité du surplus du consommateur.

La répartition de la production entre les marchés

Pour maximiser ses bénéfices, le monopole qui pratique la discrimination des prix répartira la production dans les divers marchés, afin que le revenu marginal égale le coût marginal dans chacun.

Examinons maintenant les décisions que doit prendre l'entreprise monopolistique pour pratiquer la discrimination des prix. Elle doit d'abord fixer la quantité qu'elle vendra dans chaque marché ainsi que le prix. À l'aide de l'illustration 11.10, nous allons analyser le comportement du monopole qui a recours à la discrimination des prix. Les diagrammes A et B présentent les courbes de demande et de revenu marginal dans les marchés A et B. Pour faciliter l'analyse, nous supposons que le coût marginal est constant à OC dans chaque marché. Afin de maximiser ses bénéfices, l'entreprise vendra, dans chaque marché, une quantité à laquelle le revenu marginal égale le coût marginal. Elle vendra donc Q_a unités dans le marché A, et Q_b unités dans le marché B. Le prix sera de P_a dans le marché A et de P_b dans le marché B. À noter que le prix est supérieur dans le marché où la demande est moins élastique.

ILLUSTRATION 11.10
Répartition de la
production d'une
entreprise qui pratique la
discrimination des prix

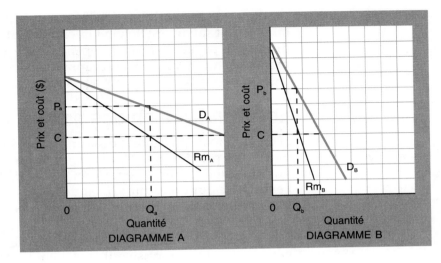

ILLUSTRATION 11.10
Répartition de la
production d'une
entreprise qui pratique la
discrimination des prix

Les effets de la discrimination des prix

La discrimination des prix permet au monopole d'atteindre une production supérieure.

On a vu que l'entreprise monopolistique peut accroître ses bénéfices grâce à la discrimination des prix. Comparons maintenant la production d'entreprises qui ont recours ou non à cette pratique. Comme l'indique l'illustration 11.11, le monopole qui n'utilise pas la discrimination atteindra une production Q_1, à laquelle le revenu marginal égale le coût marginal. Si l'entreprise applique intégralement le principe de la discrimination des prix et vend chaque unité au prix que le consommateur est disposé à payer, sa courbe de demande se confondra, en pratique, avec celle de revenu marginal. Par conséquent, sa production atteindra Q_2 unités. Toutefois, il est fort peu probable que le monopole puisse

ILLUSTRATION 11.11
Monopoles pratiquant ou
non la discrimination des
prix

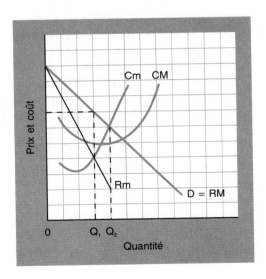

pratiquer cette discrimination de manière intégrale, car pour ce faire, il doit savoir exactement quel montant chaque acheteur est disposé à payer. Il ressort cependant de cette analyse qu'un monopole qui pratique la discrimination des prix produit davantage qu'un monopole qui n'y a pas recours.

La discrimination des prix est-elle injuste?

Si un monopole pratique la discrimination des prix, les clients qui payent les prix les plus élevés jugeront probablement cette pratique injuste. Toutefois, cette dernière avantage indiscutablement l'entreprise qui y a recours. Examinons donc les avantages et les inconvénients de la discrimination des prix.

Sans discriminination des prix, beaucoup de biens et de services ne seraient pas offerts.

Les avantages Beaucoup de biens et de services ne seraient pas offerts, si l'entreprise qui en détient le monopole ne pouvait pratiquer la discrimination des prix. Par exemple, certains médecins continueront de pratiquer dans des régions éloignées, s'ils peuvent exiger un prix supérieur de leurs clients plus aisés. En outre, la discrimination des prix pratiquée par les compagnies aériennes permet à bien des parents d'emmener leurs enfants en vacances. Considérée sous cet angle, la discrimination comporte des avantages certains.

La discrimination des prix peut entraîner la mauvaise répartition des ressources.

Les inconvénients Par contre, si la discrimination des prix est exagérée, le prix pourrait devenir inférieur au coût marginal. Par exemple, si les compagnies d'électricité pratiquaient la discrimination des prix, les tarifs pourraient devenir si bas, que les particuliers seraient portés à gaspiller. Si le prix devient inférieur au coût marginal, il s'ensuit une mauvaise répartition des ressources. La quantité des ressources qui circulent dans l'industrie dépasse alors le niveau le plus souhaitable sur le plan social. Prenons également l'exemple d'une société de transport en commun qui pratiquerait la discrimination des prix en faveur des enfants et des personnes âgées. Si cette discrimination va trop loin, les contribuables devront subventionner le réseau de transport. Des ressources susceptibles d'être mieux utilisées seraient alors détournées vers cette industrie.

APPLICATIONS

Nous allons maintenant examiner les effets des impôts sur le comportement d'un monopole, en commençant par la taxe d'accise. On a vu que cette dernière est un impôt perçu sur les produits fabriqués dans le marché intérieur. Nous examinerons ensuite les effets de l'impôt sur les bénéfices d'un monopole.

Les effets de la taxe d'accise

Supposons que l'entreprise monopolistique est assujettie à une taxe d'accise sur chaque unité produite et vendue. Augmentera-t-elle son prix d'un montant égal à celui de la taxe? À première vue, il semblerait que oui; toutefois, analysons la situation à l'aide de l'illustration 11.12. Pour simplifier, supposons que les courbes de demande et de coût marginal sont linéaires, et que le coût marginal du monopole est constant. RM et Rm représentent le revenu moyen et le revenu marginal, et Cm, le coût marginal avant taxe. À l'illustration 11.12, le monopole fixe sa production à Q et son prix à P, afin de maximiser ses bénéfices. Après l'imposition de la taxe, la courbe de coût marginal se déplace du montant de la taxe et devient Cm_1. L'entreprise a maintenant une production Q_0 et un prix P_t. L'écart entre les prix P et P_t est inférieur à la taxe (l'écart entre Cm et Cm_t). Nous pouvons donc conclure que si une taxe d'accise est perçue sur chaque unité vendue par un monopole, le prix de cette unité montera, mais dans une proportion inférieure à la taxe.

ILLUSTRATION 11.12
Effets d'une taxe d'accise

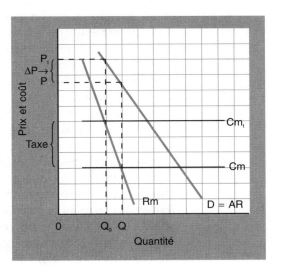

Les effets d'un impôt sur les bénéfices

Au Canada, comme dans beaucoup d'autres pays, on impose les bénéfices de l'entreprise. Supposons que le monopole doit verser 30 % de ses bénéfices à l'impôt. Augmentera-t-il son prix de 30 $, afin de remettre sa charge d'impôt à ses clients? Supposons que le monopole veut maximiser ses bénéfices en égalisant son revenu marginal et son coût marginal. S'il augmente son prix, ses bénéfices baisseront. Il a donc plus avantage à payer l'impôt sur les bénéfices maximums plutôt que sur des bénéfices réduits par une augmentation des prix. Le tableau 11.4 illustre ce point.

TABLEAU 11.4

Bénéfices avant et après impôt

Prix	Bénéfices avant impôt	Impôt de 30 %	Bénéfices après impôt
6 $	10 000 $	3 000 $	7 000 $
5	15 000	4 500	10 500
4	9 500	2 850	6 650

Manifestement, le prix auquel les bénéfices sont maximisés avant et après impôt est de 5 $.

RÉSUMÉ DU CHAPITRE

1. Dans un contexte de monopole, une entreprise unique vend un produit sans équivalent proche. Étant donné qu'il existe des équivalents de la plupart des produits, les monopoles purs sont rares dans la réalité.
2. Les monopoles se créent en raison d'entraves à la pénétration d'un marché. Ces dernières peuvent être d'ordre légal (un brevet, par exemple), découler de la propriété d'une matière première essentielle ou résulter d'économies d'échelle.
3. Comme l'entreprise monopolistique est la seule de l'industrie, sa courbe de demande est identique à celle de l'industrie; elle est décroissante de gauche à droite.
4. Comme la courbe de demande de l'entreprise monopolistique est décroissante, celle de revenu marginal l'est également. Dans un contexte de monopole, le revenu marginal est également inférieur à la demande (ou revenu moyen).
5. Le monopole maximisera ses bénéfices à un niveau de production auquel son revenu marginal égale son coût marginal. Toutefois, son prix est toujours supérieur à son coût marginal. Le monopole ne pourra réaliser des bénéfices plus élevés à cause de la crainte d'une réglementation officielle, de l'arrivée éventuelle de nouvelles entreprises dans le marché et des réactions du public.
6. Quand le revenu marginal est positif, la demande est élastique; quand il est nul, la demande est unitairement élastique; enfin, quand il est négatif, la demande est inélastique. Le monopole qui veut maximiser ses bénéfices n'exploitera jamais son entreprise à un niveau de production auquel la demande est inélastique.

7. Le monopole a une production moindre et un prix supérieur, en comparaison avec une entreprise strictement concurrentielle. En outre, il peut bénéficier d'avantages économiques à long terme. Les bénéfices positifs à court terme d'une entreprise concurrentielle seront, à long terme, rongés par la concurrence.

8. Comme les monopoles ont certains effets peu souhaitables sur le plan social, l'État peut décider de les réglementer. Dans un monopole réglementé, la production est généralement plus élevée et le prix, plus faible que dans un monopole non réglementé.

9. La discrimination des prix consiste à fixer des prix différents selon les acheteurs d'un même produit ou service. Elle n'est possible que si les acheteurs peuvent être classés en catégories bien définies et si le monopole peut éviter l'achat, dans l'un des marchés, de produits qui seront ensuite revendus dans un autre.

10. La discrimination des prix n'est possible que si l'élasticité de la demande par rapport au prix diffère dans chaque marché. En ayant recours à cette mesure, le monopole tente de s'approprier le surplus du consommateur.

11. Le monopole qui a recours à la discrimination des prix fixe sa production au niveau auquel le revenu marginal égale le coût marginal; il répartit sa production entre les marchés, afin que le revenu marginal égale le coût marginal dans chaque marché.

12. Le monopole qui pratique la discrimination des prix atteint une production supérieure et vend à un prix inférieur, comparativement à un monopole qui n'y a pas recours.

13. La discrimination des prix peut entraîner un gaspillage du produit. Par contre, elle peut aussi rendre certains biens et services accessibles aux consommateurs qui, autrement, n'y auraient pas accès.

Termes et notion à retenir

entraves à l'entrée
   sur un marché
brevet
franchise
monopole naturel
monopole réglementé
fixation du prix en
   fonction du coût moyen
opérations d'arbitrage
emprise monopolistique

inefficacité X
allocation optimale
rapport entre l'élasticité
   et le revenu marginal
fixation du prix en
   fonction du coût marginal
discrimination des prix
revenu moyen et revenu
   marginal dans un contexte
   de monopole

Questions de révision et de discussion

1. Pourquoi est-il difficile de définir un monopole?
2. Nommez les facteurs qui sont à l'origine des monopoles. Élaborez.
3. Pourquoi la courbe de demande d'un monopole est-elle décroissante?
4. Donnez des exemples de monopoles dans votre région et expliquez pourquoi ils sont monopolistiques.
5. Les monopoles réalisent-ils toujours des bénéfices importants? Expliquez.
6. Expliquez pourquoi une entreprise monopolistique qui veut maximiser ses bénéfices ne fixe pas sa production, ni ses prix, à des niveaux où la demande de ses produits est inélastique.
7. Pourquoi un monopole recherche-t-il des bénéfices inférieurs aux bénéfices maximums?
8. «Le monopole qui veut maximiser ses bénéfices vend toujours son produit au prix le plus élevé.» Élaborez.
9. En examinant les décisions relatives à la fixation des prix et à la production dans un contexte de monopole, expliquez quels sont les effets des monopoles sur la répartition des ressources.
10. Que signifie l'expression *emprise monopolistique*? Quelles mesures l'État peut-il prendre pour empêcher un monopole d'abuser de son emprise?
11. Quels sont les problèmes causés par une réglementation qui impose la fixation du prix en fonction du coût marginal?
12. Sur le plan social, quels sont les avantages de la concurrence pure en comparaison avec le monopole?
13. Qu'entend-on par «discrimination des prix»? Quelles sont les circonstances qui encouragent un monopole à y avoir recours?
14. Dans quels cas est-il possible d'utiliser la discrimination des prix? Quand est-elle rentable?
15. Expliquez comment le monopole qui a recours à la discrimination des prix répartit sa production entre deux marchés où l'élasticité de la demande par rapport au prix est différente, afin de maximiser ses bénéfices.
16. Quelles sont les conséquences économiques de la discrimination des prix?
17. Pensez-vous qu'il y ait lieu de toujours condamner la discrimination des prix?
18. Quels sont les avantages et les inconvénients de la discrimination des prix?

Problèmes et exercices

1. Le tableau 11.5 présente le barème de demande de Progression ltée, une entreprise monopolistique.

TABLEAU 11.5
Barème de demande de
Progression ltée

Quantité	Prix
1	20,00 $
2	17,50
3	15,00
4	12,50
5	10,00
6	7,50

    (a) Calculez le revenu marginal de l'entreprise à chaque niveau de production.

    (b) Reportez sur un graphique les courbes de revenu moyen et de revenu marginal de Progression ltée.

2. L'illustration 11.13 représente Puissance Plus, une entreprise monopolistique.

ILLUSTRATION 11.13
Courbes de revenu et de
coût de Puissance Plus

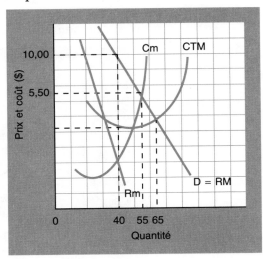

    (a) Quelle devrait être la production de Puissance Plus pour que cette dernière maximise ses bénéfices?

    (b) Quel prix devrait-elle fixer?

    (c) Quels sont les bénéfices totaux maximums que cette entreprise peut réaliser?

    (d) Quel est le revenu total de l'entreprise au niveau de production qui lui apporte les meilleurs bénéfices?

    (e) Quel est le coût total de l'entreprise, lorsqu'elle réalise les meilleurs bénéfices?

3. Le tableau 11.6 présente des données sur Isotemps, une entreprise monopolistique.

TABLEAU 11.6
Coût et revenu d'Isotemps

Quantité	Coût total ($)	Revenu total ($)
0	10	0,00
5	15	15,00
10	21	27,50
15	28	37,50
20	36	45,00
25	45	50,00
30	55	52,50
35	66	52,50

(a) Faites un tableau où figurent le coût et le revenu marginal d'Isotemps.

(b) Tracez les courbes de revenu et de coût marginal d'Isotemps.

(c) Quel niveau de production Isotemps devrait-elle choisir pour maximiser ses bénéfices?

(d) À quel prix pourra-t-elle vendre cette production?

4. L'illustration 11.14 présente les courbes de revenu de Transport Securi-T (une entreprise monopolistique). Le coût du transport d'un voyageur additionnel du point A au point B est pratiquement nul.

ILLUSTRATION 11.14
Coût et revenu de
Transport Securi-T

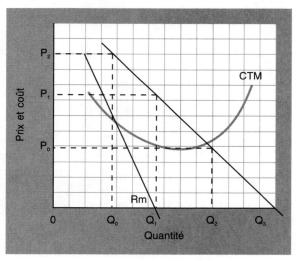

(a) Quel prix cette entreprise devrait-elle fixer, afin de maximiser ses bénéfices?

(b) Quel niveau de production devrait-elle choisir?

5. Démontrez que si le coût marginal est nul, l'entreprise monopolistique maximise ses bénéfices en fixant sa production à un niveau où l'élasticité de la demande par rapport au prix égale 1.

6. Le tableau 11.7 présente des données sur une entreprise monopolistique appelée Monopole.

TABLEAU 11.7
Données sur le prix et le coût de Monopole

P	Q	RT	Rm	CT	Cm	Bénéfices totaux
900 $	0			400 $		
800	1			500		
700	2			550		
600	3			650		
500	4			850		
400	5			1 150		
300	6			1 430		
200	7			1 600		

(a) Complétez le tableau.
(b) Quel niveau de production Monopole devrait-elle choisir pour maximiser ses bénéfices?
(c) Quel sera le prix fixé par Monopole?
(d) Quel seront les bénéfices totaux de Monopole à ce prix?

7. À partir du tableau 11.7, tracez les courbes de demande et de revenu marginal de Monopole. Que révèle le rapport entre ces deux courbes?

8. L'illustration 11.15 présente les courbes de revenu moyen et de coût marginal d'Unifirme, une entreprise monopolistique.

ILLUSTRATION 11.15
Courbes de Cm et de RM d'Unifirme

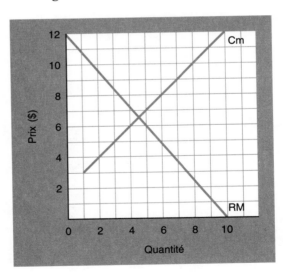

(a) Tracez la courbe de revenu marginal d'Unifirme.
(b) Quel prix Unifirme devrait-elle fixer, afin de maximiser ses bénéfices?
(c) Quel sera le niveau de production qu'elle choisira?

9. Couvretout Ltée, une entreprise monopolistique, fabrique un modèle de vêtement. Les bénéfices de Couvretout sont imposés à 40 $. Couvretout doit-elle augmenter son prix afin de remettre cet impôt à ses clients?

10. Bell Canada jouit d'un monopole assez important dans le domaine des services téléphoniques. Si le gouvernement fédéral impose une taxe de 2 $ sur chaque unité téléphonique installée par Bell, la société devrait-elle augmenter de 2 $ le prix de chaque unité?

LA CONCURRENCE IMPARFAITE : LA CONCURRENCE MONO-POLISTIQUE ET L'OLIGOPOLE

> Dans un secteur où prévaut la concurrence monopolistique, toute entreprise qui offre des produits qui diffèrent, d'une façon ou d'une autre, de ceux des autres entreprises peut approvisionner un marché spécial qui lui est propre.
>
> Joseph A. Schumpeter, *Business Cycle*

INTRODUCTION

Le présent chapitre traite principalement de la fixation de prix et des décisions des entreprises en matière de production, dans des contextes de concurrence monopolistique et oligopolistique. Les économistes utilisent souvent l'expression *concurrence monopolistique* pour désigner une structure de marché qui n'est ni tout à fait concurrentielle, ni tout à fait monopolistique. Par conséquent, ce terme englobe tant la concurrence monopolistique que l'oligopole. Au Canada, la plupart des entreprises fonctionnent dans des structures de marché qui ne sont ni tout à fait concurrentielles, ni tout à fait monopolistiques, mais qui se situent entre ces deux opposés, soit concurrentielles dans un contexte monopolistique ou oligopolistique.

LA CONCURRENCE MONOPOLISTIQUE

Comme son nom l'indique, la concurrence monopolistique comprend des éléments de la concurrence pure et du monopole. Dans ce type de structure de marché, de nombreuses entreprises vendent des produits similaires mais différenciés. Les caractéristiques de la concurrence monopolistique sont décrites ci-dessous. À mesure qu'on les étudiera, vous pourrez établir la correspondance entre cette structure de marché et la concurrence pure. Afin de revoir les caractéristiques d'une structure de marché, consultez le tableau 10.1 du chapitre 10.

1. Un nombre relativement important d'entreprises

La concurrence monopolistique est caractérisée par un nombre relativement important d'entreprises.

Une structure de marché concurrentielle dans un contexte monopolistique comporte un nombre relativement important d'entreprises (disons entre 30 et 100 aux fins de notre étude), mais moins toutefois que dans le cas d'une concurrence pure. Étant donné que les entreprises sont relativement nombreuses, la part du marché total de chacune est relativement petite et ne leur permet de déterminer les prix que jusqu'à un certain point. En outre, leur nombre important les empêche de se regrouper et de déterminer le prix et la production dans le marché. Chaque entreprise agit indépendamment, et les gestes de l'une influent peu sur les autres.

2. Des produits différenciés

Dans un contexte de concurrence monopolistique, les entreprises ont recours à la différenciation des produits.

On a vu que dans un contexte de concurrence pure, les produits sont identiques. Dans un contexte de concurrence monopolistique, ils sont différenciés. En effet, la différenciation des produits caractérise cette structure de marché. Elle désigne une situation où les entreprises ont recours à un certain nombre de mécanismes pour différencier leurs produits de ceux des autres au sein de la même industrie. Il importe peu que les produits soient différents; ce qui compte, c'est que les acheteurs *perçoivent* une différence. Des produits sont différenciés, si les consommateurs préfèrent acheter l'article d'un vendeur plutôt qu'un autre.

On peut différencier des produits de nombreuses façons. Par exemple, on peut utiliser les caractéristiques du produit, comme les différences de conception, de conditionnement, de marque déposée, de couleur, de longévité et de marque commerciale. Certaines marques déposées et marques commerciales sont devenues si populaires qu'elles servent à désigner les produits, comme Kleenex (mouchoir en papier), band-aid (pansement de plastique), Xerox (photocopie), scotch tape (ruban adhésif transparent), Q-tips (cure-oreilles), Vaseline (gelée de pétrole) et Walkman (mini-lecteur de cassettes). On peut aussi différencier un produit en lui conférant une certaine image, afin d'attirer certains acheteurs. Par exemple, une voiture dont l'image est traditionnelle attirera probablement des personnes aux valeurs traditionnelles. Enfin, on peut mettre l'accent sur certaines caractéristiques de l'entreprise, comme l'emplacement, l'attention spéciale que les employés accordent à la clientèle et les services fournis en même temps que le produit. Un salon de beauté peut mettre des magazines et du café à la disposition des clients qui attendent, un magasin de meubles, offrir un service de livraison gratuit dans toute la ville ou en banlieue. Ces services différencient les entreprises. Un concessionnaire d'automobiles peut asseoir sa réputation sur le service après-vente. La différenciation des produits fondée sur la prestation de services fait en sorte que les consommateurs considèrent le produit et le service offert comme une entité unique. Elle prévaut surtout dans les commerces de détail, où il est difficile, voire impossible, de différencier les caractéristiques matérielles du produit. Les vidéocassettes qu'on loue à un endroit sont semblables partout ailleurs. Le service, toutefois, peut varier d'un magasin à l'autre.

La concurrence monopolistique prévaut dans les industries de services. Les nombreux salons de beauté, coiffeurs pour hommes et restaurants différents de n'importe quelle grande ville illustrent bien la concurrence monopolistique, tout comme les boulangeries, les stations-service, les magasins de chaussures, les boutiques de vêtements pour femmes et pour hommes, les garages, les papeteries et les fleuristes.

3. Les barèmes à l'entrée et à la sortie

L'entrée et la sortie sont relativement libres dans un contexte de concurrence monopolistique.

Dans un contexte de concurrence pure, l'entrée et la sortie d'une industrie sont libres. Il en va de même dans un contexte de concurrence monopolistique. Dans ce dernier cas toutefois, l'entrée n'est pas aussi aisée, car il importe de différencier son produit. En outre, pour «percer» une industrie monopolistique concurrentielle, il faut avoir recours à une publicité considérable, dont le fardeau financier peut limiter l'entrée dans un marché.

Problème : Vous exploitez une pharmacie dans votre quartier. Afficherez-vous des prix nettement supérieurs à ceux des autres pharmacies?

Solution : Une pharmacie est un bon exemple d'entreprise qui fonctionne dans un marché monopolistique concurrentiel. Vous pourriez fixer avec succès des prix légèrement supérieurs à ceux des autres pharmacies si, grâce à la différenciation des produits, vous pouviez augmenter la demande de vos produits. Toutefois, il serait peu avisé de fixer des prix considérablement supérieurs. Après tout, vos produits peuvent être différents, mais seulement jusqu'à un certain point. Des prix considérablement supérieurs se traduiront par une réduction importante de votre part de marché.

LA DEMANDE ET LE REVENU MARGINAL DE L'ENTREPRISE DANS UN CONTEXTE DE CONCURRENCE MONOPOLISTIQUE

Dans un contexte de concurrence monopolistique, les entreprises sont nombreuses. Toutefois, étant donné que son produit est considéré comme étant différent des autres, le concurrent monopolistique peut déterminer le prix jusqu'à un certain point. S'il l'augmente, il perdra certains clients, bien que ceux qui préfèrent nettement son produit lui demeureront fidèles. S'il le diminue, il attirera des clients de ses concurrents, mais les acheteurs ne seront pas tous séduits par la faible réduction de prix. Par conséquent, sa courbe de demande est descendante. Étant donné que les biens de substitution sont nombreux dans un contexte de concurrence monopolistique, la demande du produit de toute entreprise risque d'être relativement élastique. Le degré d'élasticité dépendra du degré de différenciation des produits de l'entreprise.

Si la courbe de demande est descendante, il en va de même pour la courbe de revenu marginal. Dans un contexte de concurrence monopolistique, l'entreprise ne peut augmenter ses ventes qu'en diminuant ses prix. Par conséquent, chaque unité additionnelle ajoute un petit montant au revenu global. Les courbes de demande et de revenu marginal d'une entreprise en concurrence monopolistique sont présentées à l'illustration 12.1.

Les courbes de revenu moyen et de revenu marginal d'une entreprise dans un contexte de concurrence monopolistique sont descendantes.

ILLUSTRATION 12.1
Courbes de demande et de revenu marginal d'une entreprise dans un contexte de concurrence monopolistique

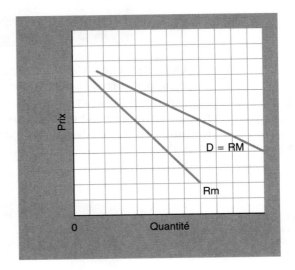

L'ÉQUILIBRE À COURT TERME DANS UN CONTEXTE DE CONCURRENCE MONOPOLISTIQUE

L'entreprise concurrentielle dans un contexte monopolistique est en équilibre, lorsque son revenu marginal égale son coût marginal.

Dans une industrie monopolistique concurrentielle, l'entreprise peut déterminer la combinaison du prix et de la production qui maximisera ses bénéfices. Ceux-ci sont maximisés, lorsque le revenu marginal égale le coût marginal. L'équilibre à court terme (qui maximise les bénéfices) est présenté à l'illustration 12.2. L'entreprise réalisera des bénéfices maximums au niveau de production OQ et au prix OP. Ses bénéfices économiques sont positifs, car son prix, OP, est supérieur à son coût à l'unité, OC.

ILLUSTRATION 12.2
Équilibre à court terme
d'une entreprise dans un
contexte de concurrence
monopolistique

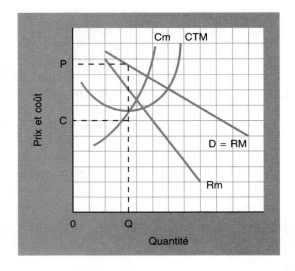

Dans un contexte de concurrence monopolistique, une entreprise peut subir des pertes à court terme, lorsque son revenu marginal égale son coût marginal.

Dans un contexte de concurrence monopolistique, l'entreprise peut subir des pertes à court terme (illustration 12.3). En supposant qu'elle couvre ses coûts variables, elle fait de son mieux à court terme en produisant au niveau OQ et au prix OP. Elle subit toutefois des pertes, car son prix, OP, est inférieur à son coût global, OC. Les pertes sont représentées par la zone ombrée à l'illustration 12.3.

ILLUSTRATION 12.3
Pertes subies par une
entreprise concurrentielle
dans un contexte
monopolistique

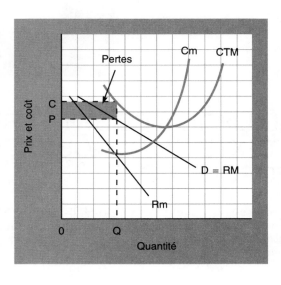

L'ÉQUILIBRE À LONG TERME DANS UN CONTEXTE DE CONCURRENCE MONOPOLISTIQUE

Dans un contexte de concurrence monopolistique, l'entrée et la sortie modifient la part de marché d'une entreprise.

Dans des contextes de concurrence monopolistique et pure, l'entrée et la sortie d'une industrie sont faciles. Si les entreprises réalisent des bénéfices économiques positifs, de nouvelles entreprises voudront se joindre à l'industrie. Dans ce cas, les courbes de demande des entreprises se déplacent vers la gauche (diagramme A de l'illustration 12.4), à mesure que la part de la demande totale de ces dernières diminue. La courbe de demande initiale, D, représente la part de la demande du marché de l'entreprise. D_o est la nouvelle courbe de demande obtenue après l'entrée de nouvelles entreprises dans l'industrie. L'entreprise réalise encore des bénéfices positifs, car sa courbe de demande est toujours située au-dessus de sa courbe de coût total moyen.

ILLUSTRATION 12.4
Effets de l'entrée de nouvelles entreprises

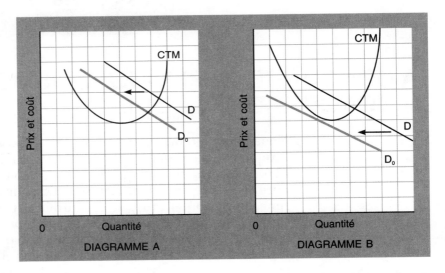

DIAGRAMME A

DIAGRAMME B

Si trop d'entreprises se joignent à l'industrie, la courbe de demande se retrouvera sous celle de coût moyen. L'entreprise subira alors des pertes (diagramme B de l'illustration 12.4). Dans le cas présent, la courbe de demande s'est déplacée de D à D_o, soit sous celle de coût total moyen. Cette baisse entraînera le départ de certaines entreprises de l'industrie et le déplacement de la courbe de demande vers la droite, à sa position initiale.

Dans une situation d'équilibre à long terme, une entreprise dans un contexte de concurrence monopolistique ne réalise que des profits normaux.

Lorsque les entreprises de l'industrie ne réalisent que des profits normaux (en d'autres termes, lorsque P = CTM), l'entrée et la sortie des entreprises cessent, et l'équilibre à long terme est atteint (illustration 12.5). Le niveau de production de l'entreprise s'établit à OQ unités, au prix OP. À noter que dans une situation d'équilibre à long terme, le revenu marginal égale le coût marginal, et le prix égale le coût moyen.

ILLUSTRATION 12.5
Équilibre à long terme d'une entreprise dans un contexte de concurrence monopolistique

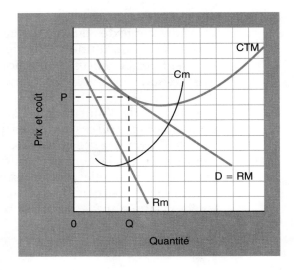

LA CONCURRENCE MONOPOLISTIQUE ET LA CONCURRENCE PURE

Nous pouvons comparer l'efficacité de la concurrence monopolistique et celle de la concurrence pure à l'aide de l'illustration 12.6. Le diagramme indique que dans un contexte de concurrence pure, le prix égale le coût marginal. Dans un contexte de concurrence monopolistique, il est supérieur au coût marginal, c'est-à-dire que les ressources ne sont pas allouées de façon optimale. L'augmentation de la production profite à la société, car l'entreprise est peu rentable dans le sens où elle ne produit pas au point minimum de sa courbe de coût moyen comme dans un contexte de concurrence pure. La capacité de l'entreprise est donc excédentaire ou sous-utilisée. On désigne cette situation par l'expression *théorème de la capacité excédentaire*. Dans une situation d'équilibre à long terme, une entreprise monopolistique aura une capacité excédentaire. En d'autres termes, elle sera exploitée à un point situé à gauche du point minimum de son coût moyen à long terme. L'illustration 12.6 indique également que la production de l'entreprise, dans un contexte de concurrence pure, est supérieure (Q_{cp}) à celle dans un contexte de concurrence monopolistique (Q_{cm}). Par ailleurs, le prix fixé par une entreprise dans un contexte

Dans une situation d'équilibre à long terme, une entreprise concurrentielle dans un contexte monopolistique aura une capacité excédentaire.

ILLUSTRATION 12.6
Concurrence pure et
concurrence
monopolistique

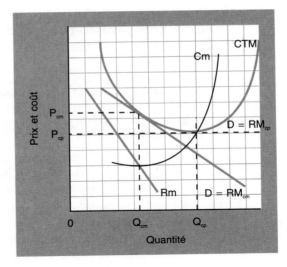

de concurrence monopolistique (P_{cm}) est supérieur à celui dans un contexte de concurrence pure (P_{cp}).

Le consommateur est-il plus avantagé dans un contexte de concurrence pure ou monopolistique? Si la concurrence est pure, le consommateur paye un prix inférieur, mais le choix des produits est limité, car tous les produits d'une industrie sont identiques. Lorsque la concurrence est monopolistique, le consommateur peut choisir entre de nombreux produits différenciés. On peut avancer que le prix supérieur dans un contexte de concurrence monopolistique est contrecarré par le choix plus vaste. Toutefois, il est impossible de trancher la question par l'analyse économique. La décision relève du consommateur.

LA PUBLICITÉ

Une entreprise a recours à la publicité afin de conserver ou d'augmenter sa part de marché.

La publicité est, en elle-même, une forme de concurrence hors-prix. Une entreprise dans un contexte de concurrence pure n'a pas besoin de dépenser pour augmenter ses ventes. Elle peut vendre la totalité de sa production au prix actuel. Toutefois, dans un contexte de concurrence monopolistique, la publicité peut augmenter les profits. Pour être rentable, elle doit augmenter davantage le revenu total que le coût total. Si elle est efficace, elle augmentera la demande du produit de l'entreprise et diminuera également l'élasticité de ce dernier. Le pouvoir commercial de l'entreprise concurrentielle dans un contexte monopolistique augmentera donc. Si les dépenses en publicité sont des coûts fixes, elles n'influeront pas sur le coût marginal. Et si la publicité influe peu sur la demande du produit d'une entreprise, le prix et la quantité auxquels Rm = Cm ne changeront pas de façon appréciable. Dans ce cas, la publicité augmentera le coût total et réduira les profits de l'entreprise.

> **Problème :** Vous exploitez un café à Port Alberni (C.-B.). Un autre café, situé de l'autre côté de la rue, vient d'installer un climatiseur. Que devriez-vous faire ?
>
> **Solution :** L'installation d'un climatiseur par un concurrent illustre un type de concurrence hors-prix, appelé *concurrence fondée sur la qualité*. Toutes autres choses étant égales, les clients préfèrent un endroit climatisé. Afin d'éviter de perdre des clients, et pour éventuellement en attirer d'autres, vous pouvez installer un climatiseur dans votre café, diminuer vos prix ou faire de la publicité.

Les avantages et les inconvénients de la publicité

De nombreux ouvrages sur l'économique et le marketing se sont penchés sur la publicité. Cette dernière augmente-t-elle ou diminue-t-elle les prix ? Est-elle rentable ? Entrave-t-elle ou favorise-t-elle la concurrence ? La présente section examine les principaux arguments en faveur ou en défaveur de la publicité.

La publicité peut accroître l'emploi et le revenu.

Les avantages Ceux qui penchent en faveur de la publicité invoquent les arguments suivants :

1. La publicité crée de l'emploi et procure un revenu aux personnes qui travaillent en publicité et dans les médias. En outre, elle augmente la demande de biens et de services, et étant donné que la production de ces derniers nécessite des ressources, dont la main-d'oeuvre, elle augmente l'emploi en général.

La publicité peut mener à des économies d'échelle.

2. La publicité permet aux entreprises de profiter des économies d'échelle. On peut expliquer cet argument à l'aide de l'illustration 12.7, où CM représente le coût moyen de l'entreprise sans publicité. Supposons que la quantité demandée du produit de l'entreprise, sans publicité, est OQ. Cette production sera atteinte à un coût moyen d'OC. À cause de la publicité, la courbe du coût moyen de l'entreprise se déplace vers le haut, de CM à CM_a, et la quantité demandée augmente de OQ à OQ_1. Toutefois, le coût moyen nécessaire pour atteindre cette production supérieure a diminué d'OC à OC_0. Dans le cas présent, les avantages des économies d'échelle dépassent l'augmentation du coût moyen due à la publicité. Les consommateurs en sortent gagnants, car ils obtiennent le produit à un prix inférieur, lorsque l'entreprise a recours à la publicité.

ILLUSTRATION 12.7
Effets de la publicité

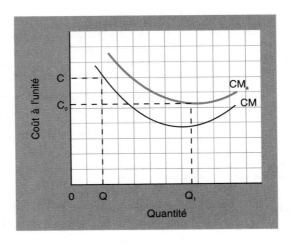

3. La publicité fournit aux consommateurs des renseignements précieux qui leur permettent de prendre de meilleures décisions. En informant les acheteurs au sujet de nouveaux produits, de nouveaux emplacements et de nouvelles entreprises, la publicité réduit considérablement les coûts de recherche des consommateurs.

La publicité se traduit par l'amélioration et la conception de produits.

4. La publicité permet l'amélioration et la conception de produits. Lorsqu'une entreprise fait de la publicité, elle souligne les avantages de son produit par rapport à ceux de ses concurrents. Elle doit donc améliorer ce dernier afin de justifier sa publicité. En outre, le fait que ses concurrents font également de la publicité la pousse à améliorer ses produits et services.

La publicité peut accroître la concurrence de certains marchés.

5. La publicité accroît la concurrence. Il est donc plus facile de lancer avec succès de nouveaux produits qui sont des biens de substitution des produits actuels. Par conséquent, elle augmente le nombre d'entreprises au sein d'une industrie et accroît la concurrence.

Les inconvénients   Ceux qui s'élèvent contre la publicité invoquent les arguments suivants :

La publicité peut accroître l'emprise monopolistique.

1. La publicité accroît l'emprise monopolistique. Chaque année, les entreprises de certaines industries dépensent des millions de dollars en publicité. Afin de percer de telles industries, les concurrents éventuels doivent être prêts à débourser de fortes sommes en publicité. Cela peut constituer une entrave réelle à l'entrée de nouvelles entreprises.

La publicité peut mener à une mauvaise affectation des ressources.

2. La publicité est peu rentable. Les ressources qui pourraient être appliquées à d'autres industries, afin de produire des biens et des services, sont gaspillées en publicité. Pourquoi utiliser tant d'encre et de papier en publicité, lorsque ces mêmes ressources pourraient servir à la production de livres éducatifs qui favorisent le bien-être de la société?

La publicité peut augmenter les coûts et les prix.

3. La publicité augmente les coûts et les prix, et pousse les consommateurs à changer souvent de marques. Par conséquent, la production n'augmente pas, et la part de marché de chaque entreprise ne varie que faiblement, alors que les coûts augmentent. Les consommateurs doivent donc payer des prix supérieurs.

En général, la publicité est convaincante ou concurrentielle, plutôt qu'informative.

4. La publicité vise surtout à convaincre, non à informer. Un grand nombre de messages publicitaires à la radio et à la télévision donnent peu d'information aux consommateurs afin que ces derniers effectuent des choix éclairés. Certains messages peuvent même donner des renseignements trompeurs ou faux.

La publicité impose des coûts indirects à la société.

5. La publicité impose des coûts indirects à la société. Par exemple, les panneaux d'affichage qui gâchent la beauté du paysage, les tonnes de prospectus publicitaires qu'il faut jeter et les messages publicitaires d'un goût douteux sont autant de coûts imposés quotidiennement à la société.

L'OLIGOPOLE

Par *oligopole*, on entend une industrie qui compte un nombre restreint d'entreprises où chacune est responsable d'une part importante de la production globale. Ce type de structure de marché caractérise notamment l'industrie du pétrole, l'industrie automobile et l'industrie sidérurgique. Si l'industrie ne comporte que deux entreprises, on emploie généralement le terme *duopole*. Les caractéristiques principales de l'oligopole sont décrites ci-dessous.

Duopole : une structure de marché ne comptant que deux entreprises.

Un nombre restreint d'entreprises   L'industrie ne comporte qu'un nombre restreint d'entreprises, et chacune est responsable d'une part relativement importante de la production globale. Comme dans le cas de la concurrence monopolistique, tout nombre est assez arbitraire, mais on considère qu'une industrie oligopolistique comporte de deux à quinze entreprises.

Une industrie oligopolistique ne comporte qu'un nombre restreint d'entreprises.

Une interdépendance reconnue   Étant donné le nombre restreint d'entreprises, les mesures prises par l'une ont des effets évidents sur les autres. Pour comprendre le comportement des entreprises au sein d'industries oligopolistiques, il faut reconnaître cette interdépendance.

Les entreprises oligopolistiques reconnaissent leur interdépendance.

Les entraves à l'entrée   L'industrie oligopolistique comporte des entraves à l'entrée, dont l'investissement considérable pour mettre sur pied une entreprise, et le recours important à la publicité afin de s'approprier une part suffisante du marché.

L'oligopole comporte des entraves à l'entrée.

Les produits identiques ou différenciés   Les entreprises oligopolistiques peuvent produire des produits identiques ou différenciés. Par exemple, le ciment d'une entreprise est semblable à celui des autres entreprises. Toutefois, il existe des différences évidentes entre les voitures compactes de General Motors et celles de Ford. On utilise l'expression *oligopole différencié*, lorsque les produits sont différenciés.

Les indices de concentration

Les indices de concentration fournissent de l'information sur la nature concurrentielle d'une industrie.

Les *indices de concentration* permettent de déterminer jusqu'à quel point un marché est dominé par quelques entreprises. Ils représentent le pourcentage de l'offre du marché totale représenté par les entreprises les plus importantes de l'industrie. Ces dernières ont habituellement des divisions dans plusieurs provinces et vendent leurs produits d'un océan à l'autre. Le tableau 12.1 présente les indices de concentration de certaines industries manufacturières canadiennes.

TABLEAU 12.1
Concentration des industries manufacturières canadiennes (1988)

Industrie	% des expéditions représenté par les quatre principales entreprises
Fabricants de produits du tabac	99,6
Brasseries	98,8
Fabricants de véhicules automobiles	94,7
Usines de fer et aciéries	81,6
Fabricants de fils et de câbles électriques	78,1
Fonte et affinage	75,7
Fabricants d'aéronefs et de pièces	68,4
Fabricants de machines pour bureau et commerce	65,1
Produits chimiques (organiques)	64,7
Édition et impression	62,5
Raffinage du pétrole	61,4
Fabricants de matériel de télécommunications	57,8

Source : *Annuaire du Canada* (1988).

LA FIXATION DE PRIX ET LA PRODUCTION OLIGOPOLISTIQUES

L'entreprise oligopolistique qui veut maximiser ses profits égale son revenu marginal et son coût marginal.

L'entreprise oligopolistique est responsable d'une partie importante de la production globale de l'industrie; elle peut donc maîtriser le prix jusqu'à un certain point. La différenciation des produits peut également augmenter le pouvoir commercial de celle-ci, et sa courbe de demande est descendante. À l'instar des entreprises d'autres structures de marché, on suppose qu'elle veut maximiser ses bénéfices. Elle aura donc une production à laquelle le revenu marginal égale le coût marginal. À l'illustration 12.8, la production qui maximise les bénéfices est OQ, et le prix fixé est OP.

Si le coût de production augmente, l'entreprise oligopolistique accroîtra habituellement le prix de son produit. Dans ce cas toutefois, certains acheteurs peuvent se tourner vers d'autres biens de substitution offerts par d'autres entreprises. Un tel

ILLUSTRATION 12.8
Prix et production d'une
entreprise oligopolistique

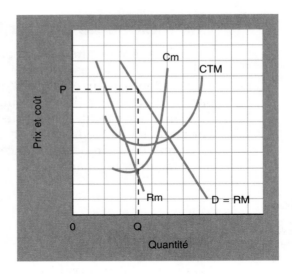

croisement peut se traduire par une augmentation du prix des biens de substitution.

Problème : Vous êtes le gérant d'une épicerie et ne possédez que deux autres concurrents. À l'instar de ces derniers, vous réalisez des profits satisfaisants. Toutefois, vous pourriez augmenter vos profits en accroissant vos ventes. Baisserez-vous vos prix afin d'attirer les clients de vos concurrents?

Solution : En apparence, diminuer le prix peut sembler une bonne stratégie. Toutefois, on ne doit pas prendre de décision hâtive sans analyser la situation. Si vous diminuez votre prix, vos concurrents risquent de faire de même, voire de déclencher une guerre des prix en les baissant encore davantage. Il en résultera alors des profits et des prix inférieurs ainsi que des parts de marché relativement inchangées.

LA COURBE DE DEMANDE COUDÉE

Dans les marchés oligopolistiques, le prix a tendance à demeurer relativement stable. En effet, les entreprises s'aperçoivent que si l'une d'entre elles diminue ses prix, les autres emboîteront le pas. Au lieu de déclencher une guerre des prix qui les désavantagera, les entreprises s'entendent tacitement pour «vivre et laisser vivre» en partageant le marché et les profits. Bien entendu, cette situation résulte d'une interdépendance importante des entreprises, laquelle est absente des autres structures de marché.

Le modèle de la *courbe de demande coudée*, avancé en 1939 par Paul Sweezy, explique l'inflexibilité du prix dans des industries oligopolistiques. Cette théorie est fondée sur les deux hypothèses fondamentales suivantes relatives aux réactions des entreprises à des variations de prix par leurs concurrents : une entreprise qui accroît ses prix ne sera pas imitée par les autres; une entreprise qui diminue ses prix sera imitée par les autres. On suppose que les entreprises oligopolistiques agissent ainsi afin de conserver leurs clients ou de s'approprier une part plus importante du marché. Par exemple, si Coke augmente le prix de sa boisson, on peut supposer que Pepsi ne l'imitera pas, afin d'attirer les consommateurs de Coke. Par contre, si Coke réduit son prix, on suppose que Pepsi fera de même, afin de ne pas perdre de clients au profit de Coke.

Cette situation est présentée à l'illustration 12.9. Lorsque le prix est assez élevé, la courbe de demande est relativement élastique. Si le prix est bas, elle devient inélastique. Par conséquent, la courbe de demande est coudée au point A de l'illustration 12.9. La courbe de revenu marginal associée à une telle courbe de demande est également présentée. À noter que la courbe de revenu marginal est discontinuée.

La courbe de demande coudée explique la rigidité du prix.

Une augmentation importante du coût n'influe pas sur le prix.

ILLUSTRATION 12.9
Courbe de demande coudée

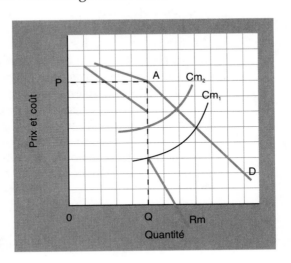

L'illustration 12.9 indique que si les courbes de revenu marginal et de coût marginal se coupent à l'intérieur de la section verticale de la courbe de revenu marginal, un déplacement important de la courbe de coût marginal n'influera pas sur le prix et la production auxquels l'entreprise maximise ses bénéfices. Par exemple, un accroissement du coût marginal, de Cm_1 à Cm_2, n'influe pas sur le prix (OP) et la production (OQ). Seules les variations considérables du coût influeront sur le prix et la production.

Le modèle de la courbe de demande coudée explique la *façon* dont la courbe de demande devient coudée, mais pas à quel *point*. Lorsqu'on connaît le prix, on peut utiliser le modèle pour expliquer la rigidité du prix, mais pas pour déterminer ou établir à prime abord le prix rigide. Le modèle de la courbe de demande coudée explique la rigidité relative du prix dans des marchés oligopolistiques. Toutefois, il ne constitue pas la seule explication et ne peut être considéré comme une théorie générale de la détermination du prix et de la production.

AUTRES MODÈLES DE COMPORTEMENT OLIGOPOLISTIQUE

Le bradage

Le bradage constitue une entrave efficace à l'entrée de nouvelles entreprises dans un marché.

Un faible prix au sein de l'industrie et une part de marché restreinte empêchent l'arrivée de nouvelles entreprises.

Dans les cas où les économies d'échelle sont importantes et les investissements initiaux, élevés, les entreprises oligopolistiques peuvent délibérément fixer un prix tellement bas que d'autres entreprises ne peuvent se joindre à l'industrie et réaliser des profits. Cette stratégie de fixation de prix s'appelle *bradage*.

L'illustration 12.10 présente le fonctionnement du bradage. Au diagramme A, les bénéfices sont maximisés au prix P_e. Si les entreprises fixent un faible prix (P_L, elles peuvent quand même réaliser des bénéfices, car elles maîtrisent une grande part du marché. Si elles fixent un prix P_L, la courbe de demande D_N (diagramme B) représente la part de marché dont peut s'approprier un concurrent éventuel. Ce prix est trop bas pour permettre à ce dernier de réaliser un profit. À n'importe quel niveau de production, la courbe de demande de la nouvelle entreprise est située sous sa courbe de coût moyen, CM_N. Sa part de marché éventuelle sera donc trop petite pour assurer la rentabilité des activités.

Le leadership en matière de prix

Les entreprises oligopolistiques peuvent éviter de déclencher une guerre des prix. Un *leadership en matière de prix* peut alors se manifester, une situation où une seule entreprise fixe le prix de son produit et est imitée par les autres.

Il existe deux types de leadership en matière de prix : *dominant* et *barométrique*. Le premier existe lorsque l'industrie est composée

ILLUSTRATION 12.10
Bradage

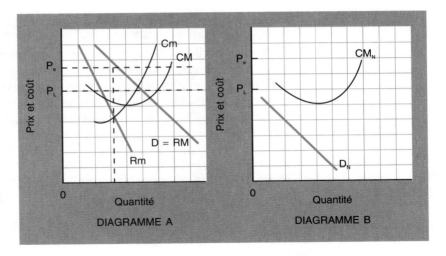

DIAGRAMME A   DIAGRAMME B

d'une seule entreprise importante qui domine, et de quelques petites entreprises. L'entreprise dominante amorce les variations de prix; les petites entreprises ne font que suivre le chef de file.

Dans une situation de leadership barométrique, l'industrie n'est pas dominée par une seule entreprise. N'importe quelle entreprise peut être le chef de file, ou le leadership peut passer d'une entreprise à l'autre. En raison des variations de la demande et du coût dans l'industrie, une entreprise peut modifier ses prix et être imitée par les autres.

> Le leadership en matière de prix permet une variation méthodique du prix, mais n'avantage pas toutes les entreprises également.

Bien que le leadership en matière de prix évite une guerre des prix dangereuse qui défavorise toutes les entreprises, il n'avantagera pas ces dernières également. On a vu qu'une entreprise maximise ses profits en fixant un prix auquel son revenu marginal égale son coût marginal. Étant donné qu'il est peu probable que toutes les entreprises de l'industrie aient les mêmes coûts, un prix fixé par le chef de file afin de maximiser les profits n'avantagera pas toutes les entreprises également. Pour réduire le risque d'une guerre des prix, l'entreprise dominante doit prendre en considération la situation des entreprises qui la suivent, lorsqu'elle modifie ses prix.

LE PRIX COÛTANT MAJORÉ

> De nombreuses entreprises oligopolistiques fixent leur prix en majorant leur coût moyen.

De nombreuses entreprises oligopolistiques déterminent le prix de leurs produits en adoptant une méthode de fixation de prix appelée *prix coûtant majoré* ou *calcul de prix par application d'un coefficient multiplicateur*. Le principe de prix coûtant majoré est très simple. L'entreprise majore son prix en fonction de son coût moyen, ce qui lui permet de déterminer son prix. Par exemple, si son coût moyen est de 12 $, elle peut choisir une majoration de 25 % et fixer son prix à 15 $.

Cette méthode de détermination du prix a l'avantage d'être facile à calculer et à comprendre. Toutefois, elle comporte certains problèmes. D'abord, si l'entreprise veut maximiser ses bénéfices, comment peut-elle savoir qu'une majoration de 25 %, plutôt que de 20 % ou de 30 %, lui permettra d'équilibrer son revenu marginal et son coût marginal? Deuxièmement, elle n'est pratique que si l'entreprise connaît exactement le volume de ses ventes à divers prix. Si l'entreprise fixe sa majoration à 25 %, il se peut qu'elle ne vende que 70 % de sa production à ce prix. Elle pourra donc être forcée de diminuer sa majoration.

LES CARTELS

Il arrive souvent que des entreprises oligopolistiques agissent de concert afin de maîtriser le marché d'un produit en particulier. De telles *collusions* sont souvent illégales au Canada. Néanmoins, certaines entreprises se réunissent quand même officieusement et prennent des *engagements d'honneur* afin de fixer le prix et la production. Ce genre d'entente tacite se produit le plus souvent lorsque l'industrie n'est composée que de deux ou trois entreprises.

Les cartels se partagent le marché et fixent les prix.

La forme de collusion la plus connue est le cartel, qu'on définit comme étant tout groupe de producteurs indépendants qui sont parvenus à une entente officielle afin de maîtriser le prix et la production dans une industrie en particulier. Dans de nombreux marchés internationaux, ces ententes sont autorisées. Par conséquent, de nombreux cartels existent dans des marchés internationaux, notamment ceux des ressources naturelles. L'Association internationale des lignes aériennes, l'Association internationale de la bauxite et l'Organisation des pays exportateurs de pétrole (OPEP) en sont des exemples.

Les cartels peuvent être *parfaits* ou *imparfaits*. Dans un cartel parfait, toutes les décisions relatives au prix et à la production relèvent d'un organisme central de prise de décisions, et les profits sont répartis entre chaque entreprise selon les conditions de l'entente du cartel. Dans un cartel imparfait, chaque entreprise possède certains pouvoirs de prise de décisions et peut garder les profits qu'elle a réalisés. Ce type de cartel est le plus commun.

Les cartels font face à diverses difficultés. Toutefois, nous concentrerons notre étude sur trois problèmes communs. D'abord, il est peu probable que des entreprises indépendantes cèdent leurs pouvoirs décisionnels à l'organisme central.

La tromperie constitue un des problèmes les plus graves au sein d'un cartel.

Deuxièmement, chaque entreprise du cartel peut être tentée de tricher et de produire davantage que son quota, afin de réaliser un profit supérieur. La forte tentation de tricher est due à l'attrait des profits. Dans ce cas, les intérêts individuels de l'entreprise éclipsent ceux du cartel. Celui-ci peut alors devoir recourir à la surveillance industrielle (espionnage). Si une nouvelle entreprise se joint au cartel, et si la demande totale du produit de l'industrie n'augmente pas, la production optimale du cartel n'est pas modifiée, un nombre supérieur de membres se partagent maintenant les profits. Si la nouvelle entreprise entre dans l'industrie, mais qu'elle n'est pas admise au sein du cartel, la survie de ce dernier est menacée.

Les politiques relatives à la fixation de prix et à la production dans les cartels

La maximisation des profits communs   Si le cartel décide de maximiser ses profits communs, il choisit une combinaison prix-production où le revenu marginal égale le coût marginal. En d'autres termes, le cartel agit exactement comme un monopoleur qui produit ses extrants dans diverses usines.

Après avoir déterminé sa combinaison prix-production, le cartel doit distribuer la production et les profits entre les membres du cartel. Il existe plusieurs façons de répartir la production, dont l'attribution de territoires exclusifs et l'établissement de quotas de production des membres. Cette dernière méthode est adoptée par l'OPEP, sans doute le cartel le plus connu.

L'ÉVALUATION DE L'OLIGOPOLE

À l'instar du monopole, l'oligopole a certaines conséquences sociales peu souhaitables. Les entraves à l'entrée de nouvelles entreprises dans l'industrie peuvent mener à des prix supérieurs au coût total moyen dans la plupart des entreprises oligopolistiques. Par conséquent, il est probable que ces dernières réalisent des profits excessifs. En outre, le prix établi dans un marché oligopolistique risque d'être supérieur au coût marginal. Ce déséquilibre entre le prix et le coût marginal semble indiquer une mauvaise répartition des ressources. Qui plus est, les entreprises oligopolistiques consacrent des sommes importantes à la publicité, afin de conserver ou d'accroître leur part de marché. Bien des gens considèrent ces dépenses énormes en publicité comme étant peu rentables.

En dépit de ces inconvénients, l'oligopole n'est pas toujours indésirable sur le plan social. S'il existe une *concurrence effective*, c'est-à-dire si celle-ci est suffisante pour faire en sorte que la production ne soit pas trop restreinte et que les profits ne soient pas excessivement élevés, l'oligopole n'est pas entièrement indésirable. On peut même avancer que les économies d'échelle, dans un contexte d'oligopole, peuvent diminuer les coûts et, par conséquent, les prix des entreprises oligopolistiques.

En outre, de nombreuses entreprises oligopolistiques se consacrent à la recherche et au développement. Elles mettent au point de nouveaux produits importants et présentent de nouvelles techniques, lesquels profitent souvent à la société.

Les entreprises oligopolistiques produisent de nombreux biens et services dans l'économie canadienne. Pour comprendre cette dernière, il faut connaître le comportement des entreprises oligopolistiques.

L'ACCESSIBILITÉ DES MARCHÉS

Notre étude des structures de marché a surtout porté sur le nombre d'entreprises et les conditions d'entrée dans l'industrie. Dans certains cas, le nombre d'entreprises ne permet pas d'expliquer les comportements adoptés.

Supposons que Jeanne Laloi est la seule avocate en ville, et qu'elle pratique également dans les collectivités avoisinantes. Étant donné qu'il n'existe aucun autre avocat à proximité, Jeanne Laloi forme un monopole. Elle fixera un prix où le revenu marginal égale le coût marginal. Elle peut même pratiquer une discrimination de prix et accroître ainsi son profit.

Prenons maintenant l'exemple de Cédupropre, une entreprise qui se spécialise dans des services de nettoyage. À l'instar de Jeanne Laloi, Cédupropre est un monopole. Toutefois, le comportement des deux entreprises en matière de fixation de prix risque d'être très différent. Alors que Jeanne Laloi peut fixer un prix qui se traduira par des profits économiques positifs, Cédupropre peut agir comme un concurrent pur et ne réaliser délibérément que des profits normaux (profits économiques nuls).

Pourquoi les deux entreprises adoptent-elles des stratégies de fixation de prix aussi différentes? L'entrée dans le marché de Jeanne Laloi nécessite une formation en droit et la réussite de certains examens spéciaux. Par conséquent, son marché n'est pas facilement accessible. Par contre, il est relativement aisé d'entrer dans l'industrie de Cédupropre, dont le marché est accessible. Un marché composé d'un ou de plusieurs vendeurs est accessible, si l'entrée dans l'industrie est facile et que la menace de l'entrée de concurrents éventuels empêche les entreprises d'exercer une emprise monopolistique.

La notion de marchés accessibles semble indiquer que le nombre d'entreprises ne suffit pas à déterminer l'ampleur de l'emprise monopolistique. Il faut également prendre en considération la facilité d'entrée dans l'industrie et les concurrents éventuels.

RÉSUMÉ DU CHAPITRE

1. La concurrence monopolistique est une structure de marché caractérisée par un nombre important d'entreprises qui vendent des produits différenciés.
2. En raison de la différenciation des produits, l'entreprise concurrentielle dans un contexte monopolistique peut maîtriser les prix des produits jusqu'à un certain point. Elle peut augmenter les prix légèrement sans perdre tous ses clients. Sa courbe de demande est donc descendante.
3. Dans un contexte de concurrence monopolistique, l'entreprise maximise ses profits, lorsque son revenu marginal égale son coût marginal. Son prix est supérieur au coût marginal.
4. Si l'entreprise monopolistique réalise des profits économiques positifs à court terme, de nouvelles entreprises entreront dans l'industrie et lui feront concurrence afin de s'approprier une part des profits. Dans une situation d'équilibre à long terme, le prix égale le coût moyen.
5. Selon le théorème de la capacité excédentaire, une entreprise concurrentielle dans un contexte monopolistique connaîtra une capacité excédentaire à long terme. L'entreprise ne produira pas au point minimum de la courbe de coût moyen.
6. Grâce à la concurrence monopolistique, les consommateurs peuvent choisir entre des produits nombreux et variés.
7. Dans un contexte de concurrence monopolistique, les entreprises ont souvent recours à la publicité afin d'accroître la demande de leurs produits ou de conserver leur part de marché.
8. L'oligopole, une structure de marché composée d'un nombre restreint de vendeurs, caractérise les industries qui nécessitent des investissements importants. Le duopole désigne une industrie composée de deux entreprises seulement. Étant donné le nombre restreint d'entreprises de cette structure de marché, l'interdépendance est cruciale.

9. Les indices de concentration indiquent le pourcentage de l'offre totale du marché représenté par les quelques entreprises principales de l'industrie.
10. L'entreprise oligopolistique dispose d'un pouvoir commercial important. À l'instar des entreprises d'autres structures de marché, elle maximise ses profits lorsque son revenu marginal égale son coût marginal.
11. Le modèle de la courbe de demande coudée explique la rigidité du prix dans des marchés oligopolistiques. Selon la demande du produit, le prix ne variera que si la modification du coût est importante.
12. Le bradage peut servir à restreindre l'entrée des entreprises dans un marché précis. Dans ce cas, on fixe artificiellement le prix à un faible niveau.
13. Le leadership en matière de prix, une situation où une entreprise fixe un prix et est imitée par les autres, peut se manifester dans une industrie oligopolistique. Diverses autres formes de collusion peuvent également se produire.
14. Le prix coûtant majoré ou le calcul de prix par application d'un coefficient multiplicateur peuvent être utilisés par des entreprises oligopolistiques afin de déterminer le prix de leurs produits.
15. Un cartel est un groupe d'entreprises qui se sont entendues officiellement afin de maîtriser le prix et la production dans une industrie en particulier. Les cartels peuvent être parfaits ou imparfaits. Toutefois, les cartels parfaits relèvent habituellement de la théorie.
16. La concurrence effective désigne une situation où la concurrence au sein d'une industrie assure que la production n'est pas trop restreinte et que les entreprises ne réalisent pas des profits excessivement élevés.
17. Un marché accessible existe, lorsque la facilité d'entrée dans un marché oligopolistique ou monopolistique force les entreprises à ne réaliser délibérément que des profits économiques normaux.

Termes et notions à retenir

différenciation des produits
oligopole différencié
duopole
courbe de demande coudée
leadership en matière de prix (dominant, barométrique)
collusion
théorème de la capacité excédentaire
indice de concentration
bradage
prix coûtant majoré (calcul de prix par application d'un coefficient multiplicateur)

cartel   engagement d'honneur
marchés accessibles   concurrence effective

Questions de révision et de discussion

1. Quelles sont les caractéristiques principales d'un marché concurrentiel dans un contexte monopolistique?

2. Que signifie l'expression «différenciation des produits»? Énumérez certains mécanismes utilisés pour différencier des produits.

3. Nommez quatre industries, autres que celles citées dans le texte, qu'on peut considérer comme étant concurrentielles dans un contexte monopolistique. Justifiez votre choix.

4. Expliquez pourquoi la courbe de demande d'une entreprise dans un contexte de concurrence monopolistique est descendante et très élastique.

5. À l'aide d'un diagramme pertinent, expliquez la position qui maximise les profits d'une entreprise dans un contexte de concurrence monopolistique.

6. Expliquez pourquoi une entreprise concurrentielle dans un contexte monopolistique ne réalise que des profits normaux (profits économiques nuls) à long terme.

7. De quelle façon l'équilibre à long terme d'une entreprise concurrentielle dans un contexte monopolistique diffère-t-il de celui d'une entreprise dans un contexte de concurrence pure? Illustrez à l'aide d'un diagramme et tenez compte de la différence.

8. Quels arguments pouvez-vous invoquer pour ou contre la publicité?

9. Pourquoi une entreprise dans un contexte de concurrence monopolistique a-t-elle recours à la publicité?

10. Quelles sont les caractéristiques principales d'une industrie oligopolistique?

11. Pourquoi est-il difficile d'élaborer une théorie générale du comportement oligopolistique?

12. Qu'explique le modèle de la courbe de demande coudée?

13. À votre avis, le modèle de la courbe de demande coudée constitue-t-il un modèle adéquat de la détermination du prix et de la production dans des marchés oligopolistiques? Pourquoi?

14. Quelle est la différence entre chaque paire de notions?
    (a) le leadership dominant et le leadership barométrique en matière de prix;
    (b) le cartel et l'engagement d'honneur;
    (c) le cartel parfait et le cartel imparfait;

(d) la collusion et la concurrence effective.

15. Qu'est-ce que le prix coûtant majoré? Permettra-t-il automatiquement la maximisation des bénéfices?

16. Expliquez comment le bradage peut servir à éviter l'entrée de concurrents éventuels dans une industrie.

17. Nommez certaines difficultés auxquelles les cartels doivent faire face.

18. Commentez l'énoncé suivant : «Il est très stimulant de se consacrer à l'amélioration et à la conception de produits, lorsque la concurrence est imparfaite.»

19. Commentez l'énoncé suivant : «Sur le plan social, le monopole est moins indésirable que l'oligopole.»

Problèmes et exercices

1. Expliquez pourquoi les consommateurs achètent des marques de commerce plutôt que des marques maison vendues à un prix inférieur.

2. La concurrence monopolistique peut-elle exister dans une industrie où de nombreuses entreprises vendent des produits identiques? Expliquez.

3. Le tableau 12.2 présente les données sur Prodif, une entreprise dans un contexte de concurrence monopolistique.

TABLEAU 12.2
Données sur les prix et
les coûts de Prodif

P	Q	RT	Rm	CTM	CT	Cm	Profits
200	1			210			
190	2			175			
180	3			160			
170	4			155			
160	5			155			
150	6			165			
140	7			170			
130	8			180			

(a) Calculez le revenu total, le revenu marginal, le coût total, le coût marginal et les profits de Prodif, puis complétez le tableau.

(b) Combien d'unités Prodif devrait-elle vendre afin de maximiser ses profits?

(c) Quel devrait être le prix de chaque unité?

(d) Quels seront les profits totaux de Prodif?

4. L'illustration 12.11 représente Meilleure-Marque, une entreprise concurrentielle dans un contexte monopolistique.

(a) Quel niveau de production Meilleure-Marque devrait-elle atteindre afin de maximiser ses bénéfices?

(b) Quel prix Meilleure-Marque devrait-elle fixer?

ILLUSTRATION 12.11
Courbes de coût et de
revenu de Meilleure-
Marque.

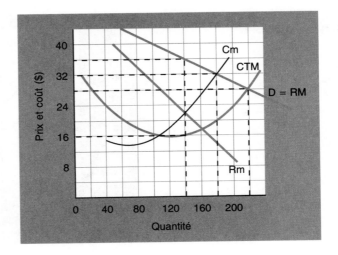

(c) Quels bénéfices totaux maximums Meilleure-Marque peut-elle réaliser?

5. Tracez une courbe de demande d'une entreprise dans un contexte de concurrence monopolistique, puis tracez-en une autre pour illustrer les effets d'une campagne de publicité réussie sur la demande de l'entreprise. Expliquez votre diagramme.

6. Votre frère et vous décidez de démarrer une entreprise qui est concurrentielle dans un contexte monopolistique. Vous avez soigneusement calculé les coûts et connaissez la demande de votre produit. Votre objectif est de maximiser vos profits. Votre frère, qui possède un diplôme en marketing, suggère de faire le relevé du prix fixé par vos concurrents, puis de déterminer votre prix d'après la moyenne du prix relevé. Pensez-vous qu'il s'agit de la meilleure stratégie de fixation de prix? Expliquez.

7. L'illustration 12.12 (page suivante) présente des données sur Oliotel, une entreprise dans un contexte oligopolistique. Oliotel veut maximiser ses profits.
    (a) Quelle devrait être la production d'Oliotel?
    (b) Quel prix devrait-elle fixer?
    (c) Quel devrait être son rajustement de prix, si son coût marginal augmente de 2,50 $?

8. Expliquez l'énoncé suivant : «Les monopoleurs et les oligopoleurs déterminent tous deux le prix, mais leurs actions sont motivées par des desseins différents.»

ILLUSTRATION 12.12
Coût et revenu d'Oliotel

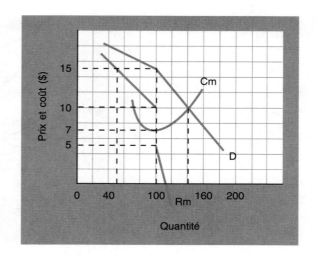

PARTIE III
LA RÉPARTITION DU REVENU

Il ne fait à présent aucun doute que le problème de la répartition est beaucoup plus difficile que ne l'avaient d'abord cru les premiers économistes, et qu'aucune solution soi-disant simple ne peut s'avérer.

Alfred Marshall, *Principes d'économie politique*

La possibilité d'offrir à tous et en toute occasion un revenu satisfaisant, aussi faible soit-il, dépend d'abord de la production totale.

Edwin E. Witte, *What to Expect of Social Security*

LE MARCHÉ DU TRAVAIL

> Lorsqu'on tente d'appliquer les notions usuelles de la fixation des prix au marché du travail, sans tenir compte du type de marché, le résultat peut sembler très singulier à première vue.
> J.R. Hicks, *The Theory of Wages*

INTRODUCTION

Le présent chapitre traite de la main-d'oeuvre, la ressource la plus importante de la production. Nous avons vu que le taux de salaire est le prix de la main-d'oeuvre. Nous allons maintenant étudier comment ce taux est déterminé dans une structure de marché concurrentielle, examiner brièvement les différences de salaire, puis aborder la question des syndicats et du processus de négociation collective. Nous verrons également comment la théorie de la fixation des salaires s'applique à des situations réelles.

En 1990, le revenu des services de main-d'oeuvre au Canada a totalisé 383 244 milliards de dollars, soit environ 73 % du revenu global de toutes les sources. Le tableau 13.1 présente le revenu relatif de diverses sources. La répartition du revenu entre les divers facteurs de production s'appelle *répartition fonctionnelle du revenu*.

TABLEAU 13.1
Sources de revenu et proportion du revenu total (1990)

Source de revenu	Valeur (M $)	% du revenu total
Salaires, traitements et revenu du travail supplémentaire	383 244	72,8
Bénéfices des sociétés avant impôt	47 875	9,1
Intérêt et revenus de placement divers	57 941	11,0
Revenu comptable net des exploitants agricoles	2 692	0,5
Revenu net des entreprises non agricoles et non constituées, loyer inclus	37 221	7,1
Ajustement de l'évaluation des stocks	–2 484	(0,5)
Revenu intérieur net	526 489	100,0

Source : *L'observateur économique canadien*

LA DEMANDE DE MAIN-D'OEUVRE

Les consommateurs achètent des biens et des services dans le marché des produits, car ceux-ci leur procurent une satisfaction. La demande de biens et de services est donc une *demande directe*. Par comparaison, les producteurs achètent des facteurs de production dans le marché des facteurs de production, afin de produire des biens et des services. Les facteurs de production (dont la main-d'oeuvre) ne procurent pas de satisfaction directe; leur demande est tributaire de celle des biens et des services qu'ils produisent. Si la demande de biens et de services augmente, davantage de facteurs de production sont nécessaires pour produire ceux-ci. La demande des facteurs de production est donc une *demande dérivée*.

La demande de main-d'oeuvre est une demande dérivée.

Selon le principe de substitution (voir le chapitre 8), si le prix de la main-d'oeuvre (le taux de salaire) baisse, les entreprises utilisent une main-d'oeuvre accrue. L'analyse suivante nous démontre comment l'entreprise détermine le nombre de travailleurs à embaucher. Nous supposons que celle-ci est dans une industrie purement concurrentielle et qu'elle achète ses intrants dans un marché qui l'est également.

Le produit marginal de la main-d'oeuvre (Pm_T, où T désigne la main-d'oeuvre) est la variation de la production totale par suite de l'utilisation d'une unité de main-d'oeuvre additionnelle. Si cette variation est exprimée en termes matériels, les économistes l'appellent produit physique marginal de la main-d'oeuvre (PPm_T). Le revenu supplémentaire tiré de la vente de l'extrant produit par l'unité de main-d'oeuvre additionnelle s'appelle *produit marginal du revenu* (PmR_T). Ce dernier est donc la valeur du produit physique marginal (VPPm), que l'on peut calculer en multipliant le produit physique marginal par le prix du marché du produit. Ainsi,

$$PmR_T = VPPm_T = PPm_T \times P$$

où P égale le prix du produit.

Si un travailleur supplémentaire contribue davantage au revenu total qu'au coût total, l'entreprise aura avantage à l'embaucher. Par conséquent, si le produit marginal du revenu (PmR) est supérieur au taux de salaire (S), l'entreprise utilisera probablement des unités de main-d'oeuvre additionnelles. S'il est inférieur au taux de salaire, l'entreprise réduira probablement le nombre de travailleurs. Afin de maximiser ses bénéfices, celle-ci embauchera des travailleurs jusqu'à ce que PmR = S (voir l'illustration 13.1).

Étant donné que le produit marginal est inversement proportionnel aux unités de main-d'oeuvre additionnelles (rendements décroissants), la courbe de produit marginal du revenu est descendante. On suppose que le taux de salaire du marché est OS. Si l'entreprise embauche OQ_0 unités de main-d'oeuvre au taux OS, le produit marginal du revenu OS_1 est supérieur au taux de salaire; elle aura donc avantage à utiliser une main-d'oeuvre accrue. Si elle embauche OQ_1 unités de main-d'oeuvre à un taux

ILLUSTRATION 13.1
Courbe de demande de
main-d'oeuvre de
l'entreprise

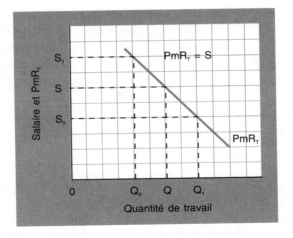

de salaire OS_1, le produit marginal du revenu OS_0 est inférieur au taux de salaire; elle a donc avantage à utiliser moins d'unités de main-d'oeuvre. À un taux de salaire OS, l'entreprise embauche OQ unités de main-d'oeuvre, car à ce niveau, le produit marginal du revenu égale le taux de salaire. Cette notion, appelée *théorie des salaires fondée sur la productivité marginale*, peut s'énoncer ainsi : une entreprise purement concurrentielle qui veut maximiser ses profits embauchera de la main-d'oeuvre jusqu'à ce que le taux de salaire égale la valeur du produit physique marginal de la main-d'oeuvre.

L'entreprise embauche de la main-d'oeuvre jusqu'à ce que le produit marginal du revenu égale le taux de salaire.

Si le taux de salaire est OS_1 plutôt que OS, l'entreprise utilisera OQ_0 unités de main-d'oeuvre plutôt que OQ. Lorsque le taux de salaire diminue, elle en utilise davantage. La courbe de produit marginal du revenu désigne les diverses quantités de main-d'oeuvre utilisées par l'entreprise à des taux de salaire différents. Elle constitue donc la courbe de demande de main-d'oeuvre de l'entreprise. En outre, une variation du taux de salaire entraîne un mouvement le long de la courbe de demande de main-d'oeuvre de l'entreprise, et non le déplacement de cette dernière. Certains facteurs qui influent sur la demande du produit de l'entreprise, comme un changement du revenu, des goûts et de la taille du marché, modifieront la quantité de main-d'oeuvre demandée par l'entreprise à n'importe quel taux de salaire donné, et entraîneront donc un déplacement de la courbe de demande de main-d'oeuvre de l'entreprise. Pour obtenir la courbe de demande de main-d'oeuvre du marché, on additionne les courbes de demande de toutes les entreprises de l'industrie.

La courbe de produit marginal du revenu est la courbe de demande de main-d'oeuvre de l'entreprise.

Cette méthode comporte toutefois une difficulté. L'utilisation accrue de main-d'oeuvre par toutes les entreprises de l'industrie, lorsque le taux de salaire diminue, augmentera probablement l'offre du produit. Cette augmentation diminue le prix du produit. La courbe de demande de main-d'oeuvre du marché sera donc moins élastique que si on l'obtient en additionnant les courbes de demande des entreprises individuelles. Pour surmonter cette difficulté, on peut supposer, aux fins d'analyse, que le prix du produit n'est pas modifié par l'utilisation de main-d'oeuvre de l'entreprise.

L'OFFRE DE MAIN-D'OEUVRE

La quantité de main-d'oeuvre offerte est directement proportionnelle au taux de salaire.

La courbe d'offre de main-d'oeuvre indique le nombre d'unités de main-d'oeuvre offertes à chaque taux de salaire donné. Nous supposons que si les taux de salaire sont bas, seules de faibles quantités de main-d'oeuvre sont offertes. Les ménages considèrent que le revenu et les loisirs sont souhaitables. Lorsque le taux de salaire augmente, ils acceptent plus volontiers de sacrifier leurs loisirs et accroissent leurs services de main-d'oeuvre. Nous supposons également qu'il existe une mobilité de la main-d'oeuvre entre les industries. Une industrie peut attirer des travailleurs en offrant des taux de salaire supérieurs. La courbe d'offre de main-d'oeuvre du marché est donc ascendante, comme l'indique l'illustration 13.2. Au taux de salaire OS_1, la quantité de main-d'oeuvre offerte est OQ_1. Lorsque le taux de salaire est plus élevé (OS_2), une quantité supérieure de main-d'oeuvre (OQ_2) est maintenant offerte à l'embauche. La variation du taux de salaire entraîne également un mouvement le long de la courbe d'offre, et non le déplacement de cette dernière. Certains facteurs, comme la variation des taux d'imposition ou de la taille de la population active, causeront le déplacement de la courbe d'offre de main-d'oeuvre.

ILLUSTRATION 13.2
Courbe d'offre de main-d'oeuvre

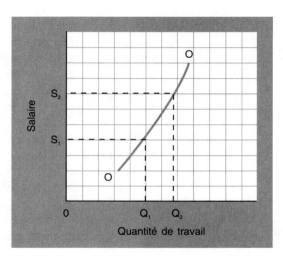

LA FIXATION DES SALAIRES DANS UN MARCHÉ DU TRAVAIL PUREMENT CONCURRENTIEL

L'intersection des courbes de demande et d'offre de main-d'oeuvre détermine le taux de salaire d'équilibre.

On peut fixer le taux de salaire d'équilibre et la quantité de main-d'oeuvre utilisée dans un marché du travail purement concurrentiel en combinant la demande et l'offre de main-d'oeuvre. L'illustration 13.3 présente la courbe de demande de main-d'oeuvre (D_T) et la courbe d'offre de main-d'oeuvre (O_T). Au taux de salaire OS, la quantité de main-d'oeuvre offerte est supérieure à la quantité demandée. Cet excédent de main-d'oeuvre diminue le taux de salaire. Au taux de salaire OS_0, la quantité de main-d'oeuvre demandée égale la quantité offerte. Le marché du travail s'équilibre et le taux de salaire se stabilise. Le taux de salaire d'équilibre est OS, et OQ unités de main-d'oeuvre sont utilisées.

ILLUSTRATION 13.3
Équilibre dans le marché du travail

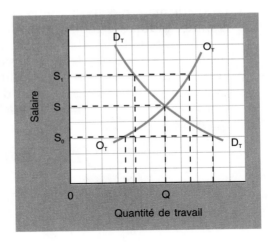

LA THÉORIE DE LA FIXATION DES SALAIRES

Une augmentation de la demande de main-d'oeuvre accroît le taux de salaire.

Quels sont les effets sur les salaires de l'augmentation de la demande de main-d'oeuvre d'une industrie? L'illustration 13.4 nous permet de répondre à cette question. DD est la courbe de demande d'origine, OO, la courbe d'offre d'origine, OS, le taux de salaire d'équilibre d'origine et OQ, la quantité de main-d'oeuvre embauchée. Un déplacement de la courbe de demande vers le haut et la droite (de DD à $D_1 D_1$) indique une augmentation de la demande de main-d'oeuvre. Le taux de salaire augmente d'OS à OS_1, et la quantité de main-d'oeuvre utilisée, d'OQ à OQ_1. On peut donc conclure qu'une augmentation de la demande de main-d'oeuvre, toutes autres choses étant égales, accroît le taux de salaire et la quantité de main-d'oeuvre utilisée.

ILLUSTRATION 13.4

Effets de l'augmentation de la demande de main-d'oeuvre

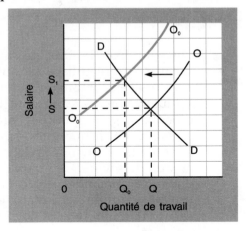

On peut aussi évaluer facilement les effets d'une variation de l'offre de main-d'oeuvre. Supposons que cette dernière diminue, comme l'indique le déplacement de la courbe d'offre d'OO à O_0O_0 à l'illustration 13.5. En supposant que la demande de main-d'oeuvre ne varie pas, le taux de salaire augmente d'OS à OS_1 et la quantité de main-d'oeuvre diminue d'OQ à OQ_0. En résumé, une réduction de l'offre de main-d'oeuvre, toutes autres choses étant égales, accroît le taux de salaire et diminue la quantité de main-d'oeuvre d'équilibre.

La diminution de l'offre de main-d'oeuvre accroît le taux de salaire.

ILLUSTRATION 13.5

Effets de l'augmentation de l'offre de main-d'oeuvre

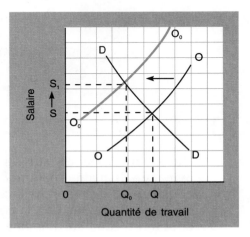

Problème :   «L'adoption de lois sur le salaire minimum contribue au chômage.» Cette affirmation est-elle valide?

ILLUSTRATION 13.6
Effets du salaire minimum
sur le chômage

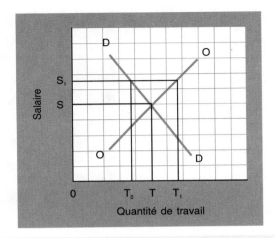

> **Solution :** L'adoption de lois sur le salaire minimum constitue, en fait, un type de contrôle de prix, ce dernier étant celui de la main-d'oeuvre. L'illustration 13.6 présente les effets de ce contrôle sur l'emploi. DD et OO sont les courbes de demande et d'offre de main-d'oeuvre. Le taux de salaire d'équilibre est OS et à ce taux, le nombre de travailleurs utilisés est OT. À présent, supposons que l'État fixe le salaire minimum à OS_1. Les entreprises ne peuvent plus payer légalement les travailleurs à un taux de salaire OS. La quantité de main-d'oeuvre demandée à OS_1 a diminué à OT_0, et la quantité offerte a augmenté à OT_0. Il s'ensuit un excédent de main-d'oeuvre ($OT_1 - OT_0 = T_0T_1$). Par conséquent, une loi sur le salaire minimum accroît le chômage.[*]

LA DISCRIMINATION DANS LE MARCHÉ DU TRAVAIL

La discrimination influe sur le marché du travail et impose un coût sur la société. L'illustration 13.7 présente les effets de la discrimination dans le marché du travail. DD et OO sont les courbes de demande et d'offre de main-d'oeuvre d'une profession donnée (l'enseignement, le génie, etc.), S, le taux de salaire

---

[*] Lire à ce sujet l'étude de Pierre Fortin, *L'effet des variations du salaire minimum sur l'emploi, 1966-1982.* Cahier 8321, Département d'économique, Université Laval, 1983, 19 p.

ILLUSTRATION 13.7
**Effets de la discrimination
du marché du travail**

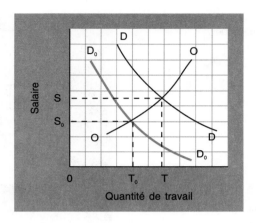

d'équilibre et OT, la quantité de main-d'oeuvre utilisée. La discrimination influe sur la courbe de demande de main-d'oeuvre du groupe qui fait l'objet de la discrimination, car celle-ci se déplace de DD à D_0D_0. Ce déplacement se traduit par une baisse des salaires de S à S_0, et de la quantité de main-d'oeuvre utilisée, d'OT à OT_0. Le salaire et l'emploi du groupe qui fait l'objet d'une discrimination sont donc moindres.

La discrimination entraîne la mauvaise répartition des ressources de main-d'oeuvre.

Ce genre de discrimination coûte cher à la société sur le plan de la perte de biens et de services qui auraient pu être produits par le groupe défavorisé. En déplaçant la courbe de demande et en diminuant les salaires, la discrimination entraîne une mauvaise répartition des ressources. La main-d'oeuvre n'est pas rémunérée conformément à la valeur de son produit marginal.

LES DIFFÉRENCES DE SALAIRE

Les taux de salaire varient considérablement d'une profession à l'autre. À la présente section, nous allons en examiner les raisons. Outre la discrimination, l'éducation, l'expérience et les responsabilités influent sur le salariat potentiel. Les manutentionnaires requièrent moins de formation et d'aptitudes que les opérateurs de machines perfectionnées. On s'attend donc à ce que ces derniers soient mieux rémunérés que les premiers. Étant donné que la directrice des soins d'un hôpital d'une grande ville a davantage de responsabilités qu'une infirmière auxiliaire, le salaire de la première est supérieur à celui de la seconde. Les responsabilités sont souvent tributaires de l'expérience et de l'éducation, et les salaires dépendent habituellement des responsabilités. Bien entendu, on ne peut ignorer des aptitudes et un talent supérieurs. Voilà pourquoi les salaires des vedettes du sport et du spectacle sont si élevés. Nous traiterons de nouveau de cette question au chapitre 14, lorsque nous aborderons la notion de rente économique.

Deuxièmement, la présence de syndicats peut expliquer les différences de salaire au sein de certaines professions. Il semble en effet que les travailleurs syndiqués gagnent davantage que leurs homologues non syndiqués. Toutefois, cela n'a pas encore été prouvé de façon concluante.

Troisièmement, les différences de salaire peuvent également être dues aux avantages non monétaires associés à certains emplois. Ces avantages, appelés *revenu psychologique*, comprennent par exemple un horaire accommodant, un milieu de travail plaisant, de longues vacances d'été et d'hiver, et la satisfaction tirée de l'emploi. Certains employeurs peuvent favoriser le revenu psychologique plutôt qu'un salaire monétaire plus élevé.

Enfin, le niveau de danger associé à divers emplois joue également un rôle. Toutes autres choses étant égales, plus l'emploi comporte de dangers, plus le salaire est élevé. Par exemple, un technologue en médecine nucléaire gagnera davantage qu'un technicien de l'audio-visuel, non seulement en raison d'une formation différente, mais aussi du niveau de danger associé à l'emploi.

Bien entendu, ces différences de salaire sont attribuables en grande partie à la demande et à l'offre. Par exemple, il existe une demande importante d'athlètes de premier plan, et l'offre est limitée; ceux-ci gagnent donc des salaires élevés. La manutention, toutefois, peut être maîtrisée assez facilement par presque n'importe qui. Par conséquent, il existe une offre importante de manutentionnaires peu rémunérés. Les différences de salaire dépendent donc de la demande et de l'offre.

> Les différences de salaire sont surtout tributaires de la rareté relative de divers types de main-d'oeuvre.

LES SYNDICATS ET LA NÉGOCIATION COLLECTIVE

Les syndicats ont toujours joué un rôle important dans le marché du travail et ils font partie intégrante de notre société. Toutefois, il n'en fut pas toujours ainsi. Les syndicats ont durement gagné les droits dont ils jouissent à présent. En outre, grâce au mouvement syndical, les travailleurs modernes, syndiqués ou non, profitent de bonnes conditions de travail. Aux fins de notre étude, nous définissons un syndicat comme une association de travailleurs mise sur pied afin de promouvoir les intérêts de ses membres lors de négociations avec l'employeur. Il existe divers types de syndicats. Ainsi, un *syndicat professionnel* est formé des membres d'une seule profession, sans tenir compte de leur lieu de travail, et un *syndicat industriel*, des travailleurs d'une industrie donnée. Les syndicats sont devenus une institution importante de l'économie moderne.

Nous allons maintenant examiner la structure et l'organisation des syndicats. Il existe quatre niveaux syndicaux. D'abord, les membres adhèrent directement au *syndicat local*. Ce dernier tient des réunions afin de discuter de certaines questions et de déterminer les mesures à prendre, et perçoit les cotisations syndicales. Deuxièmement, le syndicat local fait partie d'un *syndicat national*, lequel est souvent chargé de mener les négociations, en plus de fixer les lignes directrices des politiques. Il reçoit une partie des cotisations remises aux syndicats locaux. Le Congrès du travail du Canada (CTC), la Centrale des syndicats démocratiques (CSD) et la Confédération des syndicats canadiens (CSC) sont des syndicats nationaux. Troisièmement, les syndicats locaux de différents pays forment un *syndicat international*, comme la Fédération américaine du travail et le Congrès des organisations industrielles (FAT-COI). Enfin, tous les syndicats nationaux sont regroupés au sein d'une *fédération*. La Confédération des syndicats nationaux (CSN), sise à Québec, est une fédération de syndicats. Le tableau 13.2 présente l'affiliation syndicale au Canada, selon le type de syndicat et l'affiliation.

La sécurité syndicale

Un syndicat tente d'assurer sa position en ayant recours à diverses méthodes, dont l'atelier fermé et l'atelier syndical. En abordant la notion d'atelier ouvert, on pourra expliquer comment l'atelier fermé ou l'atelier syndical favorisent le syndicat. Un *atelier ouvert* est une entente selon laquelle l'adhésion à un syndicat n'est pas une condition à l'obtention et au maintien d'un emploi. Par contre, en vertu de l'*atelier fermé*, l'adhésion à un syndicat est obligatoire. Entre ces deux pratiques, on trouve l'*atelier syndical*, selon lequel l'employé peut être embauché même s'il n'est pas membre d'un syndicat, pourvu qu'il le devienne dans un délai donné. Les ateliers ouverts n'ont pas l'appui des syndicats, car ces derniers sont puissants lorsque tous les travailleurs d'une entreprise sont syndiqués.

Le syndicat peut également accroître la sécurité d'emploi de ses membres et renforcer sa propre position en ayant recours au *freinage*, c'est-à-dire en appliquant et en favorisant des règles et des méthodes de travail qui peuvent s'avérer inefficaces (du moins, aux yeux des employeurs), mais qui permettent aux employés de conserver leurs postes. Le freinage représente une utilisation peu efficace des ressources de l'emploi, mais il protège

Les syndicats sont classés aux niveaux local, national et international.

Les ateliers fermé et syndical accroissent la sécurité syndicale.

TABLEAU 13.2
Affiliation syndicale selon
le type et l'affiliation (1988)

Type et affiliation	Nombre de syndicats	Affiliation	
		Nombre	%
Syndicats internationaux	65	1 265 797	33,0
FAT-COI / CTC	42	812 709	21,2
FAT-COI / FCT	10	205 486	5,3
CTC seulement	3	7 911	0,2
FAT-COI seulement	5	224 305	5,8
Syndicats non affiliés	5	15 386	0,4
Syndicats nationaux	222	2 425 411	63,1
CTC	49	1 404 977	36,6
CSN	8	204 562	5,3
CEQ	12	99 114	2,6
CSC	14	31 407	0,8
CSD	3	16 749	0,4
FCT	2	2 250	0,1
FCNSI*	10	3 476	0,1
Syndicats non affiliés	124	662 876	17,3
Syndicats à charte directe	309	39 805	1,0
CSD	262	33 630	0,9
CTC	45	6 100	0,2
CSN	2	75	**
Organismes locaux indépendants	244	110 478	2,9
TOTAL	840	3 841 491	100,0

* Fédération canadienne nationale des syndicats indépendants
** Moins de 0,1 %

Source : Travail Canada, *Répertoire des organisations de travailleurs et travailleuses au Canada* (1988)

également les travailleurs qui auraient de la difficulté à trouver un autre emploi. Il favorise donc un certain humanitarisme aux dépens de l'efficacité économique.

La formule Rand, présentée en 1945, fut une innovation importante de la pratique en matière d'emploi au Canada. Appelée ainsi en l'honneur du juge Ivan Rand, qui rendit une décision arbitrale lors d'un conflit de travail à Ford du Canada Limitée, elle favorisa grandement la sécurité syndicale. En vertu de cette décision, les travailleurs de Ford durent payer des cotisations syndicales, qu'ils fussent membres du syndicat ou non. Ces cotisations furent déduites de leur paye par les administrateurs de l'entreprise, puis remises au syndicat. Les entreprises canadiennes ont maintenant recours à la formule Rand ou à une version de cette dernière.

En vertu de la formule Rand, un travailleur doit payer des cotisations syndicales, qu'il soit membre du syndicat ou non.

Problème : Un atelier fermé peut-il avantager un employeur?

> **Solution :**   Oui, car celui-ci sert de bureau de placement central où l'employeur peut recruter des travailleurs, au besoin. Par conséquent, l'atelier fermé peut réduire les coûts inhérents à la recherche d'un employé qualifié. L'employeur peut également bénéficier d'une paix et d'une harmonie accrues, car tous ses employés sont membres d'un syndicat. Les conflits entre membres syndiqués et non syndiqués sont donc éliminés.

Le processus de négociation collective

Le syndicat doit représenter et protéger les intérêts de ses membres. Il est donc une voix collective, car il négocie au nom de tous les employés auprès de l'employeur. Plusieurs syndicats différents peuvent s'unir afin de former un «front commun» lors de négociations. La négociation collective désigne tout le processus qui permet aux syndicats et à la direction de parvenir à une entente, à la faveur de négociations, sur les conditions d'emploi. Le contrat conclu (la *convention collective*) précise les responsabilités des employeurs et des employés relativement aux salaires, aux vacances, à la sécurité au travail, aux avantages non monétaires comme les congés de maternité, et à d'autres questions. Le salaire et les autres conditions de travail déterminés par le processus de négociation collective sont tributaires des forces relatives et des aptitudes des négociateurs. En période de chômage élevé, l'employeur a tendance à posséder une plus grande emprise sur le marché. En période de pénurie générale et de demande croissante de main-d'oeuvre, les syndicats jouissent d'une plus grande emprise.

Les employeurs et les employés parviennent à une entente au moyen de la négociation collective.

Les négociations entre le syndicat et l'employeur débutent généralement bien avant l'expiration du contrat actuel. Le syndicat formule ses demandes et l'employeur soumet ses propositions. Habituellement, certaines propositions de la partie adverse sont refusées, et la négociation se poursuit. Chaque partie soumet des propositions et des contre-propositions, jusqu'à ce qu'une entente soit conclue et qu'un contrat soit signé.

Le règlement de conflits

On peut régler les conflits de travail par la conciliation ou l'arbitrage.

Des conflits entre employeurs et employés surgissent inévitablement. Lorsque les deux parties ne peuvent parvenir à un compromis, elles tentent de régler de tels conflits de plusieurs façons. Elles peuvent faire appel à un médiateur extérieur neutre, afin que ce dernier étudie la situation et propose des moyens d'arriver à un règlement. Ce processus s'appelle *conciliation* ou *médiation*. Aucune partie n'est tenue d'accepter les suggestions du conciliateur.

Une autre méthode utilisée est l'arbitrage volontaire. Chaque partie accepte de soumettre son cas à une troisième partie neutre, et de respecter la décision de l'arbitre.

Enfin, en vertu de l'arbitrage obligatoire, le gouvernement ordonne aux parties de soumettre leurs conflits à un arbitre, dont la décision engage les deux parties.

Les grèves et les lock-out

Le syndicat peut avoir recours à la grève afin que ses demandes soient satisfaites. Les employés arrêtent alors temporairement de travailler, afin de forcer l'employeur à se plier à leurs demandes. Du point de vue de l'employeur, l'équivalent d'une grève est un *lock-out*, qui est la fermeture temporaire de l'usine par l'employeur, dans le but de sortir vainqueur d'un conflit. Le tableau 13.3 présente certaines données sur les grèves et les lock-out.

TABLEAU 13.3
Grèves et lock-out au Canada (1966 à 1985)

Année	Grèves déclenchées durant l'année	Grèves et lock-out déclenchés durant l'année			
		Nombre de grèves	Travailleurs touchés	Durée en jours-personnes	% des heures de travail approximatives
1966	582	617	411 459	5 178 170	0,34
1967	498	522	252 018	3 974 760	0,25
1968	559	582	223 562	5 082 732	0,32
1969	566	595	306 799	7 751 880	0,46
1970	503	542	261 706	6 539 560	0,39
1971	547	569	239 631	2 866 590	0,16
1972	556	598	706 474	7 753 530	0,43
1973	677	724	348 470	5 776 080	0,30
1974	1 173	1 218	580 912	9 221 890	0,46
1975	1 103	1 171	506 443	10 908 810	0,53
1976	921	1 039	1 570 940	11 609 890	0,55
1977	739	803	217 557	3 307 880	0,15
1978	1 004	1 058	401 688	7 392 820	0,34
1979	987	1 050	462 504	7 834 230	0,34
1980	952	1 028	441 025	8 975 390	0,38
1981	943	1 048	338 548	8 878 490	0,37
1982	608	677	444 302	5 795 420	0,25
1983	576	645	329 309	4 443 960	0,19
1984	654	717	186 755	3 871 820	0,16
1985	758	825	159 727	3 180 710	0,13

Source : Travail Canada, *Grèves et lock-out au Canada* (1985)

Le tableau 13.4 présente les industries qui ont fait l'objet de grèves et de lock-out. En 1985, les industries manufacturières venaient en tête de liste à ce chapitre. Parmi les autres industries, on compte les industries des services, le commerce, les transports et les services publics. Les industries primaires (l'agriculture, la sylviculture, la pêche et l'exploitation minière) ont connu le moins de grèves et de lock-out.

TABLEAU 13.4
Grèves et lock-out par industrie (1985)

Industrie	Grèves et lock-out déclenchés durant l'année	Grèves et lock-out déclenchés durant l'année		
		Nombre de grèves et lock-out	Travailleurs touchés	Durée en jours-personnes
Agriculture	1	1	16	290
Sylviculture	8	8	1 409	8 120
Pêche	—	—	—	—
Exploitation minière	11	12	6 309	90 180
Fabrication	326	356	66 075	1 578 010
Construction	14	14	992	11 210
Transports et services publics	88	96	38 763	478 900
Commerce	116	129	23 196	467 880
Finance	15	18	1 137	106 920
Services	151	160	15 831	383 900
Administration publique	28	31	5 999	55 300
TOTAL	758	825	159 727	3 180 710

Source : Travail Canada, *Grèves et lock-out au Canada* (1985)

On conclut la plupart des conventions sans avoir recours aux grèves.

Au Canada, les grèves sont relativement rares. En 1985, par exemple, les heures de travail perdues à cause de grèves et de lock-out n'ont totalisé que 0,16 % environ des heures totales. Le travailleur moyen au Canada ne fait donc la grève qu'une demi-journée par année environ. On conclut donc la grande majorité des conventions collectives sans avoir recours aux grèves et aux lock-out.

Les coûts des grèves

Les grèves imposent des coûts aux parties directement ou indirectement touchées.

Étant donné que les grèves sont coûteuses, il est heureux qu'elles ne se produisent pas plus souvent au Canada. Aux fins de notre étude, nous parlerons des coûts directs et indirects.

Les coûts directs   Il est relativement facile de définir ces coûts : perte de salaire des employés, et perte de production, de ventes et de bénéfices des employeurs.

Les coûts indirects   Les effets d'une grève qui se déclenche dans une industrie se répercutent sur d'autres industries et le grand public. Par exemple, une grève des conducteurs de camions touche les épiceries et d'autres commerces de détail, car ces derniers ne peuvent s'approvisionner au cours de la grève. Il s'agit donc d'un coût indirect. Si les travailleurs de l'industrie sidérurgique déclenchent une grève, il se peut que l'industrie automobile doive fermer en raison d'une pénurie d'acier, un intrant important de l'industrie automobile. Dans de nombreux cas, les grèves incommodent grandement le public, notamment la grève d'une société de transport public. Ces coûts indirects l'emportent souvent sur les coûts directs de la grève.

Problème :   Les grèves diminuent-elles nécessairement la production totale de l'économie?

Solution :   Bien des grèves réduisent la production totale en cas de fermeture d'usines, mais il n'en va pas de même pour toutes les industries. Si une usine est en grève à un certain moment, il se peut qu'elle doive travailler plus fort et plus longtemps à la fin de la grève afin de compenser la perte de production. Dans ce cas, la grève se traduit par une variation du calendrier de production plutôt que du volume de celle-ci.

LES ÉLÉMENTS DES NÉGOCIATIONS SALARIALES

Les deux parties prennent en considération divers facteurs lorsqu'elles soumettent leurs propositions. Quand il est question du salaire, notamment, un facteur souvent invoqué est le coût de la vie. Les travailleurs essaient de protéger leur pouvoir d'achat, lorsque le coût de la vie augmente. L'employeur doit tenir compte de ce fait. Les syndicats veulent protéger le pouvoir d'achat de leurs membres en intégrant des clauses d'indexation dans leurs contrats. Celles-ci précisent que les salaires augmenteront automatiquement afin de compenser tout accroissement du coût de la vie. L'*indexation* est le rajustement des salaires au taux d'augmentation des prix. Une *indemnité de vie chère* permet le rajustement des salaires au coût de la vie.

Il faut également tenir compte de la productivité. Les travailleurs s'attendent naturellement à bénéficier de toute augmentation de leur rendement. Il est peu probable que les

Le coût de la vie, la productivité et la rentabilité sont des facteurs importants à considérer lors des négociations salariales.

employeurs refusent des demandes d'augmentation de salaire reliées à un accroissement de la productivité. De même, une diminution du rendement des travailleurs se traduira probablement par un refus des employeurs d'accorder plus qu'une faible augmentation de salaire.

La rentabilité de l'entreprise est le troisième facteur à considérer. Si les bénéfices de l'entreprise ont augmenté considérablement, le syndicat invoquera probablement ce fait pour justifier ses demandes d'augmentation de salaire. Par contre, si l'entreprise a vu ses bénéfices diminuer, les employeurs refuseront probablement d'accorder toute augmentation de salaire.

LES EFFETS DES SYNDICATS SUR LE MARCHÉ DU TRAVAIL

Les syndicats tentent d'influer sur le taux de salaire en déplaçant les courbes de demande et d'offre de main-d'oeuvre.

Un syndicat vise, entre autres, à assurer des salaires supérieurs à ses membres. Selon la théorie économique, l'augmentation des salaires résulte d'un accroissement de la demande de main-d'oeuvre. Le syndicat peut donc tenter de déplacer le taux de salaire d'équilibre vers le haut, en déplaçant la courbe de demande de main-d'oeuvre vers la droite, ou la courbe d'offre de main-d'oeuvre vers la gauche.

L'augmentation de la demande et la diminution de l'offre de main-d'oeuvre

On a vu que la demande de main-d'oeuvre est dérivée. En d'autres termes, si la demande d'un bien augmente, le demande des intrants (dont la main-d'oeuvre) utilisés pour produire ce bien s'accroît également. Les syndicats peuvent donc augmenter la demande de main-d'oeuvre en accroissant celle des biens des producteurs syndiqués. Cette augmentation de la demande de main-d'oeuvre accroîtra probablement le taux de salaire.

De nombreux syndicats encouragent leurs membres à acheter des produits de fabrication syndicale. Les effets de cette pratique sont présentés à l'illustration 13.8, où DD et OO sont les courbes initiales de demande et d'offre de main-d'oeuvre, et S, le taux de salaire d'équilibre. Si elle est réussie, une campagne destinée à encourager l'achat de produits de fabrication syndicale augmente la demande de main-d'oeuvre. Cette augmentation est représentée par la nouvelle courbe de demande, D_1D_1. En supposant que l'offre est invariable, le taux de salaire augmente à S_1 et la quantité de main-d'oeuvre embauchée, de T à T_1.

ILLUSTRATION 13.8
Effets de l'augmentation
de la demande de
main-d'oeuvre

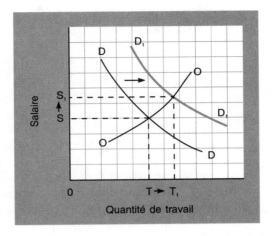

Le syndicat peut déplacer la courbe d'offre de main-d'oeuvre vers le haut et la gauche en limitant l'entrée des nouveaux venus au sein de certaines professions. Les effets de cette pratique sur le taux de salaire sont présentés à l'illustration 13.9. La courbe de demande initiale de la profession est DD, la courbe d'offre initiale, OO, et le taux de salaire initial, OS. En limitant le nombre de nouveaux venus au sein de la profession, le syndicat déplace la courbe d'offre d'OO à O_0O_0. Le taux de salaire augmente donc d'OS à OS_1.

ILLUSTRATION 13.9
Effets de la diminution de
l'offre de main-d'oeuvre

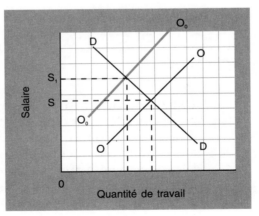

Si le taux de salaire augmente au sein d'une profession, d'autres professions peuvent emboîter le pas, ce qui mène à des salaires supérieurs. On appelle ce processus *mécanisme de transfert des salaires*. Il ne fait aucun doute que les taux de salaire ont augmenté considérablement au sein des diverses industries. Toutefois, les économistes ne s'entendent pas sur les effets des activités syndicales en la matière. Les syndicats ont certes joué un rôle, mais d'autres facteurs sont également entrés en ligne de compte.

Problème :   Si tous les économistes au Canada devaient obtenir un permis auprès d'une association appelée l'Association d'économique du Canada pour pratiquer à titre d'économistes, qu'arriverait-il au marché des économistes?

Solution :   Si les économistes canadiens devaient se soumettre à une procédure d'octroi de permis, on pourrait s'attendre à ce que certains ne répondent pas aux exigences. Par conséquent, l'offre totale des économistes qui pratiquent diminuerait. En supposant que la demande des services des économistes est invariable, on pourrait s'attendre à ce que le salaire moyen des économistes augmente.

Remarque :   Il en irait de même pour une association qui limite le nombre de nouveaux venus au sein d'une profession et qui déplace la courbe d'offre vers la gauche.

LES SYNDICATS ET LA RÉPARTITION DES RESSOURCES

La mobilité de la main-d'oeuvre permet la répartition efficace des ressources de main-d'oeuvre par les forces du marché. La main-d'oeuvre a tendance à passer des emplois faiblement rémunérés aux emplois plus lucratifs. Selon la théorie des salaires fondée sur la productivité marginale étudiée précédemment, une productivité élevée est associée à des salaires élevés. Le déplacement de la main-d'oeuvre d'emplois à faible productivité aux emplois d'un niveau de productivité élevé entraîne donc une augmentation de la production.

Certains prétendent toutefois que les syndicats limitent la mobilité de la main-d'oeuvre et causent, par conséquent, la mauvaise répartition des ressources. Selon d'autres, les syndicats contribuent à la mauvaise répartition des ressources de main-d'oeuvre en fondant l'avancement et la sécurité d'emploi sur l'ancienneté plutôt que sur la compétence. Il arrive souvent qu'un travailleur compétent, mais nouveau dans l'entreprise, perde son emploi, et qu'un employé beaucoup moins compétent soit protégé par son ancienneté.

Les partisans des syndicats, par contre, prétendent que les salaires supérieurs qui résultent de l'activité syndicale favorisent la productivité. À leur avis, on ne peut s'attendre à ce que des travailleurs mécontents fassent preuve d'une productivité élevée, mais que des conditions de travail et des salaires satisfaisants contribuent au bon moral des travailleurs et à la productivité.

RÉSUMÉ DU CHAPITRE

1. La main-d'oeuvre contribue considérablement à la production. Le revenu tiré de la main-d'oeuvre constitue environ 69 % du revenu total de toutes les sources.

2. La demande de main-d'oeuvre est une demande dérivée, car elle est tributaire de la demande de biens et de services qu'elle produit.

3. Le produit marginal du revenu de la main-d'oeuvre (PmR_T) est le revenu supplémentaire obtenu par la vente d'une unité de production supplémentaire produite par une unité de main-d'oeuvre additionnelle. En multipliant le produit physique marginal de la main-d'oeuvre (PPm_T) par le prix du produit, on obtient le produit marginal du revenu de la main-d'oeuvre.

4. L'entreprise utilisera de la main-d'oeuvre jusqu'à ce que le produit marginal du revenu de celle-ci égale le taux de salaire. La courbe de demande de main-d'oeuvre de l'entreprise est la courbe de produit marginal du revenu de la main-d'oeuvre. On peut évaluer la courbe de demande de la main-d'oeuvre de l'industrie en additionnant les courbes de demande de l'ensemble des entreprises de l'industrie.

5. La courbe d'offre de main-d'oeuvre est ascendante. Des taux de salaire supérieurs favorisent l'accroissement de la quantité de main-d'oeuvre offerte.

6. Le taux de salaire d'équilibre est déterminé par l'intersection des courbes de demande et d'offre de main-d'oeuvre. Une augmentation de la demande de main-d'oeuvre, toutes autres choses étant égales, accroît le taux de salaire. Une augmentation de l'offre de main-d'oeuvre diminue le taux de salaire.

7. Les différences de salaire au sein des professions sont attribuables aux différences de formation, d'aptitudes et d'expérience et de responsabilité, à la présence d'un syndicat

et au niveau de risque associé à l'emploi. Le revenu psychologique joue également un rôle.

8. Un syndicat est une association de travailleurs mise sur pied afin de promouvoir les intérêts de ses membres, lors de négociations avec les employeurs.

9. Les syndicats professionnels se composent de travailleurs d'une seule profession sans tenir compte du lieu de travail, et les syndicats industriels, de travailleurs d'une seule industrie.

10. Il existe des syndicats locaux, nationaux et internationaux ainsi que des fédérations.

11. L'atelier ouvert est une entente selon laquelle l'adhésion à un syndicat n'est pas une condition à l'obtention ou au maintien d'un emploi. Dans un atelier fermé, l'adhésion à un syndicat est obligatoire. L'atelier syndical permet l'embauche de travailleurs qui ne sont pas syndiqués, pourvu que ces derniers le deviennent dans un délai donné.

12. En vertu de la formule Rand, les travailleurs doivent payer des cotisations syndicales même s'ils ne sont pas membres du syndicat.

13. La négociation collective désigne tout le processus qui permet au syndicat et à la direction de parvenir à une entente en matière de conditions d'emploi. La convention se rapporte aux salaires, aux vacances et à la sécurité ainsi qu'à d'autres questions non monétaires, comme la sécurité d'emploi.

14. Les parties qui négocient le salaire considèrent des facteurs comme la productivité, la rentabilité et le coût de la vie.

15. Dans un contrat, une clause d'indexation précise que les salaires augmenteront automatiquement afin de compenser l'accroissement du coût de la vie.

16. Les syndicats peuvent déplacer le taux de salaire vers le haut en augmentant la demande de produits de fabrication syndicale et en limitant l'entrée de nouveaux venus au sein de certaines professions.

17. Selon certains, les syndicats limitent la mobilité de la main-d'oeuvre et contribuent ainsi à la mauvaise répartition des ressources de main-d'oeuvre. Les partisans des syndicats prétendent qu'en fait, l'activité syndicale accroît la productivité.

Termes et notions à retenir

demande dérivée	produit marginal du revenu
syndicat professionnel	syndicat industriel
syndicat local	syndicat national

syndicat international
répartition fonctionnelle du revenu
atelier fermé, atelier ouvert
   et atelier syndical
convention collective
freinage
lock-out
coûts directs et indirects des grèves
indexation, indemnité de vie chère
   et clause d'indexation

fédération
revenu psychologique
formule Rand
négociation collective
grève
médiation (conciliation)
mécanisme de transfert
   des salaires

Questions de révision et de discussion

1. Quelle est la différence entre la demande d'un intrant comme la main-d'oeuvre, et celle d'un produit comme le pain?
2. Expliquez brièvement la théorie des salaires fondée sur la productivité marginale. À votre avis, cette théorie s'applique-t-elle à la situation actuelle au Canada?
3. Expliquez comment le taux de salaire est déterminé dans un marché du travail purement concurrentiel.
4. Pourquoi une augmentation des salaires entraîne-t-elle le chômage?
5. Si un gouvernement provincial fixe un salaire minimum considérablement supérieur à celui des autres provinces, quels sont les effets économiques sur la main-d'oeuvre?
6. Vous exploitez un verger d'abricots dans la vallée de l'Okanagan. Vos employés ne sont pas syndiqués. Comment déterminez-vous le nombre d'employés à embaucher?
7. Quels sont les effets de la discrimination sur le marché du travail?
8. Expliquez pourquoi il existe des différences de salaire au sein des diverses professions au Canada.
9. Qu'est-ce que le revenu psychologique? De quelle façon peut-il influer sur le choix d'une personne en matière d'emploi?
10. Décrivez brièvement l'organisation syndicale au Canada.
11. De quelle façon un syndicat peut-il assurer des salaires supérieurs à ses membres?
12. Les grèves sont coûteuses. Quels en sont certains coûts?
13. Quels facteurs sont pris en considération par les chefs syndicaux et les employeurs, lorsqu'il est question de salaire?
14. «Les syndicats causent la mauvaise répartition des ressources.» Êtes-vous d'accord avec cet énoncé?

Problèmes et exercices

1. Le tableau 13.5 présente les données d'une entreprise purement concurrentielle. Le marché du travail l'est également, et le prix du produit est de 2 $.

TABLEAU 13.5
Salaire et emploi

Unités de main-d'oeuvre	Taux de salaire ($)	PPm_T	PmR_T
0	10	4	
1	10	6	
2		5	
3		4	
4		3	
5		2	
6		1	
7			

      (a) Complétez le tableau.
      (b) Au moyen d'un graphique, tracez la courbe de demande de main-d'oeuvre de cette entreprise.
      (c) Combien d'unités de main-d'oeuvre seront utilisées par l'entreprise?
      (d) Supposons que le taux de salaire diminue à 6 $. Combien d'unités de main-d'oeuvre seront utilisées par l'entreprise?

2. Les données du tableau 13.6 se rapportent à l'entreprise de production Stanco, qui est exploitée dans un marché purement concurrentiel. Stanco vend son produit 10 $ et verse un salaire de 50 $ par jour à ses travailleurs.

TABLEAU 13.6
Calendrier de production
de Stanco

Nombre de travailleurs	Produit total
0	0
1	25
2	35
3	43
4	48
5	52
6	52
7	50

      (a) Combien de travailleurs seront embauchés par Stanco?
      (b) Combien de travailleurs seront embauchés, si le taux de salaire augmente à 80 $ par jour?

3. Le tableau 13.7 présente le calendrier de production de l'entreprise Minilite, dont la main-d'oeuvre est le seul intrant variable. Les travailleurs sont rémunérés 50 $ par jour, et Minilite vend son produit 5 $ dans un marché purement

concurrentiel. Quel est le nombre maximal de travailleurs qui seront embauchés par Minilite?

TABLEAU 13.7
Calendrier de production de Minilite

Nombre de travailleurs	Produit total
0	0
5	100
10	175
15	235
20	285
25	325
30	350

4. Le tableau 13.8 présente la demande et l'offre de main-d'oeuvre.

TABLEAU 13.8
Demande et offre de main-d'oeuvre

Taux de salaire ($)	Quantité de main-d'oeuvre demandée	Quantité de main-d'oeuvre offerte
4	11	1
5	9	4
6	7	7
7	5	10
8	3	13

(a) Au moyen d'un graphique, tracez les courbes de demande et d'offre.
(b) Quel est le salaire d'équilibre?
(c) Combien de travailleurs seront embauchés à ce taux de salaire?

5. Selon les données présentées à la question 4, en supposant que le gouvernement fixe le salaire minimum à 7 $, combien d'unités de main-d'oeuvre demeureront inutilisées?

6. À l'aide de diagrammes, expliquez comment les facteurs suivants influent sur le marché du travail. (Ne tenez pas compte des effets à long terme.)
(a) Un accroissement de la population active en raison de l'immigration.
(b) Des prévisions économiques plus optimistes de la part des entreprises.
(c) L'accord de libre-échange entre le Canada et les États-Unis augmente la demande de biens canadiens.
(d) Un accroissement des taux d'imposition réduit la motivation au travail.

7. On avance parfois que les syndicats, en exigeant des salaires supérieurs pour leurs membres, peuvent désavantager ces derniers. Discutez.

8. Utilisez un diagramme afin d'expliquer pourquoi, en moyenne, les avocats gagnent davantage que les employés des stations-service.

LE LOYER, L'INTÉRÊT ET LES PROFITS

> Le loyer est la portion du produit de la terre payée au propriétaire en échange de l'utilisation des pouvoirs originaux et indestructibles du sol.
>
> David Ricardo, *Principles of Political Economy and Taxation*

INTRODUCTION

Karl Marx, philosophe et économiste allemand du XIXᵉ siècle, affirmait que le loyer, les profits et l'intérêt étaient des *valeurs excédentaires* (surplus) qui découlent de l'oppression des travailleurs dont la main-d'oeuvre était le fondement de toute valeur. La réclamation par les propriétaires et capitalistes de loyer, d'intérêt et de profits n'était donc qu'une forme d'exploitation de la main-d'oeuvre. Au présent chapitre, nous jugerons de la validité des opinions de Marx et déterminerons l'utilité de ces types de revenu.

Si quelque 72 % du revenu revient à la main-d'oeuvre sous forme de traitements, de salaires et de revenus complémentaires, 28 % de celui-ci provient de la terre et du capital sous forme de loyer, d'intérêt et de profits. Il est essentiel de bien comprendre ces derniers termes, et nous en examinerons la signification aux sections suivantes.

LA DÉFINITION DU LOYER

Loyer : rendement d'un facteur productif dont l'offre est fixe.

On appelle communément *loyer* le paiement mensuel effectué par un locataire au propriétaire d'un logement. On peut aussi louer une voiture ou des outils. Ces diverses notions diffèrent cependant de la conception économique du loyer. En économique, le terme «loyer» désigne le rendement d'un facteur productif dont l'offre est fixe. Le loyer économique pur est le revenu que rapporte un facteur de production dont l'offre est inélastique par rapport au prix. On utilise souvent le terrain à titre d'exemple de facteur de production susceptible d'engendrer un loyer économique pur parce que, pour des raisons pratiques, la quantité de terrain disponible est fixe.

Examinons brièvement cette notion de quantité fixe de terrain. Sur le plan matériel, la quantité de terrain dont on dispose est fixe. Il n'existe en effet qu'une certaine étendue de sol sous nos pieds, étendue qu'une augmentation des prix ne pourrait accroître. On peut cependant modifier la fertilité de ce sol, ou l'améliorer de diverses manières, notamment par l'assèchement des marécages. Mais ces améliorations constituent un capital et ne doivent être considérées comme un nouveau terrain. Il est en outre important de noter que la quantité de terrain réservée à un usage particulier peut être augmentée en diminuant celle allouée à un autre usage. Par exemple, un terrain à vocation agricole peut servir à des fins résidentielles.

LA DÉTERMINATION DU LOYER

Le loyer est déterminé par l'intersection des courbes de l'offre et de la demande en matière de terrain.

L'offre étant fixe, les variations de loyer sont donc engendrées par des changements au niveau de la demande.

ILLUSTRATION 14.1
Courbes de l'offre et de la demande de terrain

Utilisons l'exemple classique du terrain. Le loyer est déterminé sur le marché comme tout autre prix : par l'offre et la demande. À l'illustration 14.1, la courbe décroissante de la demande D_t indique qu'à mesure que le loyer diminue, la quantité de terrain demandée augmente. La ligne verticale de l'offre O_t est fixe à Q_t. Les courbes d'offre et de demande se croisent au point L, le point de détermination de la valeur locative de lha par le marché.

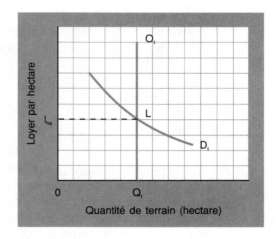

Les changements au niveau de la demande modifieront le loyer par hectare du terrain. À l'illustration 14.2, si D_t désigne la demande de terrain, l_1 désignera le loyer par hectare, et la partie ombragée du diagramme ($Q_t \times l_1$), le loyer économique total. Une augmentation de la demande de D_1 à D_2 se traduira par une augmentation du loyer par hectare de l_1 à l_2; le loyer économique supplémentaire sera alors illustré par la partie non ombragée du diagramme.

Une augmentation de la demande de terrain produit une augmentation du loyer.

ILLUSTRATION 14.2
Effets d'une augmentation
de la demande de terrain

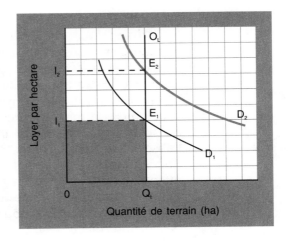

LES VARIATIONS DE LOYER

Le rendement par
hectare, l'emplacement
d'un terrain et les
richesses qu'il renferme
influencent la demande,
donc la valeur locative, de
celui-ci.

L'analyse précédente démontre clairement que les variations de loyer sont imputables aux différences au niveau de la demande. Afin d'expliquer ces variations, il faut donc examiner les facteurs qui influencent la demande de différentes parcelles de terrain.

Considérons d'abord un lopin de terre réservé à la culture du blé au Manitoba. De toute évidence, la demande de la part d'usagers éventuels dépendra du rendement prévu par hectare. Plus ce dernier sera élevé, plus la demande sera forte. De même, plus la demande sera forte, plus le loyer augmentera.

Les ressources d'un terrain influencent aussi la demande et, partant, le loyer. On peut affirmer qu'un terrain riche en dépôts minéraux aura une valeur locative plus élevée que celui qui en est dépourvu. Cette affirmation se fonde sur l'hypothèse selon laquelle la demande d'un lopin de terre riche en ressources est susceptible d'être supérieure à celle d'une parcelle improductive. En dernier lieu, l'emplacement d'un terrain influence d'une certaine façon la demande et, partant, la valeur locative de ce dernier. Comparez le loyer du terrain de grandes villes telles que Montréal, Toronto ou Vancouver avec celui d'endroits plus éloignés comme Petty Harbour, à Terre-Neuve.

Problème : Les gratte-ciel engorgent le centre de plusieurs villes, mais ils sont rares en banlieue. Expliquez ce phénomène.

> **Solution :** La demande de terrain dans les secteurs commerciaux des villes est élevée comparativement à celle des secteurs périphériques. Par conséquent, la valeur locative d'un terrain du centre-ville est élevée par rapport à celle du terrain en périphérie. Afin de remédier aux problèmes de manque d'espace et de loyers élevés, on construit des édifices sur un grand nombre d'étages. En l'absence de ces derniers, nous serions forcés d'utiliser une quantité considérable de terrain afin d'obtenir le même espace, et les coûts seraient astronomiques! L'abondance de gratte-ciel dans les secteurs commerciaux est donc principalement attribuable à la valeur locative élevée des terrains de ceux-ci.

Le loyer économique et les revenus de transfert

Nous avons déjà établi que le loyer est un revenu que rapporte un facteur de production dont l'offre est parfaitement inélastique. On peut aussi considérer celui-ci comme étant le rendement d'un facteur de production, au-delà du coût d'opportunité de ce dernier. Un grand nombre n'acceptent pas que de nombreuses vedettes de la musique, du sport ou du cinéma aient des revenus exceptionnellement élevés. Mais les critiques qui sont formulées à l'égard des salaires de ces vedettes visent en fait la portion locative de ces salaires.

De nombreux salaires se composent de loyer et de revenus de transfert.

Quelle est la portion locative des revenus d'un joueur de hockey dont le salaire annuel se chiffre à 450 000 $? Afin de répondre à cette question, il faut déterminer quelle serait la meilleure solution de remplacement en matière d'emploi pour ce joueur. En d'autres termes, quel est le coût d'opportunité? Ou encore, quelle somme minimale ce joueur devra-t-il toucher pour ne pas désirer changer d'emploi? Cette somme minimale représente ce qu'on appelle parfois un revenu de transfert. Le revenu de transfert est le montant d'argent qu'un facteur de production pourra rapporter en optant pour la meilleure solution de remplacement en matière d'emploi. Supposons que la meilleure solution de remplacement pour notre joueur de hockey lui rapporte 30 000 $, la somme excédentaire (420 000 $) représenterait alors la portion locative de son revenu. Les vedettes reçoivent des sommes importantes parce que leurs employeurs considèrent que les recettes marginales du facteur de ces personnes sont élevées. Sachez que les ressources autres que le terrain

Le quasi-loyer est le rendement d'un facteur dont l'offre n'est fixe qu'à court terme.

n'ont d'offre fixe qu'à court terme. Les revenus découlant de telles ressources sont habituellement appelées des *quasi-loyers*, afin de les distinguer des loyers économiques purs.

On parle souvent des effets économiques de l'imposition de la portion locative des revenus. Certains affirment que cela n'influence d'aucune manière les stimulants ou l'utilisation des ressources. Par exemple, si la portion locative du revenu d'un joueur de hockey est imposée, ce dernier continuera sans doute de jouer; il n'abandonnera vraisemblablement pas le hockey parce que son revenu à titre de joueur est plus élevé que celui qu'il gagnerait en occupant un autre emploi.

Le loyer peut s'avérer nécessaire pour conserver certaines ressources.

Toutefois, si la portion locative de son revenu est imposée, une vedette cherchera-t-elle toujours à préserver les qualités essentielles qui la distinguent? Fera-t-elle toujours les efforts nécessaires au maintien des aptitudes qui justifient son revenu exceptionnellement élevé? Recherchera-t-elle encore l'excellence? Il est difficile de répondre à ces questions. On peut conclure que les loyers sont essentiels parce qu'ils stimulent le maintien de certaines ressources.

L'INTÉRÊT

L'intérêt représente le paiement effectué en retour d'un emprunt ou le revenu découlant d'un prêt.

En bref, l'intérêt représente le paiement effectué en retour de l'utilisation d'une somme d'argent pendant une période déterminée. Afin d'acquérir du capital (machines, bâtiments, outils, etc.) de nombreuses entreprises empruntent des fonds et payent de l'intérêt au prêteur. De même, les ménages empruntent de divers établissements financiers pour se procurer des articles comme une voiture, des meubles ou des appareils ménagers, et payent aussi des intérêts aux prêteurs. Les gens prêtent de l'argent aux entreprises en achetant des obligations ou, de façon plus indirecte, en déposant des fonds à la banque ou à d'autres établissements financiers. Ils prêtent en outre au gouvernement fédéral en achetant des Obligations d'épargne du Canada. Pour le prêteur, l'intérêt correspond à un revenu; pour l'emprunteur, à une dépense. On peut aussi voir l'intérêt d'un autre oeil : si je vous prête 500 $, je renonce du même coup à la consommation à laquelle cet argent me donnait droit. Or, afin de m'inciter à renoncer à cette consommation, vous devrez me payer, sous forme d'intérêt.

Il importe ici de distinguer l'intérêt du taux d'intérêt. Les propos que nous avons tenus jusqu'ici indiquent clairement que l'intérêt représente une somme d'argent. Le montant prêté ou emprunté s'appelle le capital. Le taux d'intérêt est le rapport entre l'intérêt et le capital, exprimé en pourcentage.

$$\text{Taux d'intérêt} = \frac{\text{intérêt}}{\text{capital}} \times 100$$

Par exemple, si vous empruntez 500 $ pour un an, et que vous payez 60 $ d'intérêt, le taux d'intérêt est de 12 % par année. On peut donc considérer le taux d'intérêt comme étant le prix à payer en échange de l'utilisation de l'argent emprunté.

Le revenu d'intérêt dépend de la quantité de fonds prêtés ainsi que du taux d'intérêt. Si je prête 1 000 $ à un taux d'intérêt annuel de 5 %, mon revenu d'intérêt annuel sera de 50 $. Si le taux d'intérêt était de 10 % par année, mon revenu se chiffrerait à 100 $. Il apparaît évident que le taux d'intérêt joue un rôle important dans la détermination du rendement des prêts.

La détermination du taux d'intérêt

Le taux d'intérêt est déterminé par l'offre et la demande de fonds prêtables.

Le taux d'intérêt est un prix, celui d'un emprunt. Ce prix est déterminé sur le marché par l'offre et la demande de fonds empruntés ou de fonds prêtables. À l'illustration 14.3, la demande de fonds prêtables est représentée par la courbe D. Celle-ci vient vraisemblablement d'entreprises qui souhaitent emprunter des sommes à des fins de placement, de consommateurs désireux d'acquérir certains biens de consommation et des gouvernements qui désirent dépenser plus que ce qu'ils gagnent, c'est-à-dire rembourser leur déficit. La courbe décroissante de la demande indique qu'on empruntera davantage de fonds à mesure que le taux d'intérêt diminuera. L'offre de fonds prêtables provient de l'épargne des consommateurs, des entreprises et des gouvernements qui ont des surplus budgétaires. Les courbes d'offre et de

L'intersection des courbes de l'offre et de la demande de fonds prêtables détermine le taux d'intérêt d'équilibre.

ILLUSTRATION 14.3
Offre et demande de fonds prêtables.

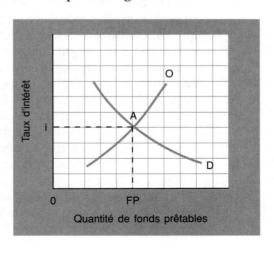

demande se croisent au point A, le point d'équilibre du taux d'intérêt (i) et de la quantité de fonds prêtables (FP).

> **Problème :** Les Canadiens sont de grands épargnants. S'ils changeaient de comportement, qu'adviendrait-il des taux d'intérêt?
>
> **Solution :** Si les Canadiens épargnaient moins, la quantité de fonds prêtables diminuerait, et ce, à tous les niveaux de taux d'intérêt. Le diagramme suivant vous aidera à comprendre ce qu'il adviendrait des taux d'intérêt. La courbe D représente la courbe originale de la demande et O, la courbe originale de l'offre de fonds prêtables. Le taux d'équilibre correspondant est i_0. Si les Canadiens épargnaient moins, toutes autres choses étant égales, l'offre diminuerait (la nouvelle courbe de l'offre est représentée par O_0), ce qui entraînerait une hausse du taux d'intérêt, lequel passerait de i_0 à i_1.

ILLUSTRATION 14.4
Offre et demande de
fonds prêtables

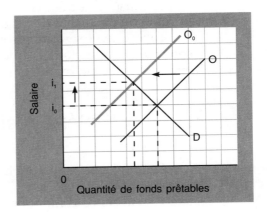

Les variations du taux d'intérêt

Une diminution de l'épargne entraîne une augmentation du taux d'intérêt.

Jusqu'ici, nous avons parlé du taux d'intérêt comme d'un taux unique applicable à tous les instruments de crédit. (Les instruments de crédit sont des documents prouvant que le crédit a été accordé au titulaire de l'instrument.) En fait, les taux varient selon l'emprunteur et le type d'emprunt.

Tous les emprunts comportent une certaine part de risque, mais ce risque varie d'un type d'emprunt à l'autre. Un des facteurs de variation des taux d'intérêt est la différence entre les niveaux de risque encouru. La possibilité de manquer à ses engagements diffère d'un emprunteur à l'autre. Ceux qui sont susceptibles de faire défaut verront une prime de risque s'ajouter au taux d'intérêt à payer, laquelle sert à compenser le risque de défaillance. Par exemple, le taux préférentiel, celui que les banques font payer à leurs clients d'affaires les plus solvables, est moins élevé que celui exigé des emprunteurs moins solvables. Plus le risque de défaillance est grand, toutes autres choses étant égales, plus la prime sera élevée.

La prime de risque s'ajoute au taux d'intérêt pour compenser le risque de défaillance.

L'échéance de l'emprunt est un autre facteur de variation du taux d'intérêt. L'échéance est la période de temps requise pour rembourser l'emprunt. Généralement, le taux d'intérêt est plus élevé pour un emprunt à long terme que pour un emprunt à court terme. Cela se fonde sur l'hypothèse que les gens préfèrent profiter de leur argent plus tôt que plus tard; autrement dit, ils optent pour la liquidité. Les prêts à court terme étant plus liquides que ceux à long terme, les prêteurs ont besoin d'incitation, sous forme de taux d'intérêt plus élevés, pour prêter à plus longue échéance.

Un troisième facteur peut expliquer les variations de taux d'intérêt, soit le stade de maturité du marché de l'instrument de crédit utilisé. Si ce marché est bien établi, le coût de transaction de la vente ou de l'achat de cet instrument sera relativement bas, et le taux d'intérêt sera moins élevé. Là où les marchés financiers sont moins bien établis, il devient très difficile de négocier des emprunts; les prêteurs sont rares et exigent souvent des taux d'intérêt élevés.

Le taux d'intérêt réel et le taux d'intérêt nominal

Le taux d'intérêt nominal désigne le taux d'intérêt réel, auquel s'ajoute une compensation pour l'inflation.

Les économistes établissent habituellement une distinction entre le *taux d'intérêt réel* et *le taux d'intérêt nominal*; le premier est le taux fixé en l'absence d'inflation et le second, qui s'applique à un emprunt ou à un dépôt, comporte une prime de compensation pour le niveau d'inflation. Illustrons ce rapport à l'aide de l'exemple suivant. Supposons que le taux annuel d'inflation est de 10 %. Cela signifie qu'à la fin de l'année, moyennant une somme donnée, on ne pourra acheter que 90 % de ce qu'on pouvait se procurer au début de ladite année. Si Marie Bazier emprunte 1 000 $ pour un an, cette somme ne vaudra plus que 900 $ au moment du remboursement de l'emprunt. Si le prêteur ne s'est pas prémuni contre les effets de l'inflation, il aura perdu 10 % de son pouvoir d'achat. La hausse des prix provoque la diminution de la valeur (pouvoir d'achat) de l'argent. Par conséquent, si l'emprunteur prévoit que le taux d'inflation annuel se situera à

10 %, il devra se protéger des pertes imputables à l'inflation en ajoutant 10 points de pourcentage au taux d'intérêt réel. Au lieu d'exiger 7 % d'intérêt, il exigera maintenant 17 %. L'équation suivante illustre le rapport entre les taux nominal et réel :

$$TN = TR + i$$

où TN est le taux nominal, TR, le taux réel et i, le taux d'inflation.

> **Problème :** Est-il toujours plus avantageux d'emprunter à un taux d'intérêt de 4 % qu'à un taux de 17 % ?
>
> **Solution :** À première vue, la réponse à cette question semble évidente. En effet, si vous empruntez 100 $ à 4 %, vous ne paierez que 4,00 $, tandis qu'en empruntant à 17 %, vous devrez débourser 17,00 $. Si le taux d'inflation n'est que de 1 % dans le cas de l'emprunt à 4 %, le coût réel d'intérêt s'élèvera alors à 3,00 $; mais si le taux d'inflation se situe à 15 % pour l'emprunt à 17 %, le coût réel d'intérêt ne se chiffrera qu'à 2,00 $. En certaines circonstances, il peut donc être plus coûteux d'emprunter à un taux de 4 % qu'à un taux de 17 % !

LES PROFITS

Pour calculer les profits, l'économiste tient compte de tous les coûts d'opportunité, mais pas le comptable.

Il importe de comprendre la différence que le comptable et l'économiste accordent à la notion de profits. Selon le premier, les profits représentent l'excédent des revenus tirés de la vente des produits et services sur les dépenses encourues dans la production de ces derniers. Selon le second, le terme désigne l'excédent des revenus tirés de la vente de produits et de services sur le coût total, qui inclut le coût d'opportunité. L'exemple suivant vous aidera à établir la distinction. Les revenus et dépenses de Jean Simon, propriétaire d'un atelier de construction d'armoires en pin, sont énumérés au tableau 14.1. Cet état financier s'appelle l'*état des*

TABLEAU 14.1
Revenus et dépenses

Revenus :		
Ventes		50 000 $
Dépenses :		
Loyer	2 500 $	
Services publics	600 $	
Salaires	15 000 $	
Transport	800 $	
Matériel et fournitures	10 000 $	
Autres frais	500 $	
TOTAL des dépenses		29 400 $
Profits nets (50 000 $ - 29 400 $) = 20 600 $		

résultats ; on désigne les profits comptables par l'expression *profits nets*.

Afin de calculer les profits économiques, il faut cependant connaître le montant que Jean aurait pu recevoir en exerçant la meilleure solution de remplacement en matière d'emploi, ainsi que les dépenses qu'il aurait alors encourues. En d'autres mots, il faut déterminer le coût d'opportunité de Jean. En supposant que celui-ci se situe à 20 600 $, nous nous trouvons devant la situation suivante :

Revenu total		50 000 $
Coût total	29 400 $ + 20 600 $	= 50 000 $
Profits	(50 000 $ - 50 000 $) =	0 $

Ici, les profits économiques de Jean sont nuls, soit des *profits normaux*. Par contre, s'il ne pouvait gagnait que 18 000 $ en travaillant ailleurs, la situation se présenterait comme suit :

Revenu total		50 000 $
Coût total	29 400 $ + 18 000 $	= 47 400 $
Profits	(50 000 $ - 47 400 $) =	2 600 $

Jean réaliserait alors un profit économique de 2 600 $.

Les profits normaux sont égaux au coût d'opportunité des ressources.

Les profits à titre de rendement de l'innovation et de l'esprit d'initiative

Pourquoi les gens décident-ils de lancer leurs propres entreprises plutôt que de vendre leurs services à d'autres? Une réponse réside dans l'espoir de réaliser de meilleurs profits. De nombreuses personnes croient qu'elles sont plus perspicaces, plus imaginatives et plus téméraires que toutes celles pour qui elles ont travaillé! Si elles sont réellement aussi innovatrices qu'elles l'estiment, et si leurs idées remportent le succès escompté, elles seront alors récompensées sous forme de profits. Si elles échouent, elles devront en payer le prix.

Les profits comme rémunération du risque

On peut considérer le profit comme une récompense de l'innovation, une rémunération du risque ou le résultat d'un pouvoir commercial.

Peu importe leur habileté, les gens d'affaires doivent affronter les risques inhérents à la gestion de leur propre entreprise. On considère parfois les profits comme une récompense de la prise de risques, une sorte de prime du risque! Si cette dernière n'existait pas, un grand nombre jugeraient que le jeu n'en vaut pas la chandelle.

Les profits découlant du pouvoir commercial

Nous avons déjà dit qu'une entreprise en situation de concurrence pure peut réaliser des profits économiques à court terme, mais qu'à long terme, la concurrence rongera ces derniers. Cependant, une entreprise disposant d'un grand pouvoir commercial peut afficher des profits économiques à long terme grâce à des barrières à l'importation efficaces comme les droits exclusifs d'exploitation, les économies d'échelle et les pratiques de prix abusifs.

LE RÔLE ÉCONOMIQUE DES PROFITS

Les profits servent d'indication dans l'allocation des ressources, de stimulant en matière d'efficacité et

Essentiellement, les profits remplissent trois fonctions économiques :

(1) ils servent d'indication aux propriétaires de ressources;
(2) ils stimulent l'efficacité;
(3) ils récompensent l'ingéniosité.

Examinons maintenant chacune de ces fonctions.

Les profits comme indication aux propriétaires de ressources

La présence de profits dans tous les secteurs de l'activité économique indique clairement que le prix dépasse le coût moyen de production, et que les ressources devraient être allouées à ce secteur. De même, la présence de pertes dans un secteur démontre que les ressources devraient plutôt être transférées là où elles seraient plus productives.

Les profits comme stimulant en matière d'efficacité

La recherche des profits incite les producteurs à réduire les coûts de production partout où cela est possible. Face à la concurrence, les entreprises dont les coûts de production sont élevés perdent leur part du marché au profit d'entreprises plus efficaces; si elles n'arrivent pas à augmenter leur efficacité, elles finiront par être évincées du marché.

Les profits à titre de récompense

Les profits servent en outre à récompenser l'ingéniosité et l'imagination ainsi que l'esprit novateur et entreprenant. La perspective d'un gain représente souvent la force motrice de la prospérité et du maintien de ressources et de talents spéciaux.

> **Problème :**   Quels sont les effets économiques de l'imposition des profits excédentaires?
>
> **Solution :**   Un impôt prélevé sur les profits excédentaires d'une entreprise pourrait inciter cette dernière à renoncer à certaines activités économiques susceptibles d'engendrer des profits additionnels, en plus de diminuer les efforts de réduction des coûts de production. L'entreprise pourrait alors mettre sur pied certains projets ou programmes qui, en l'absence de cet impôt, ne seraient pas justifiés. On a notamment observé que l'imposition des profits excédentaires avait entraîné le gonflement des comptes de frais.

RÉSUMÉ DU CHAPITRE

1. Près de 28 % du revenu total se présente sous forme de loyer, d'intérêt et de profits.
2. Le loyer économique pur représente le rendement d'un facteur de production dont l'offre est complètement fixe. Le rendement d'un facteur dont l'offre n'est fixe qu'à court terme, comme dans le cas d'un talent exceptionnel, s'appelle le quasi-loyer.
3. Le loyer est déterminé par l'offre et la demande du marché. Des changements au niveau de la demande expliquent les variations de loyer.
4. Les variations de loyer sont principalement attribuables aux différences au niveau de la demande de certaines parcelles de terrain. L'emplacement joue aussi un rôle important dans ces variations.
5. Le loyer peut inciter la mise en valeur et le maintien de certains types de ressources.
6. L'intérêt est un revenu qui provient de prêts. Les prêts peuvent se faire directement, grâce à l'achat d'obligations, ou indirectement, à la faveur de dépôts auprès d'établissements financiers.
7. L'offre et la demande de fonds prêtables déterminent le taux d'intérêt. La demande de fonds prêtables est créée par les consommateurs, les entreprises et les gouvernements; l'offre de fonds prêtables provient des épargnants.

8. On peut considérer les profits comme la récompense d'un esprit entreprenant ou la rémunération du risque.
9. Les profits servent d'indication au mouvement des ressources, favorise une efficacité accrue et constitue une récompense à l'esprit d'entreprise.

Termes et notions à retenir

loyer et quasi-loyer
revenus de transfert
intérêt
taux d'intérêt

taux d'intérêt réel et nominal
taux préférentiel d'emprunt
échéance
profits

Questions de révision et de discussion

1. Comment le loyer se distingue-t-il des autres types de revenu?
2. Quels sont les déterminants principaux de la variation du loyer?
3. Justifiez le salaire élevé des grandes vedettes.
4. Consentiriez-vous à l'imposition de la portion locative du revenu? Défendez votre point de vue.
5. Distinguez l'intérêt du taux d'intérêt.
6. Comment détermine-t-on le taux d'intérêt au sein d'un marché de fonds purement concurrentiel?
7. Comment la hausse des emprunts du gouvernement influencerait-elle les taux d'intérêt?
8. Les taux d'intérêt ont tendance à augmenter pendant les périodes inflationnistes. Expliquez ce phénomène.
9. Pourquoi certaines catégories d'emprunteurs peuvent-elles bénéficier de meilleurs taux que d'autres?
10. Décrivez la différence entre les profits comptables et les profits économiques.
11. Les profits remplissent-ils certaines fonctions économiques?

Problèmes et exercices

1. À l'aide de diagrammes, illustrez la différence entre la demande d'un hectare de terrain marécageux situé à 60 km à l'est de Blissfield, au Nouveau-Brunswick, et un hectare de terrain commercial au centre de Fredericton. Quel terrain aurait la plus grande valeur locative, et pourquoi?
2. Aline Léger joue à la crosse au sein de l'équipe des Pionnières de Québec et gagne 175 000 $ par année. En marge de la crosse, elle pourrait recevoir une somme maximale de 80 000 $ à titre de propriétaire d'un magasin d'articles de

sport. Si l'on exclut la question monétaire, il lui importe peu d'être joueuse de crosse ou propriétaire de magasin. Quelle portion du salaire d'Aline peut-on considérer comme un loyer?

3. Richard Nanti est un acteur qui gagne 400 000 $ par année. Au mieux, il aurait pu gagner 60 000 $ à titre conseiller du service des relations publiques de TV Estrie. Quelle part de son salaire représente le loyer économique, et quelle part, le revenu de transfert?

4. Comment la télévision a-t-elle influé sur la portion locative des salaires des vedettes du sport et du spectacle?

5. Votre amie Mei Ling vous emprunte 5 000 $. Au nom de votre amitié, vous ne voulez pas profiter de la transaction et n'exigez aucun intérêt. Est-ce là une décision éclairée? Expliquez.

6. On dit qu'une des différences entre les profits et le loyer est que le premier peut être balayé par la concurrence, tandis que le second ne le peut pas. Êtes-vous en accord avec cette affirmation? Expliquez.

7. Pierre Gunter est propriétaire d'un studio de photographie. Ses dépenses mensuelles habituelles apparaissent au tableau 14.2. On lui a offert jusqu'à 1 500 $ par mois pour travailler ailleurs.

TABLEAU 14.2

Données relatives aux dépenses et aux revenus de Pierre Gunter

Revenus :	
Vente de produits	150 $
Vente de services	2 500
TOTAL	2 650 $
Dépenses :	
Loyer	200 $
Matériel	50
Téléphone	40
Services publics	30
Salaires	500
Autres frais	25
TOTAL	845 $

Calculez :

(a) les profits comptables mensuels de Pierre.

(b) les profits économiques mensuels de Pierre.

LA RÉPARTITION DU REVENU ET LA PAUVRETÉ

> Je crois que des raisons d'ordre social et psychologique
> expliquent les écarts importants de revenu et de richesse,
> mais que celles-ci ne peuvent expliquer les énormes dis-
> parités auxquelles nous sommes confrontés.
>
> J.M. Keynes, *La théorie générale*

INTRODUCTION

Aux deux chapitres précédents, nous avons examiné différentes sources de revenu dont le salaire, le loyer, l'intérêt et le profit. Chaque année, les Canadiennes et les Canadiens gagnent des sommes considérables grâce à l'utilisation ou à la vente des ressources dont ils disposent. Ce revenu n'est cependant pas réparti équitablement; certains touchent plus de 250 000 $, tandis que d'autres gagnent tout juste de quoi vivre.

Cette injustice manifeste au niveau de la répartition du revenu est l'une des questions d'ordre économique et social qui suscitent les débats les plus passionnés. Au présent chapitre, nous étudierons cette répartition. Nous aborderons aussi le sujet de la pauvreté et examinerons les mesures à prendre pour composer avec ce fléau social. Nous présenterons ensuite un aperçu du système d'aide sociale au Canada.

LES MODÈLES DE RÉPARTITION DU REVENU

Au dire de la plupart des gens, le revenu et la richesse devraient être répartis d'une manière équitable. Mais il n'existe cependant aucun consensus sur la définition de la justice et de l'équité, ou sur la manière de répartir le revenu équitablement. Examinons rapidement trois modèles de répartition équitable du revenu.

La répartition selon la productivité

Trois modèles de répartition équitable du revenu : la répartition selon la productivité, selon le besoin, et la répartition égale.

Le revenu doit être réparti selon la productivité. Les partisans de ce point de vue prétendent qu'il serait juste de récompenser l'apport de chacun à la production globale et considèrent que cette optique comporte des avantages certains : elle encourage une plus grande productivité et fonctionne automatiquement à la faveur du système de marché.

La répartition selon le besoin

On peut aussi s'appuyer sur le modèle communiste chrétien de la Bible pour définir la répartition du revenu :

> Il n'y avait parmi eux personne qui soit dans le besoin, car tous ceux qui possédaient terrains et demeures vendaient leur avoir et en déposaient le bénéfice aux pieds des Apôtres, lesquels répartissaient ensuite le bien selon les besoins de chacun.*

On retrouve cette notion dans une phrase célèbre de Louis Blanc, révolutionnaire français de la première heure : «À chacun selon ses besoins; à chacun selon ses facultés.» Mais ce modèle présente des problèmes évidents. D'abord, comment détermine-t-on le besoin? Il s'agit déjà là d'une difficulté insurmontable. Et si les biens sont distribués selon le besoin, sera-t-on encouragé à travailler?

La répartition égale du revenu

Ici, le revenu doit être réparti de manière égale, et la simplicité même de la notion la rend fort attrayante. Pour répartir le revenu entre tous, il suffit de diviser le revenu total par le nombre d'habitants. Mais une telle façon de procéder n'encourage pas l'activité économique. Or, si cette dernière n'est plus stimulée, elle ralentira, et cela est indésirable.

LA RÉPARTITION DU REVENU

Au chapitre 3, on a présenté la notion de répartition du revenu, c'est-à-dire la distribution du revenu entre les personnes et les ménages. Le tableau 15.1 contient des données sur la répartition du revenu au Canada en 1989.

TABLEAU 15.1
Répartition du revenu (1989)

Tranche de revenu	1 % de ménages de ce groupe	2 % du revenu reçu	3 % cumulatif des ménages	4 % cumulatif du revenu
Inférieur à 10 000 $	11,5	1,9	11,5	1,9
10 000 - 14 999 $	10,8	3,5	22,3	5,4
15 000 - 19 999 $	9,1	4,1	31,4	9,5
20 000 - 24 999 $	7,9	4,6	39,3	14,1
25 000 - 29 999 $	7,5	5,3	46,8	19,4
30 000 - 34 999 $	7,1	5,9	53,9	25,3

---

* *Actes des Apôtres* 4 :34,35.

TABLEAU 15.1
(suite)

	1	2	3	4	5
	Tranche de revenu	% de ménages de ce groupe	% du revenu reçu	% cumulatif des ménages	% cumulatif du revenu
	35 000 - 39 999 $	7,0	6,8	60,9	32,1
	40 000 - 44 999 $	6,3	6,9	67,2	39,0
	45 000 - 49 999 $	5,5	6,8	72,7	45,8
	50 000 - 54 999 $	4,7	6,4	77,4	52,2
	55 000 - 59 999 $	4,0	6,0	81,4	58,2
	60 000 - 64 999 $	3,5	5,6	84,9	63,8
	65 000 - 69 999 $	2,9	5,0	87,8	68,8
	70 000 - 74 999 $	2,3	4,2	90,1	73,0
	75 000 - 79 999 $	1,7	3,4	91,8	76,4
	80 000 - 89 999 $	2,7	6,0	94,5	82,4
	90 000 - 99 999 $	1,7	4,3	96,2	86,7
	100 000 $ et plus	3,7	13,4	100,0	100,0

Source : Statistique Canada, *Répartition du revenu au Canada selon la taille*

La courbe de Lorenz

On utilise la courbe de Lorenz pour mesurer le degré d'inégalité du revenu.

La partie ombragée du diagramme indique l'ampleur de l'inégalité du revenu.

La *courbe de Lorenz*, du nom d'un statisticien allemand, est un outil utile pour mesurer les inégalités du revenu. La construction d'une telle courbe est relativement simple, tel que le démontre l'illustration 15.1. On mesure le pourcentage cumulatif du revenu sur l'axe vertical et celui des familles sur l'horizontal. La diagonale OA représente une répartition égale du revenu. En reportant sur ce graphique les données du tableau 15.1, on obtient une courbe qui ressemble à la courbe de Lorenz présentée à l'illustration 15.1. La partie ombragée du graphique indique le degré d'inégalité du revenu; plus cette partie est importante, plus la répartition du revenu est inégale.

ILLUSTRATION 15.1
Courbe de Lorenz en 1989

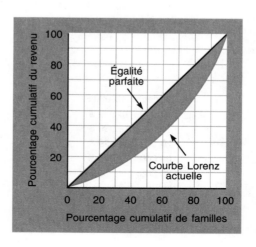

Le *coefficient de Gini* constitue une mesure encore plus précise de l'inégalité de la répartition du revenu. Il s'agit de l'aire comprise entre la courbe de Lorenz et la diagonale d'égalité parfaite de la répartition du revenu (c'est-à-dire la partie ombragée), qui équivaut à une section de triangle OAB dans l'illustration 15.1. Par exemple, si l'aire de la partie ombragée est représentée par F et celle du triangle, par H, le coefficient de Gini sera $\frac{F}{H}$. Ce coefficient se situe entre 0 et 1 par définition. Plus le coefficient de Gini est élevé, c'est-à-dire qu'il se rapproche de l'unité, plus la répartition du revenu est inégale.

> Le coefficient de Gini est un rapport qui mesure le degré d'inégalité de la répartition du revenu.

Problème : Les Canadiens devraient-ils tous avoir le même revenu?

Solution : Si cela était le cas, sans égard à l'apport de chacun à la production globale de produits et de services, il faudrait s'attendre à des conséquences certaines. De nombreuses personnes se sont employées à gagner un revenu supérieur à la moyenne et ont pris des risques pour y parvenir. Si le revenu était réparti de manière égale, la possibilité d'obtenir un revenu supérieur à la moyenne disparaîtrait. Par conséquent, l'incitation à prendre des risques et à travailler dur serait grandement réduite, et la production totale diminuerait. Les revenus supplémentaires qui viennent récompenser le dur labeur ont donc une grande valeur de stimulation de l'activité économique.

LA PAUVRETÉ

On considère que le Canada est un pays riche et que les Canadiennes et les Canadiens bénéficient d'un niveau de vie relativement élevé. Malgré cela, un grand nombre vivent dans la pauvreté. Dans cette section du chapitre, nous tenterons de définir la pauvreté et d'en évaluer l'importance.

La définition de la pauvreté

> En termes absolus, les gens sont pauvres lorsque leur revenu se trouve en deçà du seuil de pauvreté.

On peut définir la pauvreté en termes absolus ou relatifs. En termes absolus, on dira qu'une famille vit dans la pauvreté lorsque son revenu est si faible qu'elle ne peut plus s'offrir les produits et services que la plupart des gens considèrent comme étant nécessaires à un confort minimal. Cette définition présente des lacunes évidentes. Qu'entend-on par confort minimal? De toute évidence, la somme requise pour obtenir ce confort minimal variera d'un ménage à l'autre, d'une personne à l'autre. Malgré cela, il demeure clair que la pauvreté se résume à un manque d'argent nécessaire à la satisfaction des besoins considérés fondamentaux par la société.

On définit souvent la pauvreté en fonction d'un seuil. Le seuil de pauvreté est une mesure arbitraire du niveau de revenu en deçà duquel une famille, ou une personne, est incapable de maintenir un niveau de vie acceptable. Statistique Canada a déterminé des *indicateurs de faible revenu*, ou *seuils de pauvreté*, qui varient en fonction du lieu de résidence et de l'importance de l'unité familiale. Par exemple, le seuil de pauvreté d'une personne seule vivant en milieu rural sera nettement inférieur à celui d'un couple ayant trois enfants et qui vit en milieu urbain. Ici, l'écart entre les seuils de pauvreté reflète le fait que le couple urbain devra dépenser davantage afin de satisfaire ses besoins fondamentaux de nourriture, de logement et de vêtements. On considérera donc toute famille ou toute personne dont le revenu est inférieur au seuil de pauvreté comme étant dans le besoin. Le tableau 15.2 dresse une liste de seuils de pauvreté selon l'importance de l'unité familiale. En tenant compte de ces chiffres, quelque 733 000 familles et 1 031 000 personnes seules, soit 3,6 millions de personnes représentant 14 % de la population du Canada, vivaient sous le seuil de pauvreté en 1989.

TABLEAU 15.2
Seuils de faible revenu par unité familiale, 1989 (base de 1986)

Taille de l'unité familiale	Taille de la région de résidence				
	Supérieure à 500 000	100 000 — 499 999	30 000 — 99 999	Inférieure à 30 000	Région rurale
1 personne	13 511	11 867	11 593	10 568	9 198
2 personnes	18 314	16 087	15 715	14 325	12 469
3 personnes	23 279	20 446	19 974	18 208	15 849
4 personnes	26 803	23 540	22 997	20 964	18 247
5 personnes	29 284	25 720	25 126	22 905	19 936
6 personnes	31 787	27 917	27 273	24 862	21 640
7 personnes ou plus	34 188	30 028	29 335	26 742	23 275

Source : Statistique Canada, *Répartition du revenu au Canada selon la taille*

On peut aussi déterminer la pauvreté en évaluant quelle portion du revenu est allouée à la nourriture, au logement et aux vêtements. D'après Statistique Canada, les familles qui consacrent en moyenne 58,5 % ou plus de leur revenu à ces besoins fondamentaux sont dans le besoin.

En termes relatifs, les gens sont pauvres si leur revenu est inférieur à celui des autres.

En termes relatifs, une famille sera pauvre si son revenu lui assure un niveau de vie sensiblement inférieur à celui des autres membres de la société. Ainsi, une personne seule dont le revenu annuel s'élève à 60 000 $ sera jugée relativement pauvre, si la majorité des membres de la société gagnent plus de 250 000 $. Lorsque nous définissons la pauvreté en termes relatifs, nous nous rapprochons de la définition biblique selon laquelle «les pauvres seront toujours parmi nous», car sous cet angle, toute répartition inégale du revenu donnera lieu à de la pauvreté et ce, quelle que soit la valeur absolue des portions distribuées.

LES EFFETS DE LA PAUVRETÉ

La pauvreté lèse la société autant que les personnes qu'elle affecte directement.

La pauvreté est une source de grandes privations. Les personnes démunies ne peuvent en effet jouir des avantages que beaucoup de gens tiennent pour acquis; elles ne bénéficient ni d'un toit adéquat ni d'une bonne santé, et il se peut que leurs enfants ne reçoivent pas un enseignement de qualité. C'est pourquoi elles s'engagent parfois dans diverses activités de nature criminelle. De ce fait, en plus des personnes affectées, c'est la société toute entière qui souffre des effets de la pauvreté.

En plus d'entraîner des pertes au niveau de la propriété (et parfois même de la vie), la pauvreté engendre d'autres désavantages économiques. Étant donné que les pauvres sont sujets à avoir un niveau de scolarité et de compétences inférieur, leur productivité est souvent limitée, ce qui empêche l'économie d'atteindre son plein rendement. En pareil cas, la population dans son ensemble doit accepter un niveau de vie inférieur.

L'INCIDENCE DE LA PAUVRETÉ

La pauvreté ne se limite pas à une région, à un groupe d'âge, à un sexe ou à une ethnie en particulier. Elle se rencontre chez les jeunes comme chez les vieux, hommes ou femmes, dans des milieux autant ruraux qu'urbains. Le tableau 15.3 montre la répartition, en pourcentage, des familles et des personnes à faible revenu.

TABLEAU 15.3
Répartition, en pourcentage, des familles et des personnes seules à faible revenu selon certaines caractéristiques, 1989 (base de 1986)

	Familles		Personnes seules	
Caractéristiques	Faible revenu (%)	Ensemble (%)	Faible revenu (%)	Ensemble (%)
Total	100,0	100,0	100,0	100,0
Selon la région				
Provinces de l'Atlantique	9,7	8,7	6,8	6,2
Québec	31,1	26,5	35,2	27,4
Ontario	26,9	36,6	28,7	34,8

TABLEAU 15.3
(suite)

Caractéristiques	Familles		Personnes seules	
	Faible revenu (%)	Ensemble (%)	Faible revenu (%)	Ensemble (%)
Prairies	19,6	16,7	17,4	17,2
Colombie-Britannique	12,7	11,5	11,9	14,4
Selon la taille du lieu de résidence				
500 000 et plus	50,2	44,5	56,9	53,7
100 000 - 499 999	13,6	14,3	13,6	14,8
30 000 - 99 999	9,7	9,4	10,3	9,0
Moins de 30 000	11,8	13,0	12,8	12,9
Milieu rural	14,7	18,9	6,4	9,7
Selon l'âge du chef de famille				
24 ans ou moins	8,8	3,5	18,5	13,3
25 - 34 ans	28,2	22,4	13,8	23,7
35 - 44 ans	24,0	26,1	9,2	14,0
45 - 54 ans	11,7	18,7	7,7	9,1
55 - 59 ans	6,1	7,7	4,6	5,0
60 - 64 ans	7,0	7,2	8,5	6,1
65 - 69 ans	6,0	5,9	8,0	6,9
70 ans et plus	8,2	8,5	29,7	21,8
Selon le sexe du chef de famille				
Homme	65,6	89,2	35,5	45,4
Femme	34,4	10,8	64,5	54,6
Selon l'état civil du chef de famille				
Célibataire	12,6	3,9	46,9	52,3
Marié	63,5	86,8	3,3	3,4
Autre	23,8	9,4	49,8	44,3
Selon la situation d'emploi du chef de famille				
Faisant partie de la population active	50,0	75,8	34,0	58,0
Salarié	39,6	67,2	30,5	53,9
Travailleur autonome ou employeur	10,3	8,7	3,5	4,1
Inactif	50,0	24,2	66,0	42,0
Selon la profession du chef de famille				
Direction	2,8	11,8	2,4	7,8
Profession libérale	3,8	10,6	5,0	12,6
Travail de bureau	4,9	5,3	4,7	9,0
Commerce	5,2	6,4	3,9	5,0
Services	9,3	7,1	9,4	8,2
Agriculture	4,8	4,1	1,3	1,4
Transformation et usinage	2,5	6,2	0,7	2,5
Fabrication	5,4	9,0	1,5	3,9
Construction	4,9	8,0	1,7	3,3
Transport	5,6	7,3	2,7	4,0
Inactif	50,8	24,3	66,8	42,3
Selon le niveau de scolarité du chef de famille				
0 - 8 ans	25,7	16,9	34,1	19,5
Études secondaires partielles	28,3	19,8	21,4	17,6
Études secondaires complétées	16,5	18,1	13,7	17,4

TABLEAU 15.3
(suite)

Caractéristiques	Familles		Personnes seules	
	Faible revenu (%)	Ensemble (%)	Faible revenu (%)	Ensemble (%)
Études postsecondaires partielles	7,7	7,5	10,5	9,4
Certificat ou diplôme d'études postsecondaires	16,9	24,7	14,9	22,3
Diplôme universitaire	4,9	13,1	5,5	13,8
Selon la taille de l'unité familiale				
Une personne	—	—	100,0	100,0
Deux personnes	43,6	39,2	—	—
Trois personnes	26,1	23,1	—	—
Quatre personnes	18,6	24,1	—	—
Cinq personnes ou plus	11,7	13,6	—	—

L'incidence de la pauvreté désigne les chances ou les probabilités d'être pauvre.

La courbe de la répartition du revenu des familles et des personnes pauvres suit sensiblement celle de la population en général, mais certains groupes sont plus sujets que d'autres à vivre sous le seuil de pauvreté. Le tableau 15.4 contient des renseignements sur l'incidence de la pauvreté au Canada. Les groupes suivants comptent parmi ceux chez qui l'on trouve l'incidence la plus élevée.

TABLEAU 15.4
Incidence de la pauvreté des familles et des personnes seules selon certaines caractéristiques, 1989 (base de 1986)

Caractéristiques	Familles (%)	Personnes seules (%)
Ensemble des familles et des personnes seules	11,1	34,4
Selon la région		
Provinces de l'Atlantique	12,5	37,6
Québec	13,0	44,2
Ontario	8,1	28,4
Prairies	13,0	34,8
Colombie-Britannique	12,3	28,4
Selon la taille du lieu de résidence		
500 000 et plus	12,5	36,5
100 000 - 499 999	10,5	31,6
30 000 - 99 999	11,5	39,3
Moins de 30 000	10,1	34,2
Milieu rural	8,6	22,7
Selon l'âge du chef de famille		
24 ans ou moins	28,0	47,8
25 - 34 ans	13,9	20,0
35 - 44 ans	10,2	22,5
45 - 54 ans	6,9	29,3
55 - 64 ans	9,8	40,3
65 - 69 ans	11,3	40,1
70 ans ou plus	10,7	46,8
Selon le sexe du chef de famille		
Homme	8,1	26,9
Femme	35,5	40,6
Selon l'état civil du chef de famille		
Célibataire	36,1	30,8
Marié	8,1	33,6

Caractéristiques	Familles (%)	Personnes seules (%)
Autres	28,3	38,6
Selon la situation d'emploi du chef de famille		
Faisant partie de la population active	7,3	20,1
Salariés	6,5	19,4
Travailleur autonome ou employeur	13,2	29,6
Inactifs	22,9	54,0
Selon la profession du chef de famille		
Direction	2,6	10,5
Profession libérale	3,9	13,5
Travail de bureau	10,1	18,0
Commerce	9,1	26,6
Services	14,6	39,7
Agriculture	12,8	32,6
Transformation et usinage	4,4	9,0
Fabrication	6,7	13,3
Construction	6,8	17,5
Transport	8,5	23,1
Inactif	23,2	54,3
Selon le niveau de scolarité du chef de famille		
0 - 8 ans	16,9	60,0
Études secondaires partielles	15,9	41,8
Études secondaires complétées	10,1	22,0
Études postsecondaires partielles	11,3	38,4
Certificat ou diplôme d'études postsecondaires	7,6	22,9
Diplôme universitaire	4,2	13,6
Selon la taille de l'unité familiale		-
Une personne	34,4	-
Deux personnes	12,3	-
Trois personnes	12,5	-
Quatre personnes	8,6	-
Cinq personnes ou plus	9,6	-
Selon le nombre d'enfants de moins de 6 ans		
Aucun	9,7	34,4
Un enfant	15,4	-
Deux enfants	16,3	-
Trois enfants ou plus	18,9	-
Selon le nombre d'enfants de moins de 16 ans		
Aucun	8,1	34,4
Un enfant	14,8	-
Deux enfants	14,1	-
Trois enfants ou plus	15,8	-

TABLEAU 15.4 (suite)

Source : Statistique Canada, *Répartition du revenu au Canada selon la taille*

L'incidence de la pauvreté est plus élevée chez certains groupes.

Les familles nombreuses   Les familles qui comptent de nombreux enfants en bas âge sont plus sujettes à la pauvreté. Par exemple, l'incidence de la pauvreté des familles de trois enfants de moins de 16 ans est une fois et demie supérieure à celle des familles qui n'en ont que deux.

Les familles des provinces de l'Atlantique   Les familles des provinces de l'Atlantique (notamment Terre-Neuve et le Nouveau-Brunswick) et du Québec ont plus de chances d'être pauvres que celles de l'Ontario ou de la Saskatchewan. Toutefois, la plupart des Canadiens qui vivent sous le seuil de pauvreté proviennent du Québec et de l'Ontario, là où l'on trouve la plus grande concentration de gens au pays.

Les familles provenant de milieux ruraux   L'incidence de la pauvreté est également élevée chez les familles des milieux ruraux, mais celle-ci y est moins visible que dans les secteurs urbains. Par exemple, si le pauvre urbain vit dans une maison délabrée, ce n'est pas nécessairement le cas du pauvre rural. Les chances de trouver un emploi rémunérateur en milieu rural sont assez faibles et, en général, le revenu des exploitants agricoles et des travailleurs de ferme est considérablement inférieur à celui des familles urbaines. L'espoir d'une vie meilleure attire certaines personnes (surtout les jeunes adultes) à la ville, qui prennent bientôt rang parmi les pauvres, ce qui explique en partie l'incidence de la pauvreté élevée des grands centres urbains, telle qu'illustrée au tableau 15.4.

Les familles dont le chef est une femme   La pauvreté est répandue parmi les familles dont le chef est une femme. En effet, celles-ci courent quatre fois plus de risques d'être pauvres que si un homme était à leur tête. L'incidence de la pauvreté est particulièrement élevée chez les femmes seules.

Les jeunes familles   On rencontre beaucoup de pauvreté au sein des familles dont le chef est âgé de 24 ans ou moins. Ces familles sont au moins trois fois et demie plus sujettes à la pauvreté que celles dont le chef est âgé de 45 à 54 ans. Le manque d'éducation, d'aptitudes utiles et d'expérience de travail des jeunes familles expliquent en partie cette situation.

Les familles âgées   Les chefs de famille et les personnes seules de plus de 70 ans ont de grandes chances d'être pauvres. Un peu plus de 5 % des familles à faible revenu ont un chef âgé de 70 ans et plus à leur tête. Il s'agit souvent de personnes retraitées qui vivent d'un revenu de pension.

Les familles dont le chef est un travailleur indépendant
L'incidence de la pauvreté des familles dont le chef est un travailleur indépendant est près d'une fois et demie plus élevée que celle chez les familles dont le chef est un employé salarié.

Les familles dont le chef ne fait pas partie de la population active Les familles dont le chef ne travaille pas sont fréquemment pauvres. Les chefs de ces familles sont habituellement atteints d'incapacité ou sont incapables de travailler. Celles-ci ont donc recours à d'autres formes de revenu pour subvenir à leurs besoins.

Les personnes seules En général, l'incidence de la pauvreté des personnes seules est environ trois fois plus élevée que celle des familles. Ces taux sont notamment importants chez les femmes qui ne font pas partie de la population active, les personnes âgées de 70 ans et plus, les personnes ayant un faible niveau de scolarité, celles qui travaillent à leur compte et celles qui demeurent dans les provinces de l'Atlantique.

> Ce sont les femmes seules, les personnes âgées de 70 ans ou plus ainsi que les personnes sans emploi ou travaillant à leur propre compte qui sont le plus sujettes à la pauvreté.

Problème : Pouvez-vous justifier le nombre relativement élevé de personnes seules qui vivent sous le seuil de pauvreté dans les centres urbains?

Solution : Les chances assez limitées de trouver un emploi acceptable en milieu rural, et l'attrait que la vie trépidante des grandes villes exerce sur les jeunes gens poussent ces derniers à migrer vers les centres urbains; ils y joignent souvent les rangs des personnes qui vivent sous le seuil de pauvreté.

LES CAUSES DE LA PAUVRETÉ

La pauvreté n'est pas déterminée par un facteur unique; un grand nombre d'éléments, tous plus importants les uns que les autres, doivent être considérés. Mais nous pouvons cependant nous attarder à quelques-unes des causes principales.

Une faible productivité

Une des causes de la pauvreté est une faible productivité. Nous savons déjà que dans un marché du travail purement concurrentiel, chaque travailleur est payé selon la valeur de son produit marginal. Même dans un marché dont la structure est imparfaite, les travailleurs les plus productifs tendent à recevoir de meilleurs salaires que ceux dont la productivité est moins élevée. Les travailleurs moins productifs auront donc vraisemblablement un revenu plus faible.

Une faible croissance économique

La pauvreté peut aussi être causée par une croissance économique trop faible par rapport à l'accroissement de la population. Dans une telle situation, on assiste à un grossissement des rangs des chômeurs et, partant, de ceux que l'on considère dans le besoin.

La quantité et la qualité des ressources

Une productivité et une croissance économique faibles, un manque de ressources, les handicaps physiques ou mentaux et la discrimination comptent parmi les causes de la pauvreté.

Le revenu des particuliers provient des ressources dont ils disposent, qu'il s'agisse du loyer d'un terrain, du traitement ou du salaire dérivé d'un emploi, des intérêts et des dividendes tirés d'un capital ou des profits résultant des services d'entrepreneur. Une des causes de la pauvreté est une insuffisance au niveau de la quantité de ces ressources précieuses; les familles qui disposent de ressources naturelles ainsi que de capital physique et humain limités et de qualité inférieure ont tendance à avoir un faible revenu.

Les handicaps physiques et mentaux

Les handicaps physiques et mentaux sont une autre cause de pauvreté. Il se peut que les personnes handicapées soient incapables de faire face à la concurrence pour gagner leur part des produits de l'économie. Elles sont assez fréquemment victimes de discrimination et dépendent souvent de programmes d'aide gouvernementale et d'oeuvres charitables pour subsister.

La discrimination

Parmi les divers types de discrimination économique, on trouve la discrimination en matière d'emploi, de salaire et de profession.

On parle de discrimination économique, lorsque des travailleurs sont traités différemment, bien qu'il n'existe aucune différence au niveau de leur rendement. Plusieurs types de discrimination peuvent s'exercer : la discrimination en matière d'emploi, de salaire ou de profession. Voici une brève définition de chacun.

1. On exerce une discrimination en matière d'emploi en refusant d'employer une catégorie de personnes en particulier.

2. On exerce une discrimination salariale en accordant un salaire inférieur à une catégorie de personnes en particulier pour un travail similaire pour lequel d'autres gagnent davantage.

3. On exerce une discrimination professionnelle en empêchant une catégorie de personnes en particulier d'accéder à certaines professions.

La discrimination sous toutes ses formes représente une des causes majeures de la pauvreté. À cause d'elle, certaines catégories de personnes ne peuvent profiter des occasions et des avantages dont jouissent les autres. On leur refuse l'accès à certaines écoles et à certaines professions. Les Noirs reçoivent souvent des salaires inférieurs à ceux des Blancs, et les femmes, des salaires inférieurs à ceux des hommes. Il n'existe pourtant aucune différence au niveau du rendement; ces groupes sont simplement victimes des préjugés qu'on entretient à leur égard. On a en outre répertorié un grand nombre de cas de promotions accordées pour des raisons raciales ou sexuelles plutôt qu'au mérite, selon les qualifications, la compétence ou l'expérience de l'employé.

DES MESURES DESTINÉES À LA RÉDUCTION DE LA PAUVRETÉ

Les mesures à prendre pour réduire la pauvreté comprennent l'amélioration de la productivité, l'accélération de la croissance économique, l'adoption de lois antidiscriminatoires, et la mise sur pied de programmes spéciaux de subventions et d'emploi destinés aux personnes handicapées.

On peut réduire la pauvreté en augmentant la productivité des travailleurs plus démunis à la faveur d'une formation propre à améliorer leurs aptitudes; en accélérant la croissance économique et en concevant de nouvelles politiques en matière de promotion de l'emploi; en adoptant des lois qui interdisent la discrimination, ce qui contribuera à l'amélioration du sort des personnes qui en sont victimes; en distribuant gratuitement, ou à un coût grandement réduit, certains produits et services aux plus démunis (les logements subventionnés, par exemple), et en employant les personnes handicapées dans des ateliers spéciaux gérés par l'État, afin que celles-ci contribuent à la production globale de produits et de services. Ces ateliers peuvent aussi offrir de la formation sur place et servir de lieu de transition pour permettre aux personnes handicapées d'accéder à des postes des secteurs public et privé.

LES PROGRAMMES DE L'ÉTAT ET LA REDISTRIBUTION DU REVENU

Les gouvernements fédéral et provinciaux disposent de nombreux programmes destinés à venir en aide aux Canadiennes et aux Canadiens. Bien qu'un grand nombre d'entre eux soient universels (c'est-à-dire qu'ils sont offerts non seulement aux pauvres, mais aussi à tous ceux et celles qui sont admissibles), ils contribuent à réduire la pauvreté. Certains sont cependant conçus expressément pour aider les plus démunis et ne sont offerts qu'aux familles et aux personnes à faible revenu. Ces programmes visent une certaine redistribution de la richesse et du revenu, et portent généralement le nom de *système de sécurité du revenu*. Nous distinguerons les programmes généraux d'assurance sociale des programmes d'aide sociale.

Les programmes généraux d'assurance sociale

La Sécurité de la vieillesse   La Sécurité de la vieillesse se compose du programme de pension de la Sécurité de la vieillesse, du Régime de pensions du Canada et du Régime de rentes du Québec. Le Régime de pensions du Canada (RPC) et le Régime de rentes du Québec (RRQ) versent des prestations aux personnes de 65 ans et plus qui ont contribué aux régimes durant leur période d'emploi et ce, sans tenir compte de la situation professionnelle du prestataire. De son côté, le programme de pensions de la Sécurité de la vieillesse verse des prestations à toutes les personnes de 65 ans et plus. Mis sur pied en 1966, ce programme est financé par les contributions des employeurs et des employés. Les prestations accordées dans le cadre du programme de la Sécurité de la vieillesse sont indexées au coût de la vie.

L'assurance-chômage   Mis sur pied en 1940, le programme d'assurance-chômage a été conçu pour garantir un revenu aux travailleurs sans emploi. Ces derniers y souscrivent un certain pourcentage de leur salaire en période d'emploi, afin de recevoir des prestations lorsqu'ils seront en chômage. Plus de 90 % des travailleurs canadiens bénéficient actuellement de ce programme. Les travailleurs indépendants ne peuvent toutefois pas bénéficier de l'assurance-chômage.

Le programme d'indemnisation des travailleurs   Géré au niveau provincial, il vise à procurer aux travailleurs devenus invalides par suite d'un accident de travail l'aide financière dont ils ont besoin. Au Québec, la Commission de la santé et de la sécurité au travail (CSST) perçoit une cotisation auprès de chaque employeur et gère les fonds amassés.

Le programme d'allocations familiales   Des allocations familiales sont versées aux parents selon le nombre d'enfants de moins de 18 ans qu'ils ont à leur charge. Bien que l'objectif du programme soit de venir en aide aux familles à faible revenu, il est appliqué de manière universelle! Par exemple, un couple ayant deux enfants de moins de 18 ans et dont le revenu se situe à 40 000 $ reçoit la même somme que celui qui, avec le même nombre d'enfants, dispose d'un revenu de 12 000 $. Comme les prestations de la Sécurité de la vieillesse, les allocations familiales sont imposables; par conséquent, les allocations des riches sont inférieures à celles des pauvres.

Les programmes d'aide sociale

Contrairement aux programmes énumérés ci-dessus, l'aide sociale n'est pas universelle et ne profite qu'aux plus démunis.

Le supplément de revenu garanti (SRG)   Un supplément de revenu garanti est accordé aux bénéficiaires du programme de la Sécurité de la vieillesse qui n'ont aucune autre source de revenu. Contrairement aux prestations de sécurité de la vieillesse, ce supplément est distribué en fonction des besoins des bénéficiaires. En outre, il est indexé au coût de la vie.

Les programmes d'aide sociale   Administrés par les provinces et financés conjointement par les gouvernements provinciaux et fédéral (en vertu du Régime d'assistance publique du Canada), ces programmes visent à procurer une aide financière aux personnes dans le besoin. Afin de déterminer l'admissibilité d'une famille à ces programmes, on considère le revenu et les autres ressources dont celle-ci dispose. Le montant alloué varie selon le montant qui manque au revenu familial pour répondre aux besoins fondamentaux de nourriture, de logement, de vêtements, etc.

Problème :   Notre aisance apparente semble contredire les statistiques déprimantes sur la pauvreté. Comment cela se fait-il?

Solution :   La plupart des Canadiens considèrent que la pauvreté n'est pas aussi grave que ne le révèlent les statistiques, parce que celle-ci est souvent invisible. En effet, un grand nombre de pauvres vivent dans des quartiers délabrés à l'écart du métro et des artères principales, ou dans des secteurs ruraux où la majorité d'entre nous n'iront probablement jamais. De plus, beaucoup de pauvres sont vieux ou malades et ne sortent que rarement. Pour toutes ces raisons, les statistiques sur la pauvreté paraissent plus horribles que ce que nos observations quotidiennes nous portent à croire.

LES CRITIQUES À L'ÉGARD DU SYSTÈME D'AIDE SOCIALE

Les détracteurs du système d'aide sociale prétendent que ce dernier élimine les raisons de travailler, qu'il est coûteux et inflationniste, et qu'il contribue à briser les ménages.

Le système d'aide sociale du Canada fait l'objet de nombreuses critiques. D'une part, on l'accuse d'éliminer toute raison de travailler. Lorsqu'un prestataire d'aide sociale trouve un emploi, les prestations qu'il reçoit sont réduites en fonction de son salaire. De toute évidence, il ne vaut la peine de travailler que si le revenu d'emploi est nettement plus élevé que le montant des prestations. Certains croient aussi qu'une hausse des prestations d'aide sociale se traduit par des impôts plus élevés, particulièrement pour les membres les plus entreprenants et productifs de la société. On accuse donc les prestations d'aide sociale de contribuer aussi à la réduction de l'effort de ces derniers.

On pense également que le système d'aide sociale génère trop d'écritures et de tracasseries administratives, et exige le recours à un personnel trop nombreux. On dit aussi qu'il est inhumain parce qu'il n'accorde pas assez d'attention aux sentiments des gens. La gestion de ce système est jugée inefficace et coûteuse.

Les détracteurs du système considèrent que celui-ci est inflationniste et affirment que les hausses successives des prestations d'aide sociale ont entraîné un accroissement du déficit de l'État, lesquels représentent une cause majeure d'inflation.

L'IMPÔT NÉGATIF SUR LE REVENU

La majorité des gens s'entendent sur le fait qu'il faut garantir un revenu minimum aux familles. On s'accorde aussi pour dire qu'il est souhaitable que ce revenu minimum garanti n'anéantisse pas pour autant le désir de travailler. La réalisation de cet objectif n'est pas aussi simple qu'on le croit. L'impôt négatif sur le revenu est une des solutions proposées pour y parvenir.

En vertu de l'impôt négatif sur le revenu, l'État verse une subvention aux personnes à faible revenu afin de garantir un revenu minimum à ces dernières.

En vertu du système d'impôt négatif sur le revenu, un particulier dont le revenu est inférieur à un niveau déterminé ne paiera pas d'impôt; c'est plutôt l'État qui rémunérera cette personne. Le montant du paiement variera en fonction du revenu personnel et pourrait être calculé de maintes façons. Le tableau 15.5 présente un de ces calculs.

Supposons que l'État décide de garantir un revenu annuel minimum de 4 000 $, et que pour chaque dollar gagné en surplus, jusqu'à concurrence de 8 000 $, la subvention diminue de 0,50 $. L'État versera donc une subvention (un impôt négatif) de 4 000 $ aux personnes n'ayant aucun revenu d'emploi. Si le revenu d'emploi est

TABLEAU 15.5
Calcul de l'impôt négatif
sur le revenu

Revenu d'emploi	Versement de l'État (impôt négatif)	Revenu après impôt
0 $	4 000	4 000
1 000	3 500	4 500
2 000	3 000	5 000
3 000	2 500	5 500
4 000	2 000	6 000
5 000	1 500	6 500
6 000	1 000	7 000
7 000	500	7 500
8 000	0	8 000
9 000	-500	8 500
10 000	-1 000	9 000

de 1 000 $, cette subvention sera réduite de 500 $ (0,50 $ par dollar gagné) et totalisera 3 500 $. Si le revenu est de 8 000 $, la subvention initiale de 4 000 $ sera réduite de la moitié du montant de ce revenu (soit 4 000 $) et aucune subvention ne sera accordée. Il faut noter qu'en vertu du système d'impôt négatif, le supplément de revenu diminue, mais n'est pas supprimé, tant que la personne a un revenu d'emploi inférieur à 8 000 $.

Les avantages de l'impôt négatif sur le revenu

Les défenseurs de cet impôt lui accordent les avantages suivants :

1. Il n'élimine pas l'incitation au travail. Si certains programmes d'aide sociale favorisent le chômage, puisque la subvention accordée est souvent supérieure aux revenus supplémentaires d'emploi, ce n'est pas le cas de celui-ci.

2. À l'opposé des programmes de logements subventionnés, en vertu desquels on détermine comment les revenus des prestataires seront dépensés, le système d'impôt négatif respecte davantage le libre choix des bénéficiaires.

3. La gestion du système d'impôt négatif est relativement simple et s'appuie sur une structure bureaucratique moins importante que celle des autres programmes, étant donné qu'elle serait presque entièrement administrée par le personnel de Revenu Canada.

Les désavantages de l'impôt négatif sur le revenu

Les avantages énumérés ci-dessus sont rejetés par les détracteurs du système, selon lesquels :

1. Les coûts de cet impôt ne sont pas inférieurs à ceux des programmes déjà en place; ils montent plutôt en flèche.

2. La détermination d'un seuil de pauvreté à l'échelle nationale est peu réaliste. Celui-ci pourrait se révéler trop bas pour l'Ontario et trop élevé pour Terre-Neuve; il serait préférable de désigner des seuils régionaux ou provinciaux.

3. L'impôt négatif sur le revenu crée des difficultés d'ordre politique, parce que de nombreux électeurs s'opposent farouchement à la notion de paiement direct effectué aux personnes qui demeurent chez elles et qui ne travaillent pas.

L'expérience du Canada en matière d'impôt négatif

Un régime expérimental d'impôt négatif a été mis sur pied au Manitoba pendant les années 70, mais ne permet pas de tirer quelque conclusion que ce soit. Toutefois, on pense que la flétrissure sociale est moins importante dans le cas de gens qui laissent leur emploi pour recevoir de l'impôt négatif que dans le cas de ceux qui quittent leur emploi afin de bénéficier de l'aide sociale classique. Cela indique que l'impôt négatif produit un effet peu souhaitable sur l'incitation au travail. Cette conclusion a été corroborée par d'autres expériences menées au États-Unis au cours desquelles l'impôt négatif, mis sur pied dans le but d'encourager l'emploi, avait eu un effet dissuasif sur le désir de travailler.

LE RÉGIME UNIVERSEL DE SÉCURITÉ DU REVENU

Le Régime universel de sécurité du revenu proposé par la Commission Macdonald est conçu pour procurer des prestations suffisantes aux personnes à faible revenu et pour réduire les inégalités salariales entre les Canadiennes et les Canadiens.

La récente commission royale d'enquête sur l'union économique et les perspectives de développement du Canada (la Commission Macdonald) a recommandé la mise sur pied d'un régime universel de sécurité du revenu (RUSR). En vertu de ce régime, les personnes incapables de travailler recevraient une compensation, et les travailleurs plus démunis auraient droit à des prestations pour augmenter leur revenu. Les prestations les plus importantes iraient aux familles les plus pauvres. Ce programme réduirait l'inégalité du revenu en redistribuant ce dernier au profit des plus démunis.

Mais le RUSR entraîne son lot de difficultés, dont celle de sa mise en application. À cause des disparités régionales en matière de revenu au Canada, des ajustements notables devront être effectués au niveau de la mise en application universelle du programme. Par exemple, des mesures répondant aux besoins des provinces du centre risquent de ne pas convenir à ceux des provinces de l'Atlantique.

Un autre obstacle sujet à menacer le RUSR est d'ordre politique. Ce programme exige en effet l'élimination de régimes existants comme celui des allocations familiales et du supplément de revenu garanti. L'opposition des électeurs face à l'élimination de ces programmes risque de rendre politiquement imprudente la décision de présenter le RUSR. On a donc suggéré que le régime universel se greffe aux programmes existants. Mais cette solution ne ferait que compliquer un système d'aide sociale qu'on qualifie déjà de fouillis administratif.

RÉSUMÉ DU CHAPITRE

1. La question de la répartition inégale des revenus familial et individuel suscite des débats passionnés.
2. Il existe trois écoles de pensée en matière de répartition équitable du revenu : la répartition selon la productivité, selon le besoin, ou la répartition égale. La répartition selon le besoin et la répartition égale peuvent avoir un effet dissuasif sur le désir de travailler.
3. La courbe de Lorenz est un outil utile dans la mesure et l'illustration du degré d'inégalité de la répartition du revenu.
4. Le coefficient de Gini exprime l'inégalité du revenu sous forme de rapport. Plus le rapport est élevé, plus l'inégalité est grande.
5. En termes absolus, on dira qu'une personne ou qu'une famille vit dans la pauvreté si son revenu est si faible qu'elle ne peut se procurer les produits et services qui lui assureront un confort dit minimal.
6. En termes relatifs, on dira qu'une personne ou qu'une famille vit dans la pauvreté si son revenu est considérablement moins élevé que celui de nombreuses autres personnes ou familles.
7. Même si la pauvreté n'est pas l'apanage d'un groupe en particulier, certaines catégories de personnes y sont plus sujettes que d'autres, notamment les familles qui comptent plusieurs enfants en bas âge, celles qui résident dans les provinces de l'Atlantique ou en milieu rural, celles dont le chef est une femme ou une jeune personne, une personne âgée, un travailleur indépendant ou sans emploi ainsi que les personnes seules.
8. La pauvreté peut être attribuable à une faible productivité, à une croissance économique insuffisante, à un manque de

nombreuses ressources précieuses, à une incapacité physique ou mentale ou à une forme de discrimination.

9. Parmi les solutions proposées pour réduire la pauvreté, on trouve l'augmentation de la productivité des travailleurs plus démunis, l'accélération de la croissance économique, l'adoption de lois qui interdisent toute pratique discriminatoire et la mise sur pied d'ateliers spéciaux gérés par le gouvernement et qui emploient des personnes handicapées.

10. Le Canada a élaboré de nombreux programmes dans le but d'aider les pauvres. On a cependant critiqué l'effet dissuasif que produit le système d'aide sociale sur le désir de travailler de ses bénéficiaires, en plus de reprocher au système d'être coûteux, inefficace et inflationniste et, jusqu'à tout récemment, de briser des ménages.

11. Pour venir en aide aux pauvres, on a suggéré l'application d'un impôt négatif, en vertu duquel l'État subventionnerait les gens à faible revenu au lieu de les imposer.

12. Selon les partisans de l'impôt négatif sur le revenu, ce dernier ne produit aucun effet dissuasif sur le désir de travailler, permet aux bénéficiaires de dépenser leur revenu comme ils l'entendent et est relativement simple à gérer. Ses détracteurs croient plutôt que l'adoption d'un seuil de pauvreté à l'échelle nationale est peu réaliste, et qu'un tel système serait coûteux et sûrement controversé.

13. La Commission Macdonald a mis de l'avant un régime universel de sécurité du revenu (RUSR), lequel remplacerait certains programmes d'aide sociale existants.

14. Le RUSR réduirait les inégalités en matière de revenu et améliorerait la situation des pauvres, mais sa mise en application risque de susciter l'opposition de certains groupes.

Termes et notions à retenir

modèles de répartition équitable du revenu	courbe de Lorenz
coefficient de Gini	indicateurs de faible revenu (seuil de pauvreté)
incidence de la pauvreté	impôt négatif sur le revenu
discrimination économique (en matière d'emploi, de salaires et de profession)	régime universel de sécurité du revenu

Questions de révision et de discussion

1. Quels modèles a-t-on suggérés pour une répartition équitable du revenu?

2. Selon vous, quel modèle de répartition est le meilleur? Expliquez.
3. À quels problèmes serons-nous confrontés si nous utilisons le modèle de répartition selon le besoin?
4. Expliquez ce qu'est la «répartition du revenu».
5. Qu'est-ce que la courbe de Lorenz? À quoi sert-elle?
6. Rédigez un court résumé sur l'incidence de la pauvreté.
7. Quelles sont les causes majeures de pauvreté?
8. Quelles mesures peut-on prendre pour réduire la pauvreté?
9. Quels sont les principaux arguments utilisés dans le débat sur l'impôt négatif sur le revenu?
10. Quels obstacles entraveraient la mise sur pied d'un régime universel de sécurité du revenu?

Problèmes et exercices

1. En vous fondant sur les données du tableau 15.1, considérez-vous que la répartition du revenu au Canada est inéquitable? Pourquoi?
2. Portez sur un graphique quatre courbes de Lorenz qui illustrent les situations suivantes :
   (a) une répartition égale
   (b) une répartition inégale
   (c) une répartition plus inégale
   (d) une répartition la plus inégale
3. L'illustration 15.2 montre les courbes de Lorenz du pays A et du pays B. Les nombres qui apparaissent sur ce graphique représentent les aires indiquées.

ILLUSTRATION 15.2
Courbes de Lorenz

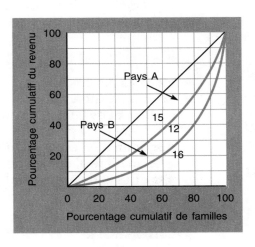

(a) Calculez le coefficient de Gini des pays A et B.

(b) Quelles conclusions ces coefficients vous permettent-ils de tirer au sujet de la répartition du revenu dans ces pays?

4. «Au pays, la pauvreté ne peut être considérée comme un problème grave, puisque le Canada est un pays riche. Nous possédons en outre un système d'aide sociale conçu pour soulager la misère qui affligerait autrement les plus démunis.» Discutez.

5. «La pauvreté est un problème qui existera toujours.» Discutez.

6. Rédigez une courte évaluation du système d'aide sociale au Canada.

7. L'État, qui garantit un revenu annuel minimum de 2 000 $, décide de réduire la subvention au revenu (l'impôt négatif) de 40 % sur chaque dollar supplémentaire gagné. Complétez le tableau 15.6.

TABLEAU 15.6
Impôt négatif sur le revenu

Revenu d'emploi	Impôt négatif sur le revenu	Revenu total
0 $	2 000	2 000
1 000		
2 000		
3 000		
4 000		
5 000		

PARTIE IV
PROBLÈMES
ÉCONOMIQUES
ACTUELS

Même si les applications de l'analyse économique sont assez universelles, chaque époque et chaque pays est aux prises avec ses difficultés propres.

Alfred Marshall, *Principes d'économie politique*

LES ROUAGES ÉCONOMIQUES DE L'ÉNERGIE ET DE LA PROTECTION DE L'ENVIRONNEMENT

> Il faudra néanmoins prendre des décisions responsables à ce sujet, des décisions qui ne seront pas entièrement prises à l'aveuglette.
>
> Kenneth E. Boulding, *Principles of Economic Policy*

INTRODUCTION

Le présent chapitre démontre comment les outils micro-économiques peuvent être utiles à la compréhension des problèmes de pénurie énergétique et de protection environnementale. Nous centrerons notre analyse sur le pétrole, puisque ce dernier représente la source d'énergie la plus importante au pays. Depuis plus de quinze ans, cette ressource soulève d'ailleurs un très grand nombre de débats publics dont vous, à titre d'étudiant en économique, devez comprendre les enjeux. La deuxième partie du chapitre traitera de la pollution qui est, elle aussi, au coeur des préoccupations du moment; l'analyse économique nous aidera à mettre de l'ordre dans nos idées en ce qui a trait à cet urgent problème.

LA CRISE ÉNERGÉTIQUE

En octobre 1973, on apprit aux Canadiens qu'ils auraient à faire face à une importante crise énergétique (une grave pénurie de pétrole) et qu'ils risquaient de manquer de certains biens; de nombreuses personnes prirent alors conscience pour la première fois de l'importance du pétrole. Cette crise était attribuable à un embargo de l'OPEP sur le pétrole. L'Organisation des pays exportateurs de pétrole (OPEP) est un cartel qui fut formé en 1960 par les principaux pays producteurs dans le but de réglementer le prix du pétrole brut. Le tableau 16.1 énumère les pays membres de l'OPEP ainsi que l'année durant laquelle ils se sont joints au cartel.

L'OPEP est un cartel formé de 13 pays exportateurs de pétrole qui réglemente le prix mondial du pétrole brut.

Depuis 1973, de nombreux pays (dont le Canada) ont dû examiner leur niveau de dépendance envers les importations de pétrole et étudier les manières de régler leurs problèmes énergétiques respectifs. Le Canada choisit alors d'adopter une politique énergétique; le pétrole à bon marché était chose du passé.

TABLEAU 16.1
Pays membres de l'OPEP

Pays	Année d'adhésion
Arabie Saoudite	1960
Koweït	1960
Iran	1960
Iraq	1960
Venezuela	1960
Qatar	1961
Libye	1962
Indonésie	1962
Émirats arabes unis	1967, 1974
Algérie	1969
Nigéria	1971
Équateur	1973
Gabon	1973, 1975

Note : En 1974, l'Ab Dhab, qui s'était joint à l'OPEP en 1967, céda sa place aux Émirats arabes unis dont il fait maintenant partie. Le Gabon, qui s'était joint en tant que membre associé en 1973, devint membre à part entière en 1975.

Source : American Petroleum Institute, *Basic Petroleum data book* (1979)

La flambée des prix du pétrole

L'augmentation rapide des prix fixés par l'OPEP a encouragé la conservation de l'énergie et l'exploration pétrolière.

Après 1973, les prix fixés par l'OPEP ont augmenté de 266 % en moins de deux ans. De 1973 à 1980, le prix du baril de pétrole a passé de 3 $ à 37 $, soit une augmentation de 1 100 %. De 1979 à 1980 seulement, ce prix a passé de 16 $ à 37 $ le baril, une augmentation annuelle de plus de 130 %.

Cette augmentation incroyable du prix du pétrole a engendré une baisse de consommation de l'énergie, accentué le besoin de conserver cette dernière et encouragé les producteurs à augmenter leur rendement. En ce sens, l'augmentation de prix a produit certains effets bénéfiques, mais elle a surtout empli les coffres des pays exportateurs. Cependant, et de toute évidence, les États qui importaient beaucoup de pétrole ont dû absorber une hausse considérable de leur facture d'importation. Heureusement, le Canada exporte de l'énergie sous forme de pétrole, de gaz naturel et d'électricité, et a donc pu tirer parti de cette situation; en effet, ses revenus d'exportation d'énergie dépassent habituellement ses factures d'importation de pétrole.

Problème : Pendant les années 1970, les pays occidentaux industrialisés ont connu une croissance économique

rapide. Pouvez-vous établir un rapport entre cette croissance économique et l'augmentation du prix du pétrole
en provenance du Moyen-Orient?

Solution : La croissance économique rapide des pays
industrialisés a engendré chez eux une plus grande demande de pétrole du Moyen-Orient. Cette augmentation
de la demande a fourni à l'OPEP les leviers économiques
nécessaires pour imposer un embargo de six mois sur le
pétrole et pour en hausser le prix de manière radicale.

LA SITUATION ÉNERGÉTIQUE AU CANADA

En 1973, lorsque la crise énergétique a frappé le monde de plein
fouet, le Canada se trouvait dans une situation enviable. En effet,
la production pétrolière du pays augmentait à un taux au moins
égal à celui de la consommation de pétrole. Mais le pétrole est une
ressource épuisable et non renouvelable; si le taux de consommation dépasse celui de la production, il y a pénurie. Cette sombre
perspective nous encourage donc à chercher des méthodes destinées à augmenter la production et à réduire la consommation.
Nous étudierons certaines de ces méthodes plus loin au présent
chapitre.

Malgré l'augmentation assez rapide des prix pendant les
années 1970, les consommateurs canadiens payaient leur pétrole
considérablement moins cher que ceux de beaucoup d'autres
pays. Une enquête menée par Shell Canada au mois de septembre
1979 révélait que le prix moyen de l'essence était plus bas au
Canada qu'à New York, à Londres, à Francfort, à Paris ou à Rome.
En fait, les bas prix dont bénéficiaient les Canadiens étaient alors
attribuables à de fortes subventions accordées par le gouvernement fédéral. Hélas, nous ne sommes plus en 1979, et la situation
a beaucoup changé depuis. Aujourd'hui, les Canadiens payent
leur essence beaucoup plus cher que les Américains. Les prix du
baril au site de production (c'est-à-dire les prix à la tête du puits)
de 1978 à 1987 apparaissent au tableau 16.2. Ces chiffres représentent les prix en vigueur au 1er janvier de chaque année.

Les régions énergétiques pionnières du Canada

Le plateau continental, la zone économique s'étendant sur 500 km
au large des côtes, le Yukon et les Territoires du Nord-Ouest sont

TABLEAU 16.2

Prix du pétrole brut au
Canada (1978 à 1987)

Année	Prix du baril
1978	11,75 $
1979	12,75
1980	14,75
1981	17,75
1982	23,50
1983	29,75
1984	29,75
1985	36,40
1986	32,79
1987	22,74

Source : *L'énergie au Canada* (1987)

les régions énergétiques pionnières du Canada. Elles possèdent à elles seules des ressources éventuelles de près de 8 billions de mètres cubes de gaz naturel. L'illustration 16.1 nous montre ces régions pionnières.

ILLUSTRATION 16.1
Régions énergétiques pionnières du Canada

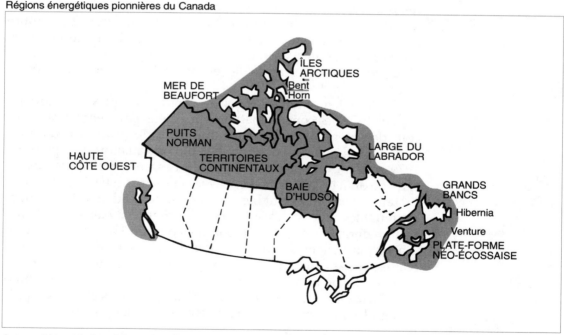

Source : L'énergie des régions pionnières canadiennes, Ottawa (1985)

L'avenir du Canada en matière d'énergie est relativement prometteur.

Mais le pétrole n'est pas la seule source d'énergie dont dispose le Canada; en ce qui a trait aux différentes ressources énergétiques, de nombreux pays envient la situation de notre pays.

Des statistiques sur la production de certaines ressources apparaissent au tableau 16.3.

TABLEAU 16.3
Production de certains
types d'énergie (1990)

Type d'énergie	Quantité produite
Pétrole brut et équivalents (milliers de m³)	96 906
Gaz naturel (milliers de m³)	99 414
Charbon (milliers de tonnes métriques)	68 268
Coke (milliers de tonnes métriques)	3 704
Électricité (milliers de mégawatts-heure)	465 712

Source : *L'observateur économique canadien*, décembre (1988)

Les réserves canadiennes de pétrole brut et de gaz naturel sont données au tableau 16.4. Si le Canada est riche en gaz naturel et en hydro-électricité, le pétrole demeure la source principale d'énergie industrielle au pays, et tant qu'une transition ne sera pas opérée à ce niveau, nous continuerons de dépendre de ce dernier.

TABLEAU 16.4
Réserves de pétrole brut
et de gaz naturel (1987)

	Pétrole brut (milliers de barils)	Gaz naturel (millions de pi³)
Régions classiques :		
Colombie-Britannique	116 418	8 529 392
Alberta	3 981 770	62 113 921
Saskatchewan	668 907	2 175 943
Manitoba	66 214	—
Ontario	5 689	619 153
Autres régions de l'Est du pays	13	5 005
Réserves totales des régions classiques	4 839 010	73 443 414
Régions pionnières :		
Territoires continentaux	172 802	413 005
Delta du Mackenzie et Mer de Beaufort	408 722	9 168 385
Îles arctiques	214	14 423 587
Large de la côte Est du pays	522 308	-
Réserves totales des régions pionnières	1 104 046	24 004 978
TOTAL	5 943 056	97 448 391

Source : *L'énergie au Canada* (1987)

Problème : Au Canada, avant les années 1970, la politique des prix en matière de ressources énergétiques était axée sur l'énergie à bon marché. Dans quelle mesure cette politique a-t-elle contribué à la crise énergétique?

Solution : À cause du coût relativement bas de l'énergie, particulièrement en ce qui a trait au pétrole et au gaz, les consommateurs utilisaient de grandes quantités d'énergie; leurs automobiles brûlaient beaucoup d'essence et leurs maisons consommaient trop d'énergie. Les entreprises, quant à elles, usaient de techniques de production très énergivores. En d'autres termes, la politique des prix axée sur l'énergie à bon marché encourageait des modes de consommation et de production qui demandent énormément d'énergie, et engendrait un gaspillage de nos ressources énergétiques. Il ne fait aucun doute que cette situation a contribué aux problèmes énergétiques qui ont secoué le pays.

LES SOLUTIONS AUX PROBLÈMES ÉNERGÉTIQUES

La réponse aux problèmes énergétiques réside dans la réduction de la consommation et dans l'intensification de la recherche et de la mise en valeur de nouvelles sources d'énergie. On peut donner à ces solutions diverses orientations : le rationnement par intervention directe, le déplacement de la demande de pétrole ou le recours aux mécanismes du marché. Nous décrirons maintenant chacune de ces orientations.

Le rationnement par intervention directe

Le rationnement par intervention directe, le déplacement de la demande de pétrole et le recours aux mécanismes du marché représentent trois façons de résoudre les problèmes énergétiques.

Lorsque la consommation d'un produit donné devient trop élevée, on peut proposer le rationnement par intervention directe au niveau du marché, pour la restreindre. Le rationnement par intervention directe est un procédé en vertu duquel on alloue un produit en fonction des critères autres que ceux de la libre opération de l'offre et de la demande.

Certains maintiendront qu'il faut mettre sur pied un système de coupons où chacun reçoit une part égale de carburant; les personnes utilisant moins que leur ration pourraient vendre leur surplus à un prix déterminé par l'offre et la demande. Mais un des défauts du système est que les acheteurs les plus pauvres seraient désavantagés au sein de ce nouveau marché de coupons. En effet, les riches auraient autant de carburant que si une telle opération de rationnement n'avait pas eu lieu. En outre, les prix atteindraient le niveau d'équilibre du marché. En vertu d'un tel système, les prix élevés favorisent les vendeurs de coupons de rationnement, qui n'utilisent pas la quantité de combustible qui leur est allouée. Or, sans rationnement, les prix élevés favorisent les compagnies pétrolières. Le système de rationnement n'encourage donc pas les producteurs à intensifier la recherche et le développement axés sur l'augmentation de la quantité de ressources énergétiques mises à notre disposition.

Le déplacement de la demande de pétrole

Une autre manière d'aborder le problème énergétique est de réduire la demande de pétrole grâce à la conservation de l'énergie. Depuis 1973, plusieurs entreprises manufacturières se sont efforcées d'élaborer des procédés de fabrication moins énergivores. En outre, les automobiles sont devenues plus petites et moins gourmandes, et les gouvernements ont offert une aide financière aux gens qui désiraient isoler leur maison, étant donné qu'une maison bien isolée consomme moins d'énergie.

On pourrait aussi découvrir des substituts du pétrole, ce qui contribuerait à en réduire la demande. À titre d'exemple, la mise au point du carburol, un carburant dérivé de l'alcool, réduira la demande d'essence.

Les mécanismes du marché

Les prix du marché rationnent le pétrole peu abondant.

Les mécanismes du marché sont des outils de rationnement très efficaces en situation de pénurie. Le graphique bien connu de l'illustration 16.2 démontre de quelle manière l'offre et la demande peuvent entraîner une réduction de la consommation de pétrole et encourager l'exploration. Au prix OP_0, la quantité de pétrole demandée (OB) dépasse la quantité offerte (OA). Cette demande excédentaire engendre une hausse des prix qui, à son tour, produit une baisse de la demande et une augmentation de l'offre, jusqu'à ce qu'il n'y ait plus de pénurie au prix OP. On pense donc que le prix du pétrole devrait augmenter afin d'en encourager la production et d'en décourager la consommation.

Bon nombre de ceux qui s'opposent à la solution du marché pensent que si on permettait au prix d'augmenter jusqu'au niveau d'équilibre, les bénéfices déjà substantiels des compagnies pétrolières augmenteraient. Selon eux, les prix élevés causeraient aussi des torts considérables, surtout aux plus démunis. Ils croient en outre qu'une telle augmentation serait inflationniste et, par le fait même, fâcheuse.

Problème : Quelles seraient les conséquences d'une réglementation des prix du pétrole et du gaz naturel au Canada pendant la crise de l'énergie?

> **Solution :** Un des objectifs de la politique énergétique nationale pendant la crise de l'énergie était de réduire la dépendance du Canada envers les importations de pétrole. Or, la réglementation des prix du pétrole et du gaz risquerait d'augmenter la consommation ou de maintenir celle-ci à des niveaux élevés, et de diminuer la production nationale, ce qui accroîtrait la dépendance par rapport au produit importé et irait à l'encontre des objectifs fixés.

ILLUSTRATION 16.2
Offre et demande de pétrole

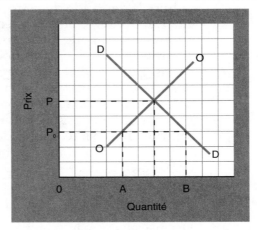

LES DIVERSES SOURCES D'ÉNERGIE

Le charbon était autrefois une source d'énergie importante, et la recherche au niveau de la gazéification de la houille risque de lui redonner la place qui lui revient. Tel que démontré au tableau 16.5, le Canada produit annuellement une quantité appréciable de charbon.

Le Canada possède d'énormes réserves de charbon.

Le Canada est-il riche en ressources naturelles? Notre pays possède d'incroyables réserves de charbon; on estime que ces dernières pourraient durer des centaines d'années. L'énergie nucléaire constitue une autre possibilité. Mais les accidents comme celui de Tchernobyl, en Union Soviétique, nous rappellent tristement les dangers que comporte cette source d'énergie; la crainte d'accidents nucléaires risque de ralentir la construction de centrales à l'échelle du pays. L'énergie peut aussi être d'origine solaire, géothermique, éolienne ou marémotrice.

Par suite de la flambée des prix des années 1970, on prédisait que ces autres formes d'énergie prendraient de plus en plus d'importance face à nos besoins énergétiques. Les pronostics actuels de l'Office national de l'énergie établissent à 7 % la part d'énergie fournie par ces formes d'énergie renouvelables d'ici à l'an 2005.

TABLEAU 16.5	Année	Quantité (milliers de tonnes métriques)
Production de charbon (1976 à 1990)	1976	24 475
	1977	28 681
	1978	30 477
	1979	33 013
	1980	36 664
	1981	40 088
	1982	42 811
	1983	44 780
	1984	57 402
	1985	60 738
	1986	57 044
	1987	61 212
	1988	70 607
	1989	70 475
	1990	68 268

Source : *L'observateur économique canadien* (1987)

LA POLITIQUE ÉNERGÉTIQUE CANADIENNE

Les politiques avant 1979

Avant 1979, le Canada permettait une augmentation semestrielle du prix du pétrole de 1 $ le baril, et ce, jusqu'à ce que le prix national ait atteint le prix mondial. On accordait alors une subvention aux importateurs afin d'uniformiser le prix du pétrole d'un bout à l'autre du pays, et les différences de prix étaient attribuables aux frais de transport et aux taxes provinciales.

En 1973, le Canada assujettissait l'exportation du pétrole à une taxe équivalente à la différence entre le prix national et le prix mondial. Au départ, les produits de la taxe prélevée sur l'exportation suffisaient à financer les subventions accordées à l'importation. Mais à mesure que les exportations ont diminué et que les importations ont augmenté, ceux-ci se sont avérés insuffisants, et l'écart s'est traduit par une augmentation proportionnelle du déficit national.

LE PROGRAMME ÉNERGÉTIQUE NATIONAL (PEN)

En octobre 1980, le gouvernement fédéral a mis sur pied le Programme énergétique national afin de traiter le problème de l'énergie de manière plus efficace. Le programme s'attaquait à de

Le Programme énergétique national a établi les objectifs et politiques du gouvernement en matière d'énergie pour les années 1980.

nombreuses questions, tout en accordant une importance particulière au pétrole et au gaz naturel. Il comportait six objectifs fondamentaux :

1. Augmenter la part du gouvernement fédéral des revenus tirés du pétrole et du gaz naturel.
2. Augmenter la participation du Canada dans l'industrie énergétique.
3. Garantir l'approvisionnement.
4. Offrir un traitement préférentiel à l'exploration sur les terres de la Couronne.
5. Maintenir des prix modérés, mais croissants.
6. Viser l'autosuffisance éventuelle du pays en matière d'énergie.

À cette fin, le gouvernement canadien a décidé de fixer les prix nationaux du pétrole et du gaz naturel, d'encourager la substitution du pétrole par le gaz naturel, d'augmenter les taxes fédérales et de racheter certaines compagnies pétrolières par l'entremise de la société d'État Petro-Canada. Cette dernière a déjà acquis Petro-Fina et British Petroleum (BP).

UNE NOUVELLE ORIENTATION DES POLITIQUES ÉNERGÉTIQUES DU PAYS

Le gouvernement progressiste conservateur a remplacé le Programme énergétique national des libéraux par une nouvelle politique. Les objectifs de cette politique sont les suivants :

1. Utiliser la mise en valeur des ressources énergétiques pour stimuler la croissance économique au Canada.
2. Atteindre l'autosuffisance en matière d'énergie.
3. Augmenter la participation du Canada dans l'industrie pétrolière.
4. Offrir un traitement équitable aux consommateurs et aux producteurs d'énergie.
5. Collaborer avec les gouvernements provinciaux et l'industrie afin d'élaborer des politiques énergétiques stables.*

L'Accord Atlantique

L'Accord Atlantique et l'Accord de l'Ouest ont permis de définir les relations fédérales-provinciales en matière d'énergie.

Le 11 février 1985, les gouvernements du Canada, de Terre-Neuve et du Labrador ont signé l'Accord Atlantique. Nous ne nous arrêterons pas ici sur les détails de l'entente. Disons simplement qu'elle souligne la gestion commune et le partage des revenus générés par les ressources marines. L'accord stipule aussi que le gouvernement de Terre-Neuve et du Labrador prendra part à

---

*	*L'énergie des régions pionnières canadiennes* ,
Ottawa, Approvisionnements et Services, 1985, p. 1.

toutes les négociations ou consultations relatives à la fixation des prix du pétrole et du gaz naturel en provenance des réserves marines.

L'Accord de l'Ouest

Le 28 mars 1985, peu après avoir signé l'Accord atlantique, le gouvernement fédéral s'est entendu avec les gouvernements de la Saskatchewan, de l'Alberta et de la Colombie-Britannique pour conclure l'Accord de l'Ouest dont les éléments principaux sont les suivants :

1. La déréglementation des prix du pétrole, ou l'abolition des prix fixés par le gouvernement sur le pétrole brut.
2. La conversion à un système de réglementation des prix du gaz naturel mieux adapté aux variations du marché.
3. La suppression pure et simple ou l'élimination graduelle de nombreuses taxes fédérales qui s'appliquent aux industries du pétrole et du gaz naturel.
4. La suppression graduelle d'un ancien programme d'incitation qu'on disait être discriminatoire envers les investisseurs étrangers.
5. La mise sur pied de programmes destinés à stimuler l'exploration et la mise en valeur de nouvelles sources de pétrole et de gaz naturel.

Les architectes de cette nouvelle politique en matière d'énergie prétendent que celle-ci engendrera une meilleure croissance de l'industrie énergétique et ouvrira la voie à de nouveaux investissements dans ce secteur.

LES DIFFÉRENTES VOIES QUI S'OFFRENT À NOUS

Lorsqu'ils étudient les diverses énergies de remplacement, les producteurs doivent porter une attention toute particulière aux coûts de production. Il est relativement plus coûteux de procéder à la gazéification ou à la liquéfaction du charbon ou d'utiliser l'énergie solaire que de produire du pétrole. Les sociétés privées hésitent donc à investir des sommes importantes dans ces nouveaux types d'énergie, étant donné qu'elles seraient nettement désavantagées. En effet, l'OPEP n'aurait qu'à réduire le prix du pétrole pour les évincer du marché.

Cette crainte pourrait disparaître grâce à l'imposition de tarifs élevés sur les importations de pétrole ou à l'allocation de subventions aux producteurs canadiens. Ces mesures de protection risquent cependant de susciter beaucoup de débats publics, et les décideurs auront beaucoup de difficulté à choisir la meilleure solution de remplacement. Notre réussite en matière d'exploitation de ces ressources nouvelles dépendra des politiques de l'État mises de l'avant et des progrès techniques au niveau de la production énergétique.

Avant 1984

L'OPEP est devenu moins puissante au fil des années 1980.

La situation qui prévalait pendant les années 1970 a beaucoup changé. Pour toutes sortes de raisons, l'OPEP vit sa dominance s'effriter graduellement. En premier lieu, les pays ne faisant pas partie de l'organisation, comme la Norvège, la Grande-Bretagne et le Mexique, augmentèrent leur production de pétrole. En 1973, la part de l'OPEP dans la production mondiale s'établissait à près de 54 %; en 1983, cette part était tout juste supérieure à 30 %.

En deuxième lieu, la demande chuta à cause de l'augmentation rapide du prix du pétrole. Des procédés qui permettent d'économiser l'énergie firent alors leur apparition sur le marché et furent adoptés par les consommateurs; les automobiles consommèrent moins de carburant et de nombreuses personnes optèrent pour le gaz naturel ou l'électricité plutôt que le pétrole.

En troisième lieu, des luttes intestines entre pays membres de l'OPEP affaiblirent le puissant cartel. Par exemple, le Nigéria décida de réduire le prix de son pétrole sous le seuil fixé par l'organisme. En 1983, ce dernier ramena le prix du baril de 34 $ à 29 $, soit une baisse de 14,7 %. Un an plus tard, ce prix avait subi une autre baisse de l'ordre de 7 % et s'établissait à 27 $ le baril.

Après 1984

La chute que connut le prix du pétrole de 1983 à 1984 continua, jusqu'à ce que celui-ci se retrouve autour de 12 $ le baril au début de 1986. De 1983 à 1986, le prix mondial du pétrole avait donc subi une baisse de près de 65 %!

Plus tôt dans le présent ouvrage, vous avez appris qu'un surplus de l'offre par rapport à la demande engendre une diminution des prix. Or, en 1985, l'Arabie Saoudite, un des grands producteurs de l'OPEP, décida d'augmenter considérablement sa production et ses ventes de pétrole brut. Avant que l'Arabie Saoudite n'en vienne à cette décision, l'OPEP continuait d'appliquer une politique de ralentissement de la production qui avait déjà fait passer cette dernière de 19 millions de barils par jour en 1983 à 14 millions de barils par jour en 1985 (une diminution de 26 %). Pendant ce temps, la production de l'Arabie Saoudite passa de 2,3 millions de barils par jour à 4,3 millions de barils par jour. Puis, de novembre 1985 à février 1986, l'Arabie Saoudite continua à produire et à vendre en grandes quantités. Ce geste joua un rôle décisif dans la chute du prix du pétrole brut en 1986.

Voyons maintenant ce qui se passa au pays. En janvier 1986, le prix du pétrole à la tête du puits était de 36,40 $ le baril. En juillet de la même année, ce prix avait chuté pour se fixer légèrement au-dessus de 14 $. Il remonta ensuite graduellement pour atteindre 19 $ en fin d'année. En 1987, le prix continua à monter.

Quelle sera l'évolution future du prix du pétrole? Les pays membres de l'OPEP disposent actuellement de près de 70 % des réserves mondiales de pétrole. La situation future dépendra donc beaucoup des décisions que ces gens prendront. La production des autres pays risque peu d'augmenter de manière significative, et la demande de pétrole continue d'augmenter dans les pays en voie de développement. On peut donc s'attendre à une hausse du prix du pétrole, à moins que l'OPEP ne décide d'augmenter considérablement sa production.

L'Office national de l'énergie a déjà prédit que le prix du baril de pétrole canadien serait de 27 $ en 2005. Par ailleurs, le *Canadian Energy Research Institute* (institut canadien de recherche énergétique) de Calgary pense que si l'OPEP s'en tient à une politique rationnelle et patiente en matière de prix, le baril coûtera 22 $ U.S. en 1995, pour atteindre 26 $ U.S. en l'an 2000.

L'évolution future du prix du pétrole dépend dans une large mesure des gestes posés par les pays membres de l'OPEP.

LA POLLUTION DE L'ENVIRONNEMENT

La pollution de l'environnement est une conséquence possible de la croissance économique rapide. En tentant de maximiser notre production totale de biens et de services, nous avons gravement endommagé notre environnement. Nous définirons ici la pollution comme étant le déversement de déchets dans l'environnement. Cet environnement s'est détérioré et se détériore encore, car nous continuons à y déverser de grandes quantités de déchets et de substances dangereuses chaque jour. Plus la production nationale de biens et de services augmente, plus la production nationale de déchets s'accroît. Nos rivières, nos lacs et nos océans sont pollués à un tel point que certains ne sont plus aptes à maintenir la vie. En Ontario par exemple, le Plastic Lake, près de Dorset, ainsi que de nombreux autres lacs dans la région de la montagne de LaCloche, près de Sudburry, sont morts. Et en Nouvelle-Écosse, Environnement Canada a rapporté que 9 rivières à saumon sur 27 ne peuvent plus assurer la subsistance du saumon ou de la truite. On entend partout parler de pollution de l'air, de pollution de l'eau, de pollution du sol et de pollution par le bruit, et le problème des pluies acides a forcé un grand nombre de personnes à se pencher sur la question. Les Canadiens se rappellent aussi la marée noire qui a déferlé sur la côte ouest de Vancouver, tuant au moins 2 000 oiseaux et mettant peut-être en péril la population de baleines. La question de la protection de l'environnement est maintenant au coeur de tous les débats d'intérêt public.

LES COÛTS PRIVÉS, LES COÛTS SOCIAUX ET LES EXTERNALITÉS

Avant de parler des aspects économiques de la pollution, il convient de présenter de nouveaux termes et de nouvelles notions. Lorsqu'une entreprise décide de produire un bien, elle tient compte d'éléments comme la main-d'oeuvre et les matières premières dans l'évaluation du coût de production. De même, lorsqu'une personne décide de partir en vacances, elle considère le coût du billet d'avion, de la chambre d'hôtel et des sorties. On appelle ces dépenses des coûts privés. Ces derniers sont assumés entièrement par l'entreprise ou la personne qui fait l'acquisition d'intrants ou qui achète des biens et des services.

Cependant, certains coûts ne sont pas entièrement assumés par une seule personne ou entreprise, mais bien par la société dans son ensemble. Pensez à une entreprise de produits chimiques qui déverserait ses déchets dans une rivière. La rivière deviendrait polluée, les poissons y mourraient et on ne pourrait plus s'y baigner. Qui plus est, la valeur des propriétés en bordure de cette rivière diminuerait. Il s'agit là de coûts qui ne seront pas assumés par l'entreprise, mais bien par d'autres membres de la société. En ajoutant ces coûts aux coûts privés de l'entreprise, on obtient ce que les économistes appellent les *coûts sociaux.*

La pollution constitue un bon exemple de déséconomie externe.

Dans bien des cas, les coûts privés entrent en conflit avec les coûts sociaux. Par exemple, une entreprise de produits chimiques qui pollue l'environnement n'assume qu'une partie des coûts encourus : la partie individuelle. C'est la société qui assume les coûts sociaux. L'écart entre ces différents coûts est une *externalité économique,* soit un coût externe que l'entreprise ou le particulier n'aura pas pris en considération. La société paiera donc ces coûts sous forme de détérioration de la santé publique, de factures médicales plus élevées, de pertes de vies animales, de disparition de sites récréatifs, de diminution de la valeur esthétique des terrains et de hausses de taxes imposées pour dépolluer l'environnement.

Une externalité économique peut aussi représenter un bénéfice externe. Par exemple, la construction d'un site récréatif augmentera la valeur des propriétés avoisinantes. Si l'externalité se traduit ainsi par un bénéfice, on l'appellera *économie externe*; si par contre elle s'exprime par un coût, comme dans le cas de la pollution, on lui donnera le nom de *déséconomie externe*.

Problème : J'appartiens à une famille qui demeure en amont d'une certaine rivière. Pourquoi faudrait-il que nous, en tant que membres de la société, nous inquiétions du fait qu'une entreprise pharmaceutique se serve d'une partie de la rivière pour déverser ses déchets? Après tout, ne demeurons-nous pas en amont, alors que la pollution se produit en aval?

Solution : La pollution sous toutes ses formes engendre des coûts pour la société. Dans le cas précité, l'entreprise pollueuse prive la société d'un meilleur environnement, d'une rivière que la population pourrait utiliser à des fins récréatives et du poisson qu'on y trouve. Il revient à nous tous d'assumer ces coûts, que nous vivions en amont ou en aval de la rivière. Il faut aussi penser aux recettes fiscales qui serviront à régler la facture de dépollution. Ces dépenses sont autant de raisons de s'inquiéter de la pollution de la rivière par l'entreprise pharmaceutique.

LE NIVEAU ACCEPTABLE DE RÉDUCTION DE LA POLLUTION

Nous venons de voir que la pollution est très coûteuse pour la société. Alors ne devrions-nous pas nous empresser d'éliminer toute forme de pollution? S'il n'en coûtait rien d'agir ainsi, la réponse serait un oui catégorique. La question ne se poserait probablement même pas! Malheureusement, le coût de l'élimination totale de la pollution est prohibitif. L'analyse économique peut cependant nous aider à déterminer le niveau de pollution tolérable. Si la société considère que le niveau de pollution est assez grave, elle doit accepter de sacrifier certains biens et services afin de le diminuer. Si les bénéfices découlant de la réduction de la pollution sont supérieurs aux coûts encourus, des sommes supplémentaires doivent être allouées à cette réduction; si, par contre, ce sont les coûts qui dépassent les bénéfices, il faut arrêter d'investir.

Le niveau acceptable de réduction de la pollution correspond au niveau auquel le coût marginal de l'opération est égal au bénéfice marginal.

Ces différentes équations apparaissent à l'illustration 16.3. À mesure que la pollution est réduite, les bénéfices qui en découlent diminuent. Cette diminution est illustrée par la courbe décroissante du bénéfice marginal. D'un autre côté, plus on s'affaire à réduire la pollution, plus les coûts augmentent. La courbe ascendante du coût marginal représente cette augmentation. Au niveau de réduction de la pollution OC, les bénéfices (OD) sont inférieurs aux coûts (OF). Le niveau de réduction est donc trop élevé. Au niveau OA, les bénéfices (OG) dépassent les coûts (OD). Le niveau de réduction est bas et pourra donc être augmenté. Au niveau OB, les coûts et les bénéfices sont égaux. Le point OB correspond donc à un niveau acceptable de réduction de la pollution. De toute évidence, le niveau acceptable de pollution va de pair avec ce dernier.

ILLUSTRATION 16.3
Niveau acceptable de réduction de la pollution

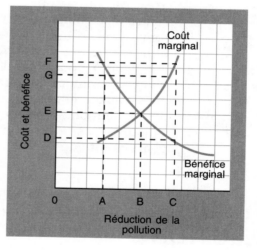

LES MESURES ANTIPOLLUTION

Il existe plusieurs manières de régler le problème de la pollution. Nous parlerons ici de la réglementation directe, des redevances de pollution, des incitations fiscales, des droits de propriété et de l'appel au sens moral.

La réglementation directe

Une des manières de régler le problème de la pollution consiste à demander à l'État d'interdire l'utilisation de certains produits chimiques et le déversement de déchets en certains endroits. L'adoption de lois qui interdisent l'usage du DDT ainsi que l'application de normes d'émission pour les automobiles et certaines usines polluantes constituent des exemples de réglementation directe.

Une des lacunes de cette forme d'intervention est sa difficulté d'application. Pour qu'une loi soit efficace, il faut prendre les moyens de la faire respecter et de dépister les contrevenants, ce qui engendre des coûts importants. Une fois pris, les contrevenants doivent être poursuivis en justice, ce qui entraîne encore d'autres coûts. La détection des infractions n'est pas simple non plus. Certains pollueurs considèrent qu'il est plus avantageux de continuer de polluer et de payer l'amende (s'ils sont pris) que d'installer du matériel antipollution à fort prix.

Une autre difficulté que présente l'intervention directe est la détermination de la dose admissible de pollution pour chaque pollueur. Si, par exemple, nous désirons réduire les niveaux de pollution de 20 %, tous les pollueurs devront-ils réduire leur pollution de 20 %, et ce, sans égard aux coûts encourus ou à la quantité de pollution produite? Ou devra-t-on plutôt exiger que certaines usines réduisent leurs émissions de 20 %, tandis que d'autres se verraient imposer des réductions moins importantes? La décision n'est pas facile à prendre.

Les redevances de pollution

Les redevances de pollution visent à forcer les pollueurs à internaliser leurs coûts.

Une autre manière de traiter la pollution est de faire payer une redevance au pollueur. Cette *redevance de pollution* forcerait les pollueurs à considérer les coûts sociaux de leurs activités au lieu de s'attarder seulement aux coûts privés que celles-ci occasionnent. En d'autres termes, on les forcerait à *internaliser* leurs coûts. Le montant de la redevance varierait en fonction du niveau de pollution produite par le pollueur. Cette manière d'aborder le problème de la pollution plaît beaucoup aux économistes, parce qu'elle s'intègre aux mécanismes du marché. Les pollueurs sont libres de continuer à maximiser leurs bénéfices (en ce qui a trait aux entreprises) ou leurs usages (en ce qui a trait aux consommateurs). Les redevances de pollution représentent un moyen économique d'inciter les entreprises à cesser de polluer; on peut donc espérer que cette méthode réduira le niveau de pollution. Plus la redevance sera élevée, plus le niveau de pollution sera bas.

Les stimulants fiscaux

Les stimulants fiscaux réduisent la pollution.

Les dispositifs antipollution sont très coûteux. Si un stimulant fiscal est accordé aux personnes qui désirent en installer, le niveau de pollution diminuera en conséquence. Mais un des défauts de cette méthode d'incitation est qu'elle risque ensuite de se répandre à d'autres champs d'activité. En effet, si des stimulants fiscaux sont accordés pour l'installation de dispositifs antipollution, pourquoi ne le seraient-ils pas pour d'autres investissements jugés aussi importants par certains groupes? Nous risquons ainsi de nous trouver dans une situation où des stimulants fiscaux sont offerts à droite et à gauche.

Un autre inconvénient de cette forme d'incitation est que les gens auront tendance à en abuser. À titre d'exemple, un producteur pourrait acheter du matériel sous prétexte qu'il s'agit de dispositifs antipollution, réclamer le crédit d'impôt, pour ensuite appliquer cet équipement à un tout autre usage.

Les droits de propriété

Les droits de propriété réduisent la pollution.

Une des raisons pour lesquelles les pollueurs détériorent l'environnement est que ce dernier n'appartient à personne. Personne n'étant propriétaire de l'air que nous respirons, on peut y déverser toutes sortes de gaz toxiques sans avoir à payer un sou. Certains pensent que l'attribution de droits de propriété à des personnes ou à des entreprises pourrait réduire le niveau général de pollution. Supposons que le lac Carré, qui n'appartient à personne, sert de dépotoir à l'usine Morbus. S'il n'existe aucune loi interdisant le déversement de déchets dans ce lac, l'usine Morbus continuera à s'en servir à cette fin.

Supposons maintenant que l'État offre de vendre le lac Carré, ou d'en vendre les droits exclusifs, quelle qu'en soit l'utilité. Si la valeur accordée par certaines personnes à la pureté du lac et à son potentiel récréatif est supérieure à celle qu'accorde l'usine Morbus à son utilité en tant que dépotoir, ces personnes seront sûrement disposées à acheter le lac dans le but de le préserver. Si, au contraire, l'usine Morbus place une plus grande importance sur l'utilité du lac à titre de dépotoir que d'autres en accordent à sa valeur récréative, l'usine pourra acquérir les droits d'utilisation du lac pour ses besoins de déversement. Il est à noter cependant que l'usine n'achètera le lac à cette fin que si l'achat constitue la méthode la moins coûteuse de se débarrasser de ses déchets.

L'appel au sens moral

En dernier lieu, on peut faire appel au sens moral des producteurs et des consommateurs pour réduire la pollution. On peut, par exemple, convaincre ces derniers d'utiliser le transport en commun et d'avoir recours au covoiturage au lieu de conduire des millions de voitures polluantes en ville chaque matin. On peut aussi demander aux entreprises d'utiliser des méthodes moins dommageables pour l'environnement. L'appel au sens moral est efficace surtout lorsqu'on arrive à persuader les pollueurs qu'un environnement souillé va à l'encontre de leurs propres intérêts.

> **Problème :** Attendez-vous d'un producteur individuel qu'il prenne volontairement les coûts sociaux en considération dans ses décisions en matière de production?
>
> **Solution :** Il est peu probable qu'un producteur individuel décide d'internaliser la totalité de ses coûts, car son objectif est de maximiser ses profits. S'il le fait, il sera désavantagé par rapport aux autres producteurs, et sa rentabilité diminuera relativement à celle de ses concurrents.

RÉSUMÉ DU CHAPITRE

1. L'Organisation des pays exportateurs de pétrole (OPEP) est un cartel qui a été formé en 1960 afin de réglementer le prix du pétrole brut. L'OPEP est l'exportateur de pétrole le plus important au monde.
2. De 1973 à 1980, nous avons assisté à une flambée du prix du pétrole, qui est passé de 3 $ à 37 $ le baril.
3. En 1979, le prix du pétrole au Canada était moins élevé que dans de nombreux autres pays. Cela s'expliquait par les énormes subventions accordées par le gouvernement fédéral. Depuis ce temps, le prix du pétrole canadien a considérablement augmenté.
4. En termes relatifs, la situation du Canada en matière d'énergie est encore bonne. Le pays dispose en effet de grandes quantités de gaz naturel, d'hydro-électricité et de charbon.
5. On peut aborder le problème de l'énergie de diverses manières : le rationnement par intervention directe (qui permet au prix d'atteindre le niveau du marché), le déplacement de la demande de pétrole et la mise en valeur de nouvelles sources d'énergie.
6. Les coûts élevés associés à la production d'énergie solaire, à la gazéification ou à la liquéfaction du charbon par rapport à ceux qu'engendre la production du pétrole compliquent la tâche des décideurs.
7. Le Programme énergétique national, qui trace les grandes lignes de la politique canadienne en matière d'énergie

(particulièrement en ce qui a trait au pétrole et au gaz naturel), a été mis sur pied en 1980. Après son élection en 1984, le nouveau gouvernement progressiste conservateur procéda à l'élaboration d'un nouveau programme énergétique.

8. La puissance de l'OPEP s'est beaucoup amoindrie pendant les années 1980, principalement à cause d'une augmentation de la production de pétrole dans les pays qui ne font pas partie de l'organisme, de la diminution de la demande de pétrole et de batailles intestines entre les pays membres.

9. Depuis 1983, le prix mondial du pétrole brut a chuté considérablement, et 1986 a été une année particulièrement difficile pour l'industrie pétrolière du Canada.

10. Les coûts privés sont entièrement assumés par les personnes ou les entreprises qui les encourent, tandis que les coûts sociaux sont assumés par la société dans son ensemble.

11. Les externalités économiques représentent l'écart entre les coûts privés et les coûts sociaux. Il s'agit d'économies externes, si elles se traduisent par un bénéfice, et de déséconomies externes, si elles représentent un coût.

12. La réduction de la pollution étant très coûteuse, son niveau acceptable n'est pas celui où toute forme de pollution est éliminée, mais bien celui où le coût marginal de l'opération égale le bénéfice marginal qui en résulte.

13. Les mesures à prendre pour régler le problème de la pollution comprennent la réglementation directe, l'imposition de redevances de pollution, l'attribution de stimulants fiscaux, la vente de droits de propriété et l'appel au sens moral.

Termes et notions à retenir

crise énergétique	flambée du prix du pétrole
énergies de remplacement	OPEP
rationnement	Programme énergétique national
nouvelle orientation de	Accord Atlantique
la politique énergétique	coûts privés et sociaux
Accord de l'Ouest	économie externe
externalité économique	redevances de pollution
déséconomie externe	

Questions de révision et de discussion

1. Qu'est-ce que l'OPEP? Expliquez l'influence de l'OPEP au sein du marché mondial du pétrole.

2. Pensez-vous que l'expression «flambée du prix du pétrole» décrit bien la situation des années 1973 à 1980?

3. Décrivez brièvement la situation énergétique actuelle du Canada et brossez un tableau des perspectives d'avenir dans le domaine.

4. Discutez de l'utilisation du rationnement par intervention directe pour régler le problème de l'énergie.

5. Nommez des formes d'énergie aptes à remplacer le pétrole. Quelles sont les perspectives d'avenir du Canada quant à ces énergies de remplacement?

6. Quels étaient les objectifs principaux du Programme énergétique national de 1980? Quelles mesures ont été prises pour atteindre ces objectifs?

7. Quels sont les éléments majeurs de l'Accord Atlantique et de l'Accord de l'Ouest?

8. Soulignez en quelques mots les *nouveaux* éléments de la politique énergétique du gouvernement progressiste conservateur.

9. Quels sont les principaux facteurs qui ont entraîné l'affaiblissement de l'OPEP pendant les années 1980?

10. Expliquez brièvement l'évolution du prix mondial du pétrole depuis 1984.

11. Qu'est-ce que la pollution environnementale? Pourquoi la considère-t-on comme un problème si grave?

12. Expliquez la différence entre les coûts privés et les coûts sociaux.

13. Qu'est-ce qu'une externalité économique? Comment cette notion est-elle liée à la pollution de l'environnement?

14. «La société devrait éliminer toute forme de pollution.» Discutez.

15. Discutez brièvement des mesures qui peuvent être prises pour réduire le niveau de pollution.

16. Pensez-vous que les stimulants fiscaux constituent un bon moyen de réduire la pollution? Pourquoi?

Problèmes et exercices

1. Tracez un graphique qui illustre les changements de prix du pétrole de l'OPEP depuis 1973.

2. Vous trouverez au tableau 16.6 des renseignements relatifs à la production et à la consommation énergétique de la Saboujicie.
    (a) Reportez ces données sur un graphique.
    (b) La Saboujicie éprouve-t-elle des problèmes énergétiques? Pourquoi?
    (c) Quels changements prévoyez-vous au niveau du prix de l'énergie en Saboujicie?

TABLEAU 16.6
Production et
consommation
énergétique de la
Saboujicie

Année	Production (unités par année)	Consommation (unités par année)
1	1 500	1 000
2	1 900	1 200
3	2 400	1 400
4	3 000	1 600
5	3 700	1 800
6	4 500	2 000

3. Le tableau 16.7 nous renseigne sur la production et la consommation de pétrole en Onralentie.

TABLEAU 16.7
Production et
consommation de pétrole
de l'Onralentie

Année	Production de pétrole (en milliers de barils par année)	Consommation de pétrole (en milliers de barils par année)
1	400	300
2	500	500
3	600	800
4	700	1 200

    (a) Reportez ces données sur un graphique.

    (b) L'Onralentie devra-t-elle faire face à des problèmes de pétrole immédiats? Pourquoi?

    (c) Quels changements prévoyez-vous au niveau du prix du pétrole en Onralentie?

4. Au moyen de diagrammes, illustrez les effets (a) d'une augmentation du prix du pétrole, et (b) de la mise en valeur d'autres sources d'énergie sur le marché du pétrole.

5. Commentez brièvement la manière dont le Canada a composé avec la situation énergétique de 1973 à 1980.

6. L'aciérie Metallo est située en amont du parc récréatif de Bellevue. Ce dernier doit dépolluer l'eau souillée par Metallo. Mais L'aciérie décide bientôt d'acheter le parc. Metallo continuera-t-elle de déverser la même quantité de polluants dans la rivière? Expliquez.

7. Durant l'été, de nombreuses plages situées aux abords de Montréal et de Toronto doivent être fermées à cause du haut niveau de pollution qu'on y détecte. Si ces plages appartenaient à des particuliers, pensez-vous que la situation changerait? Expliquez.

8. Pensez-vous qu'on puisse réduire la pollution simplement en réduisant la population?

9. Pourquoi les habitants du grand Toronto devraient-ils se soucier davantage de la pollution de l'air que les gens de Twillingate, à Terre-Neuve?

17

LE SECTEUR AGRICOLE

> Nous nous trouvons ainsi devant un étrange paradoxe : les techniques qui permettent d'alléger le travail des agriculteurs revêtent une importance extrême pour la société en général, mais représentent une source indéniable d'ennuis pour l'agriculture en soi.
>
> Kenneth E. Boulding, *Economic Analysis and Agricultural Policy*

INTRODUCTION

Le présent chapitre traite d'un sujet très important : l'agriculture. Même si l'économie canadienne a subi de nombreux changements au cours des dernières décennies, nous dépendons encore considérablement du secteur agricole. En 1990, nos exportations de blé valaient à elles seules 3 358 milliards de dollars et celles des autres produits agricoles se chiffraient à 7 333,7 milliards de dollars. Nous analyserons d'abord le rôle de l'agriculture au sein de l'économie canadienne, puis étudierons, à l'aide de notions et d'outils microéconomiques, certaines difficultés auxquelles les agriculteurs doivent faire face. Nous considérerons ensuite certaines politiques destinées à aplanir ces problèmes. Pour finir, nous examinerons des programmes de l'État conçus pour venir en aide aux agriculteurs.

L'AGRICULTURE AU SEIN DE L'ÉCONOMIE CANADIENNE

La plupart des pays réservent un traitement spécial à leur secteur agricole. Le Canada ne fait pas exception à cette règle. Il s'agit, après tout, du secteur qui nourrit la population. Plus cette dernière s'accroît, plus le besoin en nourriture augmente. Les pays qui dépendent largement des produits importés sont donc très vulnérables; par conséquent, il est sage d'affecter des ressources au secteur agricole afin d'assurer la subsistance de la population. En général, plus l'économie se développe, plus l'apport de l'agriculture à la production totale diminue. Ce principe s'applique à l'économie canadienne; l'apport de l'agriculture a en effet chuté de 16 % en 1931, à 2,4 % en 1990. Le tableau 17.1 montre l'apport de l'agriculture à la production totale de 1975 à 1990 (les chiffres y apparaissant sont exprimés en termes réels).

À mesure que l'économie se développe, l'apport de l'agriculture à la production totale tend à diminuer.

À mesure que l'économie se développe, la portion de la population active employée au sein du secteur agricole tend à diminuer.

On a en outre observé qu'à mesure que croît l'économie, la portion de la population active employée au sein du secteur agricole diminue. L'économie canadienne illustre bien ce fait. En 1951, cette portion atteignait plus de 18 %; en 1960, ce nombre avait chuté à 10,7 % et en 1990, elle se retrouvait à 3,4 % (tableau 17.2).

TABLEAU 17.1
Part de l'agriculture dans la production totale (1975 à 1990)

Année	Production totale (M $ de 1986)	Production agricole (M $ de 1986)	Pourcentage de l'apport agricole à la production totale
1975	320 035	9 524	3,0
1976	339 251	10 390	3,1
1977	350 146	10 397	3,0
1978	361 078	10 045	2,8
1979	375 112	9 218	2,5
1980	381 992	9 744	2,6
1981	397 090	10 661	2,7
1982	382 575	11 344	3,0
1983	394 995	10 944	2,8
1984	418 717	10 591	2,5
1985	438 450	10 349	2,4
1986	451 845	12 037	2,7
1987	471 523	10 852	2,3
1988	493 265	10 375	2,1
1989	505 938	11 206	2,2
1990	507 514	12 402	2,4

Source : Revue de la Banque du Canada,

Malgré ces statistiques, l'agriculture représente encore une activité économique importante au pays. Elle procure de l'emploi de façon directe à plus de 429 000 personnes, et de façon indirecte à plusieurs centaines de milliers d'autres qui oeuvrent dans des domaines aussi variés que le transport, la commercialisation et la transformation des produits agricoles. En 1986, le Canada comptait 293 089 fermes et le Québec, 41 448, dont un bon nombre étaient relativement petites, ayant réalisé des ventes inférieures à 5 000 $ (le chiffre d'affaires annuel de certaines fermes commerciales d'envergure atteint 75 000 $). Or, l'agriculture canadienne affiche un mode de développement particulier : tandis que le nombre de petites fermes a diminué au cours des ans, la quantité de fermes d'envergure a augmenté. En 1976, les fermes ayant des ventes de 100 000 $ ou plus ne représentaient que 3,6 % du nombre total de fermes au pays; en 1981, ce pourcentage avait grimpé à 11,5 %, pour atteindre 19,9 % en 1986. Le Québec a connu une évolution similaire, alors que les fermes ayant réalisé des ventes de 100 000 $ ou plus n'atteignaient que 1,8 % du nombre total de

Au fil des ans, le nombre de petites fermes a diminué et celui des fermes d'envergure a augmenté.

la province en 1976 et 8,6 % en 1981, pour grimper à 22 % en 1986. Par contre, en 1976, le pourcentage de fermes ayant un chiffre d'affaires inférieur à 2 500 $ s'établissait à plus de 20 %. En 1981, celui-ci avait chuté à 14,6 % et, en 1986, n'était plus qu'à 11 %. Le tableau 17.3 regroupe les fermes du Canada et du Québec en fonction de la valeur des produits vendus.

TABLEAU 17.2
Emploi dans le secteur agricole au Canada (1970 à 1990)

Année	Emploi (milliers)	Emploi agricole (milliers)	Part de l'agriculture dans l'emploi total (%)
1970	7 919	513	6,5
1971	8 104	515	6,4
1972	8 344	483	5,8
1973	8 761	469	5,4
1974	9 125	474	5,2
1975	9 284	482	5,2
1976	9 477	471	5,0
1977	9 651	464	4,8
1978	9 987	474	4,7
1979	10 395	484	4,7
1980	10 708	479	4,5
1981	11 001	487	4,4
1982	10 618	465	4,4
1983	10 675	480	4,5
1984	10 932	480	4,4
1985	11 221	475	4,2
1986	11 531	467	4,0
1987	11 861	461	3,9
1988	12 245	444	3,6
1989	12 486	429	3,4
1990	12 572	429	3,4

Source : Statistique Canada, *La population active*

TABLEAU 17.3
Classification des fermes selon leurs ventes, Canada et Québec

	Nombre de fermes					
	Canada			Québec		
Ventes	1976	1981	1986	1976	1981	1986
100 000 $ et plus	12 349	36 546	58 404	953	4 145	9 121
50 000 - 99 999	31 309	54 472	54 692	3 000	8 500	8 378
25 000 - 49 999	59 309	59 172	46 855	9 173	8 825	5 638
10 000 - 24 999	81 492	59 681	49 467	12 708	7 509	5 590
5 000 - 9 999	45 791	34 005	29 028	6 252	4 562	4 016
2 500 - 4 999	37 874	27 728	22 299	5 184	4 643	4 417
Inférieures à 2 500	69 683	46 757	32 344	14 242	9 960	4 288
TOTAL	338 578	318 361	293 089	51 587	48 144	41 448

Source : *Annuaire du Canada* (1990)

La vocation des fermes varie; il peut s'agir d'exploitations laitières, céréalières, maraîchères, fruitières, de bovins, de blé ou d'autres grandes cultures. La répartition des fermes appartenant aux diverses catégories d'exploitations apparaît au tableau 17.4. Les catégories où l'on trouvait le plus grand nombre de fermes au Canada en 1986 étaient celles des exploitations de bovins, de blé, de produits laitiers et de céréales secondaires autres que le blé. Au Québec, le secteur agricole est plutôt dominé par la production de produits laitiers, puisque près de 43 % des fermes s'y consacrent. C'est en Ontario, en Saskatchewan et en Alberta qu'on comptait le plus grand nombre de fermes.

TABLEAU 17.4

Types d'exploitation ayant réalisé des ventes de 2 500 $ et plus (1986)

	Nombre de fermes	
Catégorie de produits	Canada	Québec
Produits laitiers	34 186	15 906
Bovins	39 262	5 763
Porcs	12 026	2 749
Volaille	4 648	893
Blé	46 857	217
Céréales secondaires (sans les fermes à blé)	58 595	2 922
Grandes cultures, autres que les céréales secondaires	5 918	771
Fruits et légumes	10 377	2 250
Spécialités diverses	14 449	4 051
Diversifiés	5 577	382
Combinaison de bétail	8 850	1 256
Autres combinaisons		
TOTAL	260 745	37 160

Source : *Annuaire du Canada* (1990)

Les agriculteurs canadiens produisent un vaste éventail de denrées agricoles.

Les agriculteurs canadiens produisent un vaste éventail de denrées agricoles comprenant le lait, la crème, le sucre et sirop d'érable, les oeufs ainsi qu'une grande variété de fruits et de légumes. Le tableau 17.5 nous renseigne au sujet de certains produits agricoles du Canada et des recettes qu'ils génèrent.

TABLEAU 17.5

Recettes monétaires agricoles de produits choisis (1990)

Produit	Recettes (M $)
Blé	2 686
Orge	545
Produits du bétail	11 116

Source : *L'observateur économique canadien*

LES PROBLÈMES DE L'AGRICULTURE

Les fluctuations au niveau du prix et du revenu

Les importantes fluctuations que subissent à la fois le prix des produits agricoles et le revenu des agriculteurs représentent un des problèmes principaux de l'agriculture. L'ampleur des fluctuations au niveau du revenu des agriculteurs apparaît au tableau 17.6, qui présente des données relatives aux recettes monétaires agricoles et au revenu intérieur net de 1971 à 1990. Les écarts de pourcentage ont été rapportés sur le graphique de l'illustration 17.1 pour démontrer la différence entre les fluctuations du revenu agricole et celles du revenu total.

TABLEAU 17.6

Recettes monétaires et revenu intérieur net de 1971 à 1990, au Canada

Année	Revenu intérieur net (M $)	Recettes monétaires agricoles (M $)
1971	73 681	4 652
1972	83 121	5 564
1973	98 419	7 030
1974	118 387	9 037
1975	135 595	10 206
1976	155 619	10 093
1977	169 784	10 231
1978	190 225	12 063
1979	218 917	14 410
1980	247 047	15 933
1981	278 687	18 525
1982	290 828	18 871
1983	316 275	18 832
1984	350 274	20 408
1985	374 805	19 690
1986	390 435	20 415
1987	426 052	21 055
1988	470 054	22 049
1989	502 632	22 535
1990	520 197	21 537

Source : *L'observateur économique canadien*

Le prix des produits de la ferme et le revenu des agriculteurs fluctuent grandement à cause de la rigidité de la demande de denrées agricoles.

Il n'est pas très difficile de déterminer la raison des fluctuations du revenu des agriculteurs. En effet, la diminution du prix d'un produit agricole n'engendre pas d'augmentation importante au niveau de la demande de ce dernier. De même, une augmentation de prix n'incite pas les consommateurs à réduire leur consommation de manière substantielle. En d'autres mots, la quantité demandée ne varie pas beaucoup en fonction des changements de prix. La demande de produits agricoles est donc inélastique. À l'illustration 17.2, la courbe de demande DD est relativement inélastique. Si l'offre de produits agricoles augmente à cause de conditions climatiques favorables ou d'une productivité accrue, la courbe d'offre glisse d'OO à O_1O_1. Cette augmentation de l'offre engendre une diminution du prix de P_2 à P0. Notez que si la demande était plus élastique, comme D_1D_1 par exemple, le prix n'aurait diminué qu'à P_1. Nous remarquons donc qu'à cause de l'inélasticité de la demande, une augmentation de l'offre se traduit par une diminution substantielle du prix. Étant donné qu'une baisse de prix ne provoque pas de hausse proportionnelle de la demande, le revenu des agriculteurs diminue.

À cause de la rigidité de la demande, les prix chutent considérablement sous l'effet d'une augmentation de l'offre.

ILLUSTRATION 17.1
Revenu agricole et revenu total

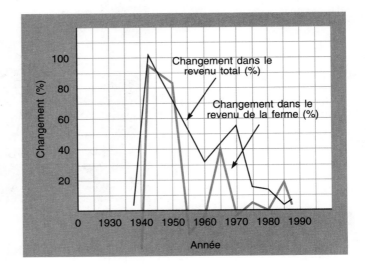

ILLUSTRATION 17.2
Effets d'une augmentation de l'offre quand la demande est inélastique

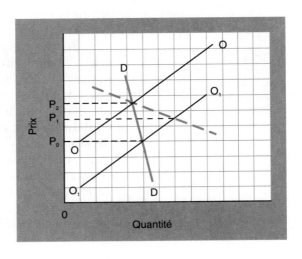

En raison de l'inélasticité de la demande, une baisse de l'offre entraîne une hausse importante de prix.

Si par contre, à une demande DD, la courbe d'offre passe d'OO à O_0O_0, comme l'indique l'illustration 17.3, le prix augmentera de P_0 à P_2. Une demande plus élastique D_1D_1 aurait provoqué une hausse moins importante de prix, faisant passer ce dernier à P_1 au lieu de P_2. Mais l'augmentation de prix de P_0 à P_2 n'entraîne pas une chute proportionnelle de la quantité achetée; le revenu des agriculteurs augmente donc. Or, on ne connaît que trop bien les effets qu'ont le climat, la maladie, les insectes, les inondations ainsi qu'une foule d'autres facteurs indépendants de la volonté des fermiers sur les importantes fluctuations annuelles qui affectent l'offre de certains produits agricoles.

ILLUSTRATION 17.3
Effets d'une chute de l'offre quand la demande est inélastique

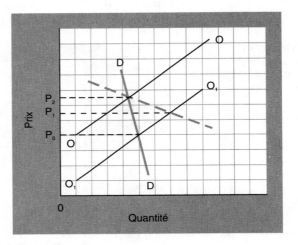

Faible élasticité du revenu

Selon la loi d'Engel, le pourcentage du revenu alloué à la nourriture diminue en fonction de l'augmentation de ce dernier.

Les agriculteurs doivent aussi composer avec le fait que la demande de produits agricoles n'augmente pas aussi rapidement que celle des autres produits, lorsque le revenu total de l'économie augmente. À mesure que ce dernier s'accroît, la portion allouée à l'achat de nourriture diminue (la quantité d'aliments qu'une personne peut ingérer est bien sûr limitée). L'effet selon lequel le pourcentage du revenu alloué à la nourriture diminue en fonction de l'augmentation de ce dernier porte le nom de *loi d'Engel*, du nom du statisticien Ernst Engel. On peut énoncer cette loi à l'aide de la notion d'élasticité-revenu de la demande (voir chapitre 5) : parce que l'élasticité-revenu de produits agricoles est faible, le revenu des agriculteurs n'augmente pas au même rythme que le revenu total. Entre 1970 et 1987, le revenu découlant d'exploitations agricoles n'a augmenté que de 290 %, tandis que le revenu total s'est accru de 536 %. Le secteur agricole a enregistré d'énormes progrès en matière de productivité, mais le revenu des agriculteurs n'a jamais augmenté en conséquence.

Problème : On estime l'élasticité de la demande par rapport au prix des produits agricoles à près de 0,2. De quelle manière cette information peut-elle nous aider à comprendre les problèmes de l'agriculture?

Solution : Nous savons déjà que la demande de produits agricoles est inélastique, et que le coefficient d'élasticité de cette demande est 0,2. Par conséquent, une baisse de 10 % du prix de ces produits n'entraînerait qu'une augmentation de 2 % de la demande. Afin d'engendrer une augmentation de 10 % des achats, le prix des produits agricoles devrait alors diminuer de 50 %. Il est clair qu'il s'agit là d'un problème colossal pour les agriculteurs.

DES SOLUTIONS AUX PROBLÈMES DE L'AGRICULTURE

De nombreuses solutions ont été proposées et appliquées afin de régler les problèmes de l'agriculture. Des politiques budgétaires et monétaires comme le soutien des prix, les paiements compensatoires, les subventions directes au revenu, les quotas de marché, la facilité d'emprunt pour les agriculteurs ont aussi été mises de l'avant; nous les examinerons une à une dans les pages qui suivent.

Le soutien des prix (les offres d'achat)

L'État peut établir un système de soutien des prix afin d'empêcher que le prix de certains produits agricoles ne baisse sous un niveau déterminé. Supposons que l'État désire soutenir le prix d'un produit donné. Vous vous souviendrez qu'au chapitre 4, nous avons convenu qu'un programme de soutien des prix n'est efficace que si le prix minimal fixé est supérieur au prix d'équilibre du marché. Le diagramme A de l'illustration 17.4 nous aidera à analyser un programme de soutien des prix. Le prix d'équilibre est 5 $ et la quantité offerte, 55 000 unités. Supposons maintenant que l'État fixe le prix à 8 $. À ce prix, les consommateurs n'achèteront que 40 000 unités du produit, tandis que les producteurs

ILLUSTRATION 17.4
Soutien des prix et paiements compensatoires

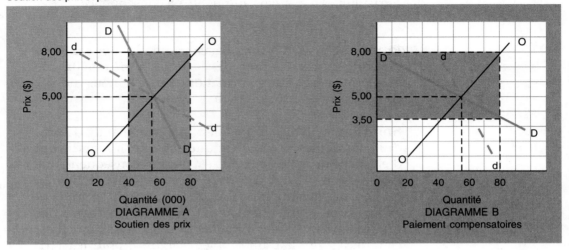

Quantité (000)
DIAGRAMME A
Soutien des prix

Quantité
DIAGRAMME B
Paiement compensatoires

en offriront 80 000. Il y aura donc un surplus de 40 000 unités (80 000 - 40 000). À 8 $, la valeur excédentaire (représentée par le rectangle ombragé du diagramme A) sera de 320 000 $.

Un des résultats les plus évidents d'un programme de soutien des prix est qu'il crée un surplus de produits sur le marché. Afin de maintenir le prix artificiellement élevé de 8 $, l'État devra acheter ce surplus. La présence d'un tel surplus indique en outre que la production dépasse les besoins de la société. Les ressources sont donc mal réparties. Qui plus est, le surplus acheté par l'État devra être entreposé, ce qui entraînera des coûts d'entreposage élevés.

Examinons maintenant les effets d'un programme de soutien des prix sur les producteurs et les consommateurs.

Les producteurs   De toute évidence, les agriculteurs tirent profit d'un tel programme. Sans lui, ils produisent 55 000 unités à 5 $, et ont ainsi un revenu total de 275 000 $ (55 000 x 5 $). Grâce au programme de soutien, ils produisent 80 000 unités à 8 $, et gagnent donc 640 000 $ (80 000 x 8 $). Ce programme leur procure un gain de 365 000 $ (640 000 $ - 275 000 $).

Les consommateurs   Grâce au programme de soutien des prix, les consommateurs payent 8 $ au lieu du prix d'équilibre du marché de 5 $. De plus, ils consomment une moins grande quantité du produit (40 000 unités au lieu de 55 000). Ce programme engage donc des pertes pour ceux-ci. Sans oublier que le surplus de 40 000 unités que l'État devra acheter augmentera leur fardeau fiscal de 320 000 $. Les coûts d'entreposage s'ajouteront aussi à cette somme.

Les effets du soutien des prix sur l'élasticité

La courbe de demande DD du diagramme A de l'illustration 17.4 est inélastique. Supposons plutôt que la demande est élastique, comme l'illustre la courbe dd. Un prix minimal de 8 $ entraînerait alors une demande nulle de la part des consommateurs. Dans ce cas, l'État se verrait obligé d'acheter la production totale de 80 000 unités et de la distribuer à ces derniers. Un programme de soutien des prix, en vertu duquel un prix minimal est fixé, n'est donc pas recommandable, lorsque la demande est inélastique par rapport au prix.

Les paiements compensatoires

Le diagramme B de l'illustration 17.4 nous aide à analyser les effets des paiements compensatoires. L'offre et la demande y sont respectivement représentées par les courbes OO et DD; le prix d'équilibre du produit est 5 $ et la quantité produite, 55 000 unités. Supposons que l'État, au lieu de fixer un prix de 8 $, laisse le marché déterminer la valeur du produit, tout en garantissant un prix de 8 $ aux agriculteurs. À ce prix, les agriculteurs augmenteront l'offre en produisant 80 000 unités. Mais cette nouvelle quantité, telle qu'illustrée par la courbe de demande, ne sera achetée qu'à 3,50 $. L'État versera donc un paiement compensatoire (une subvention) de 4,50 $ l'unité, soit une somme de 360 000 $ (partie ombragée du diagramme B). De quelle manière les producteurs et les consommateurs sont-ils affectés par ces paiements compensatoires? Voyons voir.

Les producteurs   Sans les paiements compensatoires, les agriculteurs auraient produit 55 000 unités à 5 $ chacune. Leur revenu total se serait donc chiffré à 275 000 $. Le prix garanti de 8 $ les incite cependant à produire 80 000 unités, faisant ainsi passer leur revenu à 640 000 $. Grâce aux paiements compensatoires, les recettes brutes des agriculteurs augmentent de 365 000 $.

Les consommateurs   Sans paiements compensatoires, les consommateurs auraient acheté 55 000 unités à 5 $. Avec les paiements compensatoires, ils achètent 80 000 unités à 3,50 $. En ce sens, les consommateurs profitent d'une tranche de 1,50 $ du paiement compensatoire de 4,50 $ offert aux agriculteurs. Mais examinons la situation de plus près : les paiements compensatoires devant être payés à même les impôts des contribuables, ce sont les consommateurs qui doivent en supporter le poids. La facture de ces derniers s'établit donc à 640 000 $ (280 000 $ + 360 000 $), soit le même montant que celui payé dans le cadre d'un programme de soutien des prix.

Les effets des paiements compensatoires sur l'élasticité

La courbe de demande DD du diagramme B est élastique. Supposons plutôt que la demande est inélastique, telle qu'illustrée par la courbe dd. Avec un prix garanti de 8 $, les agriculteurs produisent 80 000 unités, mais les consommateurs n'accepteront pas de payer un prix positif en échange de cette production. Par conséquent, l'État devra acquérir la production toute entière. Cela est complètement illogique; on ne doit donc pas avoir recours à un système de paiements compensatoires, lorsque la demande est inélastique par rapport au prix.

L'ÉVALUATION DES SYSTÈMES DE SOUTIEN DES PRIX ET DE PAIEMENTS COMPENSATOIRES

Notre analyse démontre que les avantages offerts aux agriculteurs par les systèmes de soutien des prix et de paiements compensatoires sont identiques. Dans chaque cas, les agriculteurs profitent d'un revenu total de 640 000 $. Nous avons en outre observé que, malgré qu'ils reçoivent une plus grande quantité de produits à un prix inférieur dans le cas d'un système de paiements compensatoires, les consommateurs déboursent le même montant sous les deux régimes, lorsqu'on tient compte du fardeau fiscal.

Un programme de soutien des prix engendre un surplus, ce qui n'est pas le cas d'un système de paiements compensatoires. Mais dans les deux cas, on engage une plus grande quantité de ressources dans la production du produit; les agriculteurs produisent plus que la quantité demandée au niveau d'équilibre du marché. En ce sens, les deux systèmes engendrent une mauvaise allocation des ressources.

Ces systèmes ont un autre désavantage : ils profitent aux grands agriculteurs commerciaux. Pour le comprendre, examinons le cas d'un programme dont le prix de soutien serait de 2 $

l'unité. L'agriculteur qui vendrait 100 unités recevrait donc un soutien de 200 $, tandis que celui qui en vendrait 1 000 recevrait 2 000 $. Si les coûts à l'unité de l'agriculteur commercial sont moins élevés que ceux du petit agriculteur (comme c'est normalement le cas), le système profitera donc moins à ceux qui en ont le plus besoin. On peut appliquer le même raisonnement au système de paiements compensatoires. En conclusion, les deux systèmes empêchent le système de prix de fonctionner adéquatement et, en maintenant des prix artificiellement élevés, ils détournent des ressources qui auraient été plus productives ailleurs.

Les subventions directes au revenu

Les offres d'achat, paiements compensatoires, subventions au revenu, quotas de marché, la facilité de crédit et les politiques économiques constituent des mesures d'aide à l'agriculture.

Une autre manière d'améliorer le faible revenu des agriculteurs consiste à leur accorder des subventions directes au revenu. En vertu d'une telle politique, la fixation du prix des produits agricoles serait entièrement laissée au marché. L'illustration 17.4 nous montre que sous ce régime, le prix serait de 5 $ et la quantité produite de 55 000 unités. Il n'y aurait aucun surplus.

Deux critiques ont cependant été formulées à l'égard de ce système. La première concerne la détermination difficile des critères d'attribution de cette subvention et les coûts de gestion élevés que cette dernière entraîne, et la deuxième remet en question l'équité du système. En effet, pourquoi subventionner un groupe plutôt qu'un autre?. Ainsi, nous pourrions nous trouver dans une situation où l'État subventionne un nombre excessif d'industries, ce qui alourdirait considérablement le fardeau fiscal des contribuables.

Les quotas de marché

On peut aussi avoir recours aux quotas de marché pour aider les agriculteurs. En vertu de ce système, on contingente chaque produit offert, et les producteurs reçoivent un nombre déterminé de certificats de commercialisation pour chaque produit. De cette manière, un producteur ayant cinquante certificats pour ses petits pois ne pourrait en vendre que cinquante unités. Cette méthode permettrait de réglementer l'offre de certains produits et de réduire ainsi grandement les fluctuations de prix. Mais cette politique soulève deux difficultés. Premièrement, le contingentement direct de la production en vue de gonfler les prix est une pratique très impopulaire auprès du public (vous vous rappellerez sans doute que c'était précisément là un des reproches qu'on adressait aux entreprises monopolistiques). Deuxièmement, les agriculteurs ont fortement tendance à refuser ce genre de limitation.

La facilité d'emprunt pour les agriculteurs

Une autre politique visant à régler les problèmes des agriculteurs consiste à leur accorder des emprunts assortis de modalités souples. Ceux-ci disposent ainsi de fonds accrus et réduisent leurs frais grâce à une diminution des paiements d'intérêt.

Autres politiques budgétaires et monétaires

Une faible croissance économique ou une économie instable peuvent influencer la demande de tous les produits, incluant celle des produits agricoles. Si le revenu total de l'économie chute, la demande de produits agricoles diminuera. Cette diminution se traduira par une baisse de prix, toutes autres choses étant égales, qui entraînera à son tour une diminution du revenu des agriculteurs. Il va donc de soi que les politiques économiques mises de l'avant par l'État pour assainir l'économie aideront à stabiliser le prix des produits agricoles et, par le fait même, le revenu des agriculteurs.

Problème : Considérant que le fardeau fiscal est le même dans les trois cas, laquelle de ces politiques (soutien des prix, subventions au revenu ou quotas de marché) est la meilleure du point de vue du consommateur?

Solution : Examinons les effets de chacune de ces politiques sur le consommateur. Le soutien des prix se traduit par des prix à la consommation plus élevés; le contingentement du marché provoque à la fois une baisse de l'offre et une augmentation des prix; les subventions permettent aux consommateurs d'avoir plus de produits agricoles, et ce, à un coût unitaire moindre. Du point de vue du consommateur, les subventions constituent donc une meilleure politique que les deux autres.

LE RÔLE DE L'ÉTAT EN MATIÈRE D'AGRICULTURE

Le gouvernement fédéral a eu recours à différents moyens pour soutenir le secteur agricole. Le ministère de l'Agriculture se consacre

De nombreux organismes fédéraux ont été mis sur pied afin d'offrir un large éventail de services au secteur agricole.

à la recherche et prête main forte aux agriculteurs. Voici une liste de quelques organismes fédéraux qui offrent des services aux gens du secteur agricole.

La Commission canadienne des grains

L'Office des commissaires des grains, fondé en 1912, devint la Commission canadienne des grains en avril 1971. Ses champs d'activité comprennent la pesée, l'inspection et l'entreposage des grains, la détermination de normes de classification et l'attribution de permis aux opérateurs de silos. La Commission se consacre en outre à la recherche. Son service d'économie et de statistique mène des études, recueille et publie des données pertinentes. Environ 800 personnes font partie de cet organisme.

La Commission canadienne du blé

Mise sur pied en 1935, la Commission canadienne du blé s'occupe de la commercialisation (à l'échelle du pays et du monde) du grain canadien. Depuis 1974, la commercialisation locale des provendes n'est plus sous la juridiction exclusive de la Commission, mais cette dernière demeure en charge de l'achat et de la vente de ces produits sur le marché international. La Commission canadienne du blé achète le grain des producteurs et en administre le transport depuis les silos jusqu'aux diverses gares ferroviaires. Elle accorde aussi des avances sans intérêts (pouvant aller jusqu'à 30 000 $ pour les producteurs individuels et jusqu'à 90 000 $ pour les associations, coopératives et sociétés) en vertu de la Loi sur les paiements anticipés pour le grain des Prairies.

L'Office de stabilisation des prix agricoles

L'Office de stabilisation des prix agricoles a été fondé en 1958, puis amendé en 1975. Sa fonction principale consiste à stabiliser les prix de produits comme le lait, la crème, le maïs, l'avoine, l'orge, les bovins, le porc et le mouton, à la faveur notamment d'offres d'achat, de paiements compensatoires (tels que décrits au présent chapitre) ainsi que d'autres types de paiements.

L'Office des produits agricoles

Mis sur pied en 1951, l'Office veille à l'achat et à la vente des produits agricoles étrangers. Il achète en outre les surplus de produits agricoles du Canada pour les offrir à l'Organisation des Nations Unies pour l'alimentation et l'agriculture.

L'Office canadien des provendes

L'objectif principal de cet organisme (fondé en 1966) est de garantir un approvisionnement adéquat, des prix relativement stables, suffisamment d'espace d'entreposage et un nivellement équitable des prix entre la Colombie-Britannique et l'Est du Canada. L'Office subventionne aussi le transport des provendes.

La Société du crédit agricole

La Société du crédit agricole gère les hypothèques à long terme des agriculteurs et prête à des coopératives de trois fermiers ou plus pour l'achat de matériel, d'outillage ou de bâtiments. En vertu du programme de transfert de terrain, la Société octroie en outre des subventions aux petits propriétaires en difficulté afin que ceux-ci n'aient pas à vendre leur ferme.

Nota : La liste précédente est représentative plutôt qu'exhaustive. Les gouvernements provinciaux possèdent leurs propres programmes pour venir en aide aux agriculteurs et stimuler le secteur agricole. Le tableau 17.7 énumère les principaux organismes fédéraux et leurs fonctions respectives.

TABLEAU 17.7
Organismes agricoles fédéraux

Organisme	Fonctions principales
La Commission canadienne des grains	Déterminer les normes de qualité et réglementer le transport des grains.
La Commission canadienne du blé	Commercialiser le blé, l'avoine et l'orge.
L'Institut international du Canada pour le grain	Maintenir et élargir les marchés du grain, des huiles oléagineuses et des produits connexes.
Le Conseil des grains du Canada	Coordonner les activités visant à élargir la part canadienne du marché mondial des grains.
L'Office des produits agricoles	Acheter, vendre, entreposer et transporter les produits agricoles.
L'Office de stabilisation des prix agricoles	Stabiliser le prix des produits agricoles.
L'Office canadien des provendes	Garantir un approvisionnement suffisant en provendes et maintenir la stabilité du prix de ces dernières.
La Société du crédit agricole	Administrer les prêts aux agriculteurs canadiens.
La Commission canadienne du lait	Stabiliser le marché des principaux produits laitiers.
Le Conseil national de commercialisation des produits agricoles	Conseiller le ministre de l'Agriculture sur tout ce qui concerne les organismes de commercialisation des produits agricoles.

RÉSUMÉ DU CHAPITRE

1. L'économie canadienne illustre le principe général selon lequel l'apport de l'agriculture à la production totale diminue à mesure que l'économie se développe. La portion de population active au sein du secteur agricole a effectivement diminué au pays.

2. L'agriculture occupe un secteur important de l'économie; elle procure de la nourriture à la population canadienne et emploie plus de 400 000 personnes, en plus d'ajouter 11,7 milliards de dollars à la production de biens et de services du pays.

3. L'agriculture canadienne produit notamment du blé, du maïs, du lait, de la crème, du sucre et du sirop d'érable, des oeufs ainsi que de nombreux types de grandes cultures.

4. D'importantes fluctuations au niveau du prix des produits agricoles et au niveau du revenu des agriculteurs ont engendré des difficultés pour ces derniers. Ces fluctuations sont le résultat d'une demande inélastique, de variations considérables de la production agricole et du manque d'élasticité-revenu de la demande.

5. Le soutien des prix ou les offres d'achat, les paiements compensatoires, les subventions directes au revenu, les quotas de marché, la facilité d'emprunt et les politiques monétaires visant à stimuler l'économie constituent de bons moyens de régler certains problèmes de l'agriculture.

6. Les gouvernements fédéral et provinciaux ont mis sur pied de nombreux programmes afin de venir en aide au secteur agricole de l'économie.

Termes et notion à retenir

problème agricole   loi d'Engel
paiements compensatoires   offres d'achat
quotas de marché

Questions de révision et de discussion

1. Pourquoi l'apport de l'agriculture à la production totale a-t-il diminué au cours des ans?

2. Discutez brièvement l'importance de l'agriculture au sein de l'économie canadienne.

3. De quoi se compose la production agricole du Canada?

4. Quels sont les problèmes majeurs auxquels font face les agriculteurs?

5. Expliquez pourquoi le prix des produits agricoles et le revenu des agriculteurs subissent d'importantes fluctuations.
6. Quels arguments pouvez-vous apporter en faveur de l'aide de l'État à l'agriculture?
7. Discutez certaines mesures mises de l'avant pour régler les problèmes de l'agriculture.
8. Quels sont les désavantages des politiques suivantes :
    (a) le soutien des prix (les offres d'achat)
    (b) les paiements compensatoires
    (c) les quotas de marché
9. Discutez brièvement le rôle du gouvernement fédéral en matière d'aide au secteur agricole.

Problèmes et exercices

1. Les progrès techniques ont grandement amélioré la productivité des agriculteurs. Au moyen d'un graphique, illustrez les effets de cette productivité accrue.
2. Que ce soit en termes absolus ou relatifs, le nombre d'exploitations agricoles a beaucoup diminué au fil des ans. Les agriculteurs auraient-ils moins de problèmes, en l'absence de cette diminution.
3. Êtes-vous en accord avec l'affirmation selon laquelle tout le monde profite des bienfaits de l'agriculture, sauf les agriculteurs eux-mêmes? Élaborez.
4. L'illustration 17.5 nous montre le marché existant d'un certain produit agricole. L'État peut recourir soit à une politique de soutien des prix, soit à un système de paiements compensatoires pour fixer le prix du produit à 6 $. Supposez qu'il n'y a aucun frais d'entreposage.

ILLUSTRATION 17.5
Offre et demande d'un
produit agricole

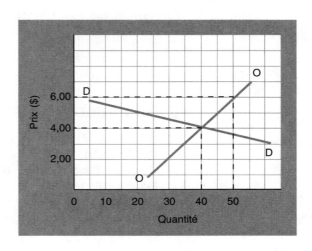

    (a) Quelle méthode l'État devrait-il utiliser?

    (b) Combien les consommateurs devront-ils débourser pour acheter ce produit?

    (c) Y aurait-il un surplus? Si oui, quelle en serait la valeur?

    (d) Quel serait le revenu total des agriculteurs?

    (e) Combien ce programme coûterait-il à l'État?

5. L'illustration 17.6 représente l'offre et la demande d'un certain produit agricole. L'État veut maintenir le prix de ce produit à 6 $ et, pour ce faire, utilisera l'une des deux méthodes suivantes : les offres d'achat ou les paiements compensatoires. Aucuns frais d'entreposage ne sont encourus.

ILLUSTRATION 17.6
Offre et demande d'un produit agricole

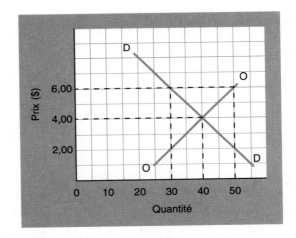

    (a) Quelle méthode l'État devrait-il utiliser?

    (b) Combien les consommateurs devront-ils débourser pour acheter ce produit?

    (c) Y aurait-il un surplus? Si oui, quelle en serait la valeur?

    (d) Quel serait le revenu total des agriculteurs?

    (e) Combien ce programme coûterait-il à l'État?

18

LES FINANCES PUBLIQUES

> Le niveau de protection des entreprises canadiennes doit équivaloir grosso modo aux avantages dont profitent les producteurs étrangers au sein du marché canadien et qui résultent de leurs normes de main-d'oeuvre inférieures, en tenant compte de leur productivité relative.
>
> *The National Labor-Management Council on Foreign Trade Policy*

INTRODUCTION

L'étude du comportement de l'État dans les domaines des dépenses et de la fiscalité s'appelle les finances publiques. En raison de l'énorme influence des dépenses de l'État sur la vie économique du pays, il faut avoir une idée générale de ces dépenses afin de comprendre certains aspects du mode de fonctionnement de l'économie. Un des objectifs du chapitre consiste à présenter cette idée générale. La seconde partie du chapitre se penche sur les recettes de l'État.

LA CROISSANCE DES DÉPENSES DES ADMINISTRATIONS PUBLIQUES

Les dépenses des administrations publiques ont augmenté considérablement au cours des années.

Les dépenses des administrations publiques ont passé de 14 000 000 $ en 1870 à 295 000 000 $ en 1990. En 1926, la totalité des dépenses de l'État représentait approximativement 13 % du produit intérieur brut (PIB). En 1974, les dépenses de l'État se sont accrues d'environ 33 % et en 1990, elles atteignaient 44 % du PIB. À l'heure actuelle, l'État achète plus de 19 % de l'ensemble des biens et des services produits au pays. Le tableau 18.1 contient de l'information sur les dépenses de l'État et sur le rapport de ces dernières avec le PIB.

TABLEAU 18.1

Dépenses des administrations publiques et leur importance relative par rapport au PIB (1935-1990, années choisies)

Année	Dépenses (M $)	PIB (M $)	% du PIB
1935	971	4 514	21,5
1940	1 588	6 987	22,7
1945	4 901	12 063	40,6
1950	3 583	19 125	18,7
1955	6 549	29 250	22,4
1960	9 869	39 448	25,0
1965	14 101	57 523	24,5
1970	27 928	89 116	31,3

TABLEAU 18.1
(suite)

Année	Dépenses (M $)	PIB (M $)	% du PIB
1971	31 510	97 290	32,4
1972	35 784	108 629	32,9
1973	40 761	127 372	32,0
1974	50 341	152 111	33,1
1975	62 180	171 540	36,2
1976	70 690	197 924	35,7
1977	80 075	217 879	36,8
1978	89 785	241 604	37,2
1979	99 604	276 096	36,1
1980	116 633	309 891	37,6
1981	137 623	355 994	38,7
1982	162 927	374 442	43,5
1983	179 806	405 717	44,3
1984	195 320	444 735	43,9
1985	210 745	477 988	44,1
1986	220 393	505 666	43,6
1987	234 592	551 597	42,6
1988	252 116	605 147	41,7
1989	272 291	649 102	41,9
1990	295 114	671 577	43,9

Source : Statistique Canada, *L'observateur économique canadien*

Les principales dépenses s'effectuent au chapitre des services sociaux, de l'éducation, de la santé et des frais d'intérêt. En 1990, ces quatre postes constituaient à eux seuls près de 66 % des dépenses consolidées totales de l'État. Le tableau 18.2 présente la répartition de ces dépenses par poste en 1990.

L'ACHAT DE BIENS ET DE SERVICES DE L'ÉTAT ET LES PAIEMENTS DE TRANSFERT

Un paiement de transfert est un transfert de pouvoir d'achat d'une personne à une autre, d'un groupe à un autre.

Les achats de biens et de services de l'État, bien qu'ils ne représentent que 19 % des dépenses totales dans l'économie canadienne, ne brossent pas le tableau complet de l'ampleur des dépenses publiques. En plus des achats de biens et de services, l'État dépense de fortes sommes sous forme de *paiements de transfert*, lesquels sont des transferts de pouvoir d'achat d'un groupe à un autre. Des exemples de tels paiements sont les prestations de la Sécurité de la vieillesse, les allocations familiales et les

TABLEAU 18.2

Dépenses consolidées de l'État par poste important

Poste	Dépenses (M $)	% du total
Services généraux	15 832 089	6,7
Protection des personnes	19 157 833	8,1
Transports et communications	13 044 977	5,5
Santé	30 227 303	12,7
Services sociaux	56 956 816	24,0
Éducation	28 490 062	12,0
Conservation des ressources et développement industriel	14 297 225	6,0
Environnement	4 493 168	1,9
Loisirs et culture	4 990 107	2,1
Affaires extérieures et aide internationale	2 793 000	1,2
Planification et développement régionaux	1 095 600	0,5
Service de la dette	35 514 521	14,9
Autres dépenses	10 343 144	4,4
TOTAL	153 519 230	100,0

Source : Statistique Canada, *Les finances publiques consolidées*

prestations d'assurance-chômage. Il s'agit certes de revenus pour les bénéficiaires, mais non de paiements de biens et de services. L'État applique également des sommes importantes aux paiements de l'intérêt de sa dette. En 1990, l'intérêt de la dette publique se chiffrait à plus de 42 milliards de dollars, soit 21 % de la totalité des dépenses de l'État. À l'heure actuelle, les paiements de transfert et d'intérêt sur la dette publique représentent presque 60 % des dépenses de l'État.

Le tableau 18.3 présente le rapport entre les achats de biens et de services de l'État et les paiements de transfert.

TABLEAU 18.3

Part des achats de biens et de services et des paiements de transfert dans les dépenses totales de l'État

Année	Dépenses totales (M $)	Achats (M $)	%	Paiements (M $)	%
1935	971	442	45,5	249	25,6
1940	1 588	1 048	66,0	267	16,8
1945	4 901	3 576	73,0	813	16,6
1950	3 583	1 928	53,8	1 111	31,0
1955	6 549	4 036	61,6	1 849	28,2
1960	9 869	5 281	53,5	3 495	35,4
1965	14 101	8 269	58,6	4 156	29,5
1970	27 928	16 448	58,8	8 228	29,5
1971	31 510	18 228	57,8	9 660	30,7
1972	35 784	20 136	56,3	11 511	32,2

TABLEAU 18.3
(suite)

Année	Dépenses totales (M $)	Achats (M $)	%	Paiements (M $)	%
1973	40 761	22 851	56,1	13 122	32,2
1974	50 341	27 480	54,6	17 442	34,6
1975	62 180	33 266	53,5	22 376	36,0
1976	70 690	38 274	54,1	24 315	34,4
1977	80 075	43 411	54,2	27 396	34,2
1978	89 785	47 386	52,8	30 810	34,3
1979	99 604	52 286	52,5	33 508	33,6
1980	116 633	59 250	50,8	40 593	34,8
1981	137 623	68 792	50,0	46 563	33,8
1982	162 927	78 655	48,3	57 300	35,1
1983	179 806	84 571	47,0	65 816	36,6
1984	195 320	89 089	45,6	71 479	36,6
1985	210 745	95 519	45,3	75 043	35,6
1986	220 393	100 129	45,4	77 510	35,2
1987	234 592	105 836	45,1	82 853	35,3
1988	252 116	114 042	45,2	87 301	34,6
1989	272 291	122 228	44,9	91 893	33,7
1990	295 114	131 833	44,7	100 201	34,0

Source : Statistique Canada, *L'observateur économique canadien*

La loi de Wagner

La loi de Wagner stipule que les dépenses de l'État augmenteront plus rapidement que les dépenses totales.

Il y a plus de cent ans, l'économiste allemand Adolf Wagner a postulé que le taux d'accroissement des dépenses de l'État dépasserait le taux de croissance des dépenses totales de biens et de services. Cela signifie que la part de l'État dans la production totale de l'économie devrait augmenter. Selon Wagner, le développement économique devrait accroître la complexité des activités de l'État et, partant, rendre ce dernier plus coûteux.

Dans quelle mesure la loi de Wagner s'applique-t-elle au Canada? De 1926 à 1990, les dépenses totales de biens et de services ont augmenté de plus de 10 000 %, alors que celles de l'État se sont accrues de plus de 33 000 %. À la lumière de ce seul fait, on pourrait conclure que la loi de Wagner s'applique bel et bien au Canada. Mais afin de mieux comprendre le rapport entre le taux de croissance des dépenses totales et celui des dépenses de l'État, on peut comparer le changement du pourcentage annuel des dépenses de l'État avec les dépenses totales. L'information requise se trouve à l'illustration 18.1. Durant 20 ans entre 1960 et 1990, le taux de croissance des dépenses de l'État a excédé les dépenses totales.

ILLUSTRATION 18.1
Taux de croissance des
dépenses de l'État et du
PIB

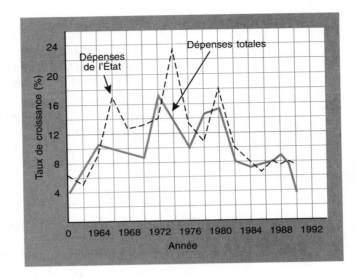

LES RAISONS DE L'ACCROISSEMENT DES DÉPENSES DE L'ÉTAT

Plusieurs facteurs expliquent l'augmentation des dépenses du secteur public au cours des années, dont un plus grande nombre de responsabilités au niveau de certains services, l'inflation et la croissance démographique.

Des responsabilités accrues

Les facteurs causant la hausse des dépenses de l'État sont des responsabilités accrues, l'inflation et l'accroissement démographique.

La part de l'État des dépenses reliées à la prestation de certains services comme la santé, l'éducation et les programmes sociaux s'est accrue. Les sommes engagées dans ces trois secteurs se chiffraient à plus de 21,2 milliards de dollars en 1972, puis à quelque 72,6 milliards en 1981, soit une hausse de plus de 240 %, et à plus de 144 milliards en 1987, soit une augmentation de 680 % en 18 ans. Pendant ce temps, les recettes de l'État se sont avérées insuffisantes pour couvrir les dépenses, et l'État a dû présenter des budgets déficitaires et emprunter de l'argent. Comme n'importe quelle entité économique, lorsque l'État emprunte, il doit payer de l'intérêt sur la dette. Alors que les frais de la dette du gouvernement fédéral ne se chiffraient qu'à 512 millions de dollars en 1952, ils atteignaient plus de 43 milliards de dollars en 1990. Cela a certes contribué à l'augmentation des dépenses de l'État.

L'inflation

La hausse rapide des prix (l'inflation) au cours des années signifie que l'État a dû payer un prix plus élevé pour l'achat de biens et de services. Entre 1948 et 1990, les prix ont augmenté de plus de 8 % en 1948, en 1951, de 1973 à 1976 et de 1979 à 1982. Le taux d'inflation fut particulièrement élevé en 1974, et a excédé 14 %. En outre, les traitements et salaires ayant augmenté considérablement au cours des années, l'État a dû dépenser davantage pour retenir les services de ses fonctionnaires et employés.

L'accroissement démographique

Un autre facteur important est l'accroissement de la population. De toute évidence, on peut s'attendre à ce que le budget de l'État augmente en même temps que croît la population, étant donné qu'il faut offrir des services à un nombre plus élevé de personnes. La population du Canada a passé de 10 376 786 en 1931 à 26 602 000 en 1990, une hausse d'environ 156 %. Entre 1967 et 1990, l'augmentation fut de 30 %. En outre, la population canadienne vieillit — c'est-à-dire que la proportion de personnes âgées par rapport à l'ensemble de la population augmente. Cela signifie qu'un nombre croissant de personnes comptent sur le soutien financier de l'État, et cela se traduit par une hausse des dépenses de ce dernier.

LE RÔLE DE L'ÉTAT

Au chapitre 2, nous avons parlé du rôle de l'État dans l'économie de marché. On s'entend généralement pour dire qu'il revient à l'État d'offrir des services qui, bien qu'ils ne soient pas rentables, n'en demeurent pas moins désirables sur le plan social. Par conséquent, l'État doit intervenir, lorsqu'il s'agit de services qu'il peut dispenser plus efficacement que ne le ferait l'entreprise privée, notamment au niveau du respect des lois et de l'ordre, et de la protection des biens et des personnes.

On s'accorde pour dire que l'éducation profite à la société en entier et non seulement à ceux et à celles qui en reçoivent une. Par conséquent, la majorité croit qu'il revient à l'État d'assumer au moins les frais des cours primaire et secondaire. En outre, l'État offre des subventions généreuses aux collèges et aux universités. On continue cependant de s'interroger sur la pertinence de la gratuité de l'éducation post-secondaire.

Pour la plupart, il est également souhaitable que l'État assure les services d'hygiène et de santé, en plus des services de bien-être

L'État doit protéger les personnes et les biens, dispenser les services sociaux et de santé, en plus d'adopter des politiques visant à améliorer l'économie.

social. On croit aussi qu'il est préférable que ces services ne soient pas confiés au secteur privé et qu'il revient à l'État de construire les réseaux de distribution et d'évacuation des eaux ainsi que les routes, et d'en assurer l'entretien.

Enfin, on croit que l'État doit jouer un rôle dans le bon fonctionnement de l'économie. Par exemple, si l'on s'entend généralement pour dire que l'État doit régir certaines industries, il est cependant plus difficile d'en déterminer le rôle exact. La production d'électricité au Québec, par exemple, est la responsabilité d'Hydro-Québec, une société d'État. La population serait-elle gagnante, si Hydro-Québec était entre les mains de l'entreprise privée? Les Canadiens jouiraient-ils d'un meilleur service postal, si l'on confiait ce dernier à l'entreprise privée? Nul ne sait.

Au sein de la confédération canadienne, certaines responsabilités incombent au gouvernement fédéral et d'autres, aux administrations provinciales et aux autres ordres de gouvernement. Dans un tel type d'organisation politique, la répétition de certains services est inévitable. On peut lever le voile sur la répartition des responsabilités entre les trois ordres de gouvernement en examinant les modèles de dépenses de chacun. Commençons par le gouvernement fédéral.

LES DÉPENSES DU GOUVERNEMENT FÉDÉRAL

Les services sociaux représentent la principale dépense de l'État.

Comme en fait foi le tableau 18.4, l'ensemble des dépenses du gouvernement fédéral totalisait 115 642 900 000 $ en 1986. Les trois principaux postes étaient les services sociaux (33,9 %), les frais de la dette (17,1 %) et la protection des personnes et des biens (10,2 %). À eux seuls, ces trois postes représentent plus de 60 % des dépenses totales du gouvernement fédéral.

Le principal poste des services sociaux est la sécurité sociale, qui représente plus de 40 % du budget de ces services. D'autres postes importants des services sociaux sont l'assurance-chômage, le bien-être social et les allocations familiales.

Le pétrole et le gaz accaparent plus de 35 % du budget consacré à la conservation des ressources et au développement industriel. On estime que l'intérêt de la dette publique s'établissait à 18 800 500 000 $ en 1986, soit 95 % de la totalité des frais de la dette. L'ampleur de la dette publique soulève une vive controverse dont nous parlerons à un autre chapitre.

Nous allons tenter d'obtenir une meilleure idée de l'ampleur des dépenses du gouvernement fédéral en examinant les

TABLEAU 18.4
Dépenses du gouvernement fédéral par poste (1986)

Poste	Montant (M $)	% du total
Services généraux	5 576,1	4,8
Protection des personnes et des biens	11 876,3	10,2
Transports et communications	3 457,4	2,9
Santé	7 134,2	6,1
Services sociaux	39 221,5	33,9
Éducation	3 973,3	3,4
Conservation des ressources et développement industriel	8 077,4	6,9
Environnement	422,1	0,4
Loisirs et culture	852,2	0,7
Main-d'oeuvre, emploi et immigration	1 276,9	1,1
Logement	1 490,6	1,2
Affaires extérieures et aide internationale	2 049,6	1,8
Planification et développement régionaux	277,7	0,2
Recherche	1 072,0	0,9
Transferts divers aux autres ordres de gouvernement	6 798,6	5,8
Transferts à ses propres entreprises	3 309,5	2,8
Service de la dette	19 775,7	17,1
TOTAL	115 642,9	100,0

Source : Statistique Canada, *Finances publiques fédérales*

TABLEAU 18.5
Dépenses du gouvernement fédéral par poste principal, par habitant (1986)

Poste	Dépenses par habitant ($)
Services sociaux :	
Sécurité de la vieillesse	490
Assurance-chômage	404
Allocations familiales	98
Autres	541
TOTAL des services sociaux	1 533
Protection des personnes et des biens	464
Service de la dette	773
Transferts divers aux autres ordres de gouvernement	265
Santé	279
Transports et communications	135
Éducation	155
Conservation des ressources et développement industriel	316
Autres	638
TOTAL des dépenses par habitant	4 558

Source : Statistique Canada, *Finances publiques fédérales*

dépenses générales brutes par personne, que l'on retrouve au tableau 18.5. L'analyse de ces données révèle qu'en 1986, le gouvernement fédéral a appliqué plus de 1 500 $ par personne aux services sociaux, plus de 770 $ par personne au service de la dette et près de 280 $ par personne à la santé.

Problème : On a dit que la population canadienne vieillit. Quel effet cela aura-t-il sur les dépenses de l'État?

Solution : Une partie importante des dépenses de l'État est consacrée aux programmes sociaux, dont la Sécurité de la vieillesse. Comme la population vieillit, on peut s'attendre à ce que les dépenses de ce poste augmentent. Le Régime de pensions du Canada et le Régime de rentes du Québec accordent des prestations aux personnes qui ont atteint l'âge de 65 ans. En outre, on peut s'attendre à une hausse des dépenses des services de santé.

LES DÉPENSES DES ADMINISTRATIONS PROVINCIALES

La santé, l'éducation et les services sociaux constituent des dépenses importantes des provinces.

La situation est quelque peu différente et nous permet de voir que les deux ordres de gouvernement ne partagent pas les mêmes responsabilités. Comme l'indique le tableau 18.6, les postes les plus importants sont la santé (25,2 %), l'éducation (19,6 %) et les

TABLEAU 18.6
Dépenses publiques brutes des administrations provinciales (1987)

Poste	Montant (M $)	% du total
Services généraux	6 621,3	5,9
Protection des personnes et des biens	3 538,6	3,1
Transports et communications	6 026,3	5,4
Santé	28 270,5	25,2
Services sociaux	18 599,1	16,5
Éducation	22 059,1	19,6
Conservation des ressources et développement industriel	6 834,9	6,1
Planification et développement régionaux	788,8	0,7
Service de la dette	12 269,1	10,9
Transferts aux gouvernements locaux	1 861,9	1,7
Autres	5 528,1	4,9
TOTAL	112 397,7	100,0

Source : Statistique Canada, *Finances des administrations publiques provinciales*

services sociaux (16,5 %), et ils représentent, à eux seuls, plus de 61 % de l'ensemble des dépenses des administrations provinciales.

Les autres dépenses importantes des administrations provinciales sont le service de la dette, qui représentent près de 11 % des dépenses totales, les transports et les communications (5 %) et les services généraux (près de 6 %).

LES DÉPENSES DES ADMINISTRATIONS LOCALES

Les sommes affectées à l'éducation primaire et secondaire représentent 40 % de la totalité des dépenses des administrations locales.

Le tableau 18.7 présente les dépenses des administrations locales (les municipalités).

L'éducation (élémentaire et secondaire) constitue la principale dépense des administrations locales et représente plus de 40 % des dépenses totales. Les autres postes importants sont les transports et les communications, l'environnement, la protection des biens et des personnes, les loisirs et la culture, et le service de la dette. Bien que les dépenses des services de santé et sociaux représentent une partie importante des budgets des provinces, ils ne constituent que 5,8 % et 3,9 % respectivement du budget des administrations locales.

TABLEAU 18.7
Dépenses publiques brutes des administrations locales (1987)

Poste	Montant (M $)	% du total
Services généraux	2 660,9	5,8
Protection des personnes et des biens	3 821,9	8,3
Transports et communications	4 545,2	9,9
Santé	2 679,6	5,8
Services sociaux et bien-être social	1 777,9	3,9
Éducation	18 564,9	40,5
Conservation des ressources et développement industriel	416,6	0,9
Environnement	3 606,9	7,9
Loisirs et culture	2 891,9	6,3
Logement	244,9	0,5
Planification et développement régionaux	398,1	0,9
Service de la dette	3 390,4	7,4
Autres	864,3	1,9
TOTAL	45 863,6	100,0

Source : Statistique Canada, *Finances publiques locales*

LE RÉGIME FISCAL

L'État doit disposer de fonds afin d'exercer les diverses fonctions qu'il assume, et le régime fiscal en constitue la source première. On peut définir une taxe comme étant un paiement obligatoire perçu par un gouvernement en échange de biens et de services destinés à assurer le bien-être de la collectivité.

Bien que les taxes constituent un certain fardeau pour les contribuables, elles n'en demeurent pas moins essentielles, et elles continueront de représenter la principale source de revenu des gouvernements.

Les caractéristiques souhaitées d'une taxe

Aux yeux du contribuable, aucune taxe ne mérite d'exister, un point de vue que ne partage évidemment pas l'État taxateur. Malgré le ressentiment qu'éprouvent la plupart des gens, on peut parler des éléments essentiels d'une bonne taxe.

Une taxe doit générer un revenu adéquat. En général, une taxe est conçue de manière à générer un revenu fiable pour l'État. Il faut toutefois se rappeler que certaines taxes servent à d'autres fins, comme celle de décourager la consommation des catégories de biens. Par exemple, l'État peut imposer une surtaxe sur l'essence durant une période de pénurie. Dans pareil cas, la fonction du revenu cède sa place à une fonction plus importante. En général cependant, on peut affirmer que plus les recettes générées sont élevées, plus la taxe a atteint sa cible. Le total des recettes n'est toutefois pas le seul critère à retenir. En effet, il faut aussi examiner la fiabilité du revenu. L'impôt sur le revenu des particuliers génère un revenu stable, ce qui n'est pas le cas de l'impôt sur les gains en capital. On préférera une taxe qui rapporte un revenu relativement stable d'année en année à une autre qui dégage un produit fluctuant, toutes autres choses étant égales.

Une taxe doit être juste. Ce principe est plus facile à énoncer qu'à appliquer. Bien que l'on s'entende sur cette notion, les désaccords portent sur ce qui constitue l'équité. Un critère à partir duquel on peut juger l'équité d'une taxe est le *principe du juste retour*, selon lequel une taxe payée doit être proportionnelle aux avantages reçus. Si Conrad Petit tire un plus grand avantage que Marina Mendez de la prestation d'un certain service, il doit payer une taxe plus élevée. Ce critère soulève certaines difficultés. Comment quantifier l'avantage que chacun tire d'un service? En outre, il est souvent difficile de déterminer le groupe qui bénéficie le plus

Le principe du juste retour et le principe de capacité contributive sont deux critères à partir desquels on peut juger l'équité.

d'une mesure. Par exemple, un terrain de jeu ou un parc profite évidemment aux usagers, mais également aux résidants qui n'aiment pas entendre le bruit des enfants qui jouent dans la rue et aux personnes qui veulent éviter que ceux-ci ne soient la cause d'accidents — comme des carreaux fracassés.

Selon un autre principe, la taxe doit affecter de la même manière les personnes dont la situation est semblable. En vertu de ce critère, que l'on appelle le *principe de capacité contributive*, les contribuables dont le revenu est élevé doivent payer davantage que les gagne-petit, ce qui revient à dire que l'impôt doit être tributaire de la capacité contributive de chacun. Selon ce principe, l'impôt sur le revenu est équitable, lorsque les personnes dont le revenu et les exemptions sont semblables sont imposées au même niveau. Toutefois, ce principe devient inopérant lorsqu'il est impossible de savoir si les personnes se trouvent dans la même situation économique. Par exemple, est-il juste d'affirmer que les personnes jouissant de revenus et d'exemptions semblables se trouvent dans la même situation? En outre, certaines sources de revenu sont difficile à préciser. Des revenus qui paraissent semblables à première vue peuvent s'avérer très inégaux. Finalement, il s'agit de déterminer l'impôt à payer à mesure que s'accroît le revenu, c'est-à-dire établir la progression du taux d'imposition.

Une taxe ne doit pas nuire aux activités du système de marché. En général, une taxe ne doit pas nuire aux activités du système de marché, ni diminuer le rendement de la main-d'oeuvre. Si la progression du revenu s'accompagne d'un accroissement du taux d'imposition, le contribuable peut n'éprouver aucun désir de toucher une rémunération plus élevée. De la même manière, si l'impôt sur les bénéfices est exorbitant, l'entrepreneur peut perdre son esprit d'entreprise, et il s'ensuivra une baisse des investissements. Si une taxe est jugée déraisonnable, les tentatives d'évasion fiscale risquent de se multiplier.

Cela signifie que les contribuables doivent être en mesure de payer leurs taxes facilement. La taxe de vente est très utile à cette fin, puisqu'elle est simplement ajoutée au prix du bien vendu. Il faut également que la taxe soit facile à percevoir et à gérer.

Une taxe doit être aussi commode que possible.

Une taxe doit être simple. Une taxe ne doit pas être à ce point compliquée que seuls quelques experts la comprennent. Bien que le calcul du revenu imposable devienne de plus en plus complexe, la plupart des contribuables comprennent que le montant de l'impôt à payer dépend du revenu gagné et des déductions fiscales auxquelles ils ont droit.

Il va sans dire qu'il n'est pas facile de trouver des taxes qui possèdent toutes ces caractéristiques souhaitables. Une taxe jugée raisonnable parce qu'elle produit un revenu adéquat peut toutefois se révéler injuste, tandis qu'un taxe jugée raisonnable parce qu'elle est équitable peut s'avérer peu fiable.

IMPÔT PROGRESSIF, PROPORTIONNEL ET RÉGRESSIF

Un impôt peut être progressif, proportionnel ou régressif, et la présente section présente les trois modes.

L'impôt progressif

Le pourcentage du revenu versé en impôt augmente à mesure que s'accroît le revenu. Ainsi, les contribuables dont le revenu est élevé paient un plus grand pourcentage d'impôt.

L'impôt proportionnel

Le pourcentage du revenu versé en impôt demeure constant, malgré l'accroissement du revenu. L'impôt foncier constitue un bon exemple d'impôt proportionnel. Si l'impôt foncier représente 1,5 % de la valeur de la propriété, le taux demeurera le même, nonobstant la valeur de l'immeuble. Par conséquent, la taxe sur une propriété évaluée à 40 000 $ se chiffrera à 600 $, tandis que celle sur un immeuble évalué à 150 000 $ totalisera 2 250 $. Au Canada, l'impôt sur le revenu est perçu à un taux fixe dans la majorité des cas. Il s'agit donc d'un impôt proportionnel. Le tableau 18.9 présente le taux d'imposition à différents niveaux de revenu.

TABLEAU 18.8
Revenu imposable ($)

Revenu imposable ($)	Impôt sur le revenu ($)	Taux d'imposition (%)
2 000	341	17,0
4 000	681	17,0
6 000	1 021	17,0
8 000	1 361	17,0
10 000	1 701	17,0
12 000	2 041	17,0
14 000	2 381	17,0
16 000	2 721	17,0
18 000	3 061	17,0
20 000	3 041	17,0
22 000	3 741	17,0
24 000	4 081	17,0
26 000	4 421	17,0

Source : Revenu Canada, *Guide d'impôt général* (1988)

Bien que le *montant* versé en impôt augmente, le *taux* d'imposition (pourcentage) demeure constant, soit 17 %.

L'impôt régressif

Le pourcentage de revenu versé en impôt diminue à mesure que le revenu augmente. Une taxe de 10 $ imposée à chaque passager d'un avion est régressive. Pour les passagers dont le revenu hebdomadaire s'établit à 100 $, la taxe représente 10 % du revenu, alors que pour ceux dont le revenu hebdomadaire se chiffre à 200 $, la taxe ne représente que 5 % du revenu. Les impôts progressif, proportionnel et régressif sont présentés au tableau 18.10 et à l'illustration 18.2. Nous avons défini ces impôts au regard du revenu, comme on le fait couramment. Mais on peut également les définir par rapport à la valeur de la propriété ou de toute autre grandeur.

TABLEAU 18.9
Impôts progressif, proportionnel et régressif

Revenu ($)	Progressif		Proportionnel		Régressif	
	Impôt ($)	Taux (%)	Impôt ($)	Taux (%)	Impôt ($)	Taxe (%)
100	10	10,0	10	10,0	10	10,0
200	24	12,0	20	10,0	18	9,0
300	42	14,0	30	10,0	24	8,0
400	64	16,0	40	10,0	28	7,0
500	90	18,0	50	10,0	30	6,0
600	120	20,0	60	10,0	33	5,3
700	154	22,0	70	10,0	35	5,0

ILLUSTRATION 18.2
Impôts progressif, proportionnel et régressif

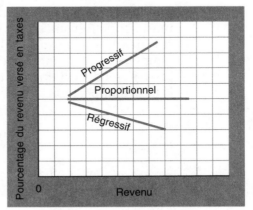

LE TAUX D'IMPOSITION ET LES RECETTES FISCALES (LA COURBE DE LAFFER)

Nommée d'après l'économiste Arthur Laffer, la courbe de Laffer constitue un instrument de mesure précieux aux fins d'illustration du rapport entre les taux d'imposition et les recettes fiscales. La *courbe de Laffer* s'appuie sur la notion que la hausse du taux d'imposition correspond à des recettes fiscales accrues, mais à une activité économique réduite, ce qui entraîne une diminution des revenus et, tout compte fait, des recettes fiscales. La courbe de Laffer présentée à l'illustration 18.3 montre que l'augmentation du taux d'imposition de 0 à i correspond à une hausse des recettes fiscales de 0 à R. mais si le taux d'imposition excède le point i, les recettes diminuent. Un taux d'imposition de 100 % se traduit par des recettes nulles. Il faut supposer que les gens ne travailleront pas, si leur revenu entier est imposé.

On peut désigner le taux d'imposition (i dans l'illustration) qui maximise les recettes fiscales de *taux d'imposition optimal*, en supposant que la taxe est un impôt sur le revenu. Le taux d'imposition optimal d'un impôt sur le revenu est celui qui maximise les recettes fiscales.

ILLUSTRATION 18.3
Courbe de Laffer

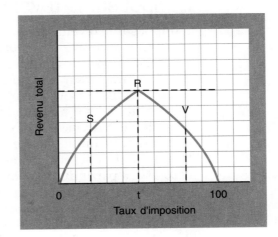

Si l'économie se trouve au point S de la courbe, une hausse du taux d'imposition se traduira par des recettes fiscales accrues. Par contre, si l'économie est au point V, il faut réduire le taux d'imposition, et non l'augmenter.

Problème : Commentez l'énoncé suivant : «L'État peut toujours générer des recettes fiscales accrues en augmentant tout simplement le taux d'imposition.»

Solution : L'effet de l'augmentation du taux d'imposition dépend de l'effet d'un taux plus élevé sur l'activité économique et, partant, sur les revenus. Si la hausse du taux ne se traduit pas par une diminution de l'activité économique et des revenus, les recettes fiscales s'accroîtront. Par ailleurs, si l'augmentation du taux entraîne la démotivation de la main-d'oeuvre, il se peut que le revenu total diminue au point où le taux d'imposition élevé générera des recettes fiscales moins élevées, et non le contraire.

LES TYPES DE TAXES

Les principaux types de taxes sont l'impôt sur le revenu, l'impôt sur les sociétés et les taxes à la consommation.

Les taxes revêtent plusieurs formes, depuis l'impôt sur le revenu des particuliers jusqu'aux taxes à la consommation et à l'impôt foncier. Commençons notre étude par l'impôt sur le revenu des particuliers.

L'impôt sur le revenu des particuliers

L'impôt sur le revenu des particuliers constitue à l'heure actuelle la principale source de revenu du gouvernement fédéral et des administrations provinciales. Les Canadiennes et les Canadiens paient un impôt sur le revenu au gouvernement fédéral, en plus de celui qu'ils versent à leur administration provinciale. Le gouvernement fédéral perçoit l'impôt sur le revenu pour le compte de toutes les provinces, à l'exception du Québec, qui assume cette responsabilité lui-même. Les contribuables peuvent déduire certaines sommes de leur revenu total, et le solde s'appelle le *revenu imposable*, à partir duquel l'impôt sur le revenu est retenu.

L'impôt sur le revenu des particuliers possède des caractéristiques souhaitables manifestes, en ce qu'il génère un revenu relativement juste et fiable. Il est juste (en principe, du moins) dans la mesure où les contribuables qui disposent de revenus semblables paient le même montant d'impôt. Les déductions à la source (effectuées par l'employeur) constituent un mode de perception commode. Dans la plupart des cas, bien que le calcul présente des difficultés (parfois extrêmes), le système est assez simple pour que la majorité des contribuables en comprennent les notions de base.

Malgré ces caractéristiques souhaitables, l'impôt sur le revenu n'est pas parfait. De maintes lacunes prêtent à l'évasion fiscale, et nombreux sont ceux qui croient que les personnes dont le revenu est élevé sont le plus en mesure de profiter de l'évasion et de l'évitement fiscaux. Par exemple, les cotisations à un régime enregistré d'épargne-retraite (REER) sont déductibles. Afin de profiter de cette mesure toutefois, il faut avoir les moyens d'effectuer les cotisations. Par ailleurs, d'aucuns prétendent que l'impôt sur le revenu est tellement progressif qu'il décourage les particuliers de gagner un revenu plus élevé et limite l'activité économique. En réalité, ces critiques s'appliquent davantage au mode d'imposition qu'à l'impôt lui-même.

La taxe sur les produits et services (TPS)

Une taxe que l'on ne peut passer sous silence est la Taxe sur les produits et services (TPS). Perçue sur la majorité des transactions, la TPS s'applique à la fois aux biens et aux services depuis le premier janvier 1991. Cette nouvelle taxe de 7 % s'applique à tous les stades de la production et de la distribution, et à chaque entreprise selon la valeur de sa production, c'est-à-dire selon sa valeur ajoutée. Ainsi, les entreprises reçoivent un remboursement du gouvernement fédéral sur le coût de leurs intrants équivalant à la TPS. Pour le consommateur, la TPS est identique à une taxe de vente traditionnelle de 7 %.

La TPS a remplacé la taxe de vente fédérale de 13,5 % sur les produits manufacturés. Cette taxe était perçue au niveau du fabricant qui l'intégrait à son prix, avant d'imputer ce coût aux consommateurs. Elle n'apparaissait pas sur la facture du consommateur, à l'instar de la TPS, mais était intégrée au prix de vente. Par contre, la TPS couvre maintenant les services, alors que l'ancienne taxe ne touchait que les produits.

L'impôt sur les sociétés

En plus de percevoir l'impôt sur le revenu des particuliers, le gouvernement impose un impôt sur les bénéfices des entreprises. Les revenus générés par cette mesure représentent quelque 7 % des revenus totaux du secteur public. Une des critiques formulées à l'égard de l'impôt sur les sociétés est qu'il décourage les nouveaux investissements, en plus de freiner l'activité économique. Certains affirment également que l'impôt sur les sociétés représente une double imposition du revenu, étant donné que les bénéfices des entreprises sont taxés dans un premier temps, et que le revenu des actionnaires est taxé par la suite, au moment du versement des dividendes. En outre, plusieurs croient que l'impôt sur les sociétés se répercute sur les consommateurs sous forme de prix plus élevés. Autrement dit, l'*incidence* (ou fardeau) fiscale revient aux consommateurs, et non aux sociétés. Les économistes ne s'entendent toujours pas sur cette question.

Les taxes à la consommation

Les taxes à la consommation représentent une autre source de revenu pour l'État. Elles comprennent les taxes d'accise et de vente. La *taxe d'accise* est une taxe perçue sur des biens déterminés, la *taxe de vente*, sur une vaste gamme de produits et de services. Par exemple, la taxe d'accise est perçue sur l'essence (ou tout carburant destiné à produire un mouvement) et les produits du tabac, tandis que la taxe de vente s'applique à une gamme de produits plus vaste. Étant donné que ces taxes sont ajoutées au prix de biens et de services achetés par les consommateurs, elles constituent, en réalité, des taxes à la consommation. Comme le démontre le tableau 18.11, les taxes à la consommation représentent quelque 19,2 % des recettes consolidées de l'État.

La taxe d'accise est perçue sur des biens déterminés, et la taxe de vente, sur une vaste gamme de produits et

TABLEAU 18.10
Recettes publiques consolidées selon la provenance (1986)

Provenance	Montant (M $)	% du total
Impôt sur le revenu :		
Particuliers	62 383,4	31,3
Sociétés	14 899,7	7,4
Paiements à des non-résidants	1 100,0	0,5
TOTAL de l'impôt sur le revenu	78 393,1	39,1
Impôt foncier et taxes connexes	16 840,4	8,4
Taxes à la consommation :		
Taxes de vente générales	23 931,3	11,9
Carburant	4 685,6	2,3
Produits d'alcool et de tabac	4 616,0	2,3
Droits de douane	4 205,0	2,1
Autres	1 185,6	0,6
TOTAL des taxes à la consommation	38 623,5	19,2
Cotisations à l'assurance-maladie et aux services sociaux	21 918,4	10,9
Taxes diverses	3 937,7	2,0
Recettes en provenance des ressources naturelles	4 845,9	2,4
Privilèges, licences et permis	2 910,4	1,5
Vente de biens et de services	7 659,2	3,8
Rendement des investissements	20 681,8	10,3
Autres revenus de sources internes	4 857,8	2,4
TOTAL	200 668,3	100,0

Source : Statistique Canada, *Finances publiques consolidées*

Les taxes de vente et d'accise génèrent un revenu fiable, sont commodes et faciles à percevoir (les consommateurs les paient au moment de l'achat, étant donné qu'elles sont ajoutées au prix du bien), et le seul moyen de les éviter est de ne pas acheter de biens ou de services taxables. Elles tendent toutefois à être régressives. Par exemple, bien que la taxe de vente s'exprime en pourcentage des achats totaux, le particulier dont le revenu est élevé paie une proportion moindre de son revenu en taxes de vente que le gagne-petit.

L'impôt foncier

Comme son nom l'indique, *l'impôt foncier* est une taxe sur la propriété, notamment sur les biens immobiliers (terrains et immeubles). Les sommes en provenance de cet impôt et des taxes connexes représentent plus de 8 % des recettes consolidées de l'État. Nous verrons plus tard que l'impôt foncier représente une partie importante de l'ensemble des recettes des administrations locales.

LES EFFETS DES TAXES

Il est évident que les effets économiques d'une taxe dépendent de la nature de celle-ci. Les taxes de vente et d'accise tendent à accaparer une proportion plus grande des revenus des gagne-petit et, partant, à accroître l'inégalité des revenus. En outre, parce que ces taxes sont des taxes à la consommation, elles tendent à réduire la consommation (donc la production) de biens sur lesquels elles sont levées, et les ressources passent des industries productrices de biens taxés à d'autres. Ces taxes affectent donc la répartition des ressources.

Les taxes de vente et d'accise entraînent assurément un accroissement des prix auprès des consommateurs. Mais peu s'entendent sur la capacité des entreprises à faire porter leur fardeau fiscal sur les épaules des consommateurs. On pense toutefois que l'effet de l'impôt sur les sociétés sur les prix est marginal, bien qu'une charge fiscale élevée freine l'expansion commerciale et gêne la croissance économique.

Un impôt sur le revenu des particuliers progressif aurait tendance à réduire les inégalités de revenu car, toutes autres choses étant égales, les groupes dont le revenu est élevé seraient taxés davantage que les gagne-petit. Une progression trop rapide de cet impôt tend cependant à réduire la motivation, et les contribuables sont alors moins enclins à fournir l'effort nécessaire pour gagner un revenu plus élevé, d'autant plus que le revenu additionnel est rongé par l'impôt.

Problème : Comment une taxe à la consommation peut-elle réduire la production?

Solution : La taxe imposée sur un bien tend à réduire la demande de celui-ci. Si les fabricants continuent à produire la même quantité du bien après l'imposition de la taxe, leurs stocks vont s'accumuler en raison des achats réduits des consommateurs. Pour composer avec la situation, ils vont alors réduire leur niveau de production.

LES RECETTES DES DIVERS ORDRES DE GOUVERNEMENT

Les différentes sources de revenu n'ont pas la même importance pour les diverses administrations publiques. Par exemple, l'impôt sur le revenu représente la source principale de revenu du gouvernement fédéral et des administrations provinciales, alors que cela n'est pas le cas des administrations locales. Examinons les recettes de chaque ordre de gouvernement.

Les recettes du gouvernement fédéral

L'impôt sur le revenu des particuliers constitue la source principale de recettes du gouvernement fédéral.

L'impôt sur le revenu des particuliers représente la principale source de revenu du gouvernement fédéral, soit plus de 44 % de l'ensemble des recettes de toutes les sources. L'impôt sur les sociétés constitue également une source importante de revenu. De fait, à lui seul, l'impôt sur le revenu représente quelque 56 % des recettes totales du gouvernement fédéral. Parmi les autres sources, on compte les taxes de vente générales, les droits de douane, les cotisations à l'assurance-chômage et aux régimes universels.

Les autres sources de revenu sont la vente de biens et de services et le produit des placements. Ensemble, ces deux sources représentent plus de 9,6 % des recettes totales. Le tableau 18.11 présente la provenance des recettes du gouvernement fédéral.

TABLEAU 18.11
Recettes du gouvernement fédéral par catégorie principale (1990)

Source	Montant (M $)	% du total
Impôt sur le revenu :		
Particuliers	51 895	44,3
Sociétés	13 021	11,1
Des non-résidents	1 361	1,2
Cotisations d'assurance-chômage	10 738	9,2
Taxes et droits d'accise :		
Taxe de vente	17 672	15,1
Droits de douane	4 587	3,9
Droits d'accise	2 130	1,8
Autres	1 789	1,5
Taxes en matière d'énergie	2 472	2,1
Autres recettes fiscales	226	0,2
Recettes non fiscales (placements, etc)	11 267	9,6
TOTAL des recettes	117 158	100,0

Source : Statistique Canada, *Comptes publics du Canada*

Les recettes des administrations provinciales

L'impôt sur le revenu des particuliers et les taxes de vente sont les deux sources principales de recettes des provinces.

À l'instar du gouvernement fédéral, la principale source de revenu des administrations provinciales est l'impôt sur le revenu, qui représente 23 % de la totalité des recettes provinciales. Les taxes de vente générales, qui représentent plus de 12 % des recettes totales des provinces, viennent en second lieu. L'examen du tableau 18.12 révèle que l'impôt sur les sociétés, sur l'essence ainsi que les cotisations à l'assurance-maladie représentent d'autres sources de revenu importantes pour les provinces.

Les recettes en provenance d'autres sources que l'impôt sur le revenu et les taxes sont les revenus tirés des ressources naturelles ainsi que l'ensemble des paiements de transfert en provenance du gouvernement fédéral. On peut diviser les recettes des administrations provinciales en deux catégories : les revenus de sources internes et les paiements de transfert. Approximativement 80 % du revenu total des administrations provinciales proviennent de sources internes, et les quelque 20 % restants, des paiements de transfert en provenance d'autres ordres de gouvernement, principalement du gouvernement fédéral sous forme de paiements de péréquation (afin de réduire les inégalités entre les provinces) ainsi que de paiements en vertu de services sociaux et à d'autres fins particulières.

Au Québec, la situation ne diffère pas tellement de celle de l'ensemble des provinces canadiennes, sauf que la part de l'impôt sur le revenu des particuliers est plus importante. En effet, le dernier discours du budget a fait état d'un montant de 11,9 milliards de dollars à ce chapitre pour l'exercice financier 1991-1992, soit près de 34 % de l'ensemble des recettes du gouvernement du Québec.

TABLEAU 18.12
Recettes des administrations provinciales (1987)

Source	Montant (M $)	% du total
Impôt sur le revenu des particuliers	24 425,8	23,1
Impôt sur les sociétés	4 023,8	3,8
Taxes de vente générales	13 038,4	12,3
Taxes sur l'essence	3 365,3	3,2
Cotisations à l'assurance-maladie et taxes	3 952,2	3,7
Indemnités pour accidents du travail	3 274,3	3,1
Revenus en provenance des ressources naturelles	4 642,9	4,4
Privilèges, licences et permis	2 517,9	2,4
Bénéfices des régies des alcools	2 352,6	2,2
Autres revenus de sources internes	22 715,1	21,5

TABLEAU 18.12
(suite)

Source	Montant (M $)	% du total
Paiements de transfert à des fins générales en provenance des autres ordres de gouvernement et des entreprises de ces derniers	6 386,3	6,0
Paiements de transfert à des fins particulières en provenance des autres ordres de gouvernement et des entreprises de ces derniers	15 034,4	14,2
TOTAL des recettes générales brutes	105 729,0	100,0

Source : Statistique Canada, *Finances des administrations publiques provinciales*

Les recettes des administrations locales

L'impôt foncier constitue la source principale de recettes des administrations locales.

Le tableau 18.13 montre que la principale source de revenu des administrations locales (municipalités) est l'impôt foncier, qui représente 38 % de leurs recettes totales et plus de 70 % des revenus internes. On peut diviser ces recettes en deux catégories : les revenus internes et les paiements de transfert. Les administrations locales tirent 53 % de leurs recettes totales de leurs revenus internes, tandis que les 47 % restants proviennent de paiements de transfert, principalement de l'administration provinciale. Les autres sources importantes de revenu sont la vente de biens et de services, les taxes professionnelles et le produit des placements.

TABLEAU 18.13
Recettes des administrations municipales (1987)

Source	Montant (M $)	% du total
Impôt foncier et taxes connexes	16 812,9	38,0
Privilèges, licences et permis	269,7	0,6
Vente de biens et de services	4 478,5	10,1
Produit des placements	1 170,3	2,6
Autres revenus de sources internes	877,9	2,0
Paiements de transfert à des fins générales en provenance d'autres ordres de gouvernement	2 382,1	5,4
Paiements de transfert à des fins générales en provenance du gouvernement fédéral	280,6	0,6
Paiements de transfert à des fins générales en provenance d'administrations provinciales	1 740,4	3,9
Paiements de transfert à des fins générales en provenance d'entreprises gouvernementales	361,1	0,8
Paiements de transfert à des fins particulières en provenance d'autres ordres de gouvernement	18 308,8	41,3
Paiements de transfert à des fins particulières en provenance du gouvernement fédéral	156,3	0,4
Paiements de transfert à des fins particulières en provenance d'administrations provinciales	18 066,5	40,7

TABLEAU 18.13
(suite)

Source	Montant (M $)	% du total
Paiements de transfert à des fins particulières en provenance d'entreprises gouvernementales	86,0	0,2
Taxes diverses	81,0	0,2
Taxes d'amusement	32,2	0,1
Autres taxes	48,7	0,1
TOTAL des recettes générales brutes	44 381,1	100,0

Source : Statistique Canada, *Finances publiques locales*

RÉSUMÉ DU CHAPITRE

1. Les finances publiques étudient la fiscalité et le comportement financier de l'État.
2. La loi de Wagner stipule que les dépenses de l'État s'accroîtront plus rapidement que les dépenses totales.
3. Les dépenses de l'État ont augmenté considérablement au cours des années, principalement à cause des responsabilités accrues de l'État, de l'inflation et de la croissance démographique.
4. En raison de responsabilités différentes, les modes de dépenses varient d'un ordre de gouvernement à l'autre.
5. Les services sociaux, la conservation des ressources et le développement industriel, les frais de la dette ainsi que la protection des personnes et des biens sont des postes de dépenses importants du gouvernement fédéral.
6. La santé, l'éducation et les services sociaux sont les principaux postes de dépenses des administrations provinciales, tandis que l'éducation élémentaire et secondaire, les transports et les communications, l'environnement ainsi que la protection des personnes et des biens sont les postes principaux de dépenses des municipalités.
7. Les taxes perçues par le gouvernement fédéral et les administrations provinciales comprennent l'impôt sur le revenu des particuliers, l'impôt sur les sociétés et les taxes à la consommation. L'impôt foncier constitue la principale source de revenu des administrations municipales.
8. Parmi les autres sources de revenu, on compte les licences et permis, la vente de biens et de services ainsi que le produit des placements. Les paiements de transfert du gouvernement fédéral au profit des administrations provinciales, puis de ces dernières aux municipalités constituent une autre source importante de revenu.

Termes et notions à retenir

finances publiques	paiements de transfert
loi de Wagner	taxe
impôt sur le revenu des particuliers	impôt sur les sociétés
taxe à la consommation	taxe de vente
taxe d'accise	impôt foncier

Questions de révision et de discussion

1. Quelles sont les principales fonctions qu'exercent les administrations publiques au Canada?
2. Quels sont les principaux facteurs responsables de la croissance des dépenses de l'État?
3. Qu'est-ce que la loi de Wagner? S'applique-t-elle au Canada?
4. On dit parfois qu'on pourrait réduire les dépenses de l'État en confiant certaines fonctions au secteur privé. Quelles fonctions pourrait-on confier à l'entreprise privée?
5. Expliquez la différence entre les modes de dépenses des différents ordres de gouvernement.
6. De quel ordre de gouvernement relèvent les services suivants :
   (a) l'éducation primaire et secondaire
   (b) la défense nationale
   (c) les hôpitaux
7. Croyez-vous que le secteur public soit trop important au Canada?
8. Quelles sont les principales sources de revenu :
   (a) du gouvernement fédéral;
   (b) des administrations provinciales;
   (c) des administrations locales.

Problèmes et exercices

1. Complétez le tableau 18.14 à partir des données que renferme le présent chapitre.

TABLEAU 18.14
Dépenses publiques

Ordre de gouvernement	Dépenses totales	% du total
Gouvernement fédéral		
Administrations provinciales		
Administrations locales		
TOTAL		100

2. Étudiez les dépenses du gouvernement fédéral par poste, puis expliquez pourquoi ce dernier éprouve de la difficulté à réduire ses dépenses.

3. Comment un impôt sur le revenu qui s'appuie sur le principe du juste retour affecte-t-il les contribuables à faible revenu?

4. À l'aide d'un exemple, illustrez :
   (a) un impôt produisant un revenu fiable;
   (b) un impôt destiné à freiner la consommation;
   (c) un impôt s'appuyant sur le principe de capacité de paiement;
   (d) un impôt s'appuyant sur le principe du juste retour.

5. Illustrez mathématiquement :
   (a) impôt progressif;
   (b) impôt proportionnel;
   (c) impôt régressif.

6. Décrivez une situation où une économie peut profiter d'un régime d'impôt régressif.

7. Illustrez mathématiquement le caractère régressif des taxes de vente.

8. Au Canada, l'impôt s'appuie sur le revenu, la richesse et les dépenses. Donnez un exemple d'un impôt qui se fonde sur :
   (a) le revenu;
   (b) la richesse:
   (c) les dépenses.

18
LE COMMERCE INTERNATIONAL

> Toute personne se trouve dans une situation avantageuse si elle reçoit un nombre maximum de biens en échange d'un nombre minimum de services productifs.
>
> Paul A. Samuelson, *The Gains from International Trade*

INTRODUCTION

Chaque année, les Canadiens consomment de vastes quantités de biens et de services qui ne sont pas produits au pays. Le café, le thé et le sucre de canne, de même que les oranges, les bananes et les autres fruits tropicaux, sont des articles de consommation courants. Par ailleurs, les consommateurs d'autres pays profitent d'un éventail de biens et de services produits au Canada. Tout cela est rendu possible grâce au commerce international.

L'économie canadienne dépend grandement de ce commerce. Nos exportations jouent un rôle important dans la croissance et le développement économique du pays. Le commerce international désigne notamment l'importation et l'exportation de produits et de services ainsi que l'effet de ces flux sur l'économie. Ce chapitre présente les raisons de l'existence du commerce entre les nations et les bénéfices que ce dernier procure. Vous aurez également l'occasion de jeter un coup d'oeil sur les statistiques commerciales du Canada, lesquelles nous renseignent sur l'activité économique internationale.

LES FONDEMENTS DU COMMERCE INTERNATIONAL

Certains avantages résultent de la spécialisation de la main-d'oeuvre. Ces avantages ne se limitent toutefois pas à la main-d'oeuvre, mais comprennent la spécialisation régionale, laquelle constitue le fondement du commerce international. La spécialisation régionale existe parce que les régions ne disposent pas toutes des mêmes ressources. Certaines sont riches en ressources naturelles, d'autres moins. Certaines régions (ou nations) disposent de capitaux importants, alors que d'autres sont pauvres en capital relativement à d'autres ressources. En outre, les ressources humaines varient d'une région à l'autre. Certains pays jouissent d'une main-d'oeuvre spécialisée, d'autres, d'une main-d'oeuvre abondante.

Le fondement du commerce international réside dans le fait que divers pays disposent de ressources distinctes.

On peut s'attendre à ce qu'un pays dont la main-d'oeuvre est abondante verse des salaires moins élevés que celui qui éprouve une pénurie à ce chapitre. Par conséquent, on peut s'attendre à ce que le coût de fabrication d'un produit qui requiert une main-d'oeuvre abondante soit moins élevé dans un pays qui dispose d'un grand nombre de travailleurs que dans un pays où la main-d'oeuvre est limitée. De la même manière, on peut s'attendre à ce que le coût de la culture de fruits tropicaux comme les oranges et les bananes soit moins élevé dans un climat tropical que dans un climat tempéré. Songez aux ressources qu'il faudrait mobiliser pour cultiver des agrumes au Canada!

LES AVANTAGES DU COMMERCE INTERNATIONAL

Les échanges commerciaux entraînent de nombreux avantages. Par exemple, les Canadiens peuvent se procurer des fruits tropicaux à des prix relativement peu élevés, et les habitants des pays tropicaux, des pommes McIntosh en provenance du Canada à des prix tout aussi raisonnables. Toutefois, certains avantages ne sautent pas aux yeux. Examinons maintenant deux principes fondamentaux qui expliquent pourquoi les pays profitent du commerce international.

Le principe de l'avantage absolu

Un pays dispose d'un avantage absolu s'il peut produire un bien à un prix moins élevé, sur le plan des ressources, qu'un autre pays.

On dit d'un pays qu'il jouit d'un *avantage absolu* sur un autre relativement à la production d'un bien lorsqu'il peut fabriquer ledit bien plus efficacement, c'est-à-dire en ayant recours à un nombre moindre de ressources. En d'autres mots, si le pays A est plus efficace que le pays B en regard de la production d'un bien donné, le pays A dispose d'un avantage absolu. L'exemple numérique suivant illustre la notion d'avantage absolu.

Supposons qu'un travailleur canadien peut fabriquer cinq automobiles par année, pendant que celui de la Labourie (un pays fictif) ne peut en produire que deux. Supposons également qu'un travailleur de la Labourie peut produire dix tonnes de céréales par année, alors que la production de son confrère canadien se limite à huit tonnes. Le tableau 19.1 renferme les données pertinentes.

Le travailleur canadien est 2,5 fois plus productif que le travailleur labourien sur le plan de la fabrication de voitures, mais

TABLEAU 19.1
Rendement hypothétique par travailleur au Canada et en Labourie.

	Automobiles (unités)	Céréales (tonnes)
Canada	5	8
Labourie	2	10

le Labourien est 1,25 fois plus productif que le Canadien au chapitre de la production de céréales. En ce cas, le Canada jouit d'un avantage absolu dans la fabrication d'automobiles, et la Labourie, dans la production de céréales.

L'exemple numérique suivant illustre que la production combinée d'automobiles et de céréales augmentera dans les deux pays, si le Canada se spécialise dans la production d'automobiles et la Labourie, dans celle des grains. Supposons qu'un travailleur canadien du secteur céréalier est affecté au secteur automobile. La fabrication d'automobiles augmentera de 5 unités, alors que la production de céréales fléchira de 8 tonnes. Si, en même temps, un travailleur labourien du secteur automobile est affecté au secteur céréalier, la fabrication d'automobiles diminuera de 2 unités, tandis que la production de grains augmentera de 10 tonnes. L'effet net sera un accroissement de la production automobile de 3 unités, et une hausse de la production céréalière de 2 tonnes. Si les deux pays jouissent d'un avantage absolu dans la production d'un bien, chacun peut tirer profit s'il se spécialise dans un secteur où il possède un avantage, et s'adonner au commerce avec l'autre.

La présence d'un avantage absolu profite aux deux partenaires commerciaux.

La théorie des avantages comparés

La section précédente a présenté une situation où deux pays profitent du commerce si chacun se spécialise dans la production d'un bien sur lequel il détient un avantage absolu. Mais qu'arrive-t-il, lorsqu'un pays possède un avantage absolu dans la production des deux biens ? Le commerce profitera-t-il aux deux pays ? La réponse nous est fournie par la *théorie des avantages comparés*.

Supposons qu'un travailleur canadien peut fabriquer 10 automobiles ou 5 tonnes de céréales par année, tandis que son confrère labourien peut produire 3 automobiles ou 3 tonnes de céréales. Le tableau 19.2 contient les données pertinentes.

TABLEAU 19.2
Rendement hypothétique par travailleur au Canada et en Labourie

	Automobiles (unités)	Céréales (tonnes)
Canada	10	5
Labourie	3	3

Le travailleur canadien est plus productif que le travailleur labourien dans les deux domaines. Par conséquent, le Canada jouit d'un avantage absolu dans la fabrication automobile *et* dans la production céréalière.

Le travailleur canadien pourrait produire 5 tonnes de céréales au lieu de fabriquer 10 voitures. Par conséquent, le coût d'opportunité d'une voiture au Canada est 0,5 tonne de céréales, c'est-à-dire qu'afin de fabriquer une voiture, le Canada doit sacrifier 0,5 tonne de grains. Par ailleurs, au lieu de fabriquer 3 voitures, le travailleur labourien pourrait produire 3 tonnes de céréales. Par conséquent, le coût d'opportunité d'une voiture en Labourie est une tonne de grains. Étant donné que le coût d'opportunité d'une voiture est inférieur au Canada qu'en Labourie, on dit que le Canada possède un *avantage comparé* dans le domaine de la production automobile.

Le coût d'opportunité d'une tonne de céréales au Canada est de 2 voitures, tandis que celui de la Labourie est une voiture. Étant donné que le coût d'opportunité des grains est inférieur en Labourie, ce pays a un avantage comparé à ce chapitre. Un pays jouit d'un avantage comparé dans la production d'un bien lorsqu'il peut le fabriquer à un coût d'opportunité inférieur à celui d'un autre pays.

Examinons à présent les gains mutuels d'échanges commerciaux dans une situation d'avantage comparé. En l'absence d'échanges commerciaux, le Canada doit renoncer à 0,5 tonne de céréale par voiture, et la Labourie, à une tonne. Supposons maintenant que le Canada et la Labourie peuvent échanger des voitures contre des céréales à un taux se situant entre les ratios 1:0,5 et 1:1, soit 1:0,75 ou 1 voiture pour 0,75 tonne de grains. Le taux réel d'échange (les *termes de l'échange*) est déterminé par le coût et la demande des deux biens dans les deux pays.

Pour chaque travailleur canadien muté de la production de céréales à la fabrication d'automobiles, la production de grains diminue de 0,5 tonne, mais celle d'automobiles augmente de 1. Le Canada peut donc exporter cette automobile en Labourie contre 0,75 tonne de céréales, ce qui entraîne un bénéfice net de (0,75 - 0,5) = 0,25 tonne de grains. La Labourie profite-t-elle également de l'échange? Afin de fabriquer une voiture, la Labourie devrait renoncer à une tonne de céréales. En commerçant avec le Canada, elle obtient la voiture contre seulement 0,75 tonne de céréales — un gain net de 0,25 tonne de grains.

Notez que le commerce profite aux deux pays seulement en raison de la différence de coût d'opportunité entre eux. Si ce coût était identique au Canada et en Labourie, il n'y aurait aucun avantage comparé et, partant, les deux pays ne tireraient aucun gain d'échanges commerciaux.

Les deux pays jouiront d'un rendement accru, si chacun se spécialise dans la fabrication du bien pour lequel il jouit d'un avantage comparé.

Problème : Quels biens sont susceptibles de faire l'objet d'échanges entre le Canada et le Japon?

Solution : Le Canada est riche en terres agricoles, tandis que le Japon dispose d'une main-d'oeuvre et d'une technologie qui lui permettent de fabriquer des produits électroniques.

Remarque : Cela ne signifie pas que le Canada est avant tout un pays agricole. Bien que ce secteur occupe une place prépondérante dans notre économie, nous disposons également d'industries de pointe.

LES AVANTAGES ADDITIONNELS DU COMMERCE INTERNATIONAL

En plus des avantages déjà mentionnés, il existe deux autres sources d'avantages : une efficacité accrue et les économies d'échelle.

L'efficacité accrue

Le commerce international peut donner lieu à des avantages additionnels qui résultent d'une productivité supérieure.

On peut supposer que, pendant que le Canada se spécialise dans la fabrication d'automobiles et que la Labourie se spécialise dans la production de céréales, les travailleurs canadiens et labouriens acquerront une compétence accrue dans leur domaine respectif. Par conséquent, la spécialisation entraînera une efficacité accrue de la main-d'oeuvre dans les deux pays.

Les économies d'échelle

Les économies d'échelle peuvent donner lieu à des avantages additionnels qui résultent du commerce international.

Les coûts de production peuvent diminuer à la faveur de l'accroissement de la production. Le cas échéant, le coût de fabrication moyen d'automobiles diminuera au Canada, étant donné que la spécialisation aura donné lieu à une production accrue. Le même phénomène s'applique à la Labourie, où le coût de production moyen de céréales diminuera, en raison d'une production supérieure attribuable à la spécialisation.

Le Canada dispose d'un avantage comparé dans un certain nombre de domaines, notamment la production d'électricité, certains produits agricoles, les produits forestiers, certains minerais et certaines techniques comme les télécommunications. Les vastes ressources hydroélectriques du Canada attirent des industries qui consomment de grandes quantités d'électricité. Le tableau 19.3 présente des utilisateurs d'énergie électrique importants et moyens.

TABLEAU 19.3
Utilisateurs d'électricité
importants et moyens

Utilisateurs importants	Utilisateurs moyens
Papier journal	Autres produits des pâtes et papiers
Aluminium	Titanium
Magnésium	Sidérurgie
Zinc et cadmium	Usines d'acier au carbone
Carbure de silicium	Cuivre
Hydrates de chlore et de sodium	Verre
Phosphore	Alumine fondue — 95 %

Problème :   Pourquoi peut-on s'attendre à ce que le Québec soit un exportateur de papier journal?

Solution :   Le papier journal est produit par l'industrie forestière, et le Québec dispose de ressources forestières abondantes. En outre, l'industrie du papier journal est une grande utilisatrice d'électricité, et le Québec est riche en cette ressource. Par conséquent, le Québec jouit d'un avantage de coût dans la fabrication de papier journal, et on peut s'attendre à ce qu'il exporte ce produit.

LES EXPORTATIONS DU CANADA

Le Canada exporte un vaste éventail de marchandises.

Le commerce est un élément important de l'économie canadienne. En effet, le Canada exporte plus de 25 % des produits et des services qu'il fabrique, notamment des véhicules et des pièces automobiles, du blé, du pétrole, du gaz naturel, du bois d'oeuvre, des minéraux, de la pâte à papier, du papier journal, des produits chimiques, divers métaux ainsi que du matériel de transport et de télécommunications. Une partie importante des exportations canadiennes consistent dans des matières premières, et seuls quelques produits comme le papier, les automobiles et le matériel de télécommunications sont traités complètement avant d'être exportés. Toutefois, la principale exportation du Canada (véhicules et pièces automobiles) est entièrement traitée au pays. Le tableau 19.4 présente la valeur et le pourcentage des 20 principaux produits d'exportation canadiens en 1990.

TABLEAU 19.4
Valeur et pourcentage
des 20 principaux produits
d'exportation (1990)

Produits	Valeur (M $)	%
Véhicules automobiles	24 366,2	16,7
Pièces automobiles	9 509,4	6,5
Matériel électronique et de télécommunications	8 778,6	6,0
Papier journal	6 200,7	4,2
Pâte de bois	5 923,8	4,1

Produits	Valeur (M $)	%
Produits chimiques (sauf engrais)	5 745,8	3,9
Pétrole brut	5 689,1	3,9
Produits alimentaires	5 673,0	3,9
Autres biens industriels	5 445,8	3,7
Minerais et concentrés	5 441,3	3,7
Autre matériel et outillage	5 300,3	3,6
Bois d'oeuvre	5 192,2	3,6
Machines industrielles	5 119,8	3,5
Avions et pièces	4 623,1	3,2
Blé	3 383,0	2,3
Produits dérivés du pétrole et du charbon	3 282,1	2,2
Gaz naturel	3 189,1	2,2
Métaux précieux et alliages	3 060,7	2,1
Aluminium et alliages	2 948,9	2,0
Autres biens de consommation	2 810,0	1,9
TOTAL des 20 principaux produits d'exportation	121 682,9	83,3
TOTAL des produits destinés à l'exportation	146 057,0	100,0

TABLEAU 19.4 (suite)

Source : *Revue de la Banque du Canada*

Le principal marché des exportations canadiennes sont les États-Unis. En 1990, approximativement 75 % des exportations du Canada sont allées dans ce pays. Les autres marchés importants sont le Japon, le Royaume-Uni, les pays de la CEE et l'Union soviétique. Le tableau 19.5 présente les principaux marchés d'exportation ainsi que la valeur des produits exportés dans chacun.

TABLEAU 19.5
Principaux pays vers lesquels exporte le Canada (1990)

Pays	Valeur (M $)	%
États-Unis	110 282	75,5
Royaume-Uni	3 461	2,4
Autres pays de la CEE	8 304	5,7
Japon	7 638	5,2
Autres pays de l'OCDE	3 488	2,4

Source : *Revue de la Banque du Canada*

En 1990, les exportations canadiennes dans les pays de la CEE ont atteint 8,304 milliards de dollars, soit près de 6 % de l'ensemble des produits exportés. Le Japon est également un partenaire important à ce chapitre, et les exportations canadiennes dans ce pays ont totalisé 7,638 milliards de dollars, ou 5 % des exportations globales en 1990. La valeur des produits exportés au Royaume-Uni fut de 3,461 milliards de dollars, et de 3,488 milliards vers les autres pays de l'Organisation de coopération et de développement économique (OCDE).

On peut réunir les exportations canadiennes dans les grandes catégories suivantes : les produits alimentaires, les produits énergétiques et ceux reliés aux autres ressources naturelles, les véhicules et pièces automobiles, les autres biens manufacturés et les autres produits exportés. Le tableau 19.6 renferme des données sur chaque catégorie de marchandises.

TABLEAU 19.6
Classification des
exportations canadiennes
(1990)

Catégorie	Valeur (M $)
Produits alimentaires	13 325,4
Produits énergétiques	14 357,9
Autres ressources naturelles	47 114,5
Véhicules et pièces automobiles	33 875,6
Autres biens manufacturés	34 904,0
Autres exportations	2 479,5
TOTAL des exportations	146 057,0

Source : *Revue de la Banque du Canada*

LES IMPORTATIONS DU CANADA

Les États-Unis sont le premier fournisseur de produits qu'importe le Canada.

Afin de brosser un tableau global de notre commerce international, il faut parler des importations. En 1990, les importations ont atteint 135,259 milliards de dollars. Le tableau 19.7 présente des données sur les principales importations du Canada.

TABLEAU 19.7
Valeur et pourcentage
des 20 principaux produits
d'importation (1990)

Produits	Valeur (M $)	%
Pièces automobiles	16 347,3	12,1
Véhicules automobiles	14 143,6	10,5
Matériel électronique et de télécommunications	13 655,9	10,1
Autre matériel et outillage	11 547,8	8,5
Machines industrielles	11 037,2	8,2
Produits chimiques et plastiques	8 279,6	6,1
Produits alimentaires	7 252,7	5,4
Pétrole brut	5 381,1	4,0
Avions et pièces	2 761,7	2,0
Fer et acier	2 575,0	1,9
Matériaux de construction	2 511,2	1,9
Autres métaux	2 474,3	1,8
Coton, laine et textiles	2 366,1	1,7
Produits dérivés du pétrole et du charbon	2 040,7	1,5
Autre matériel de transport	1 957,6	1,4
Fruits et légumes frais	1 866,6	1,4
Machinerie agricole	1 541,7	1,1
Minerais métallurgiques	1 321,8	1,0
Métaux précieux	1 223,5	0,9
Charbon et autres matières bitumineuses	645,8	0,5
TOTAL des 20 principaux produits d'importation	110 831,2	82,0
TOTAL des produits importés	135 259,0	100,0

Source : *Revue de la Banque du Canada*

Le Canada importe principalement des États-Unis. En 1990, les marchandises en provenance de ce pays ont représenté près de 70 % de l'ensemble de nos importations. Le tableau 19.8 présente les principaux pays de qui le Canada importe.

TABLEAU 19.8
Principaux fournisseurs de produits qu'importe le Canada (1990)

Pays	Valeur (M $)	%
États-Unis	92 892	68,7
Royaume-Uni	4 935	3,6
Autres pays de la CEE	9 931	7,3
Japon	8 223	6,1
Autres pays de l'OCDE	4 950	3,7

Source : *Revue de la Banque du Canada*

En 1990, le Canada a acheté des biens d'une valeur de 4,935 milliards de dollars du Royaume-Uni, alors que les importations du Japon ont excédé 8 milliards de dollars — soit plus de 6 % de l'ensemble de nos importations. Les importations en provenance des autres pays de la CEE se sont chiffrées à 9,931 milliards de dollars, soit plus de 7 % de la totalité des biens importés. Les autres pays de l'OCDE nous ont vendu des biens d'une valeur de près de 5 milliards de dollars.

On peut catégoriser les biens importés de la même manière que nous l'avons fait avec les marchandises exportées. Le tableau 19.9 contient la valeur des importations de chaque catégorie.

TABLEAU 19.9
Classification des marchandises importées par le Canada (1990)

Catégorie	Valeur (M $)
Produits alimentaires	9 119,3
Produits énergétiques	8 067,6
Autres produits liés aux ressources naturelles	27 024,7
Véhicules et pièces automobiles	30 490,9
Autres produits manufacturés	58 345,9
Autres importations	2 210,5
TOTAL des importations	135 259,0

Source : *Revue de la Banque du Canada*

RÉSUMÉ DU CHAPITRE

1. Le commerce international désigne l'importation et l'exportation de produits et de services ainsi que l'effet de ces mouvements sur l'économie.
2. Les avantages tirés de la spécialisation de la main-d'oeuvre s'appliquent également à la spécialisation régionale. Le commerce peut profiter simultanément à deux ou plusieurs

partenaires, si chacun se spécialise dans la production d'un bien sur lequel il jouit d'un avantage absolu.

3. Le commerce peut également bénéficier simultanément à des partenaires commerciaux si chacun se spécialise dans la production d'un bien sur lequel il jouit d'un avantage comparé. Ce commerce peut bénéficier à deux partenaires, même si l'un détient un avantage absolu sur la production de l'ensemble des biens.

4. Les principales marchandises qu'exporte le Canada sont les véhicules et pièces automobiles, le papier journal, la pâte de bois, le matériel électronique et de télécommunications, le bois d'oeuvre et le blé.

5. Les États-Unis constituent le principal marché d'exportation du Canada. En effet, ce pays achète approximativement 75 % de l'ensemble des marchandises exportées par notre pays.

6. Le Canada importe une vaste gamme de produits, notamment des véhicules et des pièces automobiles, des machines industrielles, des produits chimiques et plastiques, du matériel électronique et de télécommunications ainsi que du pétrole brut.

7. Le Canada importe principalement des États-Unis, mais également du Japon, du Royaume-Uni et de l'Allemagne.

Termes et notions à retenir

commerce international
avantage absolu
théorie des avantages comparés
spécialisation régionale

Questions de révision et de discussion

1. Quelle est l'importance du commerce international pour l'économie canadienne?

2. Quelle serait votre réponse à la question suivante : «Pourquoi les nations se livrent-elles au commerce?»

3. Supposons que le Canada est le pays le plus efficace du monde en matière de production agricole. Pourrait-il quand même profiter de l'importation de produits alimentaires?

4. Utilisez un exemple arithmétique pour expliquer le principe d'avantage comparé.

5. Expliquez pourquoi le blé et le papier journal comptent parmi les principaux produits exportés du Canada.

6. Nommez les principaux pays où le Canada exporte. Lequel est le principal acheteur de biens canadiens destinés à l'exportation?

7. Nommez les principaux pays de qui le Canada importe. Lequel est le principal fournisseur de biens destinés à l'importation au Canada?

Problèmes et exercices

1. La Keylandie (un pays fictif) peut fabriquer une machine à écrire ou 20 paires de chaussures. La Cloggonie (un autre pays fictif) peut fabriquer une machine semblable ou 80 paires de chaussures.
   (a) Quel pays dispose d'un avantage en matière de fabrication de machines à écrire?
   (b) S'agit-il d'un avantage absolu ou comparé?
   (c) Quel pays jouit d'un avantage en matière de fabrication de chaussures?
   (d) S'agit-il d'un avantage absolu ou comparé?
   (e) Ces deux pays profiteraient-ils d'échanges commerciaux?
2. Supposons que la Keylandie peut fabriquer 75 000 machines à écrire et 100 000 paires de chaussures, alors que la Cloggonie peut fabriquer 1 500 machines et 500 000 paires de chaussures annuellement.
   (a) À la lumière de cette information, complétez le tableau 19.10.

TABLEAU 19.10 Production de machines à écrire et de chaussures

Pays	Machines à écrire	Paires de chaussures
Keylandie		
Cloggonie		
TOTAL		

   (b) Supposons maintenant que la Keylandie se spécialise dans la fabrication de machines à écrire, et la Cloggonie, dans celle des chaussures. Utilisez les données de l'exercice 1 pour compléter le tableau 19.11.

TABLEAU 19.11 Production de machines à écrire et de chaussures

Pays	Machines à écrire	Paires de chaussures
Keylandie		0
Cloggonie	0	
TOTAL		

3. L'Efficacie et la Productie sont des pays voisins. Le travailleur du premier peut fabriquer 6 articles vestimentaires ou 3 unités de denrées, alors que le travailleur du second, 4 articles vestimentaires ou une unité de denrées.
   (a) Un pays dispose-t-il d'un avantage absolu sur l'autre dans la fabrication des deux produits? Si oui, lequel?
   (b) _____ dispose d'un avantage comparé dans la fabrication de vêtements, tandis que _____, dans la fabrication de denrées.

(c) Le tableau 19.12 présente la production de vêtements et de denrées de l'Efficacie et de la Productie.

TABLEAU 19.12
Production de vêtements
et de denrées

Pays	Vêtements (articles)	Denrées (unités)
Efficacie	5 000	15 000
Productie	50	10 000
TOTAL	5 050	25 000

Si l'Efficacie se spécialise dans la fabrication de vêtements et la Productie, dans celle de denrées, utilisez les données de coût d'opportunité présentées ci-dessus pour compléter le tableau 19.13.

TABLEAU 19.13
Production de vêtements
et de denrées

Pays	Vêtements (articles)	Denrées (unités)
Efficacie		0
Productie	0	
TOTAL		

LES TARIFS ET LES ÉCHANGES COMMERCIAUX

> Le niveau de protection doit être plus ou moins égal à l'avantage dont jouissent les producteurs étrangers dans le marché en raison de leurs normes de travail moins élevées, avantage modifié par la productivité relative.
>
> *The National Labor-Management Council on Foreign Trade Policy*

INTRODUCTION

Au sein de la Confédération canadienne, certains pouvoirs relèvent du gouvernement fédéral, tandis que d'autres appartiennent aux provinces. Un des pouvoirs du premier est l'imposition de tarifs. Comme on peut s'y attendre, les politiques tarifaires du gouvernement fédéral affectent l'activité économique du pays tout entier.

Nous avons vu que les pays pouvaient accroître leur bien-être individuel et collectif à la faveur du commerce et de la spécialisation. Malgré les avantages évidents reliés au libre- échange, nous ne vivons pas dans un milieu de libre-échange, mais dans un monde où l'on impose des restrictions aux échanges commerciaux. Les tarifs constituent les mesures restrictives les plus répandues, et le présent chapitre présente les divers enjeux associés à ces derniers. Par contre, un grand nombre de pays pratiquent l'intégration économique, et ce chapitre en présente les différents types. Le Canada et les États-Unis ont récemment signé un accord commercial important. Les tarifs et le commerce sont, en effet, des sujets très actuels.

LA RAISON DE L'EXISTENCE DES TARIFS

L'imposition d'un tarif augmente le prix d'un bien importé.

Lorsque nous importons des biens en provenance du Japon, nous payons une taxe, ou un *droit*, sur ces biens. De la même manière, lorsque les exportateurs canadiens vendent leurs biens à l'étranger, ces pays imposent une taxe (ou un droit) sur ces derniers. L'imposition de ce droit, que l'on appelle un *tarif*, augmente le prix que doit payer l'acheteur. Un tarif est une taxe imposée sur les biens importés.

Il est opportun de se poser la question suivante : Pourquoi les nations imposent-elles des tarifs? Il existe plusieurs raisons d'imposer des tarifs, notamment à titre de :

(a)   mesure aux fins de la répartition des revenus d'un groupe à l'autre;

(b)   moyen d'augmenter les recettes de l'État;

(c) moyen d'améliorer la situation de balance des paiements du pays;

(d) moyen de faire face au chômage;

(e) moyen de restreindre la consommation de certains biens que l'on considère indésirables sur les plans social ou économique;

(f) moyen d'améliorer les conditions commerciales du pays et, partant, d'augmenter la part de ce dernier des avantages tirés du commerce;

(g) moyen de protéger certaines industries;

(h) moyen d'encourager certaines industries que l'on considère essentielles sur les plans économique, militaire ou politique.

Les nations imposent des tarifs (à raison ou à tort) à la lumière de l'une ou de plusieurs des raisons précédentes.

LA CLASSIFICATION DES TARIFS

Les tarifs canadiens sont essentiellement protecteurs.

On peut classer les tarifs selon les objectifs que l'on poursuit en les appliquant. Si l'objectif premier consiste à accroître les recettes de l'État, il s'agit d'un *tarif fiscal*. Par contre, si l'on désire protéger l'économie intérieure, il s'agit d'un *tarif protecteur*. Au Canada, les tarifs protecteurs sont plus courants que les tarifs fiscaux, et les droits de douane représentent moins de 5 % des recettes totales du gouvernement fédéral.

Les tarifs sont spécifiques, ad valorem ou composites. Un *tarif spécifique* s'exprime en montant par unité de bien importé. Ainsi, un tarif de 0,40 $ imposé sur chaque 100 grammes d'une bouteille de sauce piquante importée est un tarif spécifique. Le *tarif ad valorem* s'exprime en pourcentage fixe de la valeur du bien importé. Ainsi, un droit de 35 % sur la valeur des textiles importés au Canada constitue un tarif ad valorem. Un *tarif composite* est la combinaison d'un droit spécifique et d'un tarif ad valorem. Un tarif composé de 0,25 $ par kilogramme sur les premiers 50 kilogrammes et de 10 % de la valeur de tout ce qui excède 50 kilogrammes constitue un droit composite. Les sections subséquentes du chapitre se penchent sur le pour et le contre des tarifs.

LES STRUCTURES TARIFAIRES

Le régime douanier comporte quatre catégories principales de tarifs qui s'appliquent aux biens importés au Canada : le tarif de préférence britannique, le tarif de la nation la plus favorisée, le tarif général et le tarif de préférence général.

Le tarif de préférence britannique   Ce tarif s'applique aux biens importés des pays du Commonwealth britannique (à l'exception de Hong Kong) qui bénéficient du tarif de préférence du Commonwealth britannique.

Le tarif de la nation la plus favorisée   Ce tarif, généralement plus élevé que celui de préférence britannique, mais moins élevé que le tarif général, s'applique aux biens importés des pays avec lesquels le Canada a des ententes douanières comme celle du GATT — *General Agreement of Tariffs and Trade*, ou accord général sur les tarifs douaniers.

Le tarif général   Ce tarif s'applique aux biens importés des pays avec lesquels le Canada n'a pas d'ententes douanières.

Le tarif de préférence général   Le 1er juillet 1974, le Canada a convenu d'un système généralisé de préférences conçu pour permettre des tarifs moins élevés sur des biens importés de pays en voie de développement. Ce tarif est généralement inférieur d'un tiers au tarif de préférence britannique ou de celui de la nation la plus favorisée, le moindre des deux.

LE POUR DES TARIFS

On invoque toutes sortes de raisons pour appuyer les tarifs, tant d'ordre économique que non économique. Les quatre raisons d'ordre économique suivantes sont les plus courantes.

Le principe de l'industrie naissante

Les tarifs protègent les industries naissantes.

Le *principe de l'industrie naissante* s'énonce comme suit. Les industries nationales nouvellement mises sur pied ne peuvent concurrencer d'autres industries plus anciennes et bien établies dans d'autres pays. Par conséquent, il faut les protéger au moyen de tarifs. En outre, elles pourront éventuellement jouir d'un avantage comparé, lequel ne se matérialisera jamais, à moins qu'on ne leur permette d'atteindre l'âge adulte à l'aide de tarifs. Pour que ce raisonnement ait du poids, il faut que le tarif soit temporaire — c'est-à-dire qu'il s'applique jusqu'à ce que l'industrie se soit développée. Dans la pratique, l'industrie est protégée pendant si longtemps qu'on se demande si elle grandira jamais! En outre, la protection ne se justifie que si les entreprises redistribuent leurs profits. Autrement dit, le principe de l'industrie naissante est renforcé considérablement en présence d'économies externes sous forme de bénéfices à la société.

L'emploi

On dit également que les tarifs permettent de créer des emplois. Ils empêchent l'entrée au pays de biens importés et, partant, augmentent la production intérieure. La création d'emplois au sein des industries nationales dont les produits sont en concurrence avec les biens importés se répercutera sur les autres industries. Par exemple, une augmentation du nombre d'emplois dans le secteur des communications occasionnera une hausse des revenus totaux au sein de cette industrie. Ces revenus accrus se traduiront par une plus grande demande des biens produits par d'autres industries, ce qui entraînera une hausse de l'emploi au sein de ces dernières. On peut également investir des sommes additionnelles afin de fabriquer des substituts au pays. Toutefois, il faut savoir que la diminution des importations en raison des tarifs signifie une baisse des exportations de nos partenaires commerciaux, ce qui peut causer du chômage et une réduction de revenus chez ces derniers. Cette situation risque d'engendrer une diminution de leurs importations en provenance du Canada, c'est-à-dire une baisse de nos exportations. Les tarifs n'auront donc procuré aucun avantage à notre pays.

Les termes de l'échange

Un pays peut améliorer les termes d'un échange en imposant des tarifs sur les biens importés d'autres pays. Les *termes de l'échange* désignent le taux où les exportations d'un pays sont échangées contre des importations. L'imposition d'un tarif signifie qu'il faudra importer davantage de biens en échange d'une quantité donnée de biens exportés. L'amélioration des termes de l'échange *peut* améliorer la situation d'un pays, mais elle ne résulte pas nécessairement de tarifs plus élevés. Si le tarif est tellement élevé qu'il ramène le niveau des importations à zéro, il se peut même que la situation se détériore. Par conséquent, il existe un niveau de tarif optimal, afin d'accroître les avantages tirés des termes de l'échange.

La diversification et l'industrialisation

On dit souvent que la protection des industries nationales au moyen de tarifs est nécessaire à la diversification et à l'industrialisation. Il semble que l'argument repose sur l'hypothèse que ces objectifs sont souhaitables parce qu'ils entraînent un accroissement du revenu réel. Si ces objectifs sont souhaitables en soi, la protection au moyen de tarifs est un moyen parmi d'autres (bien que ce ne soit pas nécessairement le plus efficace) de les atteindre.

Il faut cependant comprendre que l'industrialisation et la diversification ne mènent pas nécessairement à l'augmentation du revenu réel ou du pouvoir d'achat. En effet, la poursuite de ces objectifs peut mener à une très mauvaise répartition des ressources et, partant, à la réduction du revenu réel. Bien entendu, certains arguments non économiques viennent à l'appui des tarifs mais, comme nous l'avons indiqué, nous ne nous intéressons qu'aux raisons économiques.

LE CONTRE DES TARIFS

Les avantages comparés

Les tarifs compromettent la théorie des avantages comparés.

Le principal argument contre les tarifs est que ces derniers compromettent la théorie des avantages comparés et, par conséquent, qu'ils réduisent ou annulent les gains qui résultent de la spécialisation et du commerce. Nous avons vu comment le commerce international bénéficiait aux différents partenaires et augmentait la production totale. L'imposition de tarifs peut dégrader la situation de chacun.

L'efficacité

Les tarifs sont inefficaces

On peut atteindre les objectifs fixés à l'aide de tarifs en ayant recours à d'autres moyens plus efficaces que l'imposition de ceux-ci. Par exemple, on peut industrialiser plus efficacement à l'aide de subventions. En outre, lorsque l'imposition d'un tarif temporaire peut permettre l'atteinte d'un objectif donné, il devient très difficile d'annuler ce dernier, un fois l'objectif atteint. La difficulté provient du fait qu'une fois imposés, les tarifs ont tendance à être permanents.

Problème : Les consommateurs canadiens pourraient-ils profiter de l'élimination des tarifs sur les chaussures?

Solution : La réduction graduelle, puis l'élimination du tarif sur les chaussures entraînera l'importation de chaussures moins coûteuses. Pour être concurrentiels, les fabricants canadiens devront accroître leur rendement et réduire leurs prix. Cela signifie que les consommateurs canadiens profiteront de la réduction des prix. Si, par contre,

> les fabricants canadiens ne peuvent faire la concurrence aux fabricants étrangers, ils appliqueront graduellement leurs ressources à une industrie où ils seront plus efficaces. Cette répartition plus efficace des ressources profitera également aux consommateurs canadiens.

LE TARIF OPTIMAL

L'amélioration des termes de l'échange permet à un pays d'obtenir une plus grande part des gains tirés du commerce et de la spécialisation, et l'imposition d'un tarif constitue un de ces moyens. L'augmentation des tarifs (en supposant que les autres pays n'exercent aucunes représailles) entraînera une amélioration des termes de l'échange, mais une diminution du volume des échanges commerciaux. Toutefois, les gains tirés de cette amélioration compenseront largement la perte résultant de la réduction du volume des échanges, et le pays réalisera un profit net.

Le tarif optimal maximise le bien-être de la population d'un pays.

Après un certain point cependant, la perte résultant de la baisse du volume des échanges commencera à l'emporter sur les gains tirés de l'amélioration des termes de l'échange. Par conséquent, il existe un tarif qui maximise les gains, que l'on appelle le *tarif optimal*. Comme le démontre l'illustration 20.1, l'augmentation du tarif de 0 à t correspond à l'amélioration du bien-être de la population. Toutefois, au delà du point t, le tarif nuit à ce point au commerce que le bien-être de la collectivité décroît. Le tarif optimal t maximise le bien-être de la population.

ILLUSTRATION 20.1
Le tarif optimal

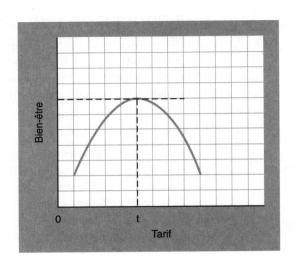

LES AUTRES MESURES DE RESTRICTION ET DE RÉGULARISATION

Le tarif n'est pas la seule mesure destinée à restreindre et à régulariser le volume des échanges commerciaux entre les nations. Les quotas d'importation, les subventions à l'exportation et les restrictions volontaires constituent d'autres mesures.

Les quotas d'importation restreignent les échanges commerciaux.

Les quotas d'importation Un quota d'importation est la quantité maximum d'un bien dont on permet l'entrée au pays durant une période donnée. Afin de s'assurer qu'on n'excède pas les quotas, l'État exige que chaque importateur obtienne une licence d'importation pour la quantité devant être importée.

Les subventions à l'exportation viennent en aide aux producteurs.

Les subventions à l'exportation L'État peut décider de venir en aide aux exportateurs à la faveur de subventions. Ces subsides réduisent les coûts des exportateurs, ce qui permet à ces derniers de diminuer leurs prix et d'être plus concurrentiels sur les marchés étrangers. Certains pays ont recours à ce mode d'aide pour soutenir leurs industries.

Les restrictions volontaires gênent les échanges commerciaux.

Les restrictions volontaires Les importations en provenance d'un pays étranger peuvent avoir un effet défavorable sur l'industrie intérieure. Dans ce cas, le pays importateur peut demander au pays exportateur d'adopter un programme de restrictions volontaires. Une de ces ententes fut conclue entre le Canada et le Japon, lorsque le premier a demandé au second de limiter les exportations de radios et d'automobiles au Canada.

Les normes de fabrication

De nombreux pays imposent des normes de fabrication précises relativement à un grand nombre de biens de manière à favoriser la production nationale de ceux-ci, étant donné que seules les entreprises canadiennes sont en mesure d'y répondre.

Les tarifs et quotas

Tarifs et quotas produisent un effet différent.

Les tarifs et quotas entraînent la hausse du prix intérieur du bien, en plus de réduire le volume des échanges. Il existe cependant des différences entre les deux.

Tout d'abord, les quotas ont de fortes chances d'être plus efficaces que les tarifs afin de limiter la quantité de biens qui entrent dans un pays. Si la préférence d'un bien importé est très marquée, l'importation de ce dernier continuera, malgré un tarif élevé, et certains consommateurs voudront et pourront se le procurer. Mais le quota impose une limite qui ne peut être dépassée, et l'État peut même interdire l'importation de certains biens.

Deuxièmement, comme on l'a vu, l'imposition d'un tarif augmente le prix du bien importé et en réduit la quantité demandée. Les sommes recueillies reviennent à l'État à titre de recettes fiscales additionnelles. Le fardeau fiscal est assumé par les consommateurs canadiens du bien importé sous forme de prix accrus, de même que par les exportateurs étrangers, sous forme de quantités demandées réduites. Les producteurs intérieurs du bien sont donc favorisés par les circonstances, étant donné que le tarif ne s'applique pas au bien qu'ils fabriquent. Par ailleurs, un quota diminue l'offre du bien sur le marché intérieur, ce qui entraîne une hausse de prix. Les prix plus élevés sont payés aux exportateurs étrangers du bien ainsi qu'aux fabricants intérieurs, et l'État n'encaisse rien.

Finalement, le tarif est non discriminatoire dans la mesure où il s'applique également à tous les exportateurs étrangers. Ainsi, l'ensemble des importateurs intérieurs du bien paient le même tarif.

L'INTÉGRATION ÉCONOMIQUE

L'analyse des associations économiques entre des états souverains relève de la théorie de l'intégration économique, que nous allons aborder sommairement. Nous vous en brossons un tableau élémentaire, afin que vous vous y retrouviez lors de discussions des enjeux reliés à l'association économique.

L'*intégration économique* est un accord entre deux ou plusieurs nations en vue d'abolir les pratiques discriminatoires entre elles. Mais il ne faut pas confondre l'intégration avec la coopération économique. La *coopération économique* est un accord entre deux ou plusieurs pays afin de réduire certaines formes de discrimination entre eux. L'accord de libre-échange entre le Canada et les États-Unis constitue un exemple d'intégration économique, alors qu'un accord visant à réduire les tarifs constitue un exemple de coopération économique.

Les modes d'intégration économique

Les accords se présentent sous maintes formes, lesquelles dépendent du niveau d'intégration. Nous pouvons en distinguer cinq :

1. le libre-échange,
2. l'union douanière,

3. le marché commun,
4. l'union économique,
5. l'intégration économique totale.

Le libre-échange Le libre-échange constitue le niveau d'intégration économique le plus rudimentaire, en vertu duquel les biens et services circulent librement (sans tarifs) entre les pays engagés. Chaque partenaire maintient cependant ses structures tarifaires avec le reste du monde.

Deux problèmes surgissent : la fraude tarifaire et la répartition industrielle.

La fraude tarifaire est une tentative d'éviter un tarif en réacheminant les importations. Cela peut s'effectuer de la manière suivante. Supposons que les pays A et B créent une zone de libre-échange et qu'ils imposent des tarifs de 20 % et de 30 % respectivement sur la valeur des biens importés d'un troisième pays, C. Un importateur du pays B désireux d'importer un bien du pays C peut voir à ce que le bien passe par le pays A, où le tarif est moins élevé qu'en B, avant d'être transporté dans ce dernier. Un tel arrangement profitera à l'importateur seulement si les coûts de transport depuis A jusqu'à B sont suffisamment bas. De toute manière, la possibilité de telles fraudes présente une menace aux objectifs poursuivis par B au moyen de sa politique tarifaire, en plus d'exercer de fortes pressions sur l'entente.

La répartition industrielle découle de la fraude tarifaire. Les fabricants qui désirent établir des industries à l'intérieur de la zone de libre-échange doivent tenir compte de la source de leurs intrants ainsi que du coût d'obtention de ces derniers. Supposons que la plupart des intrants seront importés du pays C, à l'extérieur de la zone. Étant donné l'écart des tarifs entre A et B, il est fort probable que les fabricants s'installeront en A, où les tarifs sont moins élevés, toutes autres choses étant égales.

Nous avons mentionné plus tôt que les tarifs servent à protéger les industries nationales. Par conséquent, un nombre d'industries s'installeront dans le pays membre dont les politiques tarifaires offrent le niveau de protection le plus élevé. Tant et aussi longtemps que chaque pays membre pourra établir ses propres politiques tarifaires avec le reste du monde, il en résultera des conséquences défavorables. Cela explique en partie pourquoi les zones de libre-échange tendent à ne pas durer très longtemps, et qu'elles servent de tremplin à des niveaux supérieurs d'intégration économique.

L'union douanière Les difficultés inhérentes au libre-échange ont amené les nations à favoriser un niveau d'intégration

La fraude tarifaire et la répartition industrielle sont des difficultés inhérentes au libre-échange.

L'union douanière est une forme d'intégration économique supérieure au libre-échange.

économique plus élevé. Ces difficultés proviennent du fait que les pays membres n'ont pas de tarif commun sur les échanges commerciaux avec le reste du monde. L'union douanière offre un mode d'intégration économique supérieur qui permet le prélèvement de tarifs communs sur les biens importés de pays qui ne participent pas à l'union douanière. L'union douanière est une forme d'intégration économique où les pays membres éliminent tous les tarifs entre eux, mais imposent un tarif commun au reste du monde. Les nations membres doivent décider de la répartition des recettes douanières entre elles.

Bien que cette forme d'intégration économique contourne les difficultés associées au libre-échange, elle possède néanmoins ses propres complications. La première consiste à s'entendre sur le prélèvement d'un tarif commun sur les biens en provenance du reste du monde. Si la structure tarifaire de chaque pays est compatible avec les intérêts de chacun, les négociations seront vraisemblablement ardues, étant donné que chaque pays membre prônera un tarif destiné à protéger ses propres industries.

Une deuxième difficulté provient du partage des recettes douanières communes. À première vue, la solution la plus simple consiste à diviser les sommes selon le volume d'importations de chacun. Mais la mise sur pied de l'union douanière affectera probablement le volume des importations de chaque nation membre, un facteur dont il faudra tenir compte.

Troisièmement, il ne sera pas facile de s'assurer que les règles de la structure tarifaire commune seront interprétées et appliquées uniformément. Si les pays interprètent et gèrent les lois douanières différemment, le problème de la fraude tarifaire réapparaîtra.

Le marché commun constitue un mode d'intégration économique supérieur à l'union douanière.

Le marché commun En plus d'assurer la libre circulation des biens entre les pays membres, le marché commun n'impose aucune restriction sur la libre circulation des facteurs de production, ce qui permet au capital et à la main-d'oeuvre de circuler librement entre les nations membres. En outre, les pays membres s'entendent sur le prélèvement d'un tarif commun auprès des non-membres.

Ce niveau supérieur d'intégration exige une coordination plus serrée des politiques entre les nations membres, étant donné que les économies de ces dernières sont liées. Par conséquent, elles doivent s'entendre sur un certain nombre de questions. Par exemple, un niveau de chômage élevé dans un des pays membres entraînera un exode de travailleurs, qui se dirigeront alors dans un autre pays, où les perspectives d'emploi sont meilleures. Il se peut que cette mobilité de la main-d'oeuvre soit souhaitable sur le plan économique, mais inopportune du point de vue politique. Étant donné que les considérations d'ordre économique et politique sont unifiées dans un marché commun, il faut que la coordination des politiques des États membres soit régie par un organisme central.

L'union économique comprend l'harmonisation des politiques économiques.

L'union économique L'union économique est une forme d'intégration encore plus poussée, qui permet la libre circulation des biens et des facteurs de production, en plus de donner naissance à un niveau plus élevé d'harmonisation des politiques économiques nationales.

L'intégration économique totale L'intégration économique totale constitue le mode d'association le plus intégré. À ce niveau d'intégration, les politiques monétaires, fiscales et sociales du groupe sont arrêtées par un corps supra-national, dont les décisions lient l'ensemble des pays membres.

Certains effets de l'intégration économique

L'intégration économique est très populaire dans plusieurs régions du monde à l'heure actuelle. Bien que l'idée ne soit pas nouvelle, elle a gagné du terrain au cours des dernières années tant auprès des pays développés qu'auprès de ceux en voie de développement. On peut supposer sans trop se tromper que les pays participent à diverses formes d'intégration économique parce qu'ils s'attendent à en tirer quelque avantage. L'analyse classique des avantages de l'intégration économique comprend la création et le détournement d'échanges commerciaux entre les pays.

La création d'échanges commerciaux entre les pays constitue un avantage.

La création d'échanges résulte du passage de la production intérieure à un coût élevé, à la production à un coût modique par suite de l'intégration économique d'un pays. Si le pays A fabrique un bien donné à un coût élevé et le pays B, le même produit à un coût modique, le premier peut fabriquer le bien en vertu d'une protection tarifaire. Si les deux pays décident d'éliminer les tarifs entre eux, le pays A se rendra compte qu'il est plus économique d'importer ce bien du pays B. Il s'agit d'un exemple de création d'échanges.

Le détournement d'échanges constitue un désavantage.

Le détournement d'échanges, par contre, résulte du passage de la production extérieure au coût le plus modique, à la production à un coût supérieur par suite de l'intégration économique d'un pays. La création d'échanges est avantageuse, étant donné qu'elle permet l'application de ressources à des usages plus efficaces; le détournement d'échanges est nuisible parce qu'il permet l'application de ressources à des usages moins efficaces.

L'intégration économique
peut favoriser les termes
de l'échange.

L'intégration économique paraît avantageuse en raison de son effet sur les termes de l'échange. Un ensemble de pays négociant en tant qu'unité peut gagner des concessions commerciales du reste du monde — des concessions que chacun des pays ne pourrait mériter s'il agissait seul —, lesquelles contribuent à l'amélioration des termes de l'échange.

Elle peut également
accroître la concurrence.

Un autre argument en faveur de l'intégration économique réside dans le fait qu'elle augmente la concurrence. Certaines industries sont créées à la faveur de barrières tarifaires élevées. En raison du niveau important de protection dont elles jouissent, elles se sont pas obligées de concurrencer avec des industries semblables dans d'autres pays. Il en résulte parfois des coûts élevés et une production inefficace. La concurrence force les industries à trouver des modes de production plus efficaces ou à quitter le marché, alors que l'absence de concurrence permet à ces dernières de maintenir des modes de production inefficaces à un coût élevé. Supposons maintenant que certains pays consentent à l'intégration. Cela compromettra les entreprises inefficaces, étant donné que les importations, franches de tarif, pourront dorénavant provenir de pays membres. La concurrence accrue parmi les nations membres entraînera une utilisation plus efficace des ressources, et les coûts et les prix auront tendance à diminuer.

L'intégration économique
peut favoriser les progrès
techniques.

Un autre avantage de l'intégration économique est qu'elle favorise les progrès techniques, alors que les marchés intérieurs limités font plutôt obstacle à ces derniers. En réponse au marché étendu, les entreprises existantes auront tendance à croître, et les ressources pourront être appliquées à la recherche et au développement. Il se peut même qu'un avantage comparé latent se manifeste et que la zone devienne un exportateur vers des pays non membres. Somme toute, les progrès techniques constituent une force effective parce qu'ils favorisent la croissance économique.

L'intégration économique dissipe également la crainte que les marchés ne disparaissent en raison des changements de tarifs, de quotas et d'autres formes de restrictions commerciales. La stabilité du marché qui en résulte réduit le risque et l'incertitude, en plus d'établir un climat plus propice aux investissements intérieurs. Il se peut aussi que les investissements étrangers augmentent.

L'intégration économique
peut ouvrir la voie aux
économies d'échelle.

Enfin, l'intégration économique offre l'occasion de tirer profit des économies d'échelle, en donnant naissance à un marché intérieur étendu. Cela encourage les entreprises à mettre sur pied des usines et à installer du matériel qui ouvrent la voie aux économies d'échelle, étant donné qu'elles desserviront un marché régional plus vaste.

Problème :   Claude Depapier exploite une papeterie au Québec. Sera-t-il enclin à appuyer le libre-échange entre le Canada et les États-Unis?

Solution :   Le Québec abonde en ressources hydrauliques, électriques et forestières, lesquelles sont essentielles à la fabrication du papier, et Claude Depapier jouira vraisemblablement d'un avantage des coûts comparés. Le libre-échange avec les États-Unis étendra le marché de Claude, qui profitera également des économies de marché. Il semble donc qu'il y va de l'intérêt de Claude d'appuyer le libre-échange entre les deux pays.

LE GRAND DÉBAT DU LIBRE-ÉCHANGE

Un peu d'histoire

De nombreuses tentatives ont été faites afin d'établir le libre-échange entre le Canada et les États-Unis.

L'idée du libre-échange entre le Canada et les États-Unis ne date pas d'hier. À la lumière de ce que nous avons dit précédemment sur les gains qui résultent du commerce, les propositions de libre-échange entre les deux pays remontent aux jours d'avant la confédération. En 1854, un accord de libre-échange fut conclu entre la Grande-Bretagne et les États-Unis, ce qui entraîna l'élimination de barrières commerciales artificielles entre le Canada et les États-Unis. L'entente prit fin en 1866, et on tenta à maintes reprises au cours des trois décennies subséquentes, mais en vain, à revenir au protocole de 1854.

On parvint à une espèce d'entente en 1911, mais le peu d'enthousiasme qu'elle suscita tant au Canada qu'aux États-Unis, de concert avec la défaite du gouvernement de sir Wilfrid Laurier la même année, sonna le glas de l'accord. Ce n'est qu'en 1935 que les négociations devant mener à un autre accord reprirent, et cette année marqua le début de la libéralisation des échanges entre le Canada et les États-Unis.

En octobre 1947, l'entente du GATT fut conclue à Genève, laquelle visait à l'accroissement des échanges entre les pays du monde à la faveur de réductions tarifaires. Le Canada et les États-Unis ont négocié des diminutions additionnelles. En 1953, le président Eisenhower s'est intéressé à une entente plus complète, mais le gouvernement canadien s'est contenté de l'accord du GATT. Deux ententes méritent notre attention : en 1941, les deux pays ont conclu un accord de libre-échange dans le domaine du matériel militaire et en 1965, dans le secteur automobile à la faveur du Pacte de l'automobile.

En 1985, le président Reagan et le premier ministre Mulroney se sont rencontrés à Québec le 17 mars (le jour de la Saint-Patrick). Surnommé le «sommet du trèfle», la rencontre a ouvert la voie à un vaste accord entre les deux pays, et il s'agit de l'entente commerciale la plus importante que le Canada ait jamais signée.

Résumé historique

1854	Accord de libre-échange conclu entre les États-Unis et la Grande-Bretagne.
1870-1890	Plusieurs tentatives se sont soldées par un échec.
1911	Accord de courte durée intervenu entre le Canada et les États-Unis.
1935	Conclusion d'un accord commercial, qui marque le début de réductions tarifaires importantes entre les deux pays.
1941	Libre-échange en matière de matériel militaire.
1947	Accord du GATT. Négociations de réductions tarifaires additionnelles.
1953	Les États-Unis manifestent de l'intérêt pour un accord plus vaste; le Canada décide de se limiter à l'accord du GATT.
1965	Libre-échange dans le secteur automobile à la faveur du Pacte de l'automobile.
1985	Engagement au libre-échange lors du «sommet du trèfle».
1987	Signature d'un accord de libre-échange important.
1989	Entrée en vigueur de l'accord de libre-échange.

Le grand débat

En 1987, le Canada et les États-Unis signent l'accord commercial le plus complet entre les deux pays.

Signé le 4 octobre 1987, l'accord de libre-échange entre le Canada et les États-Unis a suscité un des débats les plus vifs de l'histoire canadienne. Il fut au coeur de la campagne électorale fédérale de 1988. Les libéraux, sous la direction de John Turner, et les néo-démocrates, dirigés par Ed Broadbent, se sont opposés à l'accord. En reportant les conservateurs au pouvoir, la population canadienne acceptait l'accord de libre-échange avec les États-Unis.

Bien que l'accord soit plutôt complexe, nous pouvons souligner certaines conséquences.

Les avantages éventuels pour le Canada

L'accord de libre-échange peut mener à la hausse des revenus au Canada.

Des recettes accrues L'élimination des tarifs sur les biens qui circulent entre le Canada et les États-Unis signifie que les sommes versées précédemment à l'État américain par les exportateurs canadiens reviennent maintenant aux fabricants canadiens et, en fin de compte, aux propriétaires d'usines canadiens. Cela entraîne une hausse des revenus intérieurs.

L'accord peut mener à des économies d'échelle.

Les économies d'échelle   L'accord de libre-échange profitera vraisemblablement aux fabricants canadiens qui sont en mesure de tirer profit des économies d'échelle. Afin de comprendre cette notion, supposons que les tarifs sont imposés sur les biens qui circulent entre les deux pays, et prenons l'exemple d'une petite entreprise canadienne qui fabrique une quantité modeste d'un bien destiné au marché intérieur. En raison de la petite taille de ce marché, le coût moyen de l'exploitation canadienne est relativement élevé. Par ailleurs, le coût moyen d'une entreprise américaine qui fabrique un bien semblable destiné au marché américain plus vaste est passablement inférieur. Par conséquent, il sera extrêmement difficile, voire impossible, pour le fabricant canadien de faire concurrence au fabricant américain sur le marché des États-Unis. Par contre, l'entreprise américaine peut concurrencer ses homologues canadiennes, étant donné que son coût par unité inférieur peut compenser largement le tarif canadien. La suppression des tarifs entre les deux pays ouvrira davantage le vaste marché américain aux entreprises canadiennes, ce qui permettra à ces dernières de profiter des économies d'échelle et de concurrencer efficacement leurs homologues américaines.

L'accord de libre-échange profitera aux consommateurs canadiens sous la forme de prix réduits.

Des importations à des prix inférieurs   La disparition des tarifs sur les importations en provenance des États-Unis entraînera la baisse des prix de ces dernières et, partant, la hausse des quantités demandées. Les consommateurs canadiens profiteront de la situation et substitueront aux biens fabriqués (inefficacement) au Canada à un coût élevé des biens importés moins chers.

Les coûts éventuels pour le Canada

L'accord de libre-échange peut se traduire par un chômage accru au Canada.

Le chômage   Un des effets possibles de l'accord de libre-échange est que les entreprises américaines qui possèdent des filiales canadiennes desservant le marché canadien sans avoir à payer des tarifs élevés fermeront ces dernières pour concentrer leur production aux États-Unis. Cela occasionnera la perte d'un grand nombre d'emplois au Canada. On peut également alléguer que l'élimination des tarifs sur les importations américaines empêchera les entreprises canadiennes de concurrencer les biens importés à des prix plus modiques. Ces dernières devront fermer, et le chômage augmentera. Enfin, on peut arguer que les firmes canadiennes seront obligées de se regrouper afin de concurrencer leurs homologues américaines. Cette «rationalisation» se traduira par une perte additionnelle d'emplois.

L'accord de libre-échange pourrait mener à une perte d'autonomie

Une perte d'autonomie Un autre effet possible de l'accord de libre-échange est une plus grande dépendance du marché américain. Après que les industries canadiennes se seront adaptées à la nouvelle situation, un grand nombre desserviront le marché américain et en seront dépendantes. Connaissant cette dépendance, il se pourrait que les États-Unis tentent d'en tirer profit et d'influencer les décisions, lesquelles ne coïncideraient pas nécessairement avec les intérêts du Canada. Par exemple, les États-Unis pourraient menacer de dissoudre l'accord afin de gagner certaines concessions sur le plan politique. Bien que tout porte à croire que les États-Unis ne recourront pas à des tactiques pareilles, il ne faut pas passer sous silence la perte éventuelle d'indépendance politique.

RÉSUMÉ DU CHAPITRE

1. Un tarif ou un droit d'importation est une taxe perçue sur les biens importés de pays étrangers. Les tarifs fiscaux sont conçus principalement pour accroître les recettes de l'État, tandis que les tarifs protecteurs servent à protéger les industries du pays de la concurrence extérieure.

2. Le droit spécifique s'exprime comme une somme donnée par unité du bien importé. Le tarif ad valorem est un pourcentage de la valeur du bien importé. Le droit composite est une combinaison de droit spécifique et de tarif ad valorem.

3. Les arguments économiques en faveur des tarifs sont la protection des entreprises naissantes et de l'emploi intérieur, la notion des termes de l'échange ainsi que la diversification et l'industrialisation. Le principal argument contre les tarifs est que ces derniers entravent le fonctionnement de la théorie des avantages comparés.

4. Outre les tarifs, d'autres mesures sont destinées à la régularisation des échanges commerciaux, notamment les quotas d'importation, les subventions à l'exportation et les restrictions volontaires. Les quotas d'importation sont souvent plus restrictifs que les tarifs.

5. L'intégration économique est une entente entre deux ou plusieurs pays afin d'abolir certaines pratiques discriminatoires entre eux.

6. L'intégration économique peut prendre l'aspect d'une zone de libre-échange, d'une union douanière, d'un marché commun,

d'une union économique ou de l'intégration économique totale.

7. L'intégration économique en vertu de laquelle un pays passe de la production intérieure à un coût élevé, à la production à un coût inférieur donne naissance à la création d'échanges commerciaux entre les pays.

8. L'intégration économique en vertu de laquelle un pays passe de la production intérieure à un coût inférieur, à la production à un coût élevé donne naissance au détournement d'échanges.

9. L'intégration économique est avantageuse parce qu'elle améliore les termes de l'échange du groupe intégré. Les autres avantages sont la concurrence accrue, les progrès techniques et les investissements.

10. Les avantages éventuels que tirera le Canada de l'accord de libre-échange avec les États-Unis incluent des recettes accrues, des gains sur le plan des économies d'échelle et des importations à prix réduits. Les coûts éventuels seront le chômage et la perte d'autonomie.

Termes et notions à retenir

tarif ou droit d'importation	coopération économique
tarif spécifique	zone de libre-échange
tarif ad valorem	fraude tarifaire
droit composite	union douanière
industrie naissante	marché commun
termes de l'échange	union économique
quotas d'importation	intégration économique
subventions à l'exportation	totale
restrictions volontaires	création d'échanges commerciaux
intégration économique	détournement d'échanges

Questions de révision et de discussion

1. Quelle est la différence entre un tarif fiscal et un tarif protecteur? Quel genre de tarif le Canada impose-t-il en général?

2. Nommez des mesures utilisées par le Canada pour restreindre les importations. Ces restrictions profitent-elles aux industries du pays? Si oui, comment?

3. Énumérez les principales caractéristiques du concept de protection des industries naissantes en faveur des tarifs. Ce concept valable pose-t-il un problème? Expliquez.

4. Énoncez le concept de l'emploi intérieur en faveur des tarifs.

5. Qu'entend-on par *termes de l'échange*? L'amélioration des termes de l'échange d'un pays occasionne-t-elle nécessairement l'amélioration du bien-être économique de ce dernier?
6. Énumérez les raisons contre la restriction des échanges à l'aide de tarifs.
7. Comparez tarifs et quotas en tant que mesures restrictives.
8. Quelle est la différence entre l'intégration économique et la coopération économique?
9. Énumérez les principales formes d'intégration économique.
10. Expliquez brièvement comment la fraude tarifaire peut se produire par suite de la création d'une zone de libre-échange.
11. Quelles difficultés peuvent poser l'union douanière?
12. Nommez certains avantages de l'intégration économique.
13. Quelle différence existe-t-il entre la création et le détournement d'échanges?
14. Faites l'historique de l'accord de libre-échange entre le Canada et les États-Unis.
15. Quels sont les avantages éventuels que pourra tirer le Canada de l'accord de libre-échange avec les États-Unis?
16. Quels sont les coûts éventuels qu'encourra le Canada par suite de l'accord de libre-échange avec les États-Unis?

Problèmes et exercices

1. Appuyez-vous l'élimination graduelle des tarifs sur l'importation des chaussures? Expliquez votre réponse.
2. Vous êtes un fabricant à un coût inférieur de produits forestiers, installé en Colombie-Britannique. Êtes-vous en faveur de l'accord de libre-échange avec les États-Unis?
3. Pourquoi un si grand nombre de producteurs canadiens préfèrent-ils l'imposition de quotas d'importation aux tarifs?
4. Le tableau 20.1 contient des données sur diverses quantités de cadres demandées (Q_d) au Canada à des prix variés, en plus des diverses quantités offertes par les fabricants canadiens ($Q_o c$) et les fabricants étrangers ($Q_o é$).

TABLEAU 20.1
Demande et offre de cadres.

Prix	Q_d	Q_o^c	$Q_o^é$	Q_o	$Q_{ot}^é$	Q_{ot}
10,00	800	1 150	650			
9,60	900	1 100	600			
9,20	1 000	1 050	550			
8,80	1 100	1 000	500			
8,40	1 200	950	450			
8,00	1 300	900	400			
7,60	1 400	850	350			
7,20	1 500	800	300			

TABLEAU 20.1
(suite)

Prix	Q_d	Q_o^c	$Q_o^é$	Q_o	$Q_{ot}^é$	Q_{ot}
6,80	1 600	750	250			
6,40	1 700	700	200			
6,00	1 800	650	150			

(a) Remplissez la colonne de la quantité totale offerte (Q_o)
(b) À quel prix le marché sera-t-il en équilibre?
(c) Quelles quantités seront échangées à ce prix?
(d) Étant donné l'imposition d'un tarif par le Canada à 1,20 $ par cadre, calculez les nouvelles quantités qui seront offertes par les fabricants étrangers après l'imposition du tarif ($Q_{ot}é$), puis remplissez la colonne ($Q_{ot}é$).
(e) Remplissez la colonne qui présente la quantité totale offerte après l'imposition du tarif (Q_{ot}).
(f) Estimez le nouveau prix et la nouvelle quantité d'équilibre.

STATISTIQUES UTILES

TABLEAU A.1
Canada

	Produit intérieur brut			Indice des prix				Balance commerciale		
Année	Nominal	Réel (dollars de 1986) (M $)	IPC (1986= 100)	Indice implicite du PIB	Population active (000)	Taux de chômage (%)	Exportations (M $)	Importations (M $)	Solde net (M $)
1965	57 523	216 802	25,7	26,5	7 179	3,9	10 719	10 832	−113
1966	64 388	231 519	26,6	27,8	7 493	3,3	12 564	12 584	−20
1967	69 064	238 306	27,6	29,0	7 747	3,8	14 161	13 461	700
1968	75 418	251 064	28,7	30,0	7 951	4,5	16 166	15 186	980
1969	83 026	264 508	30,0	31,4	8 194	4,4	17 844	17 705	139
1970	89 116	271 372	31,0	32,7	8 395	5,7	20 078	17 830	2 248
1971	97 290	286 998	31,9	32,8	8 639	6,2	21 173	19 531	1 642
1972	108 629	303 447	33,4	35,8	8 897	6,2	23 737	22 779	958
1973	127 372	326 848	36,0	39,0	9 276	5,5	29 767	28 024	1 743
1974	152 111	341 235	39,9	44,6	9 639	5,3	37 805	37 366	439
1975	171 540	350 113	44,2	49,0	9 974	6,9	38 954	41 362	−2 408
1976	197 924	371 688	47,5	53,3	10 203	7,1	44 252	45 279	−1 027
1977	217 879	385 122	51,3	56,6	10 500	8,1	51 183	51 252	−69
1978	241 604	402 737	55,9	60,0	10 895	8,3	61 152	60 052	1 100
1979	276 096	418 328	61,0	66,0	11 231	7,4	75 073	73 279	1 794
1980	309 891	424 537	67,2	73,0	11 573	7,5	87 579	81 933	5 646
1981	355 994	440 127	75,5	80,9	11 899	7,5	96 880	93 001	3 879
1982	374 442	425 970	83,7	87,9	11 926	11,0	96 651	82 598	14 053
1983	405 717	439 448	88,5	92,3	12 109	11,9	103 444	89 832	13 612
1984	444 735	467 167	92,4	95,2	12 316	11,3	126 035	110 632	15 403
1985	477 988	489 437	96,0	97,7	12 532	10,5	134 919	123 388	11 531
1986	505 666	505 666	100,0	100,0	12 746	9,5	138 119	133 369	4 750
1987	551 597	526 730	104,4	104,7	13 011	8,8	145 416	140 502	4 912
1988	605 147	551 428	108,6	109,7	13 275	7,8	159 660	154 844	4 816
1989	649 102	564 990	114,0	114,9	13 503	7,5	163 277	163 165	112
1990	671 577	567 541	119,5	118,3	13 681	8,1	168 928	166 878	2 050

Sources : 1. *Revue de la Banque du Canada*
2. *L'observateur économique canadien*

TABLEAU A.2
Québec

Année	PIB nominal ($ courants) (M $)	Demande intérieure finale réelle ($ de 1986) (M $)	Emploi (000)	Taux de chômage (%)	IPC (1986=100)
1971	24 271	53 141	2 175	7,3	—
1972	27 217	57 074	2 205	7,5	—
1973	30 928	62 313	2 330	6,8	—
1974	36 342	65 491	2 401	6,6	—
1975	40 944	69 607	2 434	8,1	—
1976	47 697	72 094	2 456	8,7	—
1977	52 211	74 628	2 476	10,3	—
1978	58 122	75 615	2 530	10,9	—
1979	64 939	78 440	2 619	9,6	60,2
1980	72 220	80 133	2 694	9,8	66,4
1981	81 513	80 209	2 723	10,3	74,7
1982	86 228	76 950	2 574	13,8	83,3
1983	92 274	79 672	2 616	13,9	87,9
1984	100 991	84 205	2 692	12,8	91,5
1985	107 944	88 715	2 768	11,8	95,5
1986	117 493	92 462	2 825	11,0	100,0
1987	129 593	98 102	2 918	10,3	104,4
1988	142 417	103 277	3 001	9,4	108,3
1989	151 801	107 269	3 031	9,3	112,9
1990	157 210	—	3 055	10,1	117,7

GLOSSAIRE DE TERMES ÉCONOMIQUES

Accélérationniste : tenant de l'hypothèse selon laquelle les tentatives pour maintenir le chômage sous son niveau naturel accroissent l'inflation.

Accord général sur les tarifs douaniers et le commerce (GATT) : entente internationale signée à Genève, en 1947, dont l'objectif est d'accroître le commerce entre les pays au moyen de réductions des barrières tarifaires.

Actif : bien appartenant à une entreprise ou à un particulier.

Action directrice en matière de prix : situation où une entreprise (le chef de file) fixe le prix, et où les autres entreprises (les seconds) ne font qu'emboîter le pas.

Affirmation : énoncé relatif à ce qui est, et pouvant être vérifié par l'analyse des faits.

Allocation optimale : situation où une variation de production ou de consommation ne peut favoriser une personne sans en défavoriser une autre.

Amortissement : déduction qui tient compte de la dépréciation du stock de capital en cours de production.

Analyse d'équilibre général : méthode d'analyse portant sur les relations entre les divers facteurs dans tous les marchés.

Analyse d'équilibre partiel : méthode d'analyse étudiant le comportement de variables dans des marchés individuels isolés des autres.

Année de base : année servant de référence pour comparer les variations du niveau des prix dans le temps. Les valeurs courantes sont exprimées en valeurs constantes par rapport à l'année de base.

Anticipations adaptatives : hypothèse selon laquelle les prévisions ne sont fondées que sur le passé récent. Par exemple, le taux d'inflation prévu en 1988 est fondé sur le taux d'inflation de 1987.

Anticipations rationnelles : théorie selon laquelle les attentes des personnes sont fondées sur leur connaissance des facteurs à l'origine d'un événement.

Appréciation du taux de change : augmentation, déterminée par le marché, du cours de la monnaie d'un pays par rapport à celle d'un autre.

Arbitrage : mécanisme permettant à une ou à plusieurs personnes de parvenir à une entente lors d'un processus de négociation collective.

Arbitrage obligatoire : entente selon laquelle des parties sont forcées de soumettre leur conflit à un arbitre, dont la décision est irrévocable.

Arc d'élasticité (de la demande) : mesure de l'élasticité d'un segment de la courbe de demande.

Atelier fermé : entente selon laquelle les emplois ne sont offerts qu'aux syndiqués.

Atelier ouvert : entente selon laquelle l'appartenance à un syndicat n'est pas une condition préalable à l'emploi.

Atelier syndical : entente selon laquelle des travailleurs non syndiqués peuvent être engagés, pourvu qu'ils adhèrent au syndicat après un certain temps.

Avantage absolu : avantage que possède un pays par rapport à un autre pays relativement à la production d'un bien, lorsque cette production nécessite moins de ressources.

Avantage comparé : situation où un pays qui produit deux biens plus efficacement qu'un autre, et notamment un de ces biens, possède un avantage comparé.

Balance commerciale : différence entre les exportations et les importations de biens et de services d'un pays.

Balance des paiements : relevé des transactions économiques d'un pays avec le reste du monde comprenant les comptes courants et de capital.

Banque à charte : institution financière exploitée conformément à une charte fédérale. Elle accepte les dépôts, dont ceux qui sont transférables par chèques, consent des prêts et effectue des investissements. Aussi appelée «banque commerciale».

Banque centrale : institution agissant à titre de banquier des banques commerciales et de l'État, afin d'assurer l'efficacité du système monétaire du pays.

Banque commerciale : voir «banque à charte».

Barème de demande : tableau présentant le rapport entre la quantité demandée et le prix.

Barème d'offre : tableau présentant le rapport entre le prix et la quantité offerte.

Bénéfice : différence entre le revenu global et le coût total; rémunération de la prise de risque.

Bénéfices économiques : différence entre le revenu total et le coût d'opportunité des facteurs de production.

Bénéfices non distribués : voir «bénéfices non répartis».

Bénéfices non répartis : profits d'une entreprise non distribués aux actionnaires. Aussi appelés «bénéfices non distribués».

Bien : tout ce qui est corporel et satisfait une demande; ce qui appartient à une unité économique.

Bien de Giffen : bien dont la demande est inversement proportionnelle à son prix, toutes autres choses étant égales.

Bien durable : bien de consommation destiné à durer longtemps (arbitrairement, plus d'un an).

Bien inférieur : bien dont la demande est inversement proportionnelle au revenu.

Bien libre : bien en abondance; même à un prix nul, l'offre est supérieure à la demande.

Bien normal : bien dont l'achat augmente avec le revenu.

Bien public : bien ou service dont la consommation par une personne n'en diminue pas l'offre, et dont on ne peut éviter la consommation générale (exemple, la défense nationale).

Biens complémentaires : biens consommés ensemble (raquette et balles de tennis; café et crème).

Biens différenciés : biens se ressemblant à maints égards, mais dont les différences justifient un écart de prix.

Biens de substitution : biens pouvant être utilisés au lieu d'autres biens (thé et café, bière et vin, etc.)

Bilan : relevé de l'actif, du passif et de l'avoir des propriétaires.

Boycottage : effort de persuasion afin que les consommateurs n'achètent pas certains biens ou services, ou ne traitent pas avec certaines entreprises.

Brevet : droit légal et exclusif accordé à un producteur afin que celui-ci produise un bien ou un service pendant la durée du brevet; entrave à l'entrée sur un marché.

Budget équilibré : situation où les dépenses publiques égalent les recettes fiscales.

Caisse populaire : voir «coopérative de

crédit».

Calcul de prix fondé sur le coût moyen : stratégie de prix mettant en équation le prix et le coût moyen; souvent utilisée par les organismes de régulation afin de réglementer les monopoles.

Capacité contributive : principe selon lequel on doit imposer les contribuables selon leurs moyens. Ainsi, les riches doivent contribuer davantage que les pauvres.

Capital : facteur de production comme la machinerie, le matériel, les bâtiments, etc.

Capital humain : éducation, formation, compétences et santé d'une personne.

Capitalisme : système économique caractérisé par la libre entreprise et mettant l'accent sur la propriété privée des ressources.

Capitalisme concurrentiel : système économique de la libre entreprise.

Cartel : groupe d'entreprises agissant de concert afin d'influer sur les prix et la production sur le marché d'un produit donné.

Ceteris paribus : expression latine signifiant «toutes autres choses étant égales».

Chambre de compensation : mécanisme permettant de déterminer l'endettement net entre institutions financières.

Champ d'indifférence : ensemble de courbes d'indifférence.

Charge explicite : paiements ne relevant pas de la production, comme les salaires, le loyer et les services publics.

Chômage : situation où les travailleurs sont incapables de trouver de l'emploi.

Chômage cyclique : chômage résultant de fluctuations cycliques de l'activité économique.

Chômage frictionnel : chômage causé par l'inactivité temporaire des travailleurs et par l'arrivée de nouveaux concurrents sur le marché du travail.

Chômage saisonnier : chômage causé par des variations saisonnières.

Chômage structurel : chômage causé par l'incapacité des travailleurs de profiter des possibilités d'emploi, à cause de leur manque de compétence.

Clauses d'indexation : clauses d'un contrat garantissant l'ajustement des salaires, de façon à tenir compte du niveau des prix.

Coefficient d'élasticité : nombre obtenu par le calcul de la mesure d'élasticité.

Coefficient de capital : ratio du capital social à la production annuelle.

Collusion : entente selon laquelle les entreprises ne se livrent aucune concurrence.

Commerce international : échange de biens et de services entre pays.

Compte courant : section de la balance des paiements comportant les exportations et les importations de biens et de services, les revenus de placement et les transferts.

Compte de capital : partie de la balance des paiements qui comporte les mouvements de capital à long et à court termes.

Concession : droit exclusif accordé à une entreprise afin que celle-ci puisse offrir un bien ou un service dans une région donnée.

Conciliation : processus par lequel on soumet un conflit à un médiateur dans le but d'arriver à un règlement.

Concurrence imparfaite : structure de marché ni pure ni parfaite; souvent une concurrence monopolistique et un oligopole.

Concurrence monopolistique : structure de marché caractérisée par un nombre élevé d'entreprises qui vendent un bien différencié.

Concurrence parfaite : situation caractérisée par un nombre important d'entreprises qui vendent un produit identique et par un nombre élevé d'acheteurs. Aucune entreprise ne peut influer sur le prix du produit vendu, et vice-versa. Aussi appelée «concurrence pure».

Consommation : utilisation (ou achat) de biens de consommation et de services, afin de satisfaire des besoins.

Contingentement des importations : restrictions de la quantité d'un bien qu'on peut importer.

Coopérative : société où les bénéfices sont répartis selon la cotisation des membres. Chaque membre ne possède qu'un vote, quel que soit le nombre de parts qu'il/elle détient.

Coopérative de crédit : institution financière organisée selon le principe de la coopérative. Aussi appelée «caisse populaire».

Coopérative économique : entente entre deux ou plusieurs pays afin de réduire certaines formes de discrimination commerciale entre eux.

Courbe budgétaire : ligne présentant les diverses combinaisons de biens et de services qui peuvent être achetés par un ménage grâce à un revenu donné, en supposant que les prix sont fixes. Aussi appelée «droite de budget».

Courbe de demande : représentation graphique des diverses quantités de biens et de services que les consommateurs désirent acheter à divers niveaux de prix.

Courbe de demande coudée : courbe de demande déviée servant à expliquer la rigidité des prix dans des marchés oligopolistiques. Sa partie supérieure est assez horizontale et sa partie inférieure, verticale.

Courbe de demande globale : courbe présentant le rapport entre la totalité des biens et des services achetés au sein de l'économie et le niveau moyen des prix.

Courbe d'efficacité marginale de l'investissement : courbe présentant le rapport entre le taux d'intérêt et le niveau d'investissement.

Courbe de Laffer : graphique présentant la hausse du revenu par suite d'une augmentation du taux d'imposition et, si cette dernière se poursuit, la baisse du revenu.

Courbe de Lorenz : courbe présentant le degré d'inégalité de la répartition du revenu.

Courbe d'Engel : courbe présentant le rapport entre la quantité demandée et le prix d'un produit.

Courbe de Phillips : courbe présentant la relation d'arbitrage entre l'inflation et le chômage.

Courbe de possibilités de production : courbe présentant les diverses combinaisons de marchandises produites, si les ressources sont entièrement utilisées et les techniques ne changent pas.

Courbe de préférence pour la liquidité : courbe présentant le rapport entre la masse monétaire demandée et le taux d'intérêt.

Courbe de prix de consommation : ligne joignant les points de tangence entre les courbes d'indifférence et les courbes de prix en tant que variations de prix.

Courbe d'indifférence : courbe présentant les diverses combinaisons de deux marchandises qui procurent le même niveau de satisfaction.

Courbe d'offre : représentation graphique des diverses quantités de biens et de services que les vendeurs sont prêts à offrir à divers niveaux de prix.

Courbe d'offre globale : courbe présentant le rapport entre la production globale de tous les biens et services au sein de l'économie et le niveau moyen des prix.

Courbe enveloppante : courbe présentant le coût moyen minimal de la production à chaque niveau, dans un contexte où tous les intrants sont variables.

Courbe revenu-consommation : ligne joignant les points de tangence entre les courbes d'indifférence et les lignes de prix qui résultent d'augmentations du revenu, alors que les prix demeurent constants.

Coût d'opportunité : option sacrifiée afin d'obtenir une autre chose.

Coût fixe moyen (CFM) : coût fixe total divisé par le nombre d'unités produites.

Coût implicite : coût d'opportunité de l'utilisation de facteurs qui appartiennent déjà au producteur. Aussi appelé «coût réparti».

Coût marginal : coût encouru dans le cadre de la production d'une unité de production additionnelle.

Coût moyen (CM) : coût total divisé par le nombre d'unités produites. Aussi appelé «coût total moyen (CTM)» ou «coût unitaire».

Coût réparti : voir «coût implicite».

Coût social : coût total, au sein de la société, des décisions et des mesures prises par les personnes et les entreprises.

Coût total (CT) : somme de tous les coûts encourus lors de la production d'une quantité donnée de biens et de services. Somme du coût fixe global et du coût variable global.

Coût total moyen (CTM) : voir «coût moyen».

Coût variable : coût variant selon le niveau de production.

Coût variable moyen (CVM) : coût variable moyen divisé par le nombre d'unités produites.

Coûts fixes : coûts ne variant pas selon le volume de la production, même lorsque la production est nulle.

Coûts privés : coûts assumés uniquement par les personnes ou les entreprises qui prennent les décisions.

Création d'échanges : situation où l'intégration économique entraîne un changement d'orientation du commerce, d'un fournisseur au coût moins élevé à un fournisseur au coût plus élevé.

Croissance économique : augmentation de la production réelle par habitant.

Cycle économique : succession de périodes de croissance et de ralentissement économiques.

Débenture : obligation garantie par la solvabilité de l'emprunteur plutôt que par l'actif de ce dernier.

Décalage décisionnel : période écoulée entre la reconnaissance d'un problème et la mise en application d'une solution.

Déficit budgétaire : excédent des dépenses publiques par rapport aux recettes publiques.

Demande : quantité d'un bien ou d'un service que les consommateurs sont prêts à acheter à des prix variés.

Demande d'argent spéculative : désir de conserver de la monnaie en prévision du mouvement des prix des actifs financiers.

Demande dérivée : demande d'un facteur de production en raison de la demande de l'extrant produit au moyen de ce facteur.

Demande globale : ensemble de tous les biens et services achetés à divers niveaux de prix.

Demande par précaution : désir de conserver de la monnaie en cas d'imprévu.

Demande transactionnelle de monnaie : désir de conserver de la monnaie à des fins de transaction.

Dépenses totales : dépenses comprenant les dépenses de consommation, les dépenses d'investissement, les dépenses publiques et les exportations nettes.

Dépôt à vue : dépôt bancaire transférable par chèque et pouvant être retiré sur demande.

Dépréciation (dans la comptabilité nationale) : dépréciation du stock de capital en cours de production. Aussi appelée «consommation de capital».

Dépréciation (du taux de change) : baisse, déterminée par le marché, du cours de la monnaie d'un pays par rapport à celle d'un autre.

Dépression : période caractérisée par une activité économique faible et un chômage élevé. Phase du cycle économique où l'activité économique est minimale.

Déséconomie d'échelle : situation où le coût à long terme est directement proportionnel à la production.

Désépargne : épargne négative. Situation où la consommation courante est supérieure au revenu courant.

Détournement d'échanges : situation où l'intégration économique entraîne un changement d'orientation du commerce, d'un fournisseur au coût moins élevé à un fournisseur au coût plus élevé.

Dette : montant dû à un créditeur.

Dette privée : dette contractée par un ménage ou une entreprise envers un autre ménage ou une autre entreprise.

Dette publique : ce que l'État doit à ses créditeurs.

Dévaluation (du taux de change) : baisse du cours de la monnaie d'un pays par rapport à celle d'un autre.

Différenciation des produits : situation où les entreprises d'une industrie vendent des produits similaires, mais non identiques.

Discrimination des prix : vente d'une marchandise à des clients à des prix différents pour des motifs qui ne relèvent pas de la variation des coûts.

Dividende : paiement effectué aux actionnaires d'entreprises; rémunération du capital.

Division du travail : situation où une tâche est divisée en un certain nombre d'opérations exécutées par des travailleurs différents.

Droit : taxe imposée sur des biens importés.

Droit *ad valorem* : tarif exprimé en pourcentage fixe de la valeur de l'article importé.

Droit composite : combinaison de droits spécifiques et *ad valorem*.

Droit optimal : droit qui vise à maximiser le bien-être du pays.

Droit spécifique : montant par unité d'un article importé.

Dumping : vente d'un bien sur le marché d'exportation à un prix inférieur au prix intérieur.

Duopole : industrie composée de deux entreprises seulement.

Écart de revenu (production) : différence entre la production de plein emploi et la production observée.

Écart déflationniste : différence entre le total des dépenses et le rendement global dans un contexte de plein emploi. Aussi appelé «écart dû à la récession».

Écart dû à la récession : voir «écart déflationniste».

Écart inflationniste : montant auquel le total des dépenses visé dépasse le revenu de plein emploi ou la production.

Échec commercial : incapacité du système de prix d'allouer efficacement les ressources à cause d'externalités ou d'imperfections du marché.

Économie : entité où ont lieu la production, la consommation et les échanges.

Économie d'échelle : situation où le coût moyen à long terme est inversement proportionnel à la production.

Économie de marché : économie où l'offre et la demande du marché jouent des rôles importants.

Économie dirigée : économie où les décisions économiques sont surtout prises par les autorités centrales.

Économie fermée : économie ne se prêtant pas au commerce extérieur.

Économie mixte : économie caractérisée par la libre entreprise et la prise de décisions centrale.

Économie ouverte : économie se prêtant au commerce international.

Effet de revenu : effet d'une variation de prix sur le revenu réel ou le pouvoir d'achat.

Effet d'éviction : principe selon lequel l'augmentation des dépenses publiques réduit les dépenses du secteur privé.

Efficacité économique : situation où l'on utilise la méthode de production la moins coûteuse.

Efficacité technique : efficacité de l'utilisation matérielle d'intrants. Aussi appelée «capacité technique».

Élasticité : mesure du degré de variation de la quantité par suite du changement d'une variable.

Élasticité croisée : mesure du degré de variation de la quantité d'une marchandise achetée par suite d'une modification du prix d'une autre marchandise.

Élasticité-revenu de la demande : mesure du degré de variation de la demande par suite d'une modification du revenu.

Énoncé normatif : énoncé exprimant ce qui devrait être, et non ce qui est.

Entrave à l'entrée sur un marché : obstacle empêchant l'entrée d'une entreprise au sein d'une industrie.

Entrepreneuriat (services d'entrepreneur) : services fournis par l'organisateur du terrain, du travail et du capital durant la production.

Entreprise : unité économique où a lieu la production et où les intrants sont convertis en extrants.

Entreprise à propriétaire unique : forme d'organisation commerciale où un seul propriétaire est responsable de toutes les mesures prises par l'entreprise; entreprise ne jouissant pas d'une responsabilité limitée.

Épargne : partie du revenu disponible non consacrée à la consommation de biens et de services.

Équilibre : situation où tout changement est peu probable.

Équilibre intérieur : situation où les dépenses totales égalent la production globale dans un contexte de plein emploi.

Erreur de composition : hypothèse selon laquelle ce qui s'applique à la partie s'applique au tout.

Excédent : voir «quantité excédentaire fournie».

Excédent budgétaire : excédent des recettes publiques par rapport aux dépenses publiques.

Excédent de plein emploi : différence entre les recettes et les dépenses de l'État, à un niveau de revenu de plein emploi.

Expansion : phase du cycle économique caractérisée par un accroissement de l'emploi, du revenu et de l'activité économique en général. Aussi appelée «reprise».

Exportations : biens et services vendus à d'autres pays.

Exportations nettes : exportations (X) moins les importations (M) de biens et de services.

Externalités : coûts ou bénéfices revenant à des personnes non directement touchées par la production ou la consommation d'une marchandise.

Extrant : bien ou service produit par les facteurs de production.

Facteur de production : ressource servant à la production de biens et de services.

Facteur fixe : facteur ou production dont la quantité ne varie pas selon le volume de la production.

Facteur variable : facteur dont la quantité peut varier à court terme.

Fédération de syndicats : association de syndicats nationaux.

Finance fonctionnelle : utilisation des

dépenses publiques et des impôts pour stabiliser l'économie.

Finances publiques : étude des dépenses publiques et de la taxation dans le cadre de la microéconomie.

Fiscalité régressive : système où le taux d'imposition est inversement proportionnel au revenu.

Fixation des prix en fonction du coût marginal : stratégie de prix comportant la fixation de prix égaux aux coûts marginaux.

Fixation des prix limitée : fixation de prix assez faibles pour éviter l'entrée de nouvelles entreprises au sein de l'industrie. Aussi appelée «pratique de prix abusifs».

Flux circulaire : circulation du revenu, des ressources, des biens et des services entre les secteurs économiques.

Fonction de consommation : rapport fonctionnel entre les dépenses de consommation et leurs déterminants; souvent, rapport entre la consommation et le revenu.

Fonction de production : rapport entre les intrants et la production d'une entreprise.

Grève : arrêt de travail ordonné par un syndicat, afin d'exercer des pressions sur l'employeur.

Hyperinflation : taux d'inflation excessivement élevé.

Hypothèse : expression du rapport entre variables.

Importations : biens et services achetés à d'autres pays.

Impôt négatif sur le revenu : système en vertu duquel l'État effectue des paiements à ceux dont le revenu est inférieur au niveau imposable.

Impôts indirects sur les sociétés : impôts versés par les entreprises et dont les sources sont autres que le revenu,

comme l'impôt foncier et les taxes de vente.

Indice : nombre représentant l'évolution de variables dans le temps.

Indice d'appauvrissement : voir «indice» d'inconfort.

Indice de concentration : proportion de la production totale du marché fournie par les entreprises les plus importantes (habituellement, quatre ou huit) d'une industrie.

Indice de déflation du produit intérieur brut (PIB) : indice des prix utilisé pour diminuer le produit intérieur brut (afin d'exprimer le PIB actuel ou nominal en PIB réel). Aussi appelé «indice implicite des prix».

Indice des prix : chiffre indiquant la variation de prix au cours d'une période.

Indice des prix à la consommation (IPC) : indice mesurant les variations de prix des biens de consommation et des services au cours des ans.

Indice d'inconfort : somme des taux d'inflation et de chômage.

Indice implicite des prix : voir «indice de déflation du produit intérieur brut».

Industrie : groupe d'entreprises produisant des biens semblables.

Inefficacité X : incapacité d'utiliser les ressources de façon à atteindre le coût de production le plus bas, quel que soit le niveau de production.

Inflation : niveau de prix moyen dont l'augmentation est constante.

Inflation inertielle : voir «inflation prévue».

Inflation par excès de demande : voir «inflation par la demande».

Inflation par la demande : inflation résultant d'une demande globale trop élevée. Aussi appelée «inflation par excès de demande».

Inflation par les coûts : inflation résultant de l'augmentation des salaires et du coût d'autres facteurs de production.

Inflation prévue : inflation causée vraisemblablement par la réaction des vendeurs et des acheteurs qui prévoient une période d'inflation.

Injection : revenu injecté dans le flux des revenus et des dépenses.

Innovation : introduction de nouvelles techniques de production.

Intégration économique : entente entre deux ou plusieurs pays afin d'abolir certaines pratiques de discrimination commerciale entre eux.

Intérêt : rénumération du capital; paiement sur un emprunt.

Internaliser : tenir compte d'un effet auparavant externe.

Intrant : toute chose servant à la production.

Investissement : dépenses en biens d'équipement.

Investissement brut : dépenses totales des investissements; somme de l'investissement net et de l'investissement de remplacement.

Investissement direct à l'étranger : investissement effectué dans un autre pays et comportant la propriété ou la gestion d'une entreprise.

Investissement induit : investissement tributaire des variations du revenu.

Investissement net : différence entre l'investissement brut et la dépréciation; investissement augmentant le stock de capital.

Keynésien : adjectif dérivé du nom *Keynes*; économiste souscrivant en grande partie aux théories de Keynes.

Libre-échange : commerce entre pays non entravé par des droits ou d'autres restrictions au commerce.

Liquidité : facilité avec laquelle on peut convertir un bien en espèces sans perte importante.

Loi de Gresham : hypothèse selon laquelle la mauvaise monnaie chasse la bonne monnaie de la circulation.

Loi de la demande : hypothèse selon laquelle l'augmentation du prix d'une marchandise fait baisser la demande, toutes autres choses étant égales.

Loi de l'utilité marginale décroissante : hypothèse selon laquelle la satisfaction est inversement proportionnelle à la consommation d'une marchandise.

Loi de Say : notion selon laquelle la production en elle-même dénote la présence d'une demande équivalente, c'est-à-dire que l'offre crée sa propre demande.

Loi des proportions variables : voir «loi des rendements décroissants».

Loi des rendements décroissants : hypothèse selon laquelle l'ajout de quantités croissantes d'un facteur variable à un facteur fixe entraîne le ralentissement, après un certain point, de la production totale.

Loi de Wagner : notion selon laquelle le taux d'augmentation des dépenses publiques sera supérieur à celui de la production.

Loyer : paiement de la location d'un terrain.

Macroéconomie : branche de l'économie étudiant des variables économiques globales comme le revenu national, l'emploi et le niveau des prix. Aussi appelée «théorie du revenu et de l'emploi».

Marchandise : bien ou service répondant à la demande.

Marché : point de rencontre des acheteurs et des vendeurs.

Marché commun : entente entre pays qui permet la libre circulation de biens et de facteurs entre eux.

Marché des facteurs de production : marché où sont vendus les facteurs de production.

Marché des produits : marché où les entreprises vendent leurs produits.

Marché noir : marché où les biens et les services sont vendus illégalement, à un prix supérieur au plafond de prix.

Masse monétaire : quantité totale de monnaie.

Ménage : unité prenant les décisions relatives à la vente de facteurs de service et à l'achat de biens de consommation et de services.

Microéconomie : branche de l'économie étudiant les unités économiques individuelles comme l'allocation des ressources, de même que la détermination des prix et de la production de marchandises individuelles. Aussi appelée «théorie des prix».

Modèle : version simplifiée d'un système de rapports plus complexe.

Modèle keynésien : modèle économique selon lequel la demande détermine la production et l'emploi, et les politiques budgétaires stimulent l'économie.

Modificateur de demande : déterminant hors prix de la quantité demandée modifiant la courbe de demande.

Modification des dépenses de budget équilibré : situation où les dépenses publiques et les impôts varient de façon semblable.

Monétarisme : doctrine selon laquelle les variations de la masse monétaire font fluctuer considérablement l'économie, et qu'on parvient à la stabilité macroéconomique grâce à une croissance constante de la masse monétaire.

Monétariste : économiste qui met l'accent sur le rôle de la monnaie dans l'activité économique et qui affirme que la stabilisation de la croissance de la masse monétaire constitue la meilleure politique de la stabilité macroéconomique.

Monnaie : billets et pièces de monnaie servant de moyens d'échange d'un pays. Ce qui est habituellement accepté comme paiement de biens et de services.

Monnaie fiduciaire : monnaie légale non

fondée sur l'or ou tout autre métal précieux.

Monnaie légale : tout ce qui, en vertu de la loi, doit être accepté comme paiement de biens et de services, ou comme règlement d'une dette.

Monopole : structure de marché caractérisée par un seul vendeur d'une marchandise pour laquelle il n'existe aucun substitut.

Monopole naturel : situation où une entreprise peut approvisionner le marché de façon plus efficace.

Moyen d'échange : ce qui est habituellement accepté comme paiement de biens et de services.

Multiplicateur : ratio de la variation du revenu à celle des dépenses autonomes qui en sont la cause.

Multiplicateur de budget équilibré : nombre qui, multiplié par la variation des dépenses publiques, donne la variation du revenu d'équilibre, quand $\Delta G = \Delta T$.

Multiplicateur monétaire : nombre qui, multiplié par la variation des réserves, donne la variation éventuelle de la masse monétaire.

Négociation collective : processus de négociation des salaires et d'autres conditions de travail entre un syndicat et un employeur.

Niveau critique du revenu : niveau auquel la consommation égale le revenu.

Niveau des prix : niveau moyen des prix tel que mesuré par un indice des prix adéquat.

Obligation : preuve écrite d'une dette contractée par un emprunteur, lequel verse de l'intérêt au prêteur pendant une période déterminée, puis rembourse le capital, lorsque le prêt est échu.

Offre : diverses quantités d'une marchandise vendues à divers prix.

Oligopole : situation où il existe un nombre restreint de vendeurs, lesquels reconnaissent leur interdépendance.

Oligopole différencié : marché où un nombre restreint d'entreprises vendent des biens différenciés.

Opération d'arbitrage : achat d'une chose à un prix étudié sur un marché, afin de la revendre à un prix supérieur sur un autre.

Opérations sur le marché libre : achat et vente de titres (obligations) par la banque centrale.

Optimum de Pareto : situation où l'on ne peut favoriser une personne sans en défavoriser une autre. Aussi appelé «efficacité de Pareto».

Paiements de péréquation : paiements de transfert du gouvernement fédéral aux provinces, afin de réduire les inégalités économiques entre les provinces.

Paiements de transfert : paiements ne constituant pas une rénumération de services productifs.

Paradoxe de la valeur : contradiction apparente dans le fait que la valeur d'une nécessité absolue comme l'eau est inférieure à celle d'un article de luxe comme des diamants.

Paradoxe de l'épargne : contradiction apparente dans le fait qu'une augmentation de l'épargne globale désirée résulte en la diminution de l'épargne effectivement accumulée.

Part de marché : partie de la production globale de biens d'une entreprise ou d'un groupe d'entreprises.

Persuasion : demande de soutien de la banque centrale aux banques commerciales, afin d'atteindre certains objectifs économiques.

PIB courant : produit intérieur brut mesuré en dollars courants (non en dollars constants).

Planification centrale : mécanisme en vertu duquel les décisions relatives à la production de biens, aux moyens de production et au consommateur sont prises par les autorités centrales, dans le contexte d'une économie dirigée.

Point d'immobilisation : combinaison du prix et de la production, où le prix égale à peine le coût variable moyen.

Politique budgétaire : changement des dépenses publiques et des impôts afin de stabiliser l'économie.

Politique budgétaire discrétionnaire : changement délibéré des dépenses publiques et des impôts, afin de stabiliser l'économie.

Politique des revenus : ensemble des politiques allant des lignes de conduite salaires et prix aux contrôles des salaires et des prix, en vue de réduire l'inflation.

Politique de stabilisation : mesures destinées à stabiliser l'économie.

Politique énergétique nationale : programme du gouvernement fédéral relatif à l'autosuffisance énergétique.

Politique monétaire : modification de la masse monétaire et du taux d'intérêt par la banque centrale pour augmenter l'emploi et stabiliser les prix.

Population active : ensemble des travailleurs et des chômeurs.

Préférence pour la liquidité : demande totale de monnaie.

Preneur de prix : entreprise ne pouvant, seule, influer sur le prix courant de son produit en variant sa production; entreprise en concurrence pure.

Principe d'accélération : hypothèse selon laquelle le niveau de l'investissement est proportionnel au taux de changement de la production (revenus).

Principe de l'industrie naissante (relativement aux droits) : théorie selon laquelle on doit protéger une nouvelle industrie intérieure contre la concurrence internationale, afin de lui permettre de prendre de l'essor.

Principe de substitution : hypothèse

selon laquelle une entreprise utilisera une quantité moindre d'un facteur plus coûteux, et une plus grande quantité d'un facteur moins coûteux.

Principe du juste retour : principe selon lequel les contribuables doivent être imposés proportionnellement aux avantages qu'ils ont tirés des biens et des services de l'État.

Prix : valeur exprimée en monnaie; montant payé pour une marchandise.

Prix absolu : prix monétaire d'un bien ou d'un service; montant d'argent qu'on doit débourser pour obtenir une unité d'un bien ou d'un service.

Prix administré : prix fixé plutôt que déterminé seulement par l'offre et la demande.

Prix constant : valeurs exprimées par rapport aux prix existants d'une année donnée (de base).

Prix d'équilibre : prix auquel la quantité demandée égale la quantité fournie.

Prix plafond : prix de vente maximal d'une marchandise.

Prix plancher : prix de vente minimal d'une marchandise.

Prix relatif : ratio de deux prix absolus; rapport entre le prix d'un bien et celui d'un autre.

Problème économique de base : rareté des ressources par rapport à certaines demandes.

Production : processus de conversion ou de transformation des intrants en extrants.

Production globale : mesure de la production totale de tous les biens et services.

Production réelle : niveau de la production réellement produite par l'économie.

Production totale : production totale de biens et de services pendant une période donnée.

Produit final : produit destiné à une utilisation finale et ne nécessitant aucun traitement additionnel.

Produit intérieur brut : valeur aux prix du marché de tous les biens et services finaux produits dans un pays pendant une période donnée.

Produit intérieur brut potentiel : niveau du produit intérieur brut pouvant être atteint par une économie en période de plein emploi. Aussi appelé «revenu de plein emploi», ou «produit intérieur brut de plein emploi».

Produit intérieur brut réel : produit intérieur brut ajusté selon la variation du niveau des prix.

Produit intérieur net (PIN) : différence entre le produit intérieur brut et la dépréciation.

Produit intermédiaire : extrant d'une entreprise utilisé comme intrant par une autre entreprise.

Produit marginal (matériel) (Pm) : extrant supplémentaire produit grâce à l'emploi d'une ou de plusieurs unités d'un facteur variable.

Produit moyen (PM) : produit total divisé par le nombre de facteurs variables utilisés.

Produit national brut (PNB) : valeur aux prix du marché de tous les biens et services finaux produits par les entreprises d'un pays et les ressources de ces dernières pendant une période donnée.

Produits homogènes : produits dont la ressemblance ne permet pas une variation rentable des prix.

Profit normal : revenu tout juste suffisant à rentabiliser la production.

Propension marginale à épargner (PmÉ) : variation de l'épargne par suite d'une modification du revenu (PmÉ = $\Delta \text{É}/\Delta Y$). Mathématiquement, pente de la fonction d'épargne.

Propension marginale à retirer (PmR) : variation des retraits totaux par suite d'une modification du revenu.

Propension marginale à consommer (PmC) : variation de la consommation par suite d'une modification du revenu (PmC = $\Delta C/\Delta Y$). Mathématiquement, pente de la fonction de consommation.

Propension moyenne à épargner (PMÉ) : proportion du revenu total consacrée à l'épargne (PMÉ = $\acute{E}/Y$).

Propension moyenne à consommer (PMC) : proportion du revenu total consacrée à la consommation (PMC = C/Y).

Puissance commerciale : importance de l'influence d'une entreprise ou d'un groupe d'entreprises sur le prix d'un produit.

Quantité demandée : quantité d'une marchandise que les ménages sont prêts à acheter à un prix donné.

Quantité excédentaire demandée : quantité à laquelle la demande, à un prix donné, est supérieure à l'offre. Aussi appelée «pénurie».

Quantité excédentaire fournie : quantité à laquelle l'offre, à un prix donné, est supérieure à la demande. Aussi appelée «surplus».

Quantité offerte : quantité d'une marchandise que les entreprises sont prêtes à vendre à un prix donné.

Quasi-monnaie : actif pouvant être converti facilement en outil d'échanges, sans perte de valeur importante.

Ratio des réserves-encaisse : ratio de la trésorerie aux dépôts d'une banque.

Récession : phase du cycle économique caractérisée par une baisse générale de l'activité économique.

Redevance de pollution : droit imposé à un producteur pour avoir pollué l'environnement.

Réévaluation (du taux de change) : augmentation du cours de la monnaie d'un pays par rapport à celle d'un autre.

Régime universel de sécurité du reven : programme destiné à avantager les contribuables à faible revenu et à réduire l'inégalité des revenus.

Réglementation sélective : réglementation influant sur certaines industries ou certains secteurs de l'économie, mais non directement sur toute l'économie.

Rendement croissant à l'échelle : situation où l'augmentation de la production est supérieure à celle de tous les intrants.

Rendement d'échelle constant : situation où l'augmentation de la production est proportionnelle à celle de tous les facteurs de production.

Rendement décroissant : situation où l'augmentation de la production est inférieure à celle des facteurs variables, lorsqu'au moins un facteur demeure constant.

Rendement non proportionnel : situation où l'augmentation de la production est inférieure à celle de tous les intrants.

Rente économique : paiement d'un facteur de production supérieur au coût nécessaire à l'offre de ce facteur.

Répartition du revenu : distribution du revenu selon les ménages qui appartiennent à divers groupes de revenu.

Répartition fonctionnelle du revenu : répartition du revenu selon la propriété des facteurs de production.

Reprise : voir «expansion».

Réserves excédentaires : réserves supérieures à l'exigence minimale légale.

Réserves obligatoires : montant en espèces ou en dépôt que les banques commerciales doivent conserver à la banque centrale, en vertu de la loi.

Réserves officielles : réserves conservées par la banque centrale et destinées aux paiements internationaux.

Réserves secondaires : excédent des réserves-encaisse, des bons du Trésor et des prêts à vue conservé par les banques.

Responsabilité limitée : responsabilité

limitée au montant investi dans une entreprise.

Ressources : voir «facteur de production».

Retrait : tout revenu retiré du flux des revenus et des dépenses, comme l'épargne, les impôts et les importations. Appelé aussi «fuite».

Revenu de transfert : paiement minimal requis afin que les ressources soient consacrées à d'autres usages.

Revenu disponible : revenu après impôt consacré à l'épargne, à la consommation ou aux deux.

Revenu marginal : revenu tiré de la vente d'une unité de production additionnelle.

Revenu marginal du facteur : revenu supplémentaire apporté par la dernière unité d'un facteur variable.

Revenu moyen : revenu total divisé par le nombre d'unités vendues.

Revenu national : revenu total des propriétaires des facteurs de production ou de services.

Revenu nominal : revenu exprimé en dollars courants.

Revenu par habitant : revenu total divisé par la population totale.

Revenu personnel : revenu total d'un ménage avant imposition.

Revenu psychologique : rémunération autre que le revenu tirée d'un emploi, comme la satisfaction.

Salaire : paiement des services de la main-d'oeuvre.

Secteur privé : secteurs des ménages et des entreprises; secteur non public.

Secteur public : secteur économique où les décisions relatives à la production sont prises par l'État ou les organismes gouvernementaux.

Secteurs de base de l'économie : les ménages, la production et le secteur public.

Services : biens incorporels satisfaisant un besoin, comme les services bancaires et les transports.

Seuil de pauvreté : niveau de revenu sous lequel on considère qu'une famille est pauvre.

Seuil de rentabilité : niveau de production auquel le revenu global égale les coûts totaux, et où les bénéfices sont nuls.

Société : organisation commerciale qui forme une entité juridique distincte de ses actionnaires et qui jouit d'une responsabilité limitée.

Société de personnes : entreprise non constituée formée de deux ou de plusieurs associés.

Société d'État : entreprise appartenant à l'État.

Société en commandite : société où un ou plusieurs associés ont une responsabilité limitée, et où au moins un associé est responsable.

Sommet : phase du cycle économique où l'activité économique est à son apogée.

Souveraineté du consommateur : principe selon lequel les consommateurs ont le pouvoir de décider, par leurs dépenses, des biens et services qui seront produits.

Spirale salaires-prix : augmentation des salaires par suite d'une hausse des prix, suivie d'une baisse des salaires, et ainsi de suite.

Stabilisateur automatique : élément de la politique budgétaire compris dans le système et destiné à stabiliser automatiquement l'économie.

Stabilisateur intégré : voir «politique budgétaire».

Stagflation : présence simultanée de taux d'inflation et de chômage élevés.

Stocks : biens finis et semi-finis, et matières premières conservés par une entreprise.

Structure de marché : caractéristiques du marché influant sur la fixation des prix et les décisions relatives à la production :

concurrence parfaite, monopole, concurrence monopolistique et oligopole.

Substituts : voir «biens de substitution».

Surplus du consommateur : différence entre le montant que les consommateurs veulent payer, et celui qu'ils payent vraiment.

Syndicat : regroupement de travailleurs dans le but de négocier les modalités d'emploi avec leur employeur.

Syndicat de métier : syndicat formé des travailleurs d'un seul métier. Aussi appelé «syndicat ouvrier».

Syndicat industriel : syndicat regroupant les travailleurs d'une industrie.

Syndicat ouvrier : voir «syndicat de métier».

Syndicat ouvrier : voir «syndicat».

Système bancaire à couverture partielle : système bancaire en vertu duquel les banques ne conservent qu'une fraction de leur passif-dépôt en tant que réserves-encaisse.

Système d'impôt progressif : système où le taux d'imposition augmente en même temps que le revenu.

Système d'impôt proportionnel : système où le taux d'imposition demeure constant, alors que le revenu augmente.

Tarif protecteur : droit servant à protéger les producteurs intérieurs.

Taux d'activité : population active exprimée en pourcentage de la population adulte.

Taux de change : cours de la monnaie d'un pays par rapport à celle d'un autre.

Taux de change fixe : taux de change fixé à un certain niveau par le gouvernement.

Taux de chômage : nombre de personnes à la recherche d'un emploi exprimé en pourcentage de la population active.

Taux de chômage naturel : taux de chômage correspondant à la stabilité des prix.

Taux de salaire : prix du travail par unité de temps.

Taux d'escompte : taux d'intérêt fixé par la banque centrale sur les prêts accordés aux membres de l'Association canadienne des paiements.

Taux d'inflation : taux, en pourcentage, auquel le niveau des prix augmente annuellement.

Taux d'intérêt : ratio de l'intérêt à la somme empruntée.

Taux marginal d'imposition : partie du revenu supplémentaire consacrée à l'impôt (TMI = $\Delta I / \Delta Y$).

Taux marginal de substitution : taux auquel le consommateur accepte de substituer un bien pour un autre sans que sa satisfaction n'en souffre. Mathématiquement, pente d'une courbe d'indifférence.

Taxe d'accise : droit imposé sur une marchandise déterminée.

Taxe de vente : taxe en pourcentage imposée sur le prix de vente d'une vaste gamme de marchandises.

Termes de l'échange : taux auquel un pays échange ses exportations contre ses importations.

Terrain : facteur de production incluant toutes les ressources naturelles.

Théorème de capacité excédentaire : hypothèse selon laquelle les entreprises, dans un contexte de concurrence imparfaite, connaîtront une capacité excédentaire lorsqu'elles sont en équilibre.

Théorème du budget équilibré : hypothèse selon laquelle le multiplicateur de budget équilibré égale 1 dans le modèle keynésien simple.

Théorie : hypothèse vérifiable, relative aux liens entre les variables.

Théorie de la productivité marginale : principe selon lequel l'emploi devrait atteindre le point d'égalité du revenu marginal et du taux de salaire.

Théorie des prix : voir «microéconomie».

Théorie économique classique : ensemble des théories économiques pré-keynésiennes fondées sur l'hypothèse de la flexibilité des salaires et des prix, et menant à la conclusion d'un plein emploi automatique.

Théorie monétaire : étude de l'offre et de la demande de monnaie, et des effets de celles-ci sur l'économie.

Théorie quantitative de la monnaie : théorie selon laquelle la masse monétaire est directement proportionnelle au niveau de prix. Selon une version modifiée, elle est directement proportionnelle au revenu nominal.

Trappe de liquidité : situation où la courbe de préférence pour la liquidité devient parfaitement horizontale, c'est-à-dire que l'augmentation de la masse monétaire n'influe pas sur le taux d'intérêt.

Travail : facteur de production qualifié d'effort humain.

Troc : échange direct de biens et de services contre d'autres biens ou services (sans le recours à la monnaie).

Union douanière : entente entre pays afin d'éliminer les droits sur les biens échangés entre eux, et de conserver un droit commun avec le reste du monde.

Union économique : entente entre deux ou plusieurs pays afin d'abolir les restrictions relatives à la libre circulation de biens et de facteurs de production, et d'harmoniser les politiques économiques.

Utilité : satisfaction tirée de la consommation de biens et de services.

Utilité marginale : satisfaction additionnelle tirée de la consommation de l'unité supplémentaire d'un bien.

Utilité marginale décroissante : baisse de la satisfaction à mesure que sont consommées d'autres unités d'un bien.

Utilité totale : satisfaction totale tirée de la consommation d'un bien.

Valeur ajoutée : différence entre la production d'une entreprise et les intrants achetés à d'autres entreprises.

Variable : représentation de diverses valeurs.

Variable de stocks : montant existant à un moment donné.

Variable endogène : variable dont la valeur est déterminée à l'intérieur d'un modèle.

Variable exogène : variable déterminée par des facteurs externes au modèle considéré, mais qui influe sur les variables du modèle.

Vitesse de circulation (de la monnaie) : nombre de fois, en moyenne, où une unité monétaire est dépensée au cours d'une période donnée.

Zone de libre-échange : entente entre deux ou plusieurs pays afin d'éliminer les droits entre eux; chaque membre conserve toutefois ses propres droits sur les biens des pays non-membres.

INDEX